Statistische Physik

Hermann Schulz

Statistische Physik

beruhend auf Quantentheorie
Eine Einführung

Verlag
Harri
Deutsch

Hermann Schulz, Hochschuldozent
Geboren 1938 in Zittau, Promotion 1970 bei W. Brenig in München
1973–2000 am Institut für Theoretische Physik der Universität Hannover
Arbeitsgebiet: QCD bei hoher Temperatur
E-Mail: hschulz@itp.uni-hannover.de

Verlag Harri Deutsch
Gräfstr. 47
60486 Frankfurt

www.harri-deutsch.de/verlag/
verlag@harri-deutsch.de
Fax: 069 77 01 58 69

Bibliografische Information Der Deutschen Bibliothek

Die Deutsche Bibliothek verzeichnet diese Publikation in der Deutschen Nationalbibliografie; detaillierte bibliografische Daten sind im Internet über ⟨ http://dnb.ddb.de ⟩ abrufbar.

ISBN 3-8171-1745-0

1. Auflage 2005

Druck: betz-druck GmbH, Darmstadt
Printed in Germany

Vorwort

Die Statistische Physik ist ein altehrwürdiges und faszinierendes Gebiet, vor allem aber ein sehr großes. Weil man grob gesprochen alles warm machen kann, vom Universum bis zum Atomkern, könnte die Statistik in jedem Anwendungsbereich der Physik ein Zuhause haben. So ist es aber nicht ganz. Damit nämlich das „Zuhause“ die Erwärmung verträgt, muß es ein quantenmechanisches sein. Es ist dem Siegeszug der Quantentheorie zuzurechnen, daß Quantenstatistik konsequent durchführbar ist. Die sogenannte klassische statistische Physik hingegen, die geht gar nicht. Meist bleibt sie nur unvollständig, aber bei manchen Systemen versagt sie völlig.

Unter dem Umfang der Thematik scheinen die einschlägigen und guten Lehrbücher allesamt ein wenig zu leiden. Notorisch gerät die Fülle der Beispiele und Anwendungen in Konflikt mit der zeitlichen Enge eines Semesters. Dagegen darf sich ein Studienbuch wohl etwas mehr Freiheiten einräumen. Es kann dem Motto „weniger ist mehr“ folgen und zum Beispiel den Anfangsgründen besonderen Wert beimessen. Möglicherweise sind es nämlich bereits die Grundlagen, bei denen sich die Schwierigkeiten häufen. Ein Studierender hat wenig Zeit für tiefsinniges Nacharbeiten, und mitunter bleibt ihm dadurch — wie schade — die gesamte Statistische Physik ein wenig fremd.

Der vorliegende Band geht auf Vorlesungen und zugehörige Übungen zurück. Seine Konzeption ist also getestet worden. So wird beispielsweise die Summenformel für die Entropie, $S = -\sum p \ln(p)$, als ordnendes Element benutzt. Sie trifft in *jedem* Ensemble zu. Auch *kleine* Systeme kann man an den Ofen halten, woraufhin insbesondere einfache Übungen möglich werden. Eine Boltzmann–Konstante gibt es nicht (sie ist Eins), und die Temperatur ist ein Parameter mit Dimension Energie, denn als solcher erleichtert er das Verstehen vieler Zusammenhänge. Übungsaufgaben sind direkt in den Text eingestreut und stets mit kurzen Lösungen versehen — à la Landau sozusagen. Sie sind eng mit dem Stoff verwoben. Manchmal wird im späteren Text auf deren Resultate verwiesen.

Eine weitere Buch–Eigenart braucht etwas Erklärung. Heutzutage wird viel gearbeitet. Die Teilgebiete der Physik wachsen, werden anstrengender und intelligenter. Kaum versteht man noch, was „die da drüben im Nebentrakt“ eigentlich treiben. Die Einheit der Physik ist von babylonischer Zersplitterung bedroht — wo es doch nur eine Natur gibt, also auch nur eine Physik. Sobald sich beim Entstehen dieses Buches solche Gedanken einstellten, wurde ihnen recht hemmungslos Rechnung getragen. So ist den meisten Themen eine quantenmechanische „Fadenaufnahme“ vorangestellt, sei es nun Rekapitulieren für die einen oder Neuigkeit für die anderen, dienlich hoffentlich allemal.

Quantentheorie lebt von ihren Anwendungen. Statistische Physik ist eines ihrer Anwendungsgebiete. Sich vom Gewinn an Erklärungen der Realität faszinieren zu lassen, ist die normale Haltung. Anwendungen zu studieren kann aber auch „rückwärts“ als Vertiefung angesehen werden, nämlich des Verstehens der Quantennatur der Welt. Es ist ein etwas verwegener Gedanke, aber verboten ist er nicht.

Die übliche Unterteilung der Theoretischen Physik in M (Mechanik), ED (Elektrodynamik), QM (Quantenmechanik) usw. wird vermutlich meist vertikal gesehen: immer höher hinauf. Es hat jedoch einiges für sich, die Gebiete wie in nachstehendem Diagramm anzuordnen.

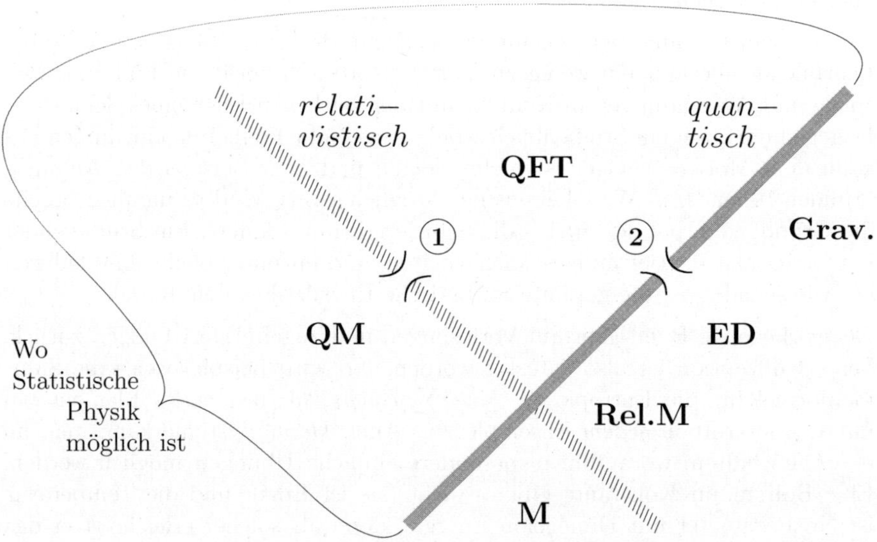

Wird der schraffierte Graben überquert, so wird die zuvor betriebene Physik relativistisch richtig. Jenseits der dunklen Diagonalen — einer tiefen Schlucht, schwieriger zu bewältigen — liegen die grünen Gefilde quantentheoretisch richtiger Physik. Hier haben die Statistiken ihren Lebensraum. Auf die zwei numerierten Übergänge wird im Text verwiesen werden. Die Brücke ① liegt ganz im Inneren des statistischen Weidelandes. Sie wird im

§ 7.4 explizit überschritten (Dirac–Gleichung). Der Zugang ② wird im § 8.1 geschaffen (Strahlungsfeld–Quantisierung). Er führt von einer statistisch absurden Situation (divergierende Energie des Strahlungs–Hohlraumes) in eine heile Welt.

Zugegeben, in der Figur liegt auch etwas Bosheit verborgen. Sind im Studium M, ED und QM bewältigt worden, vielleicht sogar je mit Anwendungsbereichen, dann kommt das Diagramm daher wie eine Hiobs–Botschaft: „Oh, mir fehlt ja noch völlig der vierte Quadrant!“ Es ist ein heilsamer Schrecken. Will das Studium der Physik modern bleiben, so wird es sich wohl hin und wieder straffen und auf grundsätzlich zu Leistendes besinnen müssen.

Für die kritische Durchsicht von Teilen des Manuskriptes möchte ich F. Göhmann, J. Reinbach, M. Reuter und A. Ziegler herzlich danken, ebenso Frau B. Cirksena für Korrekturen querbeet. Wie schon bei anderer Gelegenheit ließ es sich mit dem Verlagshaus Harri Deutsch trefflich kooperieren. Von dort sorgte insbesondere K. Horn für gute Laune und für Sicherheit bei allen Allgemeinheiten und Feinheiten, wie sie beim Entstehen eines Buches zu beunruhigen pflegen. Dem Verlag Oldenbourg danke ich für die freundliche Erlaubnis, den nachstehenden Auszug hier wiederzugeben.

Hannover, im Januar 2005 *H. Schulz*

Ch. Kittel und H. Krömer, *Physik der Wärme*
Oldenbourg München 1993, 4. Aufl., aus dem Vorwort:

„Eine *korrekte* statistische Darstellung *muß* aber von Anfang an auf den Begriffen der Quantenzustände eines jeden physikalischen Systems aufgebaut werden, statt den traditionellen Versuch zu unternehmen, eine „klassische“ statistische Thermodynamik zu konstruieren, die auf der klassischen Mechanik beruht. Letzten Endes geht das einfach nicht: Selbst das „klassische ideale Gas“ hat eine Entropie, die die Planck'sche Konstante enthält und die sich damit *per definitionem* klassisch nicht erklären läßt: Ohne Quanten–Begriffe gibt es keine diskreten und damit abzählbaren Zustände und ohne abzählbare Zustände bleibt die Entropie unverständlich.

... alle Bewunderung für Boltzmann ist kein Grund, 90 Jahre nach Planck's Einführung des Quantenbegriffes noch weiter so zu tun, als gäbe es eine „klassische“ statistische Thermodynamik – besonders, wenn man erkennt, daß die ganze Theorie *viel* einfacher wird, wenn man es von Anfang an richtig macht ... “

Inhalt

Teil I : Grundlagen

Teil II : Anwendungen

Teil I

Grundlagen

1 Entropie

Statistik ist das Verwalten eines Mangels, nämlich des Mangels an Information. So ist sie denn in vielen Gebieten zu Hause wie z.B. der Soziologie, der Wirtschaft, Biologie oder Meteorologie und so weiter. Volle Information ist dort oft gar nicht erwünscht und würde nur in das Unglück stürzen, selbige auch zu sichten und auszuwerten. Die Kunst besteht darin, aus wenig Information, wenigen Vorgaben, die Antwort auf wenige pauschale Fragen zu erlangen.

In der Statistischen Physik ist es nicht anders. Sie umfaßt alles, was in der Natur trotz Informationsmangel erklärt werden kann. Sofort ist jedoch dieses Wort „Natur" stark einzuschränken. Soziologie, wiewohl ja irgendwie zur Natur gehörend, liegt derzeit weit, weit außerhalb der Reichweite der Physiker. Wir ergründen das thermische Verhalten von Systemen, welche quantenmechanisch bereits verstanden *sind* (meist zuerst in modellhaft vereinfachten Versionen, gefolgt von Verbesserungen in Richtung Realität, Einbau von Störungen usw.). Das System zu kennen, geht seiner Erwärmung voraus. So ist ja auch beim Würfel zuerst nachzusehen, wie die sechs Flächen bemalt sind, ehe zur Häufigkeit einer Eins etwas vorhergesagt werden kann. Abgesehen von Vorgaben soll das Resultat einer *ab initio* Rechnung nur noch Naturkonstanten enthalten. Vorgaben sind beim Halbleiter die Bandstruktur und die Temperatur, und wir fragen nach so kollektiven Größen wie Leitfähigkeit und spezifischer Wärme. Wenige Vorgaben, wenige Fragen, das paßt zusammen.

Die Entropie ist eine dimensionslose Zahl, welche (als Maß für Informationsmangel) gebildet werden kann, sobald Wahrscheinlichkeiten vorliegen. Hieran läßt sich bereits erahnen, daß beide Begriffe, Entropie und Wahrscheinlichkeit, noch nichts speziell Physikalisches sind. Aber beide regieren durchgehend alle Kapitel dieses Buches.

1.1 Wahrscheinlichkeiten

Bei einem Zufallsspiel (Roulett, Lotto, Karten, Würfel, Münzwurf) mögen sich g Resultate ergeben können: $\nu = 1, 2, 3, \ldots g$. Beim Würfel ist $g = 6$, und der Münzwurf hat $g = 2$. Die Wahrscheinlichkeit p_ν dafür, daß Ereignis ν eintritt, ist die durch 100 geteilte Prozent–Angabe. Bei der Münze fallen Zahl und Adler mit $p_{\text{Zahl}} = 1/2$ beziehungsweise mit $p_{\text{Adler}} = 1/2$. Ein Würfel — sofern er „ideal", d.h. nicht manipuliert ist — zeigt die Sechs mit $p_6 = 1/6$. Prozent–Angaben müssen sich zu 100 addieren, Wahrscheinlichkeiten also zu 1.

Wahrscheinlichkeiten sind meßbare Größen. Wenn wir daran zweifeln, daß ein Würfel ebenmäßig und innen homogen hergestellt wurde, dann haben wir den Lederbecher „unendlich oft" zu bedienen (in praxi z.B. N mal) und zu notieren, wie oft (N_1 mal) die 1 fällt, und die 2 und so weiter:

$$p_\nu = \left[\frac{N_\nu}{N}\right]_{N\to\infty} \quad \curvearrowright \quad \sum_{\nu=1}^{g} p_\nu = 1 \ . \tag{1.1}$$

Es ist übrigens egal, ob man wirklich nacheinander $N = 1000$ mal den Becher schwingt oder ob man einen Sack mit 1000 identisch hergestellten solchen Würfeln auf dem Parkett einer Turnhalle entleert. „Messen" heißt hier, bei jedem Würfel nachzusehen, welche Zahl obenauf liegt. Die Frage, wie gut sich schon nach 1000 Würfen ein Betrug des Herstellers nachweisen läßt, lassen wir vorerst beiseite (siehe z.B. [*PB*, § 14.1]). Viel wichtiger ist es, daß wir uns $N = \infty$ *denken* können.

Ensemble

Ein statistisches Ensemble ist die (gedachte) Gesamtheit unendlich vieler, gleich präparierter, identischer Systeme. Mitunter ist im konkreten Falle darüber nachzudenken, genau welches System gemeint ist und was „gleich präparieren" heißt (man versuche, es zu *sagen*). Beim Würfel–Ensemble heißt präparieren, den Lederbecher gründlich zu schütteln, auf den Tisch zu kippen und zu warten, bis nichts mehr darin klappert. Bei einem Quantensystem kann ein ganz bestimmter Zustand ψ präpariert werden. Es ist aber auch denkbar, daß aufgrund schwächerer Präparierung mehrere ψ's mit gewissen Wahrscheinlichkeiten vorliegen. Statt vom „statistischen Ensemble" wird übrigens gern auch von einer „statistischen Gesamtheit" gesprochen: kein Unterschied.

Erst wenn (in Gedanken) das volle Ensemble vorliegt, kann man (in Gedanken) seine g Wahrscheinlichkeiten p_ν messen. Sie sind erst dann wohldefiniert. Wir können sagen, jedes einzelne p_ν sei ein Ensemble–Charakteristikum. Bald lernen wir weitere Ensemble–Charakteristika kennen.

Wahrscheinlichkeiten erscheinen gern in einer Summe oder als Linearkombination oder als Produkt. Eine Summe entsteht beispielsweise, wenn mehrere Ereignisse zu einem einzigen erklärt werden. Mit welcher Wahrscheinlichkeit zeigt der ideale Würfel eine Zahl > 4? — mit $p_{>4} = p_5 + p_6 = 1/6 + 1/6 = 1/3$. Beispiel für Linearkombination sind die Mittelwerte, siehe (1.3). Beispiele für Produkt entstehen bei nur–wenn–dann–Fragen. Nur wenn das Wenn–Ereignis zutrifft (mit Wahrscheinlichkeit p_{wenn}), zählt das Dann–Ereignis (Wahrscheinlichkeit p_{dann}): Resultat $p = p_{\text{wenn}} \cdot p_{\text{dann}}$. Zwei Würfel im Becher, einer rot, einer gelb. Nach N

Würfen ist $N_5 \approx p_{\text{rot }5} N$ mal die rote Fünf gefallen. Aber erst nach N'–facher Wiederholung des Ganzen ($N \cdot N'$ Würfe insgesamt) findet sich zu jeder roten Fünf auch noch $N_2' \approx p_{\text{gelb }2} N'$ mal die gelbe Zwei ein:

$$p_{\text{rot 5 und gelb 2}} = \left[\frac{N_5 \cdot N_2'}{N \cdot N'} \right]_{N,N' \to \infty} = p_{\text{rot 5}} \cdot p_{\text{gelb 2}} \ . \tag{1.2}$$

Man darf sich entspannen: „Es ist wie beim $\frac{1}{6} \cdot \frac{1}{6}$ dafür, daß bei idealem Würfelpaar zwei Sechsen fallen". Bei (1.2) dürfen die beiden Würfel auch „gezinkt" sein. Taucht die Frage nach Summe oder Produkt in irgendwelcher schlimmen Physik auf, so denke man stets an ihr Analogon bei Würfelspielen.

Übung 1/1 Zwei ideale Würfel im Lederbecher. Mit welcher Wahrscheinlichkeit p wird das Resultat mindestens eine Sechs enthalten?

Lösung $p = \frac{1}{6} \cdot 1 + \left(1 - \frac{1}{6}\right) \cdot \frac{1}{6} = \frac{11}{36}$. Oder: $p = \frac{1}{6} \cdot \frac{1}{6} + \frac{1}{6} \cdot \left(1 - \frac{1}{6}\right) + \frac{1}{6} \cdot \left(1 - \frac{1}{6}\right)$.

Übung 1/2 Auf b Pfählen einer Hafenanlage sitzen a <u>un</u>unterscheidbare Seemöwen, $b \geqslant a$. Ab und zu wechseln sie ihren Platz. Das geschieht sehr selten — und niemals, wenn man gerade hinschaut. Wie viele mögliche Anordnungen g der Möwen gibt es? Mit welcher Wahrscheinlichkeit p sind von links an die ersten a Pfähle besetzt? Mit welcher Wahrscheinlichkeit q sitzen die Möwen in einer (egal wo beginnenden) Reihe?

Lösung b Möglichkeiten für die erste Möwe, $b-1$ für die zweite, $b-a+1$ für die letzte. In diesen $\frac{b!}{(b-a)!}$ Möglichkeiten sind möwenvertauschte Anordnungen fälschlich separat gezählt. Darum $g = \frac{b!}{(b-a)!\,a!} =: \binom{b}{a}$, denn in jeder dieser g Anordnungen kann man $a!$ fach Möwen vertauschen. $p = 1/g$. $q = p \cdot (b-a+1)$. Dies im Falle $b = 3$, $a = 2$ kontrollieren?!

Übung 1/3 Zahlenlotto. Zum Spiel „ a aus b " ist $p_c = \frac{\binom{a}{c}\binom{b-a}{a-c}}{\binom{b}{a}}$ die Wahrscheinlichkeit, c Richtige zu haben ($c < a < b$). Wie kommt das heraus?

Lösung Zu $c = a$ trifft Übung 1/2 zu: $p_a = 1/\binom{b}{a}$. Aus den a Richtigen c herauszugreifen, und aus $b-a$ Falschen die restlichen $a-c$, das gibt im Produkt die beiden Möglichkeits–Anzahlen im Zähler.

a priori

Offenbar kennt man mitunter alle Wahrscheinlichkeiten, ohne die unendlich vielen Messungen an jedem System des Ensembles vorgenommen zu haben. Sie sind *a priori* bekannt. Wenn es keinen physikalischen Grund gibt, ein Ereignis vor den anderen auszuzeichnen, dann *sind* alle g Ereignisse gleich wahrscheinlich, d.h. sie haben $p_\nu = 1/g$ für alle ν. Noch einmal und etwas mehr „physikalisch“: Wenn es bei der Präparierung eines Systems keinen Mechanismus (keinen Term im Hamilton–Operator) gibt, welcher ein Resultat einer (quantenmechanischen) Messung vor den anderen zu bevorzugen vermag, dann *sind* diese Resultate gleich wahrscheinlich. Wir kommen hierauf zurück.

Wie die Übungen zeigen, lassen sich aus *a–priori*–Wahrscheinlichkeiten flugs auch allerlei andere (zu anderen Fragestellungen) erhalten. Das ist hübsch. Es macht durstig. Wir werden diese Möglichkeit mit Leidenschaft weiter verfolgen. So — wie denn sonst? — wird es möglich sein, den Einstieg zur Statistischen Physik sehr handfester (kleiner oder auch großer) Systeme zu finden.

Mittelwerte

Unter die Charakteristika eines Ensembles gehören insbesondere Mittelwerte aller Art. Es sind arithmetische Mittel. Die mittlere Körpergröße Ihrer 5–köpfigen Familie ist $(\text{Größe}_1 + \ldots + \text{Größe}_5)/5$. Die mittlere Augenzahl eines idealen Würfels ist $\langle\nu\rangle = (1+2+\ldots+6)/6 = 3.5$. Bei einem gezinkten Würfel müssen wir bereits auf sein Ensemble zugreifen und $\langle\nu\rangle = \left[(N_1\cdot 1 + \ldots + N_6\cdot 6)/N\right]_{N\to\infty} = \sum_\nu p_\nu\cdot\nu$ bilden. Statt die mittlere Augenzahl interessant zu finden, können wir dem „Zustand“ ν des Würfels auch irgendeine andere Größe zuordnen, wie zum Beispiel ν^2 : $\langle\nu^2\rangle = \sum_\nu p_\nu\cdot\nu^2$. Genug der Beispiele. Sehr allgemein (merken?!) können wir schreiben

$$\begin{pmatrix}\text{Mittelwert}\\ \text{einer System–}\\ \text{Eigenschaft}\end{pmatrix} = \sum_\nu p_\nu\cdot\begin{pmatrix}\text{diese Eigenschaft,}\\ \text{die das System hat,}\\ \text{wenn es im Zustand } \nu \text{ ist}\end{pmatrix}$$

$$\text{oder:}\qquad \langle A\rangle := \langle A_\nu\rangle = \sum_\nu p_\nu\, A_\nu \quad . \tag{1.3}$$

Ordnen Sie jedem ν die gleiche Zahl C zu, so entsteht $\langle C\rangle = \sum_\nu p_\nu C = C$ mit Spezialfall (1.1). Ohne die obere Summengrenze werden unsere Formeln etwas schlanker: man weiß doch stets, bis wohin (beim Würfel bis $g = 6$, bei physikalischen Systemen oft bis ∞).

Die mittlere quadratische Abweichung ΔA einer Größe A vom Mittelwert, die **Schwankung** von A, wird — sehr wortgetreu — definiert durch

$$\begin{aligned}\Delta A &:= \sqrt{\langle\, (A_\nu - \langle A\rangle)^2\,\rangle}\\ &= \sqrt{\langle\, A_\nu^2 - 2A_\nu\langle A\rangle + \langle A\rangle^2\,\rangle} = \sqrt{\langle A_\nu^2\rangle - \langle A\rangle^2}\quad .\end{aligned} \tag{1.4}$$

Übung 1/4

Ein gezinkter Würfel habe $p_2 = \ldots = p_5 =: p$, $p_6 = 2p$ und $p_1 = p/2$.
(a) $p = ?$ $\langle \nu \rangle = ?$ und $\Delta\nu = ?$

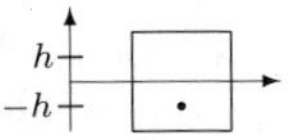

(b) Obige Asymmetrie beruhe darauf, daß der Schwerpunkt um h näher an der mit „1“ bemalten Fläche liegt, welche der „6“ gegenüber liegt. Welche mittlere potentielle Energie $\langle V \rangle$ hat der Würfel? Ein Blick voraus auf Bild 1–3 (d) ist nicht verboten.

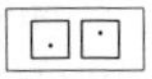

(c) Finden Sie ein Argument (z.B. anhand nebenstehender Figur), weshalb Schwerpunktabsenkung stets $p_1 = p^2/p_6$ zur Folge hat.

Lösung

(a) $p = \frac{2}{13}$, $\langle \nu \rangle = \frac{53}{13}$, $\langle \nu^2 \rangle = \frac{253}{13}$, $(\Delta\nu)^2 = \langle \nu^2 \rangle - \langle \nu \rangle^2 = \frac{480}{169}$, $\Delta\nu \approx 1.69$.
(b) x–Achse durch Würfelzentrum, $\langle V \rangle = p_1 \cdot mgh + p_6 \cdot (-mgh) = -\frac{3\,mgh}{13}$.
(c) Schwer! Der skizzierte Zustand eines Zwei–Würfel–Systems hat potentielle Energie Null, der Zustand nach Zur–Seite–Kippen beider Würfel ebenfalls. Es gibt keinen physikalischen (hier: energetischen) Grund, die beiden Zustände zu unterscheiden, also ist $p_1 \cdot p_6 = p^2$. — Weiche Knie? Im Kapitel 3 wird die Überlegung unglaublich einfach werden und die Gestalt „ $\frac{1}{Z}\mathrm{e}^{-\beta mgh} \cdot \frac{1}{Z}\mathrm{e}^{\beta mgh} = \frac{1}{Z} \cdot \frac{1}{Z}$ “ annehmen.

Einem Würfel lassen sich viele Flächen anschleifen. Ist er gar rund geschliffen (runder Bleistift), dann liegen die Ereignisse kontinuierlich dicht — wie auch manche Meßwerte an einem Quantensystem. Da dann der Index ν eine kontinuierliche Variable ist, hat nur noch die Frage einen Sinn, mit welcher Wahrscheinlichkeit $p_{\nu \text{ in } (\nu,\nu+d\nu)}$ der Index ν in einem $d\nu$–Intervall erhalten wird. Sie wird zur Intervallgröße proportional sein. Der Proportionalitätsfaktor $P(\nu)$ heißt **Wahrscheinlichkeitsdichte**:

$$p_{\nu \text{ in } (\nu,\nu+d\nu)} =: d\nu\, P(\nu) \quad \curvearrowright \quad \langle A(\nu) \rangle = „\sum p_\nu A_\nu“ = \int d\nu\; P(\nu)\, A(\nu) \quad , \qquad (1.5)$$

denn Integral *ist* Summe. Ein eindimensional in $(-a, a)$ harmonisch mit ω schwingender Massenpunkt kann in dx mit $p = dt/(T/2)$ blind aufgegriffen werden, wobei T die Periode und dt die zum Durcheilen von dx benötigte Zeit ist: $dt = dx/(\omega\sqrt{a^2 - x^2}\,)$ aus Energiesatz. Also ist $P(x) = 1/(\pi\sqrt{a^2 - x^2}\,)$ seine klassische Wahrscheinlichkeitsdichte für Ortsmessung. Sie ist per Konstruktion auf $\int_{-a}^{a} dx\; P(x) = 1$ normiert, wie gemäß (1.5) erforderlich.

Übung 1/5

Ein Teilchen (m) schwingt 1D im Potential $V(x) = V_0 \ln(|x|/a)$ zwischen a und $-a$ hin und her — mit welcher Periode $T = ?$ $P(x) = ?$

Lösung

$E = V(a) = 0$, E–Satz: $T = 4\sqrt{\frac{m}{2}}\,\int_0^a dx\; 1/\sqrt{-V_0 \ln(x/a)}$, Subst. $x = a\,\mathrm{e}^{-\tau^2}$, $T = 2a\sqrt{2m\pi/V_0}$. $P(x) = 2/(T|\dot{x}|) = 1/(2a\sqrt{\pi}\,\sqrt{-\ln(|x|/a)}\,)$.

1.2 Entropie $= -\sum p \ln(p)$

Es gibt noch viel mehr Ensemble–Charakteristika als nur die g Wahrscheinlichkeiten p_ν und die Mittelwerte (1.3). Alles, was sich aus den p_ν bilden läßt, ist selbst Ensemble–charakteristisch. Insbesondere kann man für die A_ν in (1.3) eine Funktion von p_ν wählen. Setzen wir z.B. $A_\nu = 1/p_\nu$, so kommt $\langle 1/p_\nu \rangle = g$ heraus — richtig, aber etwas langweilig. Auf den ersten Blick mag auch die folgende dimensionslose Bildung wie harmlose Spielerei aussehen:

$$S \;:=\; \left\langle \ln\left(\frac{1}{p_\nu}\right)\right\rangle \;=\; -\sum_\nu p_\nu \ln(p_\nu) \quad . \tag{1.6}$$

Es ist etwas Schönes, wenn eine bescheidene Definition alsbald zu großer Form aufläuft. (1.6) ist die **Entropie** der Informatiker (Informationsentropie)[1] *und* zugleich die der Physiker. Kaum kennen wir die Wahrscheinlichkeiten in einem der folgenden typisch physikalischen Ensembles, werden wir (1.6) befragen und die Entropie desselben erhalten.

Kein k_B

Erfahrene Leser werden vor dem Summenzeichen in (1.6) einen Vorfaktor k oder k_B vermissen, Boltzmann–Konstante genannt. Er fehlt, weil er *nirgends* benötigt wird und darum nur den Blick auf das Wesentliche von Gleichungen vernebeln würde. In hunderten von Publikationen zur Thermischen Feldtheorie gibt es kein k_B mehr. Allerdings scheint der Leitungsdraht von den Gebräuchlichkeiten in der Originalliteratur bis herunter zu den Hörsälen und Schulen einen großen Widerstand zu haben.

Gegen etwas Vorsicht ist an dieser Stelle nichts einzuwenden. Diese kaltherzigen Feldtheoretiker setzen ja, wie wir wissen, auch gern $\hbar = c = \varepsilon_0 = 1$. Das ist rentabel und gibt den Blick auf die wesentlichen Strukturen frei. Jedoch muß $\hbar$ im Spiel bleiben, wenn mit $\hbar \to 0$ gelegentlich noch der Grenzübergang zu klassischer Physik interessiert. c ist beizubehalten, sofern mit $c \to \infty$ auch nicht–relativistische Versionen interessieren. ε_0 ist beizubehalten, sofern noch Literatur im Gaußschen oder im SI–System angekoppelt bleiben soll. Für Beibehaltung von k_B gibt es hingegen *keinen* Grund. Stets bleiben für Vergleich mit „älterer“ Literatur die Ersetzungen $S = S_{\text{alt}}/k_B$ und $T = k_B T_{\text{alt}}$ problemlos möglich. Insbesondere gilt $T \cdot S = T_{\text{alt}} \cdot S_{\text{alt}}$ (wer gern „alt“ bleibt: $k_B = 1.38066 \cdot 10^{-23}\,\text{J/K}$). Sobald die Temperatur definiert ist, kann mehr dazu gesagt werden, wie es sich ohne k_B gut leben läßt, nämlich im § 2.2 um Gleichung (2.26) herum.

[1] Claude Shannon (1916–1984): „A mathematical theory of communication“ (Bell System Technical Journal, Vol. 27, 1948).

Fünf Eigenschaften

Bei den folgenden fünf Eigenschaften der Entropie stehen die Paragraphen 10 und 11 bei [*Brenig*] Pate. Jedoch wird hier jede Verunsicherung durch den bösen „Statistischen Operator“ (§ 3.2) vorerst tunlichst vermieden. Die Eigenschaften **1.** bis **3.** gelten für *jedes* Ensemble. Bei den restlichen zwei Eigenschaften spielt Gleichverteilung (alle $p_\nu = 1/g$) eine besondere Rolle.

1. Größer–gleich Null. S ist nicht–negativ, $0 \leqslant S$, denn wegen $p_\nu \leqslant 1$ bleiben alle $\ln(p_\nu) \leqslant 0$.

Wegen $\lim_{\varepsilon\to 0} \varepsilon \ \ln(1/\varepsilon) = \lim_{\tau\to\infty} \mathrm{e}^{-\tau}\tau = 0$ tragen einzelne verschwindende Wahrscheinlichkeiten nicht bei. Der tiefste S–Wert, also $S = 0$, wird bei „Sicherheit“ angenommen, d.h. wenn ein p_ν Eins ist und alle anderen Null.

2. *S* ist additiv. Dies meint, daß die Entropie eines aus zwei unabhängigen Teilsystemen I und II bestehenden Gesamtsystems schlicht die Summe der Teil-Entropien ist. Man zeige.

Teilsystem I erlaube g_I Resultate mit Wahrscheinlichkeiten p_ν, und System II habe g_II Resultate mit q_μ. Die Unabhängigkeit besagt, daß $p_{\nu\,\text{bei I und}\,\mu\,\text{bei II}} = p_\nu \cdot q_\mu$ ist und folglich

$$S = -\sum_{\nu=1}^{g_\mathrm{I}} \sum_{\mu=1}^{g_\mathrm{II}} p_\nu \cdot q_\mu \Big[\ln(p_\nu) + \ln(q_\mu) \Big] = S_\mathrm{I} + S_\mathrm{II} \quad , \quad \text{qed.} \tag{1.7}$$

Unordnung im Wohnzimmer plus Unordnung im Schlafzimmer plus ... gleich Unordnung der Wohnung. Wieso Unordnung? Oh, bei Eigenschaft **4.** lernen wir das ja erst.

3. Maximalwert. S hat einen größten Wert S_0. Er wird erreicht, wenn alle p_ν gleich sind, gleich $1/g$ also. Demnach ist $S_0 = \ln(g)$.

Um $S \leqslant S_0$ einzusehen, nutzen wir die aus Bild 1–1 hervorgehende Logarithmus–Eigenschaft $\ln(x) \leqslant x - 1$ aus, nämlich so:

$$\begin{aligned} S &= \sum_{\nu=1}^{g} p_\nu \left[\ln\left(\frac{1}{p_\nu\, g}\right) + \ln(g) \right] \\ &\leqslant \sum_{\nu=1}^{g} p_\nu \left[\frac{1}{p_\nu\, g} - 1 + \ln(g) \right] = 1 - 1 + \ln(g) = S_0 \quad , \quad \text{qed.} \end{aligned} \tag{1.8}$$

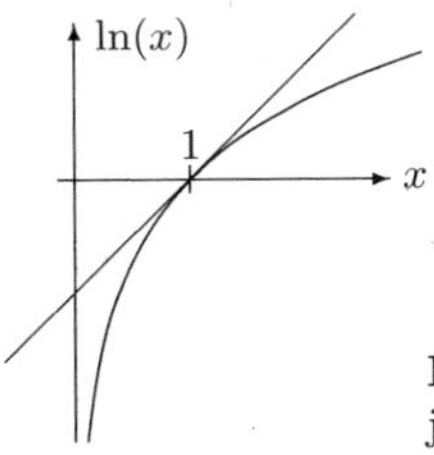

Bild 1–1: Die Werte des Logarithmus liegen überall unter jenen der Geraden $x - 1$, außer am Berührungspunkt $x = 1$.

Die folgenden zwei Eigenschaften betreffen den Fall, daß alle p_ν gleich sind, die Entropie also ihren maximalen Wert S_0 hat. Diesen Fall werden wir bald das „Mikrokanonische Ensemble" nennen.

4. Informationsmangel. $I := S_0 \,/\, \ln(2)$ ist gleich der (ggf. mittleren) Anzahl der Ja–Nein–Fragen, um bei optimaler Strategie den vorliegenden Zustand zu erfahren.

(a) Eine (ideale) Münze wurde geworfen. Wir können das Resultat nicht sehen. Nur Fragen, welche mit Ja oder Nein beantwortet werden können, sind erlaubt. Hier genügt eine solche Frage: „Liegt die Zahl oben ?". Bei Antwort Nein wissen wir, daß es der Bundesadler ist. Zu $p_{\text{Zahl}} = p_{\text{Adler}} = 1/2$ wird $S_0 = \ln(2)$ und $I = 1$. Eine Frage, $I = 1$: die Behauptung trifft zu.

(b) Auf einem Feld eines Schachbretts steht eine Figur. Es gibt $g = 64$ Möglichkeiten, also ist $S_0 = \ln(64) = 6\ln(2)$ und $I = 6$. In der Tat genügen 6 Fragen: 1. „Steht sie in der rechten Hälfte ?" 2. „in der unteren ?" 3. „in der rechten dieses Qudranten ?" 4. „in der unteren desselben ?" 5. „in der rechten des 4∗4–Feldes ?" 6. „oben ?".

(c) Zum idealen Würfel ist $I = \ln(6)/\ln(2) \approx 2.6$. In der Tat sind manchmal 3, manchmal 2 Fragen nötig. Mehr Hintergrund zur Spezialität dieses auf 2.6 führenden Mittels steht bei [*Brenig*]. Wir halten fest, daß — im alle–p–gleich–Falle — die Entropie (1.6) ein gesundes Maß für den Informationsmangel ist. Klingt das arg vornehm? Maß für Unordnung besagt das Gleiche.

5. Wie *S* zunimmt. Indifferente Erschütterungen aller Art treiben ein Ensemble ins **Gleichgewicht**.

Wir haben dieses gefährliche Wort bisher vermieden, zumal alle soweit betrachteten Ensembles „im Gleichgewicht" waren. Wir kennen mechanisches Gleichgewicht als Position von Massenpunkten, welche nach geringfügiger Vertreibung flugs (per Schwingung und Reibung) wieder eingenommen wird. Denken wir nun an unsere Billion idealer Würfel auf dem Parkett der Turnhalle. Ab und zu rattert draußen ein LKW vorbei und einige Würfel kippen um — ohne die Häufigkeiten zu ändern. Auch die Wärmebewegung von Fußboden und Luft bewirken (über entsprechend lange Zeit) das Gleiche, nämlich nichts. S ist gleich S_0 und bleibt es. Es können aber auch ruhig gezinkte Würfel den Boden füllen: nichts. Dreht aber ein Bösewicht über Nacht bei allen Würfeln die Eins nach oben, dann tut sich danach sehr wohl etwas im Laufe der Zeit. Es läßt sich also „Nicht–Gleichgewicht" herstellen.

Es hat keinen Sinn, bei einem einzelnen Würfel von Gleichgewicht zu reden (Warnung vor dem recht üblichen Terminus „System im Gleichgewicht"). Gleichgewicht ist eine Ensemble–Eigenschaft. Die Untat des genannten Bösewichts ist nicht strafbar. Er hat nämlich lediglich eine spezielle Präparierung durchgesetzt. Tritt sodann eine andere Präparierung in Kraft, welche mehr Freiheit läßt, so können wir (aus Sicht der letzteren) sagen, das Ensemble sei im Nicht–

Gleichgewicht und werde nun sein neues Gleichgewicht anstreben. Nichts dagegen, wenn hier der Leser an zwei Gase denkt, eines aus Atomen A, das andere aus Atomen B, zwischen denen eine Trennwand herausgezogen wird — mehr Freiheit. Nur ist uns dieses Beispiel hinsichtlich S–Zunahme im Moment noch viel zu schwer.

Die nächste Frage ist, wohin der Gang ins Gleichgewicht denn wohl führe. Nur für „ideale Würfel“ (= mikrokanonische Ensembles) gilt, daß es die Entropie ist, welche ihrem Maximum S_0 zustrebt. Bei gezinkten Würfeln ist es eine andere Größe (siehe Kapitel 5. Bestenfalls läßt sich noch reden von Entropie mit Nebenbedingungen). Bleiben wir also bei idealen Würfeln, am einfachsten bei zwei–flächigen, d.h. bei Münzen.

Eine Münze liegt mit Zahl nach oben auf dem Tisch. Das zugehörige Ensemble ist die Turnhalle mit lauter Eins–nach–oben–Münzen. Wegen $p_{\text{Zahl}} = 1$ und $p_{\text{Adler}} = 0$ hat es Entropie Null. In Zeitabständen dt erfolge eine Erschütterung (z.B. mit Hammer von unten gegen die Tischplatte), welche die Münze mit Wahrscheinlichkeit $dw =: \lambda\, dt$ umdrehe (egal, ob jene auf dem Tisch oder jede einzelne in der Turnhalle). Sei $p(t)$ die zur Zeit t vorliegende Zahl–nach–oben–Wahrscheinlichkeit und $q(t) = 1 - p(t)$ jene für Adler nach oben. Zu einer um dt späteren Zeit liegt dann die Wahrscheinlichkeit

$$p(t+dt) = p(t) - p(t)\cdot dw + \big[\,1 - p(t)\,\big]\cdot dw \tag{1.9}$$

vor. Teilen wir beide Seiten durch dt, dann entsteht eine Dgl für $p(t)$ mit Anfangsbedingung $p(0) = 1$. Und deren Lösung paßt daneben:

$$\dot{p} = \lambda\cdot(1-2p) \qquad \curvearrowright \qquad p(t) = \frac{1}{2}\Big(1 + \mathrm{e}^{-2\lambda t}\Big) \ . \tag{1.10}$$

Die Zahl–Wahrscheinlichkeit p sinkt also auf $1/2$ ab und $q = 1-p = \frac{1}{2}\left(1 - \mathrm{e}^{-2\lambda t}\right)$ wächst auf $1/2$ an. Für die Entropie $S = -p\ln(p) - q\ln(q)$ ergibt sich damit

$$\begin{aligned} S &= \ln(2) - \frac{1+\mathrm{e}^{-2\lambda t}}{2}\ln\left(1+\mathrm{e}^{-2\lambda t}\right) - \frac{1-\mathrm{e}^{-2\lambda t}}{2}\ln\left(1-\mathrm{e}^{-2\lambda t}\right) \\ &\doteq \begin{cases} -\lambda t \ln(\lambda t) + \lambda t + \mathcal{O}\left(t^2 \ln(t)\right) & (t \to 0) \\ \ln(2) - \frac{1}{2}\mathrm{e}^{-4\lambda t} + \mathcal{O}\left(\mathrm{e}^{-8\lambda t}\right) & (t \to \infty) \ . \end{cases} \end{aligned} \tag{1.11}$$

Den Verlauf dieser Funktion zeigt Bild 1–2.

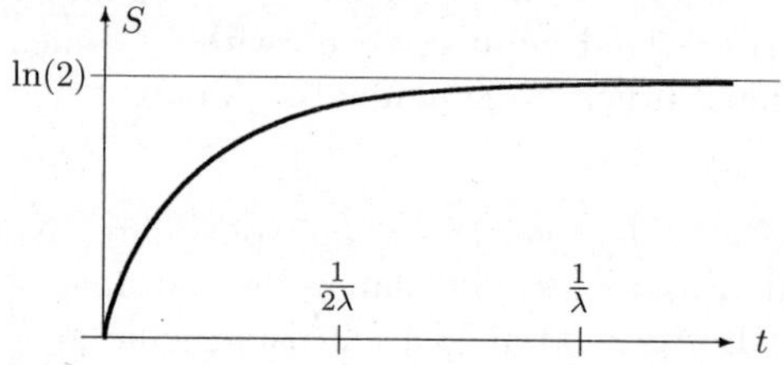

Bild 1–2: Zunahme der Entropie des Münz–Ensembles von Sicherheit ($t = 0$) bis Gleichgewicht ($t \to \infty$).

Übung 1/6

Ein idealer Würfel, bei $t = 0$ mit der Eins nach oben liegend, kippt alle dt mit Wahrscheinlichkeit $dw = \lambda\, dt$ um $\pi/2$ nach einer seiner vier Seiten. Welche drei Dgln für $p := p_1$, $q := p_2 = p_3 = p_4 = p_5$ und $k := p_6$ regieren die Dynamik dieses Systems? Mit Blick auf Normierung sollte $p + 4q + k$ eine Erhaltungsgröße sein. Ist es so? Das Dgl–System läßt sich lösen.

Lösung

$dp = -p \cdot dw + 4 \cdot q \cdot (dw/4)$ usw. gibt $\dot{p} = \lambda(q - p)$, $\dot{k} = \lambda(q - k)$, $4\dot{q} = \lambda(p + k - 2q)$, woraus in der Tat $(p + 4q + k)^\bullet = 0$ folgt. Mittels $p + k = 1 - 4q$ entkoppelt die q–Dgl zu $4\dot{q} = \lambda - 6\lambda q$, Anfangsbedingung $q(0) = 0$. Lösung des Dgl–Systems:
$q(t) = \frac{1}{6} - \frac{1}{6}e^{-\frac{3}{2}\lambda t}$, $p(t) = \frac{1}{6} + \frac{1}{3}e^{-\frac{3}{2}\lambda t} + \frac{1}{2}e^{-\lambda t}$, $k(t) = \frac{1}{6} + \frac{1}{3}e^{-\frac{3}{2}\lambda t} - \frac{1}{2}e^{-\lambda t}$.

1.3 Rückblick auf die Quantentheorie

Die klassische Physik ist falsch. Wir dürfen so sprechen, seit die Quantennatur der Welt gesicherte Erkenntnis ist — eine einzige signifikante Abweichung dingfest zu machen, führt zum Nobel–Preis. „Falsch“ heißt ja nicht, daß nun klassische Rechnungen verboten wären, zumal diese meist viel einfacher (ergo weitgehender) sind und Quantenkorrekturen mitunter wahrhaft winzig.

Die Statistische Physik braucht — und sei es nur, um $\sum p \ln(p)$ zu bilden — die Abzählbarkeit von Meßwerten. Meßwerte sind Eigenwerte hermitescher Operatoren. Liegen sie kontinuierlich dicht, so läßt sich stets eine geringfügige Systemabwandlung, eine *Einbettung*, derart finden, daß sie abzählbar *werden* (System in einen großen Kasten sperren oder periodisch schließen etc.). In Resultaten kann dann die Einbettung aufgehoben, d.h. zur ursprünglichen Physik zurückgekehrt werden. Das geht immer. Bei klassischer Physik geht es nicht. Daß sich manche Größen aus klassisch–physikalischen Betrachtungen richtig ergeben (Beispiel Maxwell–Verteilung) liegt nur daran, daß ihr quantenmechanisches Analogon glücklicherweise kein $\hbar$ enthält oder daß es im Limes $\hbar \to 0$ etwas Endliches liefert. Übrigens wollen wir von Quanten*mechanik* möglichst nur sprechen, wenn ihre $\hbar \to 0$–Version die Mechanik ist. Quanten*theorie* läßt auch elektromagnetische Felder ihre klassische Kindheit vergessen. Vielleicht wird einmal schlicht „Quantik“ üblich, weil kürzer besser ist.

Es wird jetzt spannend. Der Leser habe ein Semester Quantenmechanik bereits hinter sich und dabei halbwegs etwas verstanden. Solche Vorlesungen scheinen sehr verschieden auszufallen. Ein Semester reicht nicht aus, also blieb die Ihrige irgendwo zu kurz. Vielleicht war sie auch mehr technisch angelegt, sozusagen an einem „Halts Maul und rechne!“ [2] haarscharf vorbei. Hand aufs Herz, können Sie mit nicht allzu vielen Worten *sagen*, was Quantentheorie ist? Wir übertragen jetzt hemmungslos aus [*PB*, Kap. 16] die dortige

Quantenmechanik in Worten

Ein quantenmechanisches System ist in einem Zustand. Eine Bewegungsgleichung, gegebene Potentiale enthaltend, regiert die zeitliche Veränderung des Zustandes, gibt aber auch seine möglichen statischen Formen.	$\psi(\text{Variable}\,, t) \in \mathbb{C}$ $\mathrm{i}\hbar\dot{\psi} = H\,\psi$ $H\,\varphi = E\,\varphi$
Die Frage (makroskopisch klass. Meßapparat, Observable, A) ist im allgemeinen etwas anderes als die Antwort (Meßwert, a). Bei (bezüglich Zustand) unpäßlicher Frage kann man nur noch eine Wahrscheinlichkeit d a f ü r angeben (berechnen und per vielfacher Experiment–Wiederholung messen), daß ein bestimmter reeller Meßwert erhalten wird.	(1.12) $A\,\varphi_a = a\,\varphi_a$ $P_a = \lvert \int \varphi_a^* \psi \rvert^2$

Einverstanden? Kaum kommen nämlich zwei gestandene Quantenmechaniker über ihr Metier ins Gespräch, schon laufen sie Gefahr, sich über die Wahl von Worten zu streiten. Es gibt mehrere gängige „Interpretationen“. Im folgenden steht natürlich, pardon, die des Autors im Vordergrund. Sie läßt sich vielleicht mit drei Thesen grob umreißen.

1. *ψ ist.* Das, was wir auf dem Papier haben, den Träger sämtlicher Information über ein Elektron (ein Molekül, einen cm^2 Kupfer), das kann durch (wiederholte) Messungen (nicht nur einer Observablen) rekonstruiert werden. Das Elektron (Molekül, Kupfer) *ist* ψ.

2. Die Ortsdarstellung nimmt eine Sonderstellung ein. Wir leben in 3D. Darum und weil oft der Anschauung dienlich, lasse man bitte $\psi_{\dots}(x,t)$ einen Lebensraum — zu ungunsten eines ausschließlichen $\langle x|\dots,t\rangle$. Auch die Dirac–Schreibweise bleibt wertvoll, nämlich da, wo sie nützt.

3. Der Umstand, daß in der Quantentheorie zwei ganz verschiedene Verfahrensweisen kombiniert werden, nährt den Verdacht, sie sei irgendwie nicht fertig.

[2] Von wem dies stammt, bleibt unklar (s. N.D. Mermin in DIE ZEIT, Nr. 34 vom 12. 8. 2004).

Lösen der Schrödinger–Gleichung auf der einen Seite und Wahrscheinlichkeitsaussagen zum Meßprozeß auf der anderen — diese beiden Aspekte sind in (1.12) durch die dicke Horizontale getrennt. R. Penrose („Computerdenken“, Spektrum–Verlag 2002) unterscheidet das Verfahren **U** (unitäre deterministische Zeitentwicklung nach $i\hbar\dot{\psi} = H\psi$) vom Verfahren **R** (Reduktion des Zustandes bei Messung: das quantische Mysterium). Es ist nicht unredlich, darüber ein wenig unglücklich zu sein und die Möglichkeit offen zu halten, daß sich unsere Meßresultat–Vorhersage später einmal als Krückstock erweisen könnte. Besser können wir es zur Zeit nicht. Aber es funktioniert wirklich gut!

Sieben Postulate

Ein Rückblick auf ein Gebiet der theoretischen Physik muß deren Axiomatik an die Spitze stellen, die Postulate der entsprechenden Natur–Mathematik — so, wie zur Elektrodynamik die (mikroskopischen) Maxwell–Gleichungen zu notieren wären. Es gibt jetzt lediglich ein wenig mehr aufzuschreiben, s. z.B. [*Schiff*, § 10]. Bei den folgenden sieben Postulaten sind Unterteilung und Reihenfolge unerheblich.

> Die vollständige Information über ein Quantensystem ist in einer einwertigen Funktion $\psi(x\,,t) \in \mathbb{C}$ enthalten (dem Informationsträger). x ist ein Satz von Variablen, je eine für jeden Freiheitsgrad. In der Regel darf man $x = 1, 2, \ldots$ schreiben mit $1 :=$ Variablensatz des Teilchens 1 und so fort. (1.13)

> Jeder Observablen ist ein linearer hermitescher Operator A zugeordnet. Eine Tabelle solcher Zuordnungen ist Bestandteil dieses Postulates. Sie enthält u.a. (1.14)

Ort(1D)	X	Wirkungsweise $X\psi = x\psi$
Impuls (3D)	$\vec{p}$	$\vec{p}\,\psi = \frac{\hbar}{i}\nabla\psi$
Drehimpuls	$\vec{L}$	$\vec{L}\,\psi = \vec{r} \times \vec{p}\,\psi$
Parität (3D)	P	$P\psi(\vec{r}) = \psi(-\vec{r})$
und Energie	H	Wirkungsweise siehe (1.20)

> Mögliche Meßwerte sind die Eigenwerte von A, zu erhalten durch Lösen von $A\varphi_{a\nu} = a\varphi_{a\nu}$ unter Forderung nach Einwertigkeit, s. (1.13), und Normierbarkeit, s. (1.16). (1.15)

Die Eigenzustände von A sind zu normieren gemäß

$$\int dx\ \varphi^*_{a\mu}(x)\varphi_{b\nu}(x) = „\delta_{ab}\,\delta_{\mu\nu}“\ , \tag{1.16}$$

wobei „$\delta_{ab}\,\delta_{\mu\nu}$“ für $\delta(a-b)\,\delta_{\mu\nu}$, $\delta_{ab}\,\delta(\mu-\nu)$ oder $\delta(a-b)\,\delta(\mu-\nu)$ steht, wenn kontinuierliche Indizes beteiligt sind. Der tatsächliche Zustand ψ eines Systems werde stets auf Eins normiert: $\int dx\ |\,\psi(x)\,|^2 = 1$.

Die Wahrscheinlichkeit für Erhalt eines diskret liegenden Meßwertes a *und* die Wahrscheinlichkeitsdichte für kontinuierlich liegende Meßwerte a folgen der gleichen Formel:

$$P(a,t) = \sum_\nu |c_{a\nu}|^2 = \sum_\nu \left| \int dx\ \varphi^*_{a\nu}(x)\psi(x,t) \right|^2 \ . \tag{1.17}$$

Liegt ν kontinuierlich, so ist $\sum_\nu$ durch $\int d\nu$ zu ersetzen.

Bewegungsgleichung der Quantentheorie ist die zeitabhängige Schrödinger–Gleichung

$$\mathrm{i}\,\hbar\,\dot{\psi} \;=\; H\,\psi \quad , \tag{1.18}$$

wobei der Hamilton–Operator H als Bestandteil der Tabelle im Postulat (1.14) mit zu den Vorgaben gehört. Die Schrödinger–Gleichung gilt auch dann, wenn H von der Zeit abhängt.

Pauli–Prinzip: Unter Vertauschung der Variablensätze zweier identischer Teilchen ist

$$\psi(1,2,\ldots) \;=\; \mp\,\psi(2,1,\ldots) \tag{1.19}$$

zu verlangen: Minus für Fermionen, Plus für Bosonen.

Natürlich fällt die obige Struktur nicht vom Himmel. Sie wurde aus experimentellen Befunden herausdestilliert und in ihren Folgerungen tausendfach getestet, stets perfekt erfolgreich. Bei der Suche nach einer auf (1.13) bis (1.19) führenden Ratio könnte [*PB*, Kap. 16] helfen. Übrigens möge der Großbuchstabe P in (1.17) andeuten, daß es sich noch um rein quantische Wahrscheinlichkeiten handelt.

Auf den Inhalt von (1.13) bis (1.19) dürften sich die verschiedenen Interpretierer noch gut einigen können. Eine Aussage, daß *nach* einer Messung mit Resultat a das System im Zustand φ_a sei („Idealmessung"), fehlt hier, weil sie weder nötig noch richtig ist: [*Landau*, Bd. 3, § 7]. Manche Lehrbücher enthalten keine Postulate. Oft ist das Pauli–Prinzip nicht unverzüglich angefügt. Aber wenigstens überhaupt findet sich eine numerierte Axiomatik unter anderem in Cohen–Tannoudij u.a. „Quantenmechanik, Tl.1" (de Gruyter 1999), Galindo und Pascual „Quantum Mechanics I" (Springer 1991), [*Messiah*], [*Nolting 5/1*], [*Rollnik*] und [*Schwabl QM*].

Auf die Frage, welche Axiome denn nun dem Gebiet der Statistischen Physik voranstehen, ist zu antworten, daß sie eine solche Krone nicht hat. Sie ist Anwendungsgebiet der Quantentheorie. Was steht also oben? — die Postulate (1.13) bis (1.19). Natürlich hat das Anwendungsgebiet seine eigenen überragenden Weisheiten, welche eine Einrahmung verdienen, wie zum Beispiel die Entropie (1.6) oder später die kanonische Verteilung (3.4).

Auch die Quantenmechanik ist „falsch". Sie verletzt die Erfordernisse der Relativitätstheorie. Hat nun jemand mühsam die entsprechende nächste Stufe auf der Erkenntnis–Leiter erklimmt und Quantenfeldtheorie studiert, so fragt er sich, wo wohl die obigen Postulate entzwei gegangen seien oder modifiziert wurden. Nirgends. Die obige Grundstruktur der Quantenmechanik überlebt diese Ochsentour unbeschadet. Wie gut, daß wir uns um die Angabe von H herumgedrückt hatten, denn dieser Operator verwandelt sich (z.B. zum *Dirac Hamiltonian* etc.).

Zur nichtrelativistischen Quantentheorie, zur Quanten*mechanik* also, läßt sich zu H klar antworten. Sie arbeitet nämlich ausschließlich (!) mit dem Operator

$$H = \frac{1}{2m}\left(\vec{p} - q\vec{A}\right)^2 + q\phi \ . \tag{1.20}$$

bzw. (bei mehreren Teilchen) mit Summen solcher Operatoren, wobei dann ϕ auch Wechselwirkungen zwischen Teilchen enthält. $\vec{A}$ und ϕ sind Skalar– und Vektorpotentiale gegebener elektromagnetischer Felder, m die Masse des betrachteten Teilchens. Potentiale V sind in $q\phi$ enthalten, weil sie entweder tatsächlich elektrostatischer Natur sind (meist ist es so) oder weil sie elektrostatisch nachgestellt werden können. Von „Spin" wissen wir noch nichts (s. §§ 7.4 und 10.1), weil er ein relativistischer Effekt ist. (1.20) kommt heraus, wenn man von der Lagrange–Funktion $L = \frac{m}{2}v^2 - q\phi + q\vec{v}\vec{A}$ einer Ladung q in $\vec{E}$, $\vec{B}$ zur klassischen Hamilton–Funktion übergeht. Der Schritt zur Quantenmechanik besteht nun allein darin, den verallgemeinerten (!), kartesischen (!) Impuls $\vec{p}$ durch $\frac{\hbar}{i}\nabla$ zu ersetzen. Der Wert von „Quantisierungsregeln" steht also — einige Zeit lang — arg in Frage, solange sie denn nur die einzige Anwendung (1.20) haben.

Die folgenden Erinnerungen haben den Hintergedanken, Notationen festzuschreiben und zu üben. Ist H unabhängig von t, so hat das Anfangswertproblem von $i\hbar\dot{\psi} = H\psi$ die formale Lösung

$$\psi(x,t) = \mathrm{e}^{-\frac{i}{\hbar}Ht}\,\psi(x,0) \quad , \quad \psi(x,0) = \sum_{E,\nu} c_{E\nu}\,\varphi_{E\nu}(x) \ , \tag{1.21}$$

wobei die formale zur expliziten Lösung dadurch wird, daß man (wie rechts in (1.21) bereits geschehen) nach den Eigenfunktionen von H entwickelt. Die letzteren sind aus $H\varphi = E\varphi$ zu ermitteln. Dabei zeigt sich nachträglich, ob der Index ν (eine Basis im Entartungsunterraum numerierend) erforderlich ist:

$$H\,\varphi_{E\nu}(x) = E\,\varphi_{E\nu}(x) \quad , \quad \nu = 1\,,\,\ldots\,,\,g_E \ . \tag{1.22}$$

g_E ist der **Entartungsgrad** des Eigenwertes E.

Die E,ν–Indizierung von Eigenzuständen des Hamilton–Operators ist generell möglich und darum bei allgemeinen Betrachtungen von Vorteil. Abweichungen im konkreten Falle seien zwanglos erlaubt, wie etwa die n,ℓ,m–Indizierung zum H–Atom–Problem. Sobald die Dirac–Notation nützlich wird, werden wir mit $|\quad\rangle$ den allgemeinen abstrakten Hilbert–Vektor meinen (nichts drin!). Der Leerraum steht für alle Angaben bereit, welche einen bestimmten abstrakten Hilbert–Vektor charakterisieren (Beispiel: $|\,n,\ell,m\,\rangle$ für stationäre H–Atom–Zustände). Sind gelegentlich Operatoren, die in Ortsdarstellung wirken, von den im abstrakten Hilbert–Raum wirkenden zu unterscheiden, so bekommen die letzteren ein Dach. Also ist

$$|\,t\,\rangle = \mathrm{e}^{-\frac{i}{\hbar}\hat{H}t}\,|t{=}0\rangle \ , \ |t{=}0\rangle = |E,\nu\rangle\langle E,\nu|t{=}0\rangle \ , \ \hat{H}\,|E,\nu\rangle = E\,|E,\nu\rangle \tag{1.23}$$

die abstrakte Version der Gleichungen (1.21) und (1.22). Die Spektraldarstellung, siehe z.B. [*Rollnik*, (3.5.77)] oder [*Nolting 5/1*, (3.68)], eines hermiteschen Operators A lautet $\hat{A} = \sum_{a,\nu} |a,\nu\rangle\, a\,\langle a,\nu|$.

Auf (1.22) führt bekanntlich auch eine ganz andere Fragestellung, nämlich jene nach *formstabilen* Lösungen, $\psi(x,t) = \chi(t)\cdot\varphi(x)$, deren Phasenfaktor $\chi(t) = \mathrm{e}^{-iEt/\hbar}$ (weil x–unabhängig) physikalisch irrelevant ist. Ist ein System in einem solchen Zustand, so verweilt es darin ewig. Dieser Umstand macht ihn für die Statistische Physik sehr interessant. Rückblicke auf konkrete Quantensysteme folgen noch oft. Zum Abschluß dieses Kapitels erinnern wir nur noch an solche Details, welche unmittelbar im nächsten benötigt werden.

Zuständediagramm

Es ist unseren Zwecken sehr dienlich (insbesondere bei der Fermi–Verteilung in Kapitel 4), die Lösungen von (1.22) graphisch anzuordnen. In einem solchen „Zuständediagramm" werde neben einer Energie–Achse nach oben ein Gedankenstrich für jeden ν–numerierten Zustand angebracht: Bild 1–3. Horizontal erscheinen also so viele Strichlein, wie es zur entsprechenden Energie Basis–Zustände gibt.

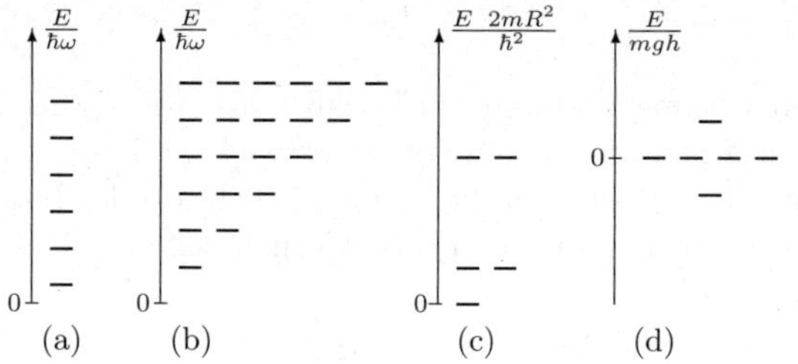

Bild 1–3 : Zuständediagramme
(a) 1D Oszillator,
(b) 2D Oszillator,
(c) Kreisring und
(d) der gezinkte Würfel von Übung 1/4

Die Energien $E = \frac{\hbar^2}{2m}(\frac{\pi}{L})^2(1+n)^2$ $(n = 0, 1, \ldots, \infty)$ eines 1D Kastens (Breite L) mit ∞ hohen Wänden sind nicht entartet, auch nicht jene eines 1D harmonischen Oszillators mit $H_x = -\frac{\hbar^2}{2m}\partial_x^2 + \frac{m}{2}\omega^2 x^2$ und $E = \hbar\omega\,(\frac{1}{2} + n)$. Aber schon zum 2D Oszillator mit $H = H_x + H_y$ und $E = \hbar\omega\,(\frac{1}{2}+\frac{1}{2}+n_1+n_2) =: \hbar\omega\,(1+n)$ (kartesisch separierend erhalten, $n = 0, 1, \ldots, \infty$) ist der nicht–triviale Entartungsgrad $g_n = 1 + n$ zu vermelden. Zum H–Atom wurde in Bild 1–4 — sündhaft vorgreifend — auch der $\frac{1}{2}$–Spin des Elektrons berücksichtigt. Jeder nur räumlich erhaltene Zustands–Gedankenstrich erscheint dadurch zweifach. Bei positiven Energien schließt sich ein Kontinuum an. Prompt geht das an–den–Ofen–Halten schief (und die etwa blindlings so gestellte Übungsaufgabe gründlich daneben), weil erst nach Einbettung des H–Atoms in einen Kubikmeter–Kasten die Zustände zu $E > 0$ abzählbar werden.

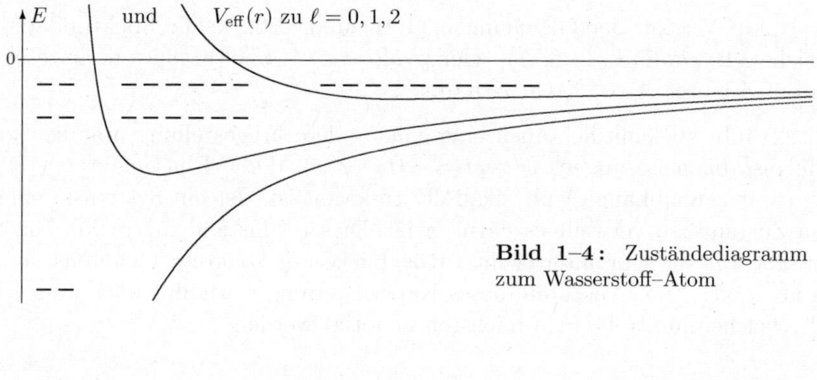

Bild 1–4 : Zuständediagramm zum Wasserstoff–Atom

Wir leben in drei räumlichen Dimensionen. Keineswegs sind daraufhin eindimensionale Quantenmechaniken etwa nur dazu da, handliche Übungsaufgaben zu liefern. Vielmehr tauchen sie genau dann in der 3D Welt auf, wenn nach Separation die beiden anderen Freiheitsgrade uninteressant werden, weil sie beispielsweise trivial lösbar sind. So ist der 1D Potentialtopf mit endlich hohen Wänden lediglich das Restproblem, wenn sich ein Elektron zwischen zwei ebenen Dipolschichten frei bewegen kann. Der Hamilton–Operator einer reduziert–dimensionalen Physik läßt sich stets aus (1.20) herleiten, indem man mit Potentialen $U(x) = U_0 \cdot \theta(x^2 - a^2)$, $U_0 \to \infty$, $a \to 0$, die Bewegung des Teilchens einschränkt. Das will geübt sein.

Übung 1/7 Wie ergibt sich aus $H = -(\hbar^2/2m)\Delta$ per Einbau einschränkender Potentiale U der Kreisring–Hamilton–Operator $H = -(\hbar^2/2\theta)\,\partial_\varphi^2$ — mit $\theta = ?$

Lösung Zylinderkoordinaten, $\Delta = \frac{1}{\rho}\partial_\rho \rho \partial_\rho + \frac{1}{\rho^2}\partial_\varphi^2 + \partial_z^2$. Addition von $U(R-\rho) + U(z)$ gibt $\left(H^{(\rho)} + H^{(\varphi)} + H^{(z)}\right)\psi = E\psi$, wobei $H^{(\rho)} = -\frac{\hbar^2}{2m}\frac{1}{\rho}\partial_\rho \rho \partial_\rho + U(R-\rho)$, $H^{(\varphi)} = -\frac{\hbar^2}{2m}\frac{1}{\rho^2}\partial_\varphi^2 \to -\frac{\hbar^2}{2m}\frac{1}{R^2}\partial_\varphi^2$ und $H^{(z)} = -\frac{\hbar^2}{2m}\partial_z^2 + U(z)$.
Separation per $\psi = f(\rho)\cdot\chi(\varphi)\cdot g(z)$ entkoppelt dies zu $H^{(\varphi)}\chi = E^{(\varphi)}\chi$, $H^{(\rho)} f = E_0^{(\rho)} f$, $H^{(z)} g = E_0^{(z)} g$, denn wegen riesig werdender E–Differenzen im z– und ρ–Problem darf deren Grundzustand unterstellt werden. Übrig bleibt $-\frac{\hbar^2}{2m}\frac{1}{R^2}\partial_\varphi^2\chi = (E - E_0^{(\rho)} - E_0^{(z)})\,\chi = (\text{neues } E)\,\chi$, und es ist $\theta = mR^2$.

Übung 1/8 Entartungsgrade. (a) Ein Teilchen (m) ohne Spin befindet sich im 3D Würfelkasten (Kante L), unendlich hohes Potential außerhalb des Kastens. Welchen Entartungsgrad g hat der H–Eigenwert $E = (\hbar^2/2m)(\pi/L)^2 \cdot 14$?

(b) Ein 3D Oszillatorpotential (ω) enthält zwei unterscheidbare, nicht-wechselwirkende, spinlose Teilchen gleicher Masse m. Wie hoch (g=?) ist die Energie $E = 5\,\hbar\omega$ entartet ?

(c) Zur H–Atom–Energie $E \sim -1/n^2$ ist $g = 2n^2$. Wie kommt das heraus?

Lösung (a) $E = (\hbar^2/2m)(\pi/L)^2\,[n_1^2 + n_2^2 + n_3^2]$, $n_i = 1, 2, \ldots$. Kein $n_i > 3$, aber eines muß $= 3$ sein. Drei unterscheidbare „Möwen“ 1, 2, 3 können drei „Pfähle“ auf $g = 3! = 6$ Weisen besetzen.

(b) $E = \hbar\omega\,\left[\frac{3}{2} + \frac{3}{2} + n\right]$ mit $n = n_1^{(1)} + n_2^{(1)} + n_3^{(1)} + n_1^{(2)} + n_2^{(2)} + n_3^{(2)} \stackrel{!}{=} 2$ (mit $n_i^{(j)} = 0, 1, \ldots$). Eines der sechs n's ist $= 2$ [6 Möglichkeiten] oder zwei sind $= 1$ [$\binom{6}{2}$= 15 Möglichkeiten] $\curvearrowright$ $g = 21$.

(c) $n = 1 + \ell + n'$ ($n' = 0, 1, \ldots$), $m = -\ell, \ldots, \ell$, $g = 2_{\text{Spin}} \sum_{\ell=0}^{n-1}(2\ell + 1)$.

Der Druck eines Teilchens

Sie lesen richtig. Ist ein Quantensystem durch eine Wand begrenzt, so drückt es dagegen. Anders als bei klassischen Punktteilchen ist kein Zeitmittel erforderlich. Druck ist Kraft geteilt durch Wandfläche. Er hängt vom Zustand des Systems ab. Wir beginnen eindimensional und steuern Bild 1–5 an. Ein langgestrecktes lineares Molekül auf der x–Achse erstrecke sich von $x = 0$ bis $x = L$. Ein (betrachtetes) Elektron kann wegen Austrittsarbeit nicht enteilen. Wir vereinfachen radikal: Potentiale in y– und z–Richtung mögen bereits ein 1D Problem produziert haben. Das Potential von x setzen wir außerhalb des Moleküls unendlich. Das betrachtete Elektron ist nun eines in 1D mit ∞ hohen Wänden. Schließlich sei die Wellung durch Kernpotentiale und „innere“ Elektronen vernachlässigbar. Die letzteren halten aber das Molekül zusammen, denn ohne sie würde das Elektron die beiden Wände auseinander schieben.

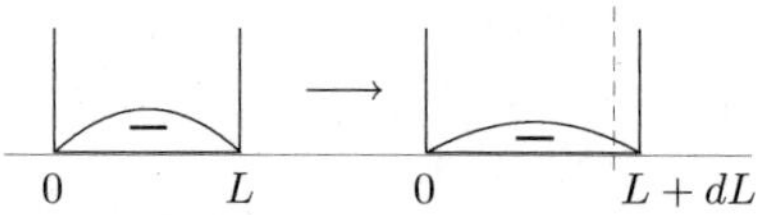

Bild 1–5 : Bei Verschieben der Wand um dL sinkt der E–Eigenwert um dE. Das System leistet die Arbeit $|dE| = -dE = K\,dL$.

Die vom Elektron im Grundzustand oder auch im n–ten angeregten Zustand herrührende Fadenspannung K geht aus dem Text zu Bild 1–5 hervor,

$$K = -\partial_L E_n = -\partial_L \frac{\hbar^2}{2m}\left(\frac{\pi}{L}\right)^2 (1+n)^2 = \frac{\hbar^2\,\pi^2}{m\,L^3}(1+n)^2 \ , \tag{1.24}$$

und hängt ersichtlich von n, d.h. vom Zustand ab. Natürlich wird K vom restlichen Molekül kompensiert. Drückt man K durch den E–Eigenwert aus, so entsteht $K\,L = 2\,E$ — eine $\hbar$–unabhängige Relation. Prompt gilt dies auch klassisch, wo K als Impulsübertrag pro Zeit $= 2mv/\Delta t = 2mv/(2L/v) = mv^2/L = 2E_{\text{kin}}/L$ zu erhalten wäre.

Es ist jetzt bequem möglich, zu einem 3D quaderförmigen Kasten mit Kante L und quadratischer Seitenfläche $F =: A^2$ überzugehen, unendliches Potential außerhalb. Die Energie–Eigenwerte sind $E = \frac{\hbar^2}{2m}\left[\left(\frac{\pi}{L}\right)^2 n_1^2 + \left(\frac{\pi}{A}\right)^2 (n_2^2 + n_3^2)\right]$, und erneut ist $K = -\partial_L E$ die Kraft auf die Seitenfläche F. Im Grundzustand drückt also das Elektron gegen F mit

$$\text{Druck}\ p = \frac{K}{F} = \frac{\hbar^2\,\pi^2}{m\,L^3\,F} \quad ; \quad \text{würfelförmiger Kasten :} \quad p\cdot V^{5/3} = \frac{\hbar^2\,\pi^2}{m} \ . \tag{1.25}$$

Links in (1.25) staunen wir darüber, daß der Druck sogar von der Geometrie des Kastens abhängt. Was rechts in (1.25) steht, nennt man **Zustandsgleichung**. So heiße ab sofort die Druck–Volumen–Relation irgendeines Materials. Auch sind wir hiermit erstmals jenen „$p \cdot V$ = const“–Leuten in die Parade gefahren. In

Strenge gilt das nämlich nie — es sei denn, von asymptotisch führenden Termen ist die Rede (bezüglich $T \to \infty$ oder $V \to \infty$, siehe auch (2.12) und § 12.1).

Bei den obigen Betrachtungen zum Druck haben wir stillschweigend etwas recht Anschauliches unterstellt, nämlich den **Adiabatensatz** der Quantenmechanik: Bei unendlich langsamer zeitlicher Veränderung des Hamilton–Operators (hier: des Wandpotentials) bleibt die H–Eigenwertgleichung intakt:

$$H(t)\,\varphi_{E(t)\,\nu}(x,t) \;=\; E(t)\,\varphi_{E(t)\,\nu}(x,t) \;. \tag{1.26}$$

Bei sehr langsamer Veränderung gilt (1.26) näherungsweise sehr gut. Detaillierte Studien zu „sehr gut“ finden sich in [*Messiah*, Bd.2, § 17.2].

Übung 1/9 — Zum Kreisring (R) geschlossenes Fadenmolekül, ein Elektron (θ), H s. Übung 1 / 7. Welche Fadenspannung K hat der Ring (a) im Grundzustand, (b) in einem der erst–angeregten Zustände?

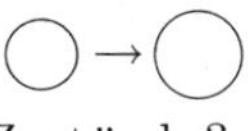

Lösung — $\chi(\varphi) \sim \mathrm{e}^{im\varphi}$, $E_m = \frac{\hbar^2}{2\theta} m^2$. (1.13), Einwertigkeit $\curvearrowright$ $m = 0, \pm 1, \pm 2, \ldots$
(a) keine (b) $U = 2\pi R$, $K = -\partial_U\, E_{\pm 1} = -\partial_U\, \frac{2\pi^2\,\hbar^2}{m\,U^2} = \hbar^2/(2\pi R\,\theta)$.

Der Umstand, daß Wahrscheinlichkeiten im § 1.1 am Würfel erklärt wurden, wird doch wohl nicht etwa die folgende Widerrede auslösen. „Ein Würfel folgt doch klassischer Mechanik. Und somit ist das Anliegen, Statistische Physik rein quantentheoretisch zu begründen, schon im ersten Abschnitt verletzt worden.“ — Oh nein. Seine Form verdankt der Würfel der chemischen Bindung. Sein Hilbert–Raum zerfällt recht gut in sechs Sektoren. Und es ist lediglich eine brauchbare technische Vereinfachung, in jedem dieser Sektoren die relevanten Energie–Eigenwerte auf einen zu reduzieren. Bild 1–3 (d) ist also ganz in Ordnung und befindet sich in angemessener Umgebung.

2 Mikrokanonisches Ensemble

Bild 2–1: Bei mikrokanonischer Präparierung wird ein Quantensystem total abgeschlossen, weder Energie noch Teilchen können hinein oder heraus.

Befindet sich ein Quantensystem innerhalb eines total abgeschlossenen Kastens (unendlich hohes Potential außerhalb), so hat der Hamilton–Operator garantiert *nur* diskrete Energie–Eigenwerte. Die Zustände sind abzählbar — meist abzählbar unendlich. Die Energie–Eigenwerte können (müssen nicht) entartet sein. Wir wollen unterstellen, daß das System nach Verschließen des Kastens in einem seiner stationären Zustände sei, worin es ja dann ewig verbleibt. Die Begründung hierfür ist problematisch: Vorher warten, bis sich eine wilde Zeitabhängigkeit per Abstrahlung beruhigt hat? Bald wird sich die Unwichtigkeit solcher Details der Herstellung zeigen. Wir suchen einen *Denkweg* in die Statistische Physik.

Das eingesperrte System möge bei seiner vorgegebenen Energie E den Entartungsgrad g haben. Es gibt also g Basiszustände im entsprechenden Teil–Hilbert–Raum. Sie spannen den Entartungsunterraum auf. Der Hamilton–Operator enthält nichts, was diese g Zustände unterscheiden könnte — sie wären ja sonst nicht entartet. Schon erinnern wir uns des gezinkten Würfels von Bild 1–3 (d) und Übung 1/4: gleiche Wahrscheinlichkeit für die Flächen 2, 3, 4 und 5.

Wer nun leichtfertig sagt, „jeder Zustand“ im Entartungsunterraum habe folglich die Wahrscheinlichkeit $1/g$, der fängt sich eine böse Widerrede ein. In *jedem* Zustand des Teil–Hilbert–Raumes könne sich doch das System aufhalten, d.h. in jeder normierten Linearkombination aus den Basisvektoren. Das sind unendlich viele Möglichkeiten, erfaßbar bestenfalls mit einer Wahrscheinlichkeitsdichte. Oh. Können Sie den (geringfügigen) Fehler entdecken?

Nicht für „Zustände“, sondern für Meßwerte macht (1.17) eine Aussage. Erst diesen läßt sich eine Wahrscheinlichkeit zuordnen. Sie brauchen gemäß (1.15) einen linearen hermiteschen Operator. Es möge einer sein, nennen wir ihn B, der im Entartungsunterraum wirkt und dort „Ordnung schafft“, d.h. dortige Zustände zu unterscheiden vermag. Ein Operator ist bekanntlich definiert, wenn das Resultat der Wirkung auf alle Elemente des Anwendungsraumes angegeben wird. Bei linearen Operatoren genügt Angabe der Wirkungsweise auf alle Basisvektoren. Wir definieren B wie folgt:

$$B\,\varphi_{E\nu} = \nu\,\varphi_{E\nu} \quad , \qquad \nu = 1, 2, \ldots g \ . \tag{2.1}$$

Wenn die Zustände $\psi_{E,\vartheta}$ im E–Entartungsunterraum, kontinuierlich mit einem Satz von Winkeln ϑ numeriert, mit der konstanten Wahrscheinlichkeitsdichte P vorliegen und sodann eine B–Messung erfolgt, dann wird der Meßwert ν mit der Wahrscheinlichkeit

$$p_\nu = \int d\Omega\ P \cdot \left| \int \varphi^*_{E,\nu}\, \psi_{E,\vartheta} \right|^2 = \text{const}_\nu \tag{2.2}$$

erhalten. p_ν hängt nicht von ν ab, weil es egal ist, von wo aus die Winkelintegration startet. Kurz: Weil es keinen Term in H gibt, welcher ein $\psi_{E,\vartheta}$ vor einem anderen zu bevorzugen vermag, wird jeder der B–Meßwerte ν mit der gleichen Wahrscheinlichkeit $p_\nu = 1/g$ erhalten. Dies war (fast) der Satz in § 1.1 unter der Zwischenüberschrift *a priori*, auf den wir zurückkommen wollten. Wir sind. Das einfachste Beispiel für Zustände $\psi_{E,\vartheta}$ braucht Spin $\frac{1}{2}$ und folgt darum erst viel später in Übung 10/4.

Da der Operator B die g Zustände unterscheidet, dürfen wir jetzt sogar wieder von „Wahrscheinlichkeit für Zustand" sprechen — für jeden Zustand einer Basis nämlich. Welche Basis gewählt wurde, spielt dabei keine Rolle. Fazit (vorläufig):

> Im mikrokanonischen Ensemble liegt jeder der g Zustände einer (beliebigen) Basis des Entartungsunterraums E mit der gleichen Wahrscheinlichkeit $p_\nu = \dfrac{1}{g}$ vor. (2.3)

Es ist jetzt ein Versprechen einzulösen. Kaum sind zu einem physikalischen System Wahrscheinlichkeiten bekannt, so werde seine Entropie gebildet:

$$S_{\text{mikro}}\,(E, V, N) = -\sum_{\nu=1} \frac{1}{g} \ln\left(\frac{1}{g}\right) = \ln(g) \ . \tag{2.4}$$

Dies ist der maximale S–Wert bei g Ereignissen: Mikrokanonisch ist es die Entropie, welche im Gleichgewicht ihren Maximalwert (2.4) annimmt. Das erste Argument links in (2.4) ist eine diskrete Variable: E kann nur die Werte annehmen, die es gibt. V ist das Volumen des Kastens. Mit der dritten Variablen folgen wir einer guten Gepflogenheit: N ist die Teilchenzahl (ebenfalls diskret) — falls zum System von Teilchenzahl die Rede ist. Gegebenenfalls ist N ein Platzhalter, wie etwa für $N_1, N_2, \ldots$, wenn mehrere Sorten Teilchen beteiligt sind.

Mit der Feststellung (2.3) ist der erste Schritt getan. „Die grundlegende Annahme" nennt sie [*Kittel/Krömer*]. Unnötigerweise klingt dies etwas abwertend. Wir behandeln Informationsmangel. Und das heißt ja (wie beim Würfel), das System

Bild 2–1 ∞–fach herzustellen und jedesmal gleich zu präparieren: Klappe zu bei H–Eigenwert E. Mehr wissen wir nicht. Das Ensemble ist spezifiziert. Und sauberer geht es nicht, sobald Statistik betrieben wird.

Bis hierher haben wir nach Kastenverschluß nur eine einzige Energie E zugelassen und sind dabei sozusagen „pur mikrokanonisch“ geblieben (kein handelsüblicher Begriff). Zum einen erleichterte dies hoffentlich die obigen Betrachtungen, zum anderen wird sich die Pur–Mikrokanonik für die folgenden beiden Abschnitte, § 2.1 und § 2.2, als ausreichend erweisen. Erst im § 2.3 bereitet uns der Fall $g = 1 \curvearrowright S = 0$ Sorgen. Er wird uns zu einer Verallgemeinerung der Mikrokanonik–Definition zwingen: Gleichwahrscheinlichkeit (auch) aller E's innerhalb eines (*intensiven*) Intervalls „ΔE“ nach Klappe zu. Erst dies ist dann die in den Lehrbüchern übliche Definition des mikrokanonischen Ensembles. Leider, leider schreckt die Quantenstatistik gleich zu Beginn mit allerlei Fallgruben und Raffinessen. Diese seien hier sorgsam „auseinander genommen“ — aber eben der Reihe nach.

2.1 Gittergas im Grundzustand

Das folgende Modellsystem ist zum einen hübsch realistisch und zum anderen lehrreich. Es zeigt nämlich insbesondere die Vereinfachung, welche bei Übergang von kleinem zu großem System eintritt. In diesem Abschnitt wird es bei Energie $E = 0$ studiert, d.h. es wird nach $S(0, V, N)$ gesucht. Die Verallgemeinerung auf $E > 0$ folgt erst im § 2.2.

Wasserstoffgas wird in Metall gepreßt. „Kalte Fusion“ ist zwar illusorisch geblieben, aber das Hineindrücken geht bestens. Die N Protonen besiedeln M Zwischengitterplätze des Metalls, während sich die Elektronen über das ganze Volumen V des Metalls verbreiten. Das Metall wurde auf absoluten Nullpunkt abgekühlt. Sind N Protonen im Metall, lassen wir keines mehr heraus. Vor endgültigem Verschließen möge aber noch elektromagnetische Strahlung entweichen können, auf daß jedes Proton in seiner Mulde den Grundzustand erreiche. Wir warten ein wenig: Hin und wieder (aber selten) wechselt ein Proton noch seinen Platz („erschüttert“ z.B. durch ein von außen eingedrungenes Photon). In einer der langen Zwischenzeiten wird der Kasten dicht gemacht: Mikrokanonik. Damit sind wir bei Bild 2–2 angekommen.

Die vereinfachenden Annahmen des Modells sind (a) keine Deformation des Wirtsgitters, (b) in einer der M Mulden (und dort im Grundzustand) kann nur *ein* Proton Platz finden, (c) die Besetzung einer Mulde ist unabhängig davon, wie die Nachbarschaft besiedelt ist.

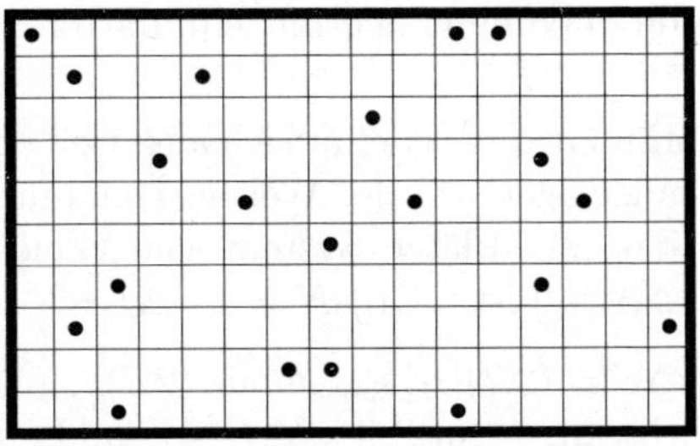

Bild 2–2 : $N = 20$ Protonen besiedeln $M = 160$ Zellen mit Volumen v. Jede Konfiguration ist gleichberechtigt.

Das Volumen V setzt sich aus Zellenvolumina v zusammen: $V = M\,v$. Gegenüber dem Außenraum hat zwar jedes Proton eine erhöhte Energie (die Grundzustandsenergie in seiner Mulde), aber nach „Klappe zu" dürfen wir den Nullpunkt der Energieskala nach oben verschieben, so daß $E = 0$ die Gesamtenergie des Kastens ist. Jede Konfiguration von Punkten im Bild 2–2 hat Energie Null. Jede Konfiguration liegt im zugehörigen mikrokanonischen Ensemble *a priori* mit gleicher Wahrscheinlichkeit $1/g_0$ vor (Index 0, weil Grundzustand).

Der Entartungsgrad g_0 des Grundzustandes ist gleich der Anzahl der Konfigurationen, d.h. gleich der Zahl der Möglichkeiten, N Protonen auf M Plätze zu verteilen — oder auch N Seemöwen auf M Pfähle. Übung 1/2 läßt grüßen. Protonen sind ebenso *un*unterscheidbar wie damals jene Seemöwen:

$$\text{Entartungsgrad der Gittergas–Grundzustandsenergie} =: g_0 = \frac{M!}{N!\,(M-N)!} = \binom{M}{N} \ . \qquad (2.5)$$

(2.5) läßt sich testen. Lassen wir nämlich der Reihe nach alle Proton–Anzahlen zu, so sollten alle Konfigurationen auch per „erster Platz leer/voll mal zweiter leer/voll usw." erhalten werden können:

$$\sum_{N=0}^{M} g_0 = \sum_{N=0}^{M} \binom{M}{N}\, 1^N\, 1^{M-N} = (1+1)^M = 2^M \ . \qquad (2.6)$$

In der Tat ist dies der Fall.

Sehr direkt mittels (2.5) und (2.4) können wir jetzt die Entropie des Gittergas–Grundzustandes — einer Konfigurations–Unordnung — aufschreiben:

$$S_{\text{Gittergas}}(\,0\,,\,V\,,\,N\,) = \ln(g_0) = \ln(M!) - \ln(N!) - \ln(\,[\,M-N\,]\,!) \ . \qquad (2.7)$$

Auch (2.7) läßt sich testen. Wenn man Konfigurationen von freien Plätzen (statt von Protonen) betrachtet, muß sich die gleiche Unordnung ergeben: $N \to M-N$ führt in der Tat auf die gleiche Entropie. (2.7) gilt für kleine ebenso wie für große Metallklötze. Nur $0 \leqslant N \leqslant M$ ist erforderlich. In beiden Fällen totaler

Ordnung, bei $N = 0$ und bei $N = M$, verschwindet S. Um das dazwischen liegende Maximum zu ermitteln, hätten wir gern eine kontinuierliche Variable N.

Übung 2/1 Ein Gittergas dehnt sich aus, weil ein ebenso großer, aber leerer Metallklotz angelagert wurde. Welche Zunahme ΔS der Entropie ist eingetreten, wenn das $2M$–Plätze–System sein Gleichgewicht erreicht hat? (a) Zeige, daß $\Delta S > 0$ ist. (b) $N = 1$: $\Delta I = ?$ und Zahl zusätzlicher Ja–Nein–Fragen?

Lösung $\Delta S = (2.7)|_{M\to 2M}$ minus (2.7). (a) $\ln\left(\frac{2M}{M}\,\frac{2M-1}{M-1}\,\ldots\,\frac{2M-N+1}{M-N+1} > 1\right) > 0$, (b) $\Delta S = \ln(2) \curvearrowright \Delta I = 1$ und eine zusätzliche Frage: „Ist es rechts?"

Übung 2/2 Auf die M Plätze einer Festkörperoberfläche verteilen sich $N = P + R$ He–Atome (samt Elektronenhülle, Mehrfachbesetzung verboten), P von ihnen im Grundzustand (Para–Helium), R im tiefsten Triplett (Ortho–Helium).
(a) Entartungsgrad g und Konfigurationsentropie $S(M, P, R)$?
(b) Nach Stunden haben sich die Orthos in den Grundzustand begeben. Entropieänderung um $\Delta S = ?$ Vorzeichen von ΔS? – ?↯

Lösung (a) $g = \binom{M}{N}\cdot\binom{N}{R}$, $S = \ln\left(\frac{M!}{P!\,R!\,(M-N)!}\right)$ (b) $\Delta S = \ln\left(\frac{P!\,R!}{(P+R)!}\right)$ ist negativ. Unordnung–Abnahme von allein?? Eine Portion Strahlung ist unterwegs, fälschlich in ΔS nicht berücksichtigt (S von Strahlung behandelt Kap. 8).

Stirling

In praxi handelt es sich um z.B. 10^{24} Gitterplätze und vielleicht 10^{15} Protonen, jedenfalls um riesige Zahlen. Auf einer N–Achse, die sich von 0 bis 10^{15} erstreckt, kann man ein Proton mehr oder weniger nicht mehr wahrnehmen. Es *gibt* also zu $S(0, M, N)$ eine kontinuierliche Variante. Rechentechnisch gelingt das Kontinuierlich–Machen und Asymptotik–Studieren folgendermaßen:

$$N! = \left[(-\partial_\alpha)^N \frac{1}{\alpha}\right]_{\alpha=1} = \left[(-\partial_\alpha)^N \int_0^\infty dt\ \mathrm{e}^{-\alpha t}\right]_{\alpha=1} = \int_0^\infty dt\ t^N \mathrm{e}^{-t}$$

$$= N^{1+N}\int_0^\infty dt\ t^N \mathrm{e}^{-Nt} = N^{1+N}\int_{-1}^\infty dt\ (t+1)^N \mathrm{e}^{-Nt-N} =: N^N \mathrm{e}^{-N}\sqrt{N}\,\Im \tag{2.8}$$

mit

$$\Im = \sqrt{N}\int_{-1}^\infty dt\ \mathrm{e}^{-Nf(t)} \quad \text{und} \quad f(t) = t - \ln(1+t)\ .$$

$$f \text{ wird bei } t=0 \text{ minimal}, \quad f = \tfrac{1}{2}t^2 - \tfrac{1}{3}t^3 + \tfrac{1}{4}t^4 - \ldots$$

$$\mathrm{e}^{-Nf} = \mathrm{e}^{-Nt^2/2}\left(1 + \tfrac{N}{3}t^3 - \tfrac{N}{4}t^4 + \ldots\right)$$

$$= \sqrt{2}\int_{-\sqrt{\frac{N}{2}}}^{\infty} dt\, e^{-t^2}\left[1+\mathcal{O}\left(\frac{t^4}{N}\right)\right] = \sqrt{2\pi}\left[1+\mathcal{O}\left(\frac{1}{N}\right)\right]. \quad (2.9)$$

In (2.8) hatten wir die beiden Skalierungen $t \to Nt$ und $t \to t+1$ vorgenommen (solche Schritte möge der Leser dieserart kurzschließen und eine Variable einsparen, statt dabei an Substitution zu denken). In (2.9) durfte der t^3–Term der e^{-Nf}–Entwicklung weggelassen werden, weil er zu unterer Grenze $\to -\infty$ Null geben würde (ungerader Integrand). Genauere Betrachtung weist ihn als $\Im$–Beitrag der Größenordnung $\sqrt{N}\, e^{-N/2}$ aus.

Aus (2.8) mit (2.9) ergibt sich die Stirling–Formel

$$\ln(N!) = N\ln(N) - N + \frac{1}{2}\ln(2\pi N) + \mathcal{O}\left(\frac{1}{N}\right). \quad (2.10)$$

Mit einem Term mehr wird sie bei [*Kittel/Krömer*, Anhang A] hergeleitet. Oft werden nur die Terme $N\ln(N) - N$ benötigt. Die Glättung von $N!$ zu einer Funktion von N (zu $\Gamma(N+1)$ nämlich) geschah bereits in der ersten Zeile von (2.8). Der Wert der Stirling–Formel liegt darin, die ersten Terme der groß–N–Asymptotik dieser Funktion zu präparieren. Wenn in (2.7) verwendet, wird sie uns den groß–M–N–Grenzfall der Entropie präparieren. Wie das vor sich geht, verdient Ausführlichkeit. Wir schreiben die führenden Stirling–Terme in die folgende erste Zeile. Mit diesen drei Termen geschieht ein Wunder:

$$\begin{aligned} S_{\text{Gittergas}}(0,V,N) &= M\ln(M) - N\ln(N) - (M-N)\ln(M-N) \\ &\quad -M \qquad +N \qquad +(M-N) \\ &\quad +\frac{1}{2}\ln(2\pi M) - \frac{1}{2}\ln(2\pi N) - \frac{1}{2}\ln(2\pi(M-N)) \\ &= M\ln\left(\frac{M}{M-N}\right) - N\ln\left(\frac{N}{M-N}\right) + \mathcal{O}(\ln(N)) \\ &= N\left\{\frac{M}{N}\ln\left(\frac{\frac{M}{N}}{\frac{M}{N}-1}\right) + \ln\left(\frac{M}{N}-1\right)\right\} + \mathcal{O}(\ln(N)). \end{aligned} \quad (2.11)$$

Das „Wunder“ besteht darin, daß das Resultat — trotz der anfangs beteiligten Ordnung–$N\ln(N)$–Terme — nur von der Ordnung N ist. Innerhalb der geschwungenen Klammern stehen nur Verhältnisse, d.h. Ordnung–1–Größen. Zum Vergleich mit Experimenten wäre z.B. die Entropie pro Teilchen anzugeben und (2.11) durch N zu teilen. Zu z.B. $N = 10^{15}$ ist $\ln(N)/N \approx -3 \cdot 10^{-13}$ und der $\mathcal{O}$–Term im (2.11) ganz irrelevant. Nur noch der in der unteren Zeile von (2.11) explizit aufgeschriebene Ausdruck interessiert. Man kann sagen, er sei der führende Term der Groß–M–N–Asymptotik von S. Wenn das System verdoppelt wird

($N \to 2N$, $M \to 2M$), verdoppelt sich dieser führende Term, nicht aber die nachfolgenden. Wir hatten gehofft, daß sich S so verhält. Die Additivität (1.7) gilt in Strenge zwar nur für unabhängige System–Teile. Aber je größer ein System wird, um so unabhängiger sollten seine zwei Hälften werden. Die Gesamtunordnung geht gegen zwei mal die einer Hälfte.

Extensiv und intensiv

Für das Verhalten physikalischer Größen bei Verdopplung des Systems sind zwei spezielle Worte im Gebrauch:

Eine Größe heißt **extensiv**, wenn sie bei Verdopplung des Systems einen Faktor 2 bekommt. (2.12)

Eine Größe heißt **intensiv**, wenn sie bei Verdopplung des Systems ihren Wert beibehält. (2.13)

Es drängt sich die Vorstellung auf, ein gleiches (und gleich präpariertes) System ohne Kontakt daneben zu stellen, $\square \to \square\,\square$, und nun das Gesamtsystem zu betrachten. *Wenn* wir „Verdopplung" in diesem naiven Sinne verstehen dürften (wir dürfen *nicht*), dann ließen sich sofort allerlei extensive Größen auflisten: Volumen V, Teilchenzahl N, Energie E und Entropie S. Intensive Größen wären dann z.B. Druck p, Temperatur T und alle Verhältnisse zweier extensiver Größen.

Nein, mit Verdopplung ist die Anlagerung eines gleichen Systems *mit* Kontakt gemeint: $\square \to \square\!\square \to \square$. Tatsächlich extensiv sind weiterhin die Variablen V und N, aber die Entropie, wiewohl „naiv–extensiv", spielt nicht mehr mit. Zu $M = 2$, $N = 1$ ist $S = \ln(2)$. Bei Verdopplung $M \to 4$, $N \to 2$ geht S in $\ln(6)$ über und fällt somit größer aus als $S_{\text{naiv}} = 2\ln(2) = \ln(4)$. Erst wenn wir eine naiv–extensive Größe eines von vornherein großen Systems betrachten und die entsprechende Asymptotik studieren, kommt in aller Regel ein Term zum Vorschein, der extensiv ist — ein Term nur, aber wenigstens einer. Oft ist dieser Term der allein interessierende. Wir wollen ihn den **extensiven Anteil** der Größe nennen und mit einem Index ^{ex} kennzeichnen. Zu (2.11) ist also $S_{\text{Gittergas}} = S^{\text{ex}}_{\text{Gittergas}} + \mathcal{O}(\ln(N))$.

Wir haben es bisher vermieden, den extensiven Anteil automatisch mit dem asymptotisch führenden Term gleich zu setzen. Zum einen kann der führende Term intensiv sein (auch dann ist nur dieser erste Term wirklich eine intensive Größe). Zum anderen kann der führende Term größer sein als der extensive. Letzteres passiert jedoch nur bei pathologischen Modellbildungen. Wären z.B. die N Protonen des Gittergases zuvor verschiedenfarbig angestrichen worden, oder je mit einer Nummer versehen worden (vieles geht am grünen Tisch), so hätten wir $g_0 = M!/(M-N)!$ erhalten und $N\ln(N)$ als führenden S–Term — und das geht wider die Vernunft. Auf Unfug reagiert übrigens S meist besonders empfindlich. Unser Gittergas war sehr gesund!

Kommentarlos versteht sich

$$\frac{\text{ex}}{\text{int}} = \text{ex} \ , \quad \frac{\text{ex}}{\text{ex}} = \text{int} \ , \quad \frac{\text{int}}{\text{int}} = \text{int} \ , \quad \partial_{\text{int}}\, \text{ex} = \text{ex} \ , \quad \partial_{\text{ex}}\, \text{ex} = \text{int} \ . \tag{2.14}$$

Ein extensiver Anteil kann stets aufgeschrieben werden als {extensive Variable als Vorfaktor} mal {Funktion nur von intensiven Variablen}. Ein Beispiel hierfür gibt (2.11). Kommt noch die Variable E hinzu, dann läßt sich S^{ex} zum Beispiel die folgende Gestalt geben:

$$S^{\text{ex}}(E, V, N) = N\, f\left(\frac{E}{N}, \frac{V}{N}\right) \ , \quad p^{\text{int}}(E, V, N) = f\left(\frac{E}{N}, \frac{V}{N}\right) \ . \tag{2.15}$$

Ein intensiver Anteil ist, wie (2.15) rechts zeigt, direkt als Funktion von nur intensiven Variablen schreibbar. Für diesen Übergang zu großem System derart, daß nur der extensive (bzw. intensive) Anteil einer Größe übrig bleibt, gibt es ein Fachwort. Er heißt **Thermodynamischer Limes**. Es gibt ihn also bereits, noch bevor wir eine Ahnung von Temperatur haben.

Um der Grundzustands–Gittergas–Entropie^{ex} einen letzten Schliff zu geben, gehen wir in (2.11) zur intensiven Variablen r über,

$$\frac{M}{N} = \frac{V}{N\,v} =: r+1 \ , \quad r = \frac{M-N}{N} = \frac{V-N\,v}{N\,v} = \frac{\text{freies Volumen}}{\text{besetztes Volumen}} \tag{2.16}$$

mit $0 \leqslant r < \infty$, und erhalten

$$S^{\text{ex}}_{\text{Gittergas}}(0, V, N) = N\left\{(r+1)\ln(r+1) - r\ln(r)\right\} \ . \tag{2.17}$$

Der Verlauf der geschwungenen Klammer in (2.17) ist als Funktion r weiter unten im Bild 2–4 zu sehen.

Übung 2/3 (2.11) werde auch in der Form $S^{\text{ex}} = M \cdot f(n)$ aufgeschrieben, wobei $n := N/M$ ist, d.h. $n = v$ mal Teilchendichte. $? \leqslant n \leqslant ?$ Wo wird $f(n)$ maximal?

Lösung $f(n) = -(1-n)\ln(1-n) - n\ln(n)\,, \quad 0 \leqslant n \leqslant 1\,, \quad f'(n) \stackrel{!}{=} 0 \quad \curvearrowright \quad n = 1/2\,.$

2.2 Gittergas als Wärmebad

Wir bauen einen Ofen. „Wärmebad“ ist seine vornehme Bezeichnung. Es gibt viele Öfen. Einen einzigen solchen mikroskopisch vollständig im Griff zu haben und aufgrund bekannter hinein gestopfter Energie seine Temperatur (was immer das ist) *ausrechnen* (!) zu können, das hilft sicherlich gewaltig weiter. Schließlich können dann andere Wärmebäder mit diesem einen bezüglich Temperatur verglichen werden. Und wir können dann irgendetwas — vom 1D Oszillator bis zum Bratapfel — an den Ofen halten.

Das Gittergas kann auf mehrere Weisen Energie aufnehmen. Anregung der Schwingungsfreiheitsgrade des Wirtsmetalls (s. Kap. 6) hier außer acht zu lassen, ist die erste vereinfachende Annahme des folgenden Wärmebad–Modells. Es erlaube nur Anregung der Protonen in ihren Mulden. Jede *besetzte* Mulde sei ein 3D harmonischer Oszillator (ω), und benachbarte Oszillatoren mögen nichts voneinander bemerken. Beide Unterstellungen dürften in Nähe der Böden der Muldenpotentiale gut sein, also bei nicht zu hoher Energie.

Ein einzelner Oszillator, sofern besetzt, hat die Energie $\varepsilon_{n_1,n_2,n_3} = \hbar\omega(\,3/2 + n_1 + n_2 + n_3\,)$. Versuchsweise wollen wir eine Gesamtsystem–Energie mit dem Buchstaben E versehen, eine Einteilchenenergie mit ε und etwaige typische, ggf. dimensionslose Energieportionen mit ϵ. Es ist jetzt klar, daß wir im vorigen Abschnitt die E–Skala um genau $N \cdot \hbar\omega \cdot 3/2$ nach oben geschoben hatten. Wir behalten die so verschobene Skala noch ein Weilchen bei. Die vielen n's der N besetzten Oszillatoren (jeder hat drei n's, jedes n hat Werte $0, 1, \ldots$) numerieren wir einfach von 1 bis $3N$ durch. Gegeben diese n's, ist im Kasten insgesamt die Energie

$$E = \hbar\,\omega\,(\,n_1 + n_2 + n_3 + n_4 + \,\ldots\, n_{3N}\,) \;=:\; \hbar\,\omega\,n \tag{2.18}$$

enthalten. Gegeben ist aber E, somit auch n, und uns interessiert der Entartungsgrad g zu gegebener Energie E. Erneut sind Möglichkeiten zu zählen. Zu jeder der $g_0 = \binom{M}{N}$ räumlichen Konfigurationen gibt es nun noch g_1 Möglichkeiten, die n $\hbar\omega$–Portionen auf die $3N$ Einzel–n's zu verteilen. N 3D Oszillatoren entsprechen, wie (2.18) zeigt, $3N$ 1D Oszillatoren. Bis hierher haben wir

$$g = g_0 \cdot g_1 \quad , \quad S_{\text{Gittergas}}(E, V, N) = \ln(g) = \ln(g_0) + \ln(g_1) \;=:\; S_0 + S_1 \tag{2.19}$$

mit $S_0 = \ln(g_0) = S_{\text{Gittergas}}(0, V, N)$ aus (2.7). Wie der Entartungsgrad g_1 von E zu fester räumlicher Konfiguration erhalten werden kann, findet sich bei [*Landau*, Bd. 5, § 5.5] in einer Fußnote und ist ein hübsches, aber auch etwas haariges kombinatorisches Problem:

g_1 = Anzahl der Möglichkeiten, n <u>un</u>unterscheidbare Kugeln auf $3N$ mehrfach besetzbare Töpfe zu verteilen

= Anzahl der Möglichkeiten, die n Kugeln und $3N-1$ <u>un</u>unterscheidbare Innenwände in einer Reihe anzuordnen (beginnt die Reihe mit Wand, war der linkeste Topf leer)

= Anzahl der Möglichkeiten, die n Kugeln auf $n+3N-1$ nur einfach besetzbare Töpfe zu verteilen

$$= \binom{n+3N-1}{n} \quad . \qquad (2.20)$$

Schwierig? Vielleicht hilft Bild 2–3 ein wenig dabei. Natürlich testen wir (2.20) sogleich am bekannten Entartungsgrad des 2D Oszillators. Dazu haben wir in (2.20) zuerst $3N$ durch $2N$ zu ersetzen und dann $N = 1$: $\binom{n+2-1}{n} = n + 1$. So hatten wir es bereits im Text zwischen Bild 1–3 und Bild 1–4 festgehalten.

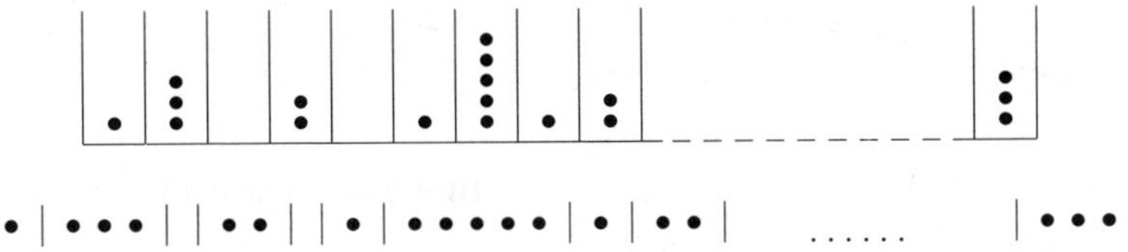

Bild 2–3: Weshalb die Verteilung von Kugeln auf Töpfe äquivalent ist zur Anordnung von Kugeln und Innenwänden in einer Reihe.

mapping

Dies ist das Fachwort der Physiker für das Abbilden eines Problems auf ein anderes. Gelingt die Lösung des einen, hat man auch die Lösung des anderen. Es gibt prominente und raffinierte Beispiele hierfür. Ein sehr einfaches *mapping* war bereits die Ersetzung $N \to M - N$ bei (2.8) (siehe Text dort). Richtig nützlich macht es sich jetzt, wenn wir (2.20) dieserart noch einmal anschauen:

$$g_1 = g_0 \Big|_{\substack{M \to n+3N-1 \\ N \to n}} \quad \curvearrowright \quad S_1 = S_0 \Big|_{\substack{M \to n+3N-1 \\ N \to n}} \quad . \qquad (2.21)$$

Die beiden Ersetzungen lassen (2.7) zur exakten Entropie $S_1 = \ln([n + 3N - 1]!) - \ln(n!) - \ln([3N - 1]!)$ werden. Aber wir können auch unverzüglich, ohne erneut zu rechnen, aus (2.17) ihren extensiven Anteil erhalten:

$$N \to n \quad \text{und} \quad r = \frac{M-N}{N} \to \frac{3N-1}{n} \to \frac{3N}{n} =: \frac{1}{\epsilon} \quad , \quad \epsilon = \frac{n}{3N} = \frac{E}{3N\hbar\omega} \quad ,$$

$$S_1^{\text{ex}} = 3N\epsilon \cdot \Big\{\text{s. } (2.17)\Big\}_{r \to 1/\epsilon} = 3N\Big\{(\epsilon+1)\ln(\epsilon+1) - \epsilon\ln(\epsilon)\Big\} \quad . \qquad (2.22)$$

Wie mit wachsender Energie die Entropie zunimmt, zeigt Bild 2–4. Wenn wir jetzt den Energienullpunkt per $E \to E - N3\hbar\omega/2$ wieder zurückschieben, bemerkt S_0 gar nichts, und in S_1 verändert sich nur ϵ. Zusammenfassend haben wir

$$\begin{aligned} S^{\text{ex}}_{\text{Gittergas}}(E,V,N) &= N\Big\{(r+1)\ln(r+1) - r\ln(r)\Big\} \\ &\quad + 3N\Big\{(\epsilon+1)\ln(\epsilon+1) - \epsilon\ln(\epsilon)\Big\} \end{aligned} \tag{2.23}$$

$$\text{mit} \quad r = \frac{V}{Nv} - 1 \quad \text{und} \quad \epsilon = \frac{E}{3N\hbar\omega} - \frac{1}{2} \ .$$

$S^{\text{ex}}_{\text{Gittergas}}$ ist eine extensive Größe und eine glatte Funktion ihrer drei Variablen. Und sie hat vernünftige Eigenschaften. Der Ofen ist fertig.

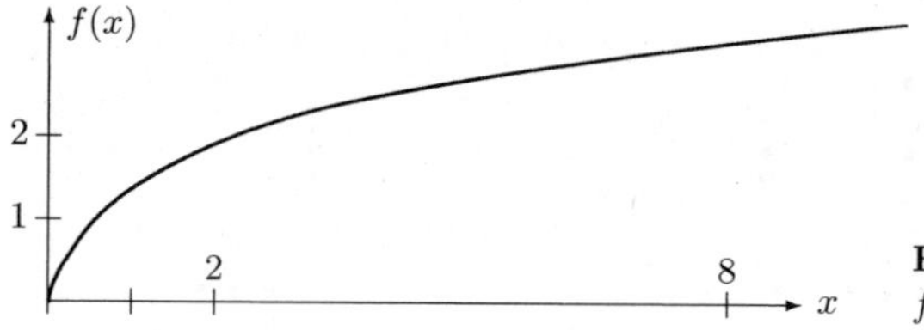

Bild 2–4: Verlauf der Funktion $f(x) = (x+1)\ln(x+1) - x\ln(x)$.

Temperatur

Der Ofen ist warm. Schließlich haben wir ihm eine Menge Energie zugeführt. Wir bringen zwei große Gittergase mit beliebig verschiedenen Variablenwerten in Kontakt. Die dicke rechte bzw. linke Wand wird ersetzt durch eine, welche hin und wieder eine Portion Energie hindurch läßt. Dies geschehe so selten, daß beide Systeme in der Zwischenzeit wieder bequem ihr Gleichgewicht erreichen. „Schwacher energetischer Kontakt“ möge dies genannt werden, Bild 2–5. Die Teilsysteme bleiben grob gesprochen im Gleichgewicht, so daß gemäß (1.7) $S^{\text{ex}} = S_1^{\text{ex}} + S_2^{\text{ex}}$ die Gesamtentropie ist. Das Gesamtsystem ist nicht im Gleichgewicht, wird dieses aber dank der Energieportionen durch Wand allmählich erreichen.

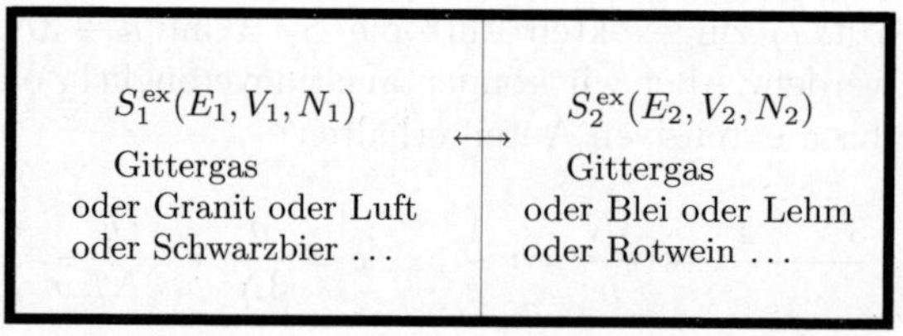

Bild 2–5: Schwacher energetischer Kontakt. Zwei Systeme werden gleich warm.

Währenddessen behält die Gesamtenergie den festen Wert $E = E_1 + E_2$. Es ändern sich E_1 und $E_2 = E - E_1$. Für das Gesamtsystem ist E_1–Änderung die einzige Möglichkeit, sein S–Maximum zu erreichen, denn ständig bleibt $S^{\text{ex}} = S_1^{\text{ex}}(E_1) + S^{\text{ex}}(E - E_1)$ erfüllt. Hat das Gesamt–S^{ex} endlich sein Maximum erreicht und gleich viele Energieportionen wandern in beiden Richtungen durch die Wand, dann ist

$$\begin{aligned} 0 &= \partial_{E_1}\left[S_1^{\text{ex}}(E_1)+S_2^{\text{ex}}(E-E_1)\right] \\ \curvearrowright\quad \partial_{E_1}S_1^{\text{ex}}(E_1) &= \partial_{E_2}S_2^{\text{ex}}(E_2)\ . \end{aligned} \tag{2.24}$$

Damit haben wir eine intensive Größe entdeckt, $\partial_E S =: \beta$, welche in beiden Systemteilen gleich wird, wenn sie gleich warm geworden sind — ein Maß für warm oder auch für kalt. Bild 2–4 zeigt positiven Anstieg. Mindestens für Gittergase ist also β positiv. Wir haben noch zu ergründen, ob β anwächst oder absinkt, wenn man erwärmt (E erhöht). Auch dies zeigt Bild 2–4: der Anstieg wird mit wachsender Energie schwächer und β sinkt folglich ab. Mit viel Mut (nur festgemacht am Gittergas):

$$\partial_E\, S^{\text{ex}}(E\,,V\,,N) = \beta \ =: \ \frac{1}{\textbf{Temperatur } T}\ . \tag{2.25}$$

Wenn E wächst, wird β kleiner und T größer. (2.25) hat Dimension Eins durch Energie. Folglich hat T die Dimension Energie und ist in Joule zu messen — eine Vergleichsenergie. Genau *als solche* kommt sie in diversen Gleichungen der Statistischen Physik vor. Mit $\mathrm{e}^{-E/T}$ werden wir noch allerlei zu tun haben. In Übung 2/5 passiert es schon.

Die Temperatur T als Energie anzusehen — man gewöhnt sich daran (es ist sehr natürlich) — ist nur der erste von zwei Gedanken. Der zweite ergibt sich, sobald Angaben in Grad Kelvin ins Spiel kommen. Welche Dimension hat eigentlich dieses Kelvin–Grad? — irgendeine exotische, welche Kontakt zu anderen Physiken aufrecht erhält? Nein. Weil es einen solchen Bezug nicht gibt, dürfen wir über die Kelvin–Dimension verfügen. Das „Grad Kelvin" sei eine geeignete, sehr kleine Energie–Einheit, welche sich in der Physik der Wärme (ehemaliger Titel von [*Kittel/Krömer*]) als recht praktisch erweist. $k_B = 1.38\,066\ 10^{-23}$ J/K ist dann dimensionslos, und die Umrechnung von K in J erfolgt gemäß

$$\begin{aligned} 1\,\mathrm{K} &\;\hat{=}\; 1.38\,066\cdot 10^{-23}\ \mathrm{J} \quad \text{bzw. mit} \quad 1\,\mathrm{J} = 6.24145\cdot 10^{18}\,\mathrm{eV} \\ &\;\hat{=}\; 0.861\,733\cdot 10^{-4}\,\mathrm{eV} \qquad \text{und} \qquad 1\,\mathrm{J} = 7.2429\cdot 10^{22}\ \mathrm{K}\ . \end{aligned} \tag{2.26}$$

Rückblickend wird jetzt klar, wie abwegig es wäre, solchen Faktoren zur Umrechnung von Einheiten einen Namen zu geben und sie in allerlei Gleichungen herumzuschleppen.

Übung 2/4 Welche Groß–x–Asymptotik (erste zwei Terme) hat die in Bild 2–4 dargestellte Funktion $f(x)$? Mit dieser werde (2.23) im Hochenergie–Grenzfall aufgeschrieben. Welche E–T–Beziehung folgt, und wieviele T hat folglich ein oszillatorischer Freiheitsgrad im Mittel?

Lösung $f(x) = \ln(x) + 1 + \mathcal{O}(1/x)$, $S = \text{const}_E + 3N\ln(E)$, $E = 3NT$. Ein T pro Oszillator. Jenes „$\frac{1}{2}T$ pro Freiheitsgrad" trifft nur auf translatorische Freiheitsgrade zu, und selbst für diese nur im Grenzfall hoher Temperatur.

Übung 2/5 Auch in Strenge läßt sich die aus (2.23) folgende T–E–Beziehung studieren. Nimmt β wirklich mit wachsender Energie ab? Die T–E–Beziehung kann nach E aufgelöst werden. In S werde die Variable E durch $E(T,V,N)$ ersetzt. Welche (mittlere) Energie E_{osz} und Entropie S_{osz} hat somit ein einzelner 1D harmonischer Oszillator bei Temperatur T?

Lösung $\hbar\omega\,\beta = \ln\left(\frac{\epsilon+1}{\epsilon}\right)$, $\partial_\epsilon\,\hbar\omega\,\beta = \frac{1}{\epsilon+1} - \frac{1}{\epsilon} < 0$, $\frac{1}{3N}E = \hbar\omega\left(\frac{1}{2} + \frac{1}{e^{\beta\hbar\omega}-1}\right) = E_{\text{osz}}$, $e^{\beta\hbar\omega} =: e$, $\frac{1}{3N}S_1 = \ln\left(\frac{e}{e-1}\right) + \frac{1}{e-1}\ln(e) = \frac{\beta\hbar\omega}{e^{\beta\hbar\omega}-1} - \ln\left(1 - e^{-\beta\hbar\omega}\right) = S_{\text{osz}}$.

2.3 Das allgemeine Wärmebad

Es gibt viele Öfen. Letzten Endes kann man alles in einen Kasten sperren und diesem Energie zuführen: Bild 2–5. Man muß mitunter lediglich auf Gleichgewicht sehr lange warten, etwa wenn sich vor „Klappe zu" noch ein Floh im Kasten verfangen hat. Allerlei Weisheiten zum Gittergas werden also ihre Verallgemeinerung haben. Jedoch: anderes System, anderes Spektrum.

ΔE

Der extensive Anteil der Entropie ist recht robust gegenüber Veränderungen des Spektrums. Wenn z.B. zum Gittergas bei Energie $E_1 = \hbar\omega n$ alle Zustände des darunter liegenden Niveaus um $\hbar\omega$ angehoben werden, dann bekommt E_1 den Entartungsgrad

$$
\begin{aligned}
g &= g_0 \cdot \left[\binom{n+3N-1}{n} + \binom{n-1+3N-1}{n-1}\right] \\
&= g_0 \cdot \binom{n+3N-1}{n} \cdot \left[1 + \frac{n}{n+3N-1}\right] ,
\end{aligned}
\tag{2.27}
$$

und die Entropie $\ln(g)$ bekommt nur einen intensiven Zusatz. S^{ex} bemerkt nichts davon. Es ist, als hätten wir ein Intervall $\Delta E = \hbar\omega + 0$ eingeführt und E's in demselben als gleich angesehen.

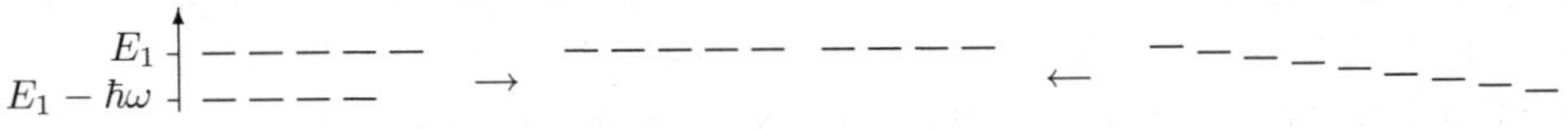

Bild 2–6 : ΔE–Mikrokanonik ermöglicht Manipulationen am Spektrum. Symbolisch stehen hier zum Beispiel die links oberen fünf Strichlein für die riesige Anzahl g_1 .

Katastrophale Auswirkung hat hingegen die Manipulation, welche rechts in Bild 2–6 zu sehen ist: die g Zustände wurden hier äquidistant auf das $\hbar\omega$–Intervall verteilt. Keines der E's ist entartet: $S = 0$. Oh. So läßt sich der „allgemeine Ofen“ *nicht* bauen. Am üblichen Ausweg einer verallgemeinerten Mikrokanonik–Definition, nämlich *mit* ΔE , führt wohl kein Weg vorbei. Schade. Wir wären viel lieber „pur“ geblieben. Übrigens hat diese neue Mikrokanonik–Fassung keine Auswirkung auf die vorigen beiden Abschnitte: Es ist dort lediglich $\Delta E < \hbar\omega$ zu wählen. Werden jetzt mittels ΔE alle diskreten Niveaus rechts im Bild 2–6 zu E_1 geschlagen, entsteht wieder S^{ex}, als wäre nichts gewesen.

Wie groß ΔE gewählt werden darf, läßt sich ebenfalls noch anhand von (2.27) erkennen. Zu $\Delta E = 2\hbar\omega + 0$ entsteht ein dritter Term der Ordnung (intensiv)^2 in der eckigen Klammer. Zu $\Delta E = 3\hbar\omega + 0$ entsteht ein intensiver dritter Term und so weiter. S^{ex} bemerkt also die Manipulationen, sobald ΔE in die Größenordnung von E kommt. Kurz, ΔE muß ein intensives Intervall bleiben. Wir fassen zusammen :

> Die übliche Definition: Mikrokanonisch zu präparieren heißt, ein System total so abzuschließen, daß es nur Energie im Intervall $(E, E - \Delta E)$ haben kann. ΔE ist intensive Größe. Jeder der (Basis–)Zustände liegt dann mit gleicher Wahrscheinlichkeit $1/g$ vor, wobei g die Summe der Entartungsgrade der im genannten Intervall liegenden E–Eigenwerte ist. (2.28)

Rückkehr zu großem *g*

Mit (2.28) ist die Formulierung anstrengender geworden als in (2.3). Aber der Vergleich zeigt auch, daß sich (2.28) gegenüber (2.3) nur geringfügig verändert hat: mehr E's. Nachdem die $S = 0$–Falle dank ΔE entschärft ist, bietet sich die angenehme Möglichkeit, zu einzelnen E's mit je großem Entartungsgrad zurückzukehren. Dazu schieben wir die in jedem ΔE liegenden E's, z.B. die in Bild 2–6 erfaßten, auf ein einziges zusammen. Das nach dieser physikalisch irrelevanten technischen Abwandlung entstandene neue System hat zu jedem seiner verbliebenen E's den in (2.28) genannten hohen Entartungsgrad g . Damit ist (2.3) rehabilitiert. Doch wieder „pur“ !

In den Kapiteln 3 und 4 werden wir schlicht folgendermaßen denken: Der ein großes System einschließende dickwandige Kasten *hat* Energie E mit hohem Entartungsgrad g. Dies war die vorerst letzte Fußangel. Jedenfalls wird uns über weite Strecken etwas derart Anstrengendes nicht mehr begegnen.

Drei Forderungen

Mit (2.28) hat sich die Chance, quasi alle Systeme zu Wärmebädern werden zu lassen, ganz gewaltig vergrößert. Ein solches System muß groß sein, um eine extensive Entropie zu haben. Es muß aber auch, wie sich zeigen wird, groß sein („unendlich groß") gegenüber einem System, welches an ihm auf Temperatur T gebracht wird. Gefahren, welche hinter „quasi alle" lauern könnten, versuchen wir mit dem Wörtchen *gesund* zu beschwören. Ein großes System, ob nun physikalisch oder technisch, ist per definitionem *gesund*, wenn es die folgenden Eigenschaften hat:

(A) Der im Groß–System–Limes führende Term von S sei extensiv.

(B) Das Energiespektrum des Systems sei nach oben offen. (2.29)

(C) $S^{\text{ex}}(E, V, N)$ wachse mit zunehmender Energie an.

Übung 2/8 wird zeigen, inwiefern ein System *ungesund* sein kann. Damit sind alle Vorbereitungen für die folgende Festlegung getroffen:

Ein Wärmebad ist ein unendlich großes und *gesundes* mikrokanonisch präpariertes physikalisches System. (2.30)

Hinter Eigenschaft (A) in (2.29) versteckt sich übrigens via $S^{\text{ex}} = N\cdot(\mathit{intensiv}) = \ln(\overline{g})$, daß E den effektiven Entartungsgrad $\overline{g} = (\mathrm{e}^{\mathit{intensiv}})^N$ hat: „Es sind alles Gittergase" — nur in $(\mathit{intensiv})$ unterscheiden sich die Details.

Übung 2/6 Der führende Term $\overline{g}_1$ des Entartungsgrades g_1, (2.20), des energetischen Teils des Gittergases soll auf die Form $(\mathit{intensiv})^n$ gebracht werden.

Lösung $\overline{g}_1 = \mathrm{e}^{S^{\text{ex}}}\Big|_{(2.22),\,\epsilon=n/(3N)} = \Big[\big(1+\frac{3N}{n}\big)\big(\frac{n}{3N}+1\big)^{3N/n}\Big]^n = \Big[\ \dots\ \Big]^{E/(\hbar\omega)}$.

Übung 2/7 Zwei identische Systeme mit je Energie E wurden aneinander gelegt: schwacher energetischer Kontakt, $S^{\text{ex}}_{\text{gesamt}} = 2\,S^{\text{ex}}$.

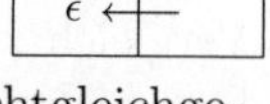

Wird nun eine Energieportion ϵ nach links geschafft, also Nichtgleichgewicht hergestellt, so sollte $S^{\text{ex}}_{\text{gesamt}}$ als Funktion von ϵ ein schönes rundes Maximum bei $\epsilon = 0$ ausbilden. Welche Forderung an ein gesundes System folgt hieraus? Hilft sie bei der Frage nach dem Vorzeichen von $\partial_E T$?

Lösung $S(E+\epsilon)+S(E-\epsilon) = 2S(E)+\epsilon^2\partial_E^2 S(E)+\dots,\ 0 \overset{!}{>} \partial_E^2 S = \partial_E \frac{1}{T},\ \partial_E T > 0$.

2.4 Mikrokanonisch zur Thermodynamik

Zu einem Wärmebad ist die Funktion $S^{\text{ex}}(E,V,N)$ bekannt. Sie kann im Prinzip ausgerechnet werden oder auch tatsächlich. Wird nach den drei extensiven Variablen E, V und N abgeleitet, ergeben sich drei intensive Wärmebad–Charakteristika:

$$\beta = \frac{1}{T} \;:=\; \partial_E\, S^{\text{ex}}(E\,,V\,,N) \quad , \quad [T] = \text{Energie} \tag{2.31}$$

$$\frac{p}{T} \;:=\; \partial_V\, S^{\text{ex}}(E\,,V\,,N) \quad , \quad [p] = \frac{\text{Energie}}{\text{Volumen}} \tag{2.32}$$

$$-\frac{\mu}{T} \;:=\; \partial_N\, S^{\text{ex}}(E\,,V\,,N) \quad , \quad [\mu] = \text{Energie} \;. \tag{2.33}$$

Über T, **Temperatur** genannt, wurde schon unter (2.24) und zu Bild 2–5 nachgedacht. Die Größe p in (2.32) heißt **Druck**. Nanu, was das ist, wurde doch schon in § 1.3 bei Bild 1–5 geklärt. Druck ist Kraft pro Wandfläche, d.h. $-\partial_a E/$Wandfläche oder kurz $p = -\partial_V E$. Richtig. Das Verschieben der Wand um da mußte unendlich langsam erfolgen, um den Adiabatensatz (1.26) zu erfüllen. Wenn sich Energieniveaus unendlich langsam verschieben (hier nur die Energie E des Wärmebades), ändern sich keine Wahrscheinlichkeiten. Sie bleiben sozusagen an den Strichlein haften. Wenn sich keine p_ν's ändern, behält die Entropie ihren Wert:

$$\begin{aligned} 0 &= \partial_V\, S^{\text{ex}}(E(V)\,,V\,,N) \\ &= \Big(\partial_V E\Big)\cdot \partial_E\, S^{\text{ex}}(E\,,V\,,N) + \partial_V\, S^{\text{ex}}(E\,,V\,,N) \\ &= -\frac{p}{T} + \partial_V S^{\text{ex}} \quad \curvearrowright \quad (2.32)\;. \end{aligned} \tag{2.34}$$

Nichts Neues steht also in (2.32): *auch so* darf der Druck definiert werden. Man kann sagen, $-p$ sei die *isentrope* (= die Entropie konstant lassende) Energieänderung pro Volumen. Die Größe μ in (2.33) heißt **chemisches Potential**. Um dessen Bedeutung zu kommentieren, erkennen wir, daß (2.33) aus (2.32) via $V \to N$ und $-p \to \mu$ hervorgeht. Folglich ist μ die isentrope Energieänderung pro Teilchen (bei festem Volumen V). Wir schieben eine Portion $dN > 0$ Teilchen in das System hinein — was zumeist die Entropie erhöht — und senken die Energie entsprechend ab. Dies kann in Gedanken geschehen, d.h. wir vergleichen Kästen miteinander, die bei verschiedenen N, E präpariert wurden. Die zu (2.34) analoge Rechnung lautet nun

$$\begin{aligned} 0 &= \partial_N\, S^{\text{ex}}(E(N)\,,V\,,N) \\ &= \Big(\partial_N E\Big)\cdot \partial_E\, S^{\text{ex}}(E\,,V\,,N) + \partial_N\, S^{\text{ex}}(E\,,V\,,N) \\ &= \Big(\partial_N E\Big)\frac{1}{T} - \frac{\mu}{T} \quad \curvearrowright \quad \mu = \frac{dE}{dN}\Big)_{S,V} = \frac{\text{isentrope Energieänderung}}{\text{zugeführte Teilchenanzahl}}\;. \end{aligned} \tag{2.35}$$

Trifft obiges „zumeist“ zu, so wird μ negativ. Im Moment möge (2.35) nicht beunruhigen. Die Bedeutung von μ wird sich an Beispielen noch erweisen. Die Indizes an halbseitiger runder Klammer sagen, welche Größen beim Ableiten konstant zu halten sind. Dies ist oft entscheidend wichtig. Eigentlich hätte bereits an $p = -\partial_V E$ eine solche Klammer stehen müssen, nämlich mit den Indizes S und N.

Systeme am Ofen

Der Wert des mikrokanonischen Ensembles liegt in erster Linie darin, der erste Schritt eines Denkweges zu sein und die Temperatur zu definieren — als *ab initio* berechenbares Charakteristikum eines Wärmebades. Einmal als solches erkannt, kann man alle möglichen Systeme (groß oder klein) an den Ofen halten und sich für seine Eigenschaften interessieren, wenn man es warm macht, d.h. auf Temperatur T bringt. Oft interessiert dann die Berechenbarkeit der Temperatur gar nicht mehr: T gegeben, welche Eigenschaften?

Die Mikrokanonik ist aber *auch* in der Lage — wiewohl nur selten so benutzt — die Thermodynamik eines Systems zu produzieren. Unter Thermodynamik wollen wir (zunächst sehr eng gefaßt) verstehen, einige typische Größen eines großen Systems bei Temperatur T zu erhalten sowie Beziehungen zwischen ihnen. Sie befaßt sich *nur* mit großen Systemen. Es gelten dann einige Besonderheiten (Vorab–Behauptung), wie etwa, daß extensive Größen in jedem Ensemble (mikrokanonisch, kanonisch, großkanonisch ...) gleich sind, wenn man sie nur sorgfältig auf andere Variable umschreibt. Heutzutage sind jedoch — Beispiel: Atomfallen — durchaus auch kleine Systeme (aus wenigen Teilchen) am Wärmebad von Interesse. Sogar dies kann die Mikrokanonik. Wir unterscheiden diese zwei Fälle:

> Das interessierende System ist groß.
> Seine Entropie $S(E, V, N)$ werde ausgerechnet und ihr extensiver Anteil präpariert. Mit ihm werde $\partial_E S^{\text{ex}}(E, V, N) = 1/T$ gebildet und diese Gleichung nach E aufgelöst: $E(T, V, N)$.
> Damit kennt man auch die *kanonische* Entropie $S_{\text{kan}}(T, V, N) = S_{\text{mikro}}(\, E(T, V, N)\, ,\, V\, ,\, N\,)$ und so weiter. (2.36)

> Das interessierende System ist klein.
> Setze es P–fach zusammen (mit schwachem energetischen Kontakt), ermittle den Entartungsgrad des Gesamtsystems, bilde mittels Stirling $S^{\text{ex}}(E, V, N)$, verfahre weiter wie bei (2.36) und teile interessierende extensive Größen durch P, um (mittlere) Größen des ursprüglichen Einzelsystems zu erhalten. (2.37)

Der letzte Satz in (2.36) ist ein Vorgriff. Er gilt nur für große Systeme, und er bildet eine Ausnahme zur Regel „Andere Präparierung, andere Entropie“.

Ein Beispiel für (2.37) liegt bereits vor. Der energetische Teil S_1 des Gittergases bestand aus lauter 1D Oszillatoren, und zwar $P = 3N$ Stück. Nach deren P–facher Zusammensetzung hatten wir den Entartungsgrad (2.20) erhalten und mittels *mapping* (wodurch ja Stirling lediglich eingespart wurde) zum S_1–Anteil von (2.23) verarbeitet. Das „verfahre weiter wie bei (2.36)“ geschah in Übung 2/5 und das Teilen durch $P = 3N$ ebenfalls. Ein weiteres Beispiel (allerdings ein *krankes*) bietet Übung 2/8.

Übung 2/8 Eine große Zahl N von Teilsystemen mit je $H = \begin{pmatrix} \epsilon & 0 \\ 0 & 0 \end{pmatrix}$ wurde in schwach–energetischem Kontakt zu einem großen System zusammengesetzt. Es ist nicht nötig (und nicht verboten), dabei an „$\frac{1}{2}$–Spins im Magnetfeld“ zu denken. Spektrum nicht nach oben offen — ein *ungesundes* Wärmebad!

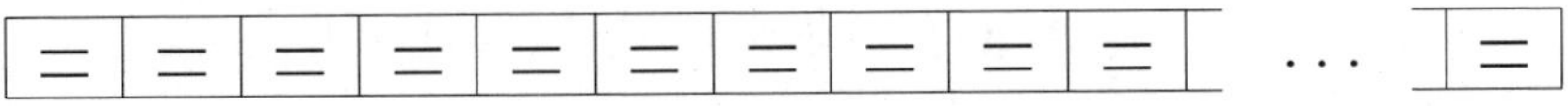

Wie hoch ist eine Energie $E = n\epsilon$ entartet? $(0 \leqslant n \leqslant N)$ Welchen extensiven Anteil S^{ex} (per *mapping*?!) hat die Entropie? S^{ex}/N werde als Funktion von $\eta := n/N = E/(N\epsilon)$ notiert und über η skizziert. $T(\eta) = ?$ Bei $\eta > \eta_\infty = ?$ wird die Temperatur negativ. Eine Skizze T über η zeigt, daß nichtsdestotrotz T fast überall mit wachsender Energie zunimmt.

Lösung $g = \binom{N}{n}$. (2.11) zu $M, N \to N, n$ gibt $S^{\text{ex}}/N = -(1-\eta)\ln(1-\eta) - \eta\ln(\eta)$, $\frac{1}{T} = (\partial_\eta S^{\text{ex}})\frac{1}{N\epsilon} \curvearrowright T(\eta) = \frac{\epsilon}{\ln([1-\eta]/\eta)}$, $\eta_\infty = \frac{1}{2}$. — Das Modellsystem ist wirklich krank. Bild 2–7 zeigt die verlangten beiden Skizzen in willkürlichen vertikalen Einheiten.

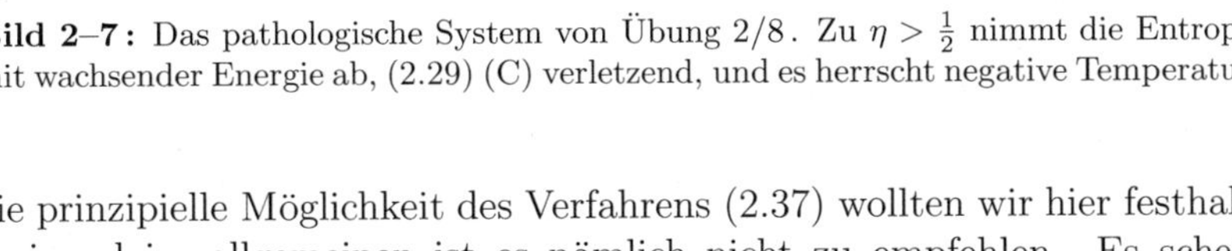

Bild 2–7: Das pathologische System von Übung 2/8. Zu $\eta > \frac{1}{2}$ nimmt die Entropie mit wachsender Energie ab, (2.29) (C) verletzend, und es herrscht negative Temperatur.

Nur die prinzipielle Möglichkeit des Verfahrens (2.37) wollten wir hier festhalten. In praxi und im allgemeinen ist es nämlich nicht zu empfehlen. Es scheitert zumeist bereits an der technischen Schwierigkeit der g–Bestimmung des P–fachen Systems. Demgegenüber wird sich die Kanonik als umwerfend elegant erweisen.

Mikrokanonisches Thermodynamisches Potential

Wir beschränken uns jetzt auf große Systeme und lassen den oberen Index $^{\rm ex}$ weg — der Einfachheit halber und weil S jetzt auch als extensive Variable in Erscheinung tritt. Die Beziehung $S = S(E, V, N)$ kann nach E aufgelöst werden: $E = E(S, V, N)$. Die entsprechende Identität steht in der oberen Zeile von (2.38). Wir leiten sie der Reihe nach auf beiden Seiten nach S, nach V und nach N ab:

$$S = S\,(\,E(S,V,N)\,,V\,,\,N\,)$$

$$1 = \frac{1}{T}\,\partial_S E\Big)_{V,N} \;,\quad 0 = \frac{1}{T}\,\partial_V E\Big)_{S,N} + \frac{p}{T} \;,\quad 0 = \frac{1}{T}\,\partial_N E\Big)_{S,V} - \frac{\mu}{T}\;. \tag{2.38}$$

Die drei Beziehungen (2.38) können auch folgendermaßen aufgeschrieben werden:

$$(\,T\,,\,-p\,,\,\mu\,) \;=\; (\,\partial_S\,,\,\partial_V\,,\,\partial_N\,)\;E(S,V,N)\;. \tag{2.39}$$

Und das erinnert doch nun stark an den Gradienten: $-$Kraft $=$ grad$V$. Hier ist E das Potential, dessen drei Ableitungen die interessierenden (hier intensiven) System–Charakteristika geben. Nennen wir also $E(S, V, N)$ das **Thermodynamische Potential** der Mikrokanonik. S, V, N sind die mikrokanonischen **natürlichen Variablen**. Etwas mehr Hintergrund zu diesen beiden Begriffen wird erst im Kapitel 11 nachgereicht. Es versteht sich, daß mit (2.39) die drei intensiven Größen als Funktionen von S, V, N erhalten werden. Aber mit (2.31) bis (2.33) kommen sie als Funktionen von E, V, N heraus.

Übung 2/9 Ein Kunst–S. Nach einer wilden Rechnung, Näherungen benötigend, hat jemand die Entropie $S = N\ln\Big[\frac{V}{N}\left(\frac{E}{N}\right)^{3/2}\cdot \mathrm{const}_{V,E}\Big]$ erhalten. Er sieht sofort ein, daß dies nur eingeschränkt gelten kann: Ungleichung?
(a) $T(E, V, N)$, $E(T, V, N)$ und Zustandsgleichung $p(T, V, N)$?
(b) Nachdem auch $E(S, V, N)$ gebildet ist, wird es spannend, ob der Druck auch per $p = -\partial_V E(S, V, N)$ richtig herauskommt.

Lösung $S \overset{!}{>} 0 \curvearrowright [\;\;] \overset{!}{>} 1$. (a) $\beta = \partial_E S = \frac{3N}{2E}$, $E = \frac{3}{2}NT$, $p = T\partial_V S = T\frac{N}{V}$. (b) $\mathrm{e}^{\frac{S}{N}} = [\;\;]$, $E(S,V,N) = V^{-2/3}N^{5/3}\mathrm{e}^{\frac{2S}{3N}}\mathrm{const}^{-2/3}$. Zuerst ∂_V bilden, danach S durch E, V, N ausdrücken, dann E durch T $\curvearrowright$ $pV = NT$. Mit seinen Näherungen war der Herr Jemand beim „Idealgas“ gelandet.

Übung 2/10 Was wird aus $S = \ln(\,a^N + b^N + c^N\,)$ im thermodynamischen Limes? (a, b, c seien drei intensive Bildungen aus V/N und E/N).

Lösung Sei oBdA a die größte der drei: $S = \ln\Big(a^N[1 + \left(\frac{b}{a}\right)^N + \left(\frac{c}{a}\right)^N]\Big) \to N\ln(a)$.

3 Kanonisches Ensemble

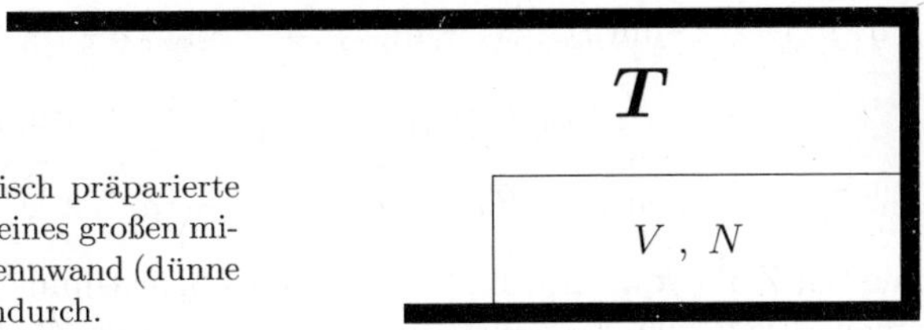

Bild 3–1: Das kanonisch präparierte Quantensystem ist Teil eines großen mikrokanonischen. Die Trennwand (dünne Linien) läßt Energie hindurch.

System am Ofen. Das jetzt interessierende physikalische System (kurz: System) steht in schwach–energetischem Kontakt mit einem Wärmebad (Index Bad). Das System kann klein oder auch groß sein, in jedem Falle aber ist es winzig gegenüber dem „unendlich großen" Bad. System und Bad bilden ein mikrokanonisches Gesamtsystem. Man darf vorausahnen, daß sich aus dessen bekannten *a priori* Wahrscheinlichkeiten irgendwie die Wahrscheinlichkeiten des Systems ermitteln lassen.

3.1 Kanonische Verteilung

Die jetzt folgende Herleitung der Wahrscheinlichkeiten, mit denen das System in seinen (Basis–)Zuständen angetroffen wird, ist nicht nur wichtig, weil grundlegend, sondern auch sehr schön, weil kurz und überschaubar.

Erster Schritt. Der Hamilton–Operator H des Systems habe nur nicht–entartete Eigenwerte E_n $(n = 0, 1, 2, \dots)$. Ist es im Grundzustand bei E_0, so hat das Bad Energie $E_{\text{gesamt}} - E_0$ und ist g_0–fach entartet. Ist das System im Zustand mit E_1, so das Bad bei $E_{\text{gesamt}} - E_1$ mit Entartungsgrad g_1 und so weiter. Die Bad–Entartungsgrade g_n nehmen mit wachsender System–Energie E_n ab, weil bei abnehmender Bad–Energie seine Entropie $\sim \ln(g_n)$ abnehmen muß. Soeben wurde die Forderung (C) in (2.29) ausgenutzt. Die g_n addieren sich zum Entartungsgrad g_{gesamt} des Gesamtsystems,

$$g_{\text{gesamt}} = g_0 + g_1 + g_2 + \dots \quad , \tag{3.1}$$

welcher per definitionem zwar riesengroß, aber endlich ist. Gleich zeigt sich übrigens, daß die Terme dieser Reihe exponentiell abnehmen. Und schon können wir die gesuchte Wahrscheinlichkeit p_n dafür, daß eines der E_n vorliegt, als Verhältnis von Möglichkeiten aufschreiben:

$$p_n = \frac{\text{Anzahl der Möglichkeiten, das System bei } E_n \text{ vorzufinden}}{\text{Anzahl der Möglichkeiten insgesamt}} = \frac{g_n}{g_{\text{gesamt}}} . \tag{3.2}$$

Zweiter Schritt. Irgendwie sollte noch die Temperatur (respektive β) ins Spiel kommen. Diese beruht auf Entropie S und diese auf g's:

$$\begin{aligned} \ln(p_n) &= -\ln(g_{\text{gesamt}}) + \ln(g_n) = -S_{\text{gesamt}} + S_{\text{Bad}}(\, E_{\text{gesamt}} - E_n \,) \\ &= -S_{\text{gesamt}} + S_{\text{Bad}}\,(\, E_{\text{gesamt}}\,) - E_n\, \partial_E S_{\text{Bad}}(E)\big|_{E=E_{\text{gesamt}}} \\ &= \text{const}_n - \beta\, E_n \quad \curvearrowright \quad p_n \sim \mathrm{e}^{-\beta E_n} . \end{aligned} \tag{3.3}$$

In der ersten Zeile von (3.3) hatten wir den Logarithmus beider Seiten von (3.2) genommen. Weil alle E_n winzig gegen E_{gesamt} sind, durfte die Taylor–Reihe in der zweiten Zeile abgebrochen werden. $\partial_E S_{\text{Bad}}$ ist bereits intensive Größe, und der weggelassene nächste Term hätte die Größenordnung E_n^2/E_{gesamt} bekommen. Bei Übergang zur dritten Zeile haben wir den einzigen von n abhängenden Term aus der zweiten Zeile herausgefischt. Schließlich wurde in der dritten Zeile exponenziert. Der Proportionalitätsfaktor wird sich aus der Normierung $\sum_n p_n = 1$ bestimmen lassen.

Dritter Schritt. Die Verallgemeinerung auf den Fall, daß die H–Eigenzustände Entartung *haben*, gelingt durch Nachdenken. Ein Zusatz δH zu H möge die Entartung aufheben. (3.3) gilt nun für jeden Zustand. Wandern bei $\delta H \to 0$ die zugehörigen Niveaus wieder zusammen, bleibt ihnen deren Wahrscheinlichkeit p_n erhalten. (3.3) bleibt also gültig. Es ist nur jetzt zu betonen, daß der Index n auf Basis–Zustände verweist — *nicht* etwa auf Energieniveaus. Mit der Notation aus § 1.3 ersetzen wir also n durch E, ν — und sind fertig.

Die Wahrscheinlichkeit, ein kanonisch präpariertes System im ν–ten Zustand der Energie E anzutreffen, ist

$$\boxed{p_{E,\nu} = \frac{1}{Z}\, \mathrm{e}^{-\beta E}} \tag{3.4}$$

Die obersten Prinzipien der Statistischen Physik sind die der Quantentheorie. Wenn aber jemand eine Gleichung benennen müßte (eine nur), welche in etwa den Rang eines obersten Prinzips dieses Gebietes erreicht, dann würde er wohl (3.4) so auszeichnen. Für $\mathrm{e}^{-\beta E}$ ist der Ausdruck **Boltzmann–Faktor** gebräuchlich.

Der Proportionalitätsfaktor hat von (3.3) nach (3.4) eine Bezeichnung bekommen. Sein Reziprokes, d.h. Z, heißt **Zustandssumme**. Aus der Normierung $\sum_{E,\nu} p_{E,\nu} = 1$ folgt, daß

$$Z\,(\,T\,,\,V\,,\,N\,) = \sum_{E,\nu} \mathrm{e}^{-\beta E} = \sum_E g(E)\, \mathrm{e}^{-\beta E} \tag{3.5}$$

ist, wobei $g(E)$ den Entartungsgrad von E bezeichnet. Die Abhängigkeit von T ist via β explizit, während V und N den Hamilton–Operator spezifizieren und sich folglich in (3.5) implizit in den E–Werten und ihren Entartungsgraden $g(E)$ verstecken. Damit die Summe (3.5) existiert, darf sich das Spektrum des Systems nicht bis nach $E \to -\infty$ erstrecken. Es hat einen tiefsten Wert, ist *bounded from below*.

Bild 3–2 : Jeder Gedankenstrich im Zuständediagramm hat seine Wahrscheinlichkeit p. Sie ist hier nach links aufgetragen. $Z = \sum \mathrm{e}^{-\beta E}$ ist die „Laplace–Transformierte des Spektrums".

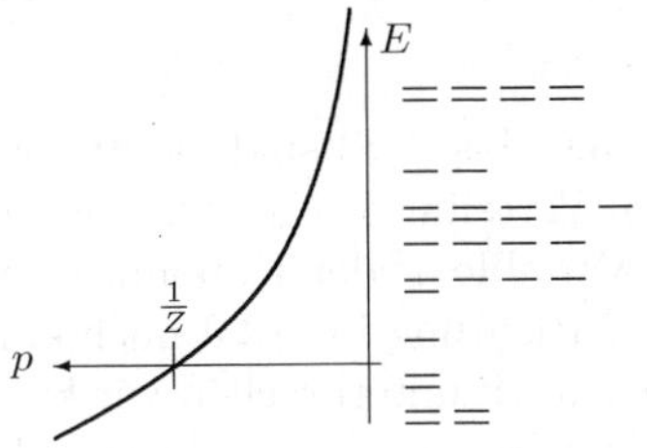

Kaum liegen Wahrscheinlichkeiten vor, so werde — wir hatten es versprochen — die Entropie gebildet :

$$S_{\text{kanonisch}}(T,V,N) = -\sum_{E,\nu} p_{E,\nu} \ln(p_{E,\nu}) = \sum_{E,\nu} p_{E,\nu} \left[\beta E + \ln(Z)\right]$$
$$= \beta \sum_{E,\nu} p_{E,\nu} E + \ln(Z) = \beta E_{\text{kanonisch}} + \ln(Z) \ . \qquad (3.6)$$

Das rechte Ende der Gleichungskette (3.6) beunruhigt stark. Zum einen hat das System nicht *eine* Energie, sondern kann in allen vorgefunden werden. Wenn aber $E_{\text{kanonisch}}$ ein Mittelwert ist, sollte er als solcher gekennzeichnet werden. Richtig. Aber üblich ist leider schlicht „E", und zwar sogar meist ohne Index. Da nun für kleine Systeme S und E von Ensemble zu Ensemble verschieden sind, ist der Index notwendig (er kann ggf. mit k. abgekürzt werden). Es lohnt sich, die E–Mittelung noch einmal gesondert zu betrachten. Mittelung heißt, (1.3) anzuwenden. Mit der „Eigenschaft, die das System hat, wenn es im Zustand E, ν ist", ist hier E selbst gemeint :

$$E_{\text{kanonisch}} := \langle E \rangle_{\text{k.}} = \sum_{E,\nu} p_{E,\nu} E = \frac{1}{Z} \sum_{E,\nu} E\, \mathrm{e}^{-\beta E}$$
$$= -\frac{1}{Z}\partial_\beta \sum_{E,\nu} \mathrm{e}^{-\beta E} = -\frac{1}{Z}\partial_\beta Z = -\partial_\beta \ln(Z) \ . \qquad (3.7)$$

Mit (3.7) taucht erstmals die (berechtigte) Vermutung auf, Z könne eine zentrale Rolle spielen. Kennt man $Z(T,V,N)$, so auch E, S — und vielleicht noch mehr.

Auch der Druck ist nach § 1.3 Eigenschaft eines Zustandes E, ν und zu erhalten per $-\partial_V E$. Die beiden Bedeutungen des Buchstabens p lassen sich hoffentlich anhand der Indizierung auseinander halten. Mit (1.3) ergibt sich der Mittelwert des Druckes eines kanonisch präparierten Systems:

$$p_{\text{kanonisch}} := \langle -\partial_V E \rangle_{\text{k.}} = \sum_{E,\nu} p_{E,\nu} \, (-\partial_V E) = -\frac{1}{Z} \sum_{E,\nu} (\partial_V E) \, \mathrm{e}^{-\beta E}$$

$$= \frac{1}{Z} \sum_{E,\nu} T \, \partial_V \, \mathrm{e}^{-\beta E} = T \, \partial_V \ln(Z) \; . \qquad (3.8)$$

Mit (3.6) bis (3.8) sind die drei wichtigsten direkten Folgerungen aus der kanonischen Verteilung gezogen. Soweit war kein Thermodynamischer Limes im Spiel. Die Variable T der Kanonik ist von vornherein eine kontinuierliche. Es geht in dieser Richtung im § 3.3 noch ein Stückchen weiter. Auch Beispiele fehlen noch. Hier jedoch unterbrechen wir kurz den Gang der Dinge, um eine Angleichung an die übliche — gar nicht so sehr notwendige — Behandlung der Am–Ofen–Systeme endlich nachzutragen.

3.2 Statistischer Operator

Bei neuen Definitionen lauert stets die Frage „Wozu?" im Hintergrund. Die anstehende Umformulierung unserer bisherigen Quantenstatistik wird sich als recht elegant erweisen. Sie bringt Kontakt zur Lehrbuchliteratur ohne viel Aufwand. Sie wird statt bisheriger Summen eine Spur enthalten, und diese kann mit beliebiger Basis ausgeführt werden: mehr Freiheit. Diese Freiheit macht sich dann bei den Näherungsverfahren im Teil III nützlich. Will aber ein Kurs (etwa für Nebenfächler oder Studierende des Lehramts) gar nicht so weit gehen, so kann er getrost auch weiter mit Summen und E's arbeiten. Wird aber andererseits der Statistische Operator tatsächlich auch benötigt, so gewöhne er sich besser jetzt schon ein.

Das einfache ρ

Über weite Strecken — auch im Teil II — werden die Wahrscheinlichkeiten $p_{E,\nu}$ zu allen H–Eigenzuständen $|E, \nu\rangle$ bekannt sein, d.h. zu allen Basiszuständen eines Hilbertraumes. Die Dirac–Notation (1.23) ist jetzt nützlich. Operator A in Ortsdarstellung und abstrakter Operator $\hat{A}$ hängen über $A\langle x| \;\; \rangle = \langle x|\hat{A}| \;\; \rangle$ miteinander zusammen. Ein Operator ist wohldefiniert, wenn man angibt, was bei Anwendung auf alle Basiszustände herauskommt:

$$\hat{\rho}_{\text{kanonisch}} \, |E, \nu\rangle := p_{\text{E},\nu} \, |E, \nu\rangle = \frac{1}{Z} \, \mathrm{e}^{-\beta E} \, |E, \nu\rangle = \frac{1}{Z} \, \mathrm{e}^{-\beta \hat{H}} \, |E, \nu\rangle \; . \qquad (3.9)$$

Und zwei Operatoren sind gleich, wenn sie bei Anwendung auf alle Basiszustände Gleiches geben:

$$\hat{\rho}_{\text{kanonisch}} = \frac{1}{Z}\,\mathrm{e}^{-\beta\hat{H}} \quad , \quad Z = \mathrm{Sp}\left(\mathrm{e}^{-\beta\hat{H}}\right) \ . \tag{3.10}$$

Um die rechte Gleichung hinzuzufügen, hatten wir auf den mittleren Teil von (3.5) geblickt und $\mathrm{e}^{-\beta E}$ als $\langle E,\nu|\mathrm{e}^{-\beta\hat{H}}|E,\nu\rangle$ geschrieben. Da ist er, der Gewinn an Freiheit. Basisunabhängigkeit und zyklische Invarianz der Spur,

$$\begin{aligned} &\langle\mu|\hat{A}|\mu\rangle = \langle\mu|\hat{A}|\lambda\rangle\langle\lambda|\mu\rangle = \langle\lambda|\mu\rangle\langle\mu|\hat{A}|\lambda\rangle = \langle\lambda|\hat{A}|\lambda\rangle \qquad \text{und} \\ &\mathrm{Sp}(\hat{A}\hat{B}\hat{C}) = \langle\mu|\hat{A}|\lambda\rangle\langle\lambda|\hat{B}\hat{C}|\mu\rangle = \langle\lambda|\hat{B}\hat{C}|\mu\rangle\langle\mu|\hat{A}|\lambda\rangle = \mathrm{Sp}(\hat{B}\hat{C}\hat{A}) \ , \end{aligned} \tag{3.11}$$

sind ersichtlich rein quantenmechanische Weisheiten. In (3.9) und (3.10) hat $\hat{\rho}$ den Index „kanonisch" (oder k.), weil es von anderen $\hat{\rho}$'s zu unterscheiden sein wird. Mit dem Buchstaben Z wird hingegen für alle Ewigkeit die kanonische Zustandssumme bezeichnet werden. Wie sich Produkte von Operatoren unter der Spur versammeln können, zeigen die folgenden beiden Formelzeilen:

$$E_{\text{k.}} = \sum_{E,\nu} p_{E,\nu}\,E = \sum_{E,\nu}\langle E,\nu|\hat{\rho}_{\text{k.}}|E,\nu\rangle\,E = \mathrm{Sp}\left(\hat{\rho}_{\text{k.}}\hat{H}\right) \ , \tag{3.12}$$

$$S_{\text{k.}} = -\sum_{E,\nu} p_{E,\nu}\ln\left(p_{E,\nu}\right) = -\mathrm{Sp}\left(\hat{\rho}_{\text{k.}}\ln\left(\hat{\rho}_{\text{k.}}\right)\right) \ . \tag{3.13}$$

Übung 3/1 Vielleicht haben Sie es bereits bemerkt, daß das Resultat (3.12) auch sehr direkt mittels $E = -\partial_\beta \ln(Z)$ aus (3.10) zu erhalten war, im Kopf nämlich. Aber wie folgt das rechte Ende von (3.13) direkt mittels (3.6)?

Lösung $S = \beta\,\mathrm{Sp}(\hat{\rho}\hat{H}) + \ln(Z) = -\,\mathrm{Sp}\left(\hat{\rho}\,\left[-\beta\hat{H} - \ln(Z)\right]\right) = -\mathrm{Sp}\left(\hat{\rho}\ln\left(\hat{\rho}\right)\right)$.

Spur (ρA)

Die Bildung (3.12) ist nur ein spezielles Beispiel zu einer generellen Beziehung für den Mittelwert einer Observablen A mit hermiteschem Operator $\hat{A}$. Obacht, es folgt eine ebenso interessante wie wichtige Betrachtung. Wir gehen einmal mehr von (1.3) aus und wollen den mittleren Meßwert $\langle a\rangle$ kennenlernen, der sich bei wiederholter A–Messung an einem kanonisch präparierten System ($\hat{H}$) ergibt: $\langle a\rangle =: \langle A\rangle_{\text{kanonisch}}$. $\hat{A}$ wirkt im Hilbertraum von $\hat{H}$, und beide generieren denselben. Wir benötigen die Wahrscheinlichkeit p_a, mit welcher a fällt. Sie setzt sich im Produkt zusammen (wenn–dann–Frage) aus der Wahrscheinlichkeit $p_{E,\nu}$ für Vorliegen des H–Eigenzustands $|E,\nu\rangle$ und der quantenmechanischen

Wahrscheinlichkeit $P_a^{(E,\nu)}$ dafür, daß *dann* a erhalten wird. Ist auch der $\hat{A}$–Eigenwert a entartet (mit μ–Numerierung im Entartungsraum), so haben wir nach Postulat (1.17) $P_a^{(E,\nu)} = \sum_\mu |\langle a,\mu|E,\nu\rangle|^2$ aufzuschreiben. p_a ist die Summe solcher Produkte:

$$\langle A\rangle_{\text{kanonisch}} := \langle a\rangle = \sum_a p_a\, a \quad \text{mit} \quad p_a = \sum_{E,\nu} p_{E,\nu}\cdot P_a^{(E,\nu)}$$

$$= \sum_a a \sum_{E,\nu} p_{E,\nu} \sum_\mu \langle E,\nu|a,\mu\rangle\,\langle a,\mu|E,\nu\rangle \tag{3.14}$$

$$= \sum_{E,\nu}\sum_{a,\mu} \langle a,\mu|\hat{\rho}_{\text{k.}}|E,\nu\rangle\,\langle E,\nu|\hat{A}|a,\mu\rangle$$

$$= \sum_{a,\mu} \langle a,\mu|\hat{\rho}_{\text{k.}}\hat{A}|a,\mu\rangle \;=\; \mathrm{Sp}\left(\hat{\rho}_{\text{k.}}\,\hat{A}\right) \quad . \tag{3.15}$$

Die mit ρ gewichtete Spur einer Observablen gibt ihren Mittelwert. Und nach (3.13) ist die Entropie der gemittelte Logarithmus von ρ.

Im ersten Moment mag obiges arg anstrengend wirken. Wenn wir aber unsere drei Umformulierungen (nur drei, weil $E_{\text{k.}}$, (3.12), inzwischen Spezialfall von (3.15) ist) noch einmal entspannt betrachten, dann wird deutlich, daß stets der Rückweg offen geblieben ist. Dazu führen wir einfach jede Spur in

$$Z = \mathrm{Sp}\left(\mathrm{e}^{-\beta\hat{H}}\right) \quad , \quad S_{\text{k.}} = -\mathrm{Sp}\Big(\hat{\rho}_{\text{k.}}\,\ln(\hat{\rho}_{\text{k.}})\Big) \quad , \quad \langle A\rangle_{\text{k.}} = \mathrm{Sp}\Big(\hat{\rho}_{\text{k.}}\,\hat{A}\Big) \quad , \tag{3.16}$$

in Gedanken mit der Basis $|E,\nu\rangle$ aus. Unverzüglich wird Z zur E,ν–Summe über $\mathrm{e}^{-\beta E}$'s und S zur gewohnten Bildung aus p's. Der letzte Ausdruck in (3.16) geht in $\sum_{E,\nu} p_{E,\nu}\,\langle A\rangle_{E,\nu}$ über, also in den mittleren A–Erwartungswert im Zustand E,ν. Zu speziell $\hat{A}=\hat{H}$ ist $\langle H\rangle_{E,\nu} = E$ und $E_{\text{k.}} = \langle H\rangle_{\text{k.}} = \sum_{E,\nu} p_{E,\nu}\,E$. Alles fein. Man gewöhnt sich daran. Es ist gar nichts Neues.

Neben (3.10) kann der Statistische Operator — wir sind noch beim einfachen ρ — auch noch in ein anderes Gewand gekleidet werden:

$$\hat{\rho}_{\text{k.}} = \sum_{E,\nu} |E,\nu\rangle\; p_{E,\nu}\; \langle E,\nu| \quad . \tag{3.17}$$

Um dies einzusehen, wenden wir (3.17) auf einen beliebigen Zustand $|E',\nu'\rangle$ an, werden via Orthonormierung von der Summe befreit und erhalten $p_{E',\nu'}\,|E',\nu'\rangle$. Gleiche Wirkungsweise, gleicher Operator. Neben *Statistischer Operator* ist übrigens auch die Bezeichnung *Dichtematrix* im Gebrauch. Beide benennen das gleiche Objekt.

Das raffinierte ρ

Das „einfache ρ“ ließ sich links in (3.9) unverzüglich ins Leben rufen, weil sich die vorgegebenen Wahrscheinlichkeiten (oben: die $p_{E,\nu}$) auf die orthonormierten Zustände einer Basis (oben: $|E,\nu\rangle$) bezogen haben. Es ist aber auch die Situation denkbar, daß Wahrscheinlichkeiten für *nicht*–orthogonale Zustände vorgegeben sind. Dafür kann sogar von Menschenhand gesorgt werden, etwa wenn zwei Atomstrahlen überlagert werden: 70 Prozent im Zustand $|1\rangle$ und 30 Prozent im Zustand $\frac{1}{\sqrt{2}}\left(|1\rangle + |2\rangle\right)$. Was nun? An einen „Spinstrahl“ wird dann gern gedacht. Es muß sich aber nicht unbedingt um Spin–Zustände handeln.

Vorgegeben seien Wahrscheinlichkeiten p_j für normierte ($\langle j|j\rangle = 1$), aber nicht–orthogonale Zustände $|j\rangle$. Diesmal beziehen sich, dem obigen Text entsprechend, die Wahrscheinlichkeiten tatsächlich direkt auf Zustände. Es liegt ein *Gemisch* vor, d.h. ein Ensemble aus Systemen in Zuständen $|j\rangle$. Die Bezeichnung „gemischter Zustand“ gefällt uns gar nicht, aber es kann vielleicht von einem gemischt präparierten System gesprochen werden. Messung von A an diesem System läßt uns fragen nach der

$$\left.\begin{array}{c}\text{Wahrscheinlichkeit, den}\\ \text{Meßwert } a \text{ zu erhalten}\end{array}\right\} = \sum_j p_j P_a^{(j)} = \sum_j p_j \sum_\mu |\langle a,\mu|j\rangle|^2 \; . \tag{3.18}$$

Als nächstes bilden wir wieder den Mittelwert $\langle a\rangle$ und sind neugierig darauf, was nun wohl an der Rechnung (3.14) schief gehen mag:

$$\begin{aligned}\langle A\rangle := \langle a\rangle &= \sum_a a \sum_j p_j \sum_\mu \langle j|a,\mu\rangle\,\langle a,\mu|j\rangle \\ &\qquad (\sum_a, \sum_\mu \to \hat{A}; \quad \sum_j \to\; ??) \\ &= \sum_{a,\mu} \langle a,\mu| \quad \sum_j |j\rangle\, p_j\, \langle j| \quad \hat{A}\,|a\,\mu\rangle \\ &= \mathrm{Sp}\left(\hat{\rho}\,\hat{A}\right) \quad \text{mit} \quad \hat{\rho} = \sum_j |j\rangle\, p_j\, \langle j| \; . \end{aligned} \tag{3.19}$$

Die Umwandlung der p_j in einen Operator ging nicht mehr, weil die $|j\rangle$ keine Basis bilden. Also wurde aus der Not eine Tugend gemacht und der üble Rest zum neuen „raffinierten“ Statistischen Operator erklärt. Die Beziehung $\langle A\rangle = \mathrm{Sp}(\hat{\rho}\hat{A})$ ist gerettet. Sie gilt immerhin für beliebige hermitesche Operatoren $\hat{A}$. Läßt man $|j\rangle$ zur Basis $|E,\nu\rangle$ werden, steht (3.17) da. (3.19) ist also die direkte Verallgemeinerung auf den Fall nicht–orthogonaler Vorgaben.

Weil die p_j reell sind, ist $\hat{\rho}$ ein hermitescher Operator. Es ist $\mathrm{Sp}(\hat{\rho}) = 1$, weil (3.19) auch den Fall $\hat{A} = 1$ enthält. Und schließlich ist $\hat{\rho}$ *positiv definit.* Dies möge heißen, daß alle seine Eigenwerte größer–gleich Null sind:

$$\left(\sum_j |j\rangle\, p_j\, \langle j| \right) |n\rangle = \lambda_n\, |n\rangle \quad \curvearrowright \quad \lambda_n = \sum_j p_j\, |\langle j|n\rangle|^2 \geqslant 0 \ . \tag{3.20}$$

Es gibt hübsche Übungsaufgaben zum Spinstrahl, in welchen ρ als Matrix erhalten wird. Jedoch entfernen uns diese zu weit vom roten Faden. Mit der Raffinesse (3.19) werden wir nämlich nichts mehr zu tun haben. Wohl aber mit den vor (3.20) genannten drei Eigenschaften. Sie schränken geeignet ein, wenn man noch auf der Suche nach ρ ist. Mehr noch, sie legen fest, was generell unter einem Statischen Operator zu verstehen ist:

Die drei definierenden Eigenschaften eines Statistischen Operators ρ sind (1) $\rho^\dagger = \rho$, (2) $\mathrm{Sp}(\rho) = 1$, (3) ρ ist positiv definit. (3.21)

Im Zusammenhang mit Nicht–Gleichgewicht werden die drei Eigenschaften (3.21) im Kapitel 5 ihr volles Leben entfalten.

Liegt zur Präparierung eines Systems der Statistische Operator ρ vor, so kann generell seine Entropie als gemittelter $-\ln(\rho)$ gebildet werden:

$$S \;=\; \Big\langle -\ln(\rho) \Big\rangle \;=\; -\mathrm{Sp}\Big(\rho \ln(\rho)\Big) \ . \tag{3.22}$$

Man kann (3.22) als verallgemeinerte Entropie–Definition ansprechen. Warum? Ist nun wirklich unsere vertraute Entropie–Definition als $-\sum p \ln(p)$ aus dem Verkehr gezogen und durch (3.22) ersetzt worden? Ja und Nein. Eines ist richtig, nämlich, daß die vorgegebenen p_j nicht mehr etwa einfach in $-\sum p \ln(p)$ eingesetzt werden dürfen. Man könnte ja dann den von zwei Basiszuständen aufgespannten Teilraum beliebig oft unterteilen, jedem Nicht–Basisvektor ein p zuordnen und so die Entropie beliebig erhöhen. Insofern ist $S = -\mathrm{Sp}(\rho \ln(\rho))$ allgemeiner, oder besser: ist der Ersatz im Nicht–orthogonal–Falle. Wollen wir die Spur ausführen, bieten sich die Zustände $|n\rangle$ aus (3.20) an. Da ρ hermitesch ist, bilden sie eine Basis des betrachteten Raumes. Das gibt $S = -\sum_n \lambda_n \ln(\lambda_n)$. Tatsächlich sind nun die $\hat{\rho}$–Eigenwerte λ_n wegen

$$\hat{\rho} = \sum_n \sum_j |j\rangle\, p_j\, \langle j|n\rangle\, \langle n| = \sum_n \hat{\rho}\, |n\rangle\, \langle n| = \sum_n |n\rangle\, \lambda_n\, \langle n| \tag{3.23}$$

ihrerseits als Wahrscheinlichkeiten ansprechbar, nämlich dafür, den Zustand $|n\rangle$ im Gemisch vorzufinden. Als Eigenzustände eines hermiteschen Operators bilden ja die $|n\rangle$ eine Basis — wie in (3.17). Wer will, kann also bei $S = -\sum p \ln(p)$ bleiben. Er muß nur, sobald es einmal „raffiniert" zugehen sollte, die p's als Eigenwerte des Statistischen Operators lesen.

3.3 Kanonisch zur Thermodynamik

Im Abschnitt 3.1, welcher jetzt eine Fortsetzung bekommt, war es unwiderstehlich gewesen, sofort die Entropie und die kanonischen Mittel E und p zu bilden. Wir betonen erneut, daß diese drei Größen auch für kleine Systeme mittels (3.6), (3.7), (3.8) erhalten werden. *Gesund* brauchen jedoch Systeme am Ofen *nicht* zu sein. Die Forderungen (2.29) richteten sich an Wärmebäder: am Ofen $\neq$ selber Ofen.

Ohne etwas von der Spur–Eleganz aufzugeben, kehren wir zur Ortsdarstellung zurück. Dies heißt schlicht, $\rho_{\text{k.}} = \frac{1}{Z}\mathrm{e}^{-\beta H}$ zu schreiben — als lediglich andere Notation für (3.4) — und auch in (3.16) alle Dächer wegzulassen. Die Spur bleibt Summe über Matrixelemente:

$$Z = \mathrm{Sp}\left(\mathrm{e}^{-\beta H}\right) \quad \text{mit} \quad \mathrm{Sp}\left(\,\ldots\right) = \sum_{\lambda} \int dx\; \varphi_{\lambda}^{*}(x)\; \ldots\; \varphi_{\lambda}(x)\ , \tag{3.24}$$

wobei x symbolisch für alle Variablen des Systems steht und $\int dx$ für Summation und/oder Integration über dieselben.

Die Zustandssumme $Z(T, V, N)$ auszuwerten, darin besteht in der Regel das entscheidende technische Problem einer jeden *ab initio* Rechnung der Statistischen Physik (des Gleichgewichts). Was ist nicht alles probiert und erfunden worden, um mit dieser Summe über e–Funktionen im konkreten Falle fertig zu werden. Die Teile II und III werden nur eine kleine Auswahl bieten. Ist Z einmal ausgerechnet, ob nun exakt oder näherungsweise, dann ist auch (im engeren Sinne) die Thermodynamik des Systems *ab initio* bekannt. „*Ist Z die* Thermodynamik?" — nein, denn die letztere beschränkt sich auf große Systeme: Z kann also mehr. Beleg für die zentrale Rolle von Z waren vorerst nur die drei Gleichungen (3.6) bis (3.8). Wenn wir sie noch einmal nebeneinander stellen,

$$E_{\text{k.}} = -\partial_{\beta} \ln(Z) \quad , \quad S_{\text{k.}} = \beta E_{\text{k.}} + \ln(Z) \quad , \quad p_{\text{k.}} = T\partial_V \ln(Z) \quad , \tag{3.25}$$

so fällt auf, daß Z nur unter Logarithmus vorkommt. Vielleicht führt die Definition

$$F(T\,, V\,, N\,) \;:=\; -T\ln(Z) \;=\; E_{\text{k.}} - T\,S_{\text{k.}} \quad , \tag{3.26}$$

Freie Energie genannt, zu weiterer Harmonie — oder sogar zum Thermodynamischen Potential der Kanonik. Die Version rechts in (3.26) folgt direkt aus (3.25) Mitte. Wir erinnern uns, daß bei den Differentiationen in (3.25) die jeweils anderen zwei Variablen aus T, V, N fest blieben. Beim Druck rechts in (3.25) können also T und ∂_V vertauscht werden:

$$p_{\text{k.}}(T, V, N) \;=\; -\,\partial_V\, F(T, V, N)\ . \tag{3.27}$$

Dies ist die **Zustandsgleichung**. Kanonik liefert also die p–V–Relation unverzüglich und in den richtigen Variablen. Noch immer gelten (3.25) bis (3.27) auch für kleine Systeme. Als nächstes soll die Entropie $S_{\text{k.}}$ mit F zu tun bekommen. (3.25) Mitte, kombiniert mit (3.25) links und $\ln(Z) = -\beta F$, führt auf

$$
\begin{aligned}
S_{\text{k.}} &= \Big(1 - \beta\,\partial_\beta\Big)\ln(Z) = \Big(\beta\,\partial_\beta - 1\Big)\beta\, F \\
&= \Big(\beta\,\partial_\beta\,\beta - \beta\Big)\, F = \beta^2\,\partial_\beta\, F \quad , \quad \partial_\beta = \Big(\partial_\beta \frac{1}{\beta}\Big)\,\partial_T = -T^2\,\partial_T \\
&= -\,\partial_T\, F(T,V,N) \quad . \qquad (3.28)
\end{aligned}
$$

Nicht wahr, (3.27) und (3.28) lassen bereits stark vermuten, daß es sich bei der Freien Energie F um das gesuchte Thermodynamische Potential handeln könnte. Beide Beziehungen sind Ableitungen nach typisch kanonischen Variablen, nämlich nach V und nach T. Es fehlt nur noch die Ableitung nach N. Aber diese kann bei einem kleinen System nicht mehr gebildet werden: N hat diskrete Werte. Erst in den führenden Termen einer Groß–System–Asymptotik wird die N–Abhängigkeit „weich". Das entscheidend Wichtige über große Systeme kommt zum Vorschein bei Untersuchung der

Schwankung

der Energie. Im kanonischen Ensemble ist die Energie eine mittlere Größe. Sie schwankt. Mit Erinnerung an (1.4) schreibt sich das Quadrat der Energieschwankung als

$$
\begin{aligned}
(\Delta E)^2_{\text{k.}} &= \big\langle\, (\,H - \langle H\rangle\,)^2\,\big\rangle = \big\langle\, H^2\,\big\rangle - \langle H\rangle^2 \qquad (3.29) \\
&= \frac{1}{Z}\mathrm{Sp}\left(H^2 \mathrm{e}^{-\beta H}\right) - \frac{1}{Z^2}\left[\,\mathrm{Sp}\left(H \mathrm{e}^{-\beta H}\right)\right]^2 \\
&= \frac{1}{Z}\,\partial^2_\beta\, Z - \frac{1}{Z^2}\,(\partial_\beta Z)\,(\partial_\beta Z) = \partial_\beta \left(\frac{\partial_\beta Z}{Z}\right) \\
&= \partial^2_\beta \ln(Z) = -\partial_\beta E_{\text{k.}} = T^2 \partial_T\, E_{\text{k.}} \quad . \qquad (3.30)
\end{aligned}
$$

Wie das rechte Ende von (3.30) zeigt, ist $(\Delta E)^2$ eine extensive Größe — sofern wir genau jetzt zu großem System übergehen. Die Schwankung selbst ist nicht mehr extensiv: $(\Delta E)_{\text{k.}} = \sqrt{ex}$ oder

$$
\frac{(\Delta E)_{\text{k.}}}{E_{\text{k.}}} = \frac{1}{\sqrt{ex}} \quad \text{und} \quad E_{\text{k.}} \pm (\Delta E)_{\text{k.}} = E_{\text{k.}} \cdot \left(1 + \mathcal{O}\Big(\frac{1}{\sqrt{N}}\Big)\right) \quad . \qquad (3.31)
$$

Denken wir hier an $N \sim 10^{20}$ oder mehr, so ist klar, daß ein Fehlerbalken (ΔE) relativ zu E nicht mehr meßbar ist. Rechnungen analog (3.29), (3.30) lassen sich an allen schwankenden Größen ausführen. Das Fazit lautet:

> Für große Systeme verschwinden Ensemble–spezifische Besonderheiten. Die extensiven Anteile — und ebenso die führenden Terme intensiver Größen — sind in allen Gleichgewichts–Ensembles gleich, sofern ausgedrückt durch gleiche Variable. (3.32)

Kanonisches Thermodynamisches Potential

Ausgerüstet mit der Weisheit (3.32) können wir nun $\partial_N F)_{T,V}$ studieren, d.h. die noch ausstehende dritte Ableitung von F. Wir gehen aus von (3.26) rechts,

$$\partial_N F(T,V,N) = \partial_N E_{\text{k.}}(T,V,N) - T\partial_N S_{\text{k.}}(T,V,N) \ , \tag{3.33}$$

und stehen vor der Wahl, zuerst den ersten oder zuerst den zweiten Term genauer anzuschauen. Es möge Vertrauen schaffen, wenn wir beide Wege gehen, den ersten hier und den zweiten in Übung 3/2. Die Klarstellung, welche Variablen beim Ableiten fest bleiben, kann durch nachgestellte runde Klammer erfolgen oder (so hier) durch Aufschreiben aller Variablenabhängigen der beteiligten Funktionen. In (3.33) behandelt ∂_N die Variablen T und V als Konstante. Weil wir über Ableitungen nach N nur mikrokanonisch etwas wissen, nutzen wir (3.32) zwischen Kanonik und Mikrokanonik aus:

$$E^{\text{ex}}_{\text{k.}}(T,V,N) \ \equiv \ E^{\text{ex}}_{\text{mikro}}\left(S^{\text{ex}}_{\text{k.}}\left[T,V,N\right], V\,, N\right) \ . \tag{3.34}$$

Genau so ist jenes „ausgedrückt durch" in (3.32) gemeint. Obwohl die E's identische Werte haben, müssen ihre unteren Indizes angebracht werden: Es handelt sich ja um verschiedene Funktionen ihrer drei Argumente. Der obere Index ^{ex}, hingegen, der kann entfallen (weil wir faul sind und weil es so üblich ist). Wir wissen ja, daß jetzt nur noch von großem System die Rede ist. Mittels (3.34) kommen wir weiter:

$$\begin{aligned}
\partial_N F(T,V,N) &= \partial_N E_{\text{mikro}}\left(S_{\text{k.}}\left[T,V,N\right], V\,, N\right) - T\partial_N S_{\text{k.}}(T,V,N) \\
&= \Big(\partial_S E_{\text{mikro}}(S,V,N)\Big)\cdot \partial_N S_{\text{k.}}(T,V,N) + \\
&\quad + \partial_N E_{\text{mikro}}(S,V,N)\Big|_{S=S_{\text{k.}}(T,V,N)} - T\partial_N S_{\text{k.}}(T,V,N) \\
&= \mu_{\text{mikro}}(S_{\text{k.}}\left[T,V,N\right], V\,, N) \equiv \mu_{\text{k.}}(T,V,N) \ .
\end{aligned} \tag{3.35}$$

Der Schritt von der zweiten zur letzten Zeile hatte sich des „Gradienten" (2.39) bedient. Wegen $\partial_S E = T$ kompensierten sich zwei Terme, und $\partial_N E = \mu$ verwandelte den restlichen. In der dritten Zeile wurde wieder die Groß–System–Weisheit

(3.32) ausgenutzt, diesmal für eine intensive Größe. Man begreift auch erneut die Notwendigkeit der Indizes. Es gilt hier vielleicht, ein Lächeln mancher eingefleischter Thermodynamiker abzuwehren, welche mit Differentialen viel schneller bei (3.35) ankommen. Vorsicht, das ist gefährlich. Unsere Rechnung war vor allem sehr *sicher*. Gegebenenfalls fragen wir zurück, wie sie (die Lächler) wohl die Legendre–Transformationen (Kapitel 11) erklären würden und wo denn die Beschränkung auf große Systeme notwendig geworden sei.

Übung 3/2 Das Resultat (3.35) soll sich auch auf dem „zweiten Weg" ergeben, welcher beim $\partial_N S$–Term in (3.33) beginnt.

Lösung $S_{\text{k.}}(T,V,N) \equiv S_{\text{mikro}}(\,E_{\text{k.}}\,[\,T,V,N\,]\,,V,N)$. (2.31): Terme–Kompensation. (2.33): $\partial_N F(T,V,N) = \mu_{\text{mikro}}\,(E_{\text{k.}}\,[\,T,V,N\,]\,,V,N) \equiv \mu_{\text{k.}}(T,V,N)$.

Mit (3.35) ist der „Gradient" komplett:

$$(\, -S \, , \, -p \, , \, \mu \,) \; = \; (\, \partial_T \, , \, \partial_V \, , \, \partial_N \,) \, F(T,V,N) \; . \tag{3.36}$$

$F(T,V,N)$ ist das Thermodynamische Potential der Kanonik. Und T, V, N sind die kanonischen natürlichen Variablen.

3.4 Drei Beispiele

In den vergangenen drei Abschnitten wollten wir die „Theorie" nicht allzusehr unterbrechen. Jetzt aber folgt endlich Konkretes. Es sollen die drei einfachsten Beispiele werden. Und darum wird es sich drei mal um kleine Systeme handeln.

Harmonischer Oszillator

Wenn Sie das Wippmännchen links im Bild 3–3 auf jemandes Schreibtisch stehen sehen, haben Sie natürlich unverzüglich die Temperatur der Tischplatte im Sinne und denken quantenmechanisch (weil das die Wahrheit ist).

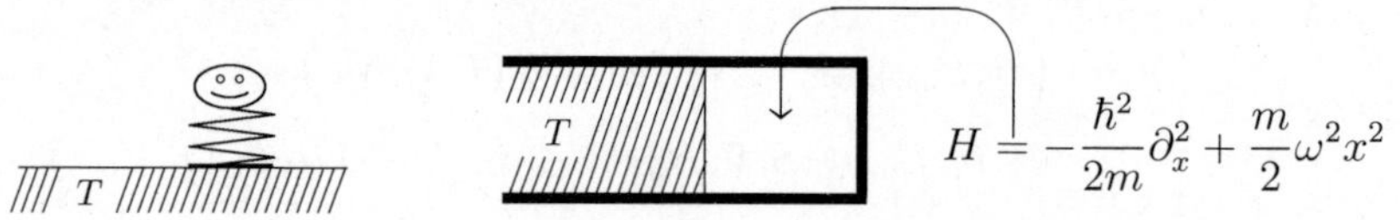

Bild 3–3 : Utensil auf einem Schreibtisch — und Kasten am Wärmebad (T), in welchen die zugehörige (hier stark stark idealisierte) „Theorie eingefüllt" wird.

Ein zweiter, mehr philosophischer Gedanke erinnert sich, was wir bei kanonischer Behandlung eines Systems eigentlich als erstes tun: „Theorie einfüllen"!

Vielleicht hätten Sie nach dem Hamilton–Operator des Systems verlangt, weil diesen die Zustandssumme braucht. Dies ist jedoch arg nichtrelativistisch gedacht. Die mikroskopische Regie eines Systems kann auch mit einer Lagrange–Dichte vollständig festliegen. In beiden Fällen weiß dann das System (sofern die Theorie nicht so krank ist wie der klassische Strahlungshohlraum), wie es wieviele Energieportionen wohin zu verteilen hat.

Es ist richtig, daß wir zum eindimensionalen harmonischen Oszillator bei Temperatur T bereits alles wissen. Dies war mikrokanonisch in den Abbschnitten 2.3 und 2.4 gelungen, insbesondere in Übung 2/5. Hier interessiert nur, wie elegant die Kanonik zu den gleichen Resultaten gelangt.

Der Hamilton–Operator steht rechts im Bild 3–3. In seinen nicht–entarteten Eigenwerten $E_n = \hbar\omega\left(\frac{1}{2}+n\right)$ läuft n von 0 bis ∞. Bei den folgenden drei Rechnungen kommen (3.5) (wie Z zu bilden ist), die geometrische Reihe $1 + x + x^2 + \ldots = 1/(1-x)$, dann (3.7), d.h. $E = -\partial_\beta \ln(Z)$, und schließlich (3.6) zur Anwendung:

$$Z_{\rm osz} = \sum_{n=0}^{\infty} \mathrm{e}^{-\beta\left[\hbar\omega\left(\frac{1}{2}+n\right)\right]} = \mathrm{e}^{-\beta\frac{\hbar\omega}{2}} \sum_{n=0}^{\infty} \left(\mathrm{e}^{-\beta\hbar\omega}\right)^n = \mathrm{e}^{-\beta\frac{\hbar\omega}{2}} \frac{1}{1-\mathrm{e}^{-\beta\hbar\omega}} \,, \quad (3.37)$$

$$E_{\rm osz} = -\partial_\beta \left(-\beta\frac{\hbar\omega}{2} - \ln\left[1-\mathrm{e}^{-\beta\hbar\omega}\right]\right) = \frac{\hbar\omega}{2} + \frac{\hbar\omega}{\mathrm{e}^{\beta\hbar\omega}-1} \,, \quad (3.38)$$

$$S_{\rm osz} = \beta E_{\rm osz} + \ln\left(Z_{\rm osz}\right) = \frac{\beta\hbar\omega}{\mathrm{e}^{\beta\hbar\omega}-1} - \ln\left(1-\mathrm{e}^{-\beta\hbar\omega}\right) \,. \quad (3.39)$$

Mit (3.37) und (3.38) haben sich die Resultate aus Übung 2/5 bestätigt — aber sie fielen hier wie reife Äpfel vom Baum. Mit Resultaten soll man spielen, hier zum Beispiel auf folgende zwei Weisen.

Im Grenzfall hoher Temperatur ($\beta \to 0$) geht $S_{\rm osz}$ gegen $\ln[T/(\hbar\omega)]$ (führender Term). Die Unordnung nimmt zu. So soll es sein. Die Energie geht gegen T: *ein* T pro oszillatorischem Freiheitsgrad. Aber eben nur im Hoch–Temperatur–Grenzfall trifft dies zu. Gleich nach den drei Beispielen gehen wir im § 3.5 diesem eigenartigen „Anzahl T pro Freiheitsgrad“ auf den Grund.

Im Grenzfall tiefer Temperatur ($\beta \to \infty$) zieht sich die Energie artig auf ihren Grundzustandswert $\hbar\omega/2$ zurück, und zwar exponentiell: $E_{\rm osz} = \hbar\omega\left[\frac{1}{2} + \mathrm{e}^{-\beta\hbar\omega} + \mathcal{O}(\mathrm{e}^{-2\beta\hbar\omega})\right]$. Dies ist typisch für Situationen, in denen die Vergleichsenergie T die Größenordnung der Energieniveau–Abstände unterschreitet. Es tritt Ordnung ein und $S_{\rm osz} \to \beta\hbar\omega\,\mathrm{e}^{-\beta\hbar\omega}$ geht gegen Null. Unordnung friert aus. Bei Abkühlung kehrt Ruhe ein — in der Ausnüchterungszelle.

Als nächstes beunruhigt uns der Gedanke — jetzt wieder allgemein kanonisch — daß doch die Unordnung nicht von einer Verschiebung der Energieskala betroffen sein darf. Wenn wir neue Größen, jene nach Skalaverschiebung, mit einer Schlange kennzeichnen, zeigt sich diese Unabhängigkeit von S wie folgt:

$$\begin{aligned}\widetilde{E}_n &= E_n + \epsilon \quad , \quad \widetilde{Z} = \mathrm{e}^{-\beta\epsilon} Z \quad , \quad \ln(\widetilde{Z}) = -\beta\epsilon + \ln(Z) \quad , \quad \widetilde{F} = \epsilon + F \\ \widetilde{E}_{\text{k.}} &= \epsilon + E_{\text{k.}} \quad , \quad \widetilde{S}_{\text{k.}} = \beta\left(\widetilde{E}_{\text{k.}} - \widetilde{F}\right) = S_{\text{k.}} \quad , \quad \text{qed} . \end{aligned} \tag{3.40}$$

Auch die kanonische Entropie muß streng additiv sein, wenn zwei Systeme 1 und 2 zwar am gleichen Ofen hängen, aber ansonsten nichts miteinander zu tun haben: $H = H_1 + H_2$. Die Zustandssumme Z des Gesamtsystems bildet dann ein Produkt,

$$Z = \sum_{E_1,\nu_1,E_2,\nu_2} \mathrm{e}^{-\beta(E_1+E_2)} = Z_1 \cdot Z_2 \quad \curvearrowright \quad F = -T\ln(Z) = F_1 + F_2 \quad . \tag{3.41}$$

Da auch die kanonisch gemittelte Energie additiv ist, $E_{\text{k.}} = \frac{1}{Z}\sum(E_1 + E_2)\cdot \mathrm{e}^{-\beta(E_1+E_2)} = E_{1,\text{k.}} + E_{2,\text{k.}}$, folgt unverzüglich $S_{\text{k.}} = \beta\,(E_{\text{k.}} - F) = S_{1,\text{k.}} + S_{2,\text{k.}}$.

Übung 3/3 Ein 2D Oszillator am Ofen (T) sollte als Gesamtsystem zweier entkoppelter eindimensionaler verstanden werden können und foglich $Z = Z_{\text{osz}}^2$ haben. Wie kommt dies mittels (3.5) zu Entartungsgrad $g(E) = 1 + n$ heraus?

Lösung $Z = \sum_{n=0}^{\infty}(1+n)\,\mathrm{e}^{-\beta\hbar\omega(1+n)} = -\partial_{\beta\hbar\omega}\,\mathrm{e}^{-\beta\hbar\omega}\sum_{n=0}^{\infty}\left(\mathrm{e}^{-\beta\hbar\omega}\right)^n = \ldots = (3.37)^2$.

Zwei–Niveau–System

Im Molekül NH_3 kann der Stickstoffkern durch das Dreieck der Protonen hindurch schwingen. Falsch. Wir sind doch Quantiker! In einer der Normalkoordinaten (welche klassisch schwingen *würde*) liegt ein Zwei–Mulden–Potential vor — mit symmetrischem Grundzustand und antisymmetrischem ersten angeregten. Die zugehörigen E–Eigenwerte sind vergleichsweise eng benachbart: $\Delta E =: 2\,\epsilon$. Werden technisch–modellhaft höhere E's weggelassen, liegt ein Zwei–Niveau–System vor. Bei geeigneter Wahl der Energieskala ist der Hamilton–Operator $H = \epsilon\sigma^z = \epsilon\begin{pmatrix}1 & 0\\ 0 & -1\end{pmatrix}$ „einzufüllen". Richtig, ein $\frac{1}{2}$–Spin im Magnetfeld hat das gleiche H:

$$\begin{aligned} Z &= \mathrm{e}^{\beta\epsilon} + \mathrm{e}^{-\beta\epsilon} \quad , \quad E_{\text{k.}} = -\partial_\beta \ln(Z) = -\epsilon\,\frac{\mathrm{e}^{\beta\epsilon} - \mathrm{e}^{-\beta\epsilon}}{\mathrm{e}^{\beta\epsilon} + \mathrm{e}^{-\beta\epsilon}} \\ S_{\text{k.}} &= \beta E_{\text{k.}} + \ln(Z) = \frac{2\beta\epsilon\,\mathrm{e}^{-2\beta\epsilon}}{1 + \mathrm{e}^{-2\beta\epsilon}} + \ln\left(1 + \mathrm{e}^{-2\beta\epsilon}\right) \quad . \end{aligned} \tag{3.42}$$

Die Entropie wurde in (3.42) so aufgeschrieben, daß ihr exponentielles Ausfrieren bei $T \to 0$ ($\beta \to \infty$) deutlich zu erkennen ist.

Interessanter ist der Hoch–Temperatur–Limes $\beta \to 0$ zu (3.42). Die Energie geht gegen $-\beta\epsilon^2$. Wie man auch den Ofen heizt, die Energie des Kastens wird höchstens Null. Und seine Entropie wird höchstens ln(2), wie bei idealer Münze. Mehr noch, ln(2) ist der maximale S–Wert pro Kasten in Übung 2/8 und im Bild 2–7. Dort hatten wir Zwei–Niveau–Systeme N–fach aneinander gelagert und die Möglichkeit negativer Temperatur entdeckt. *Am* Ofen aber (nicht selber Ofen bildend) verhält sich das Zwei–Niveau–System ganz vernünftig. Es wird nur im gesunden Bereich $0 < \eta < 1/2$ bedient.

Übung 3/4 In Fortsetzung von Übung 2/8 sollen Energie und Entropie pro Kasten erhalten werden, je als Funktionen von β und zum Bereich $0 < \eta < 1/2$.

Lösung Die dort erhaltene Funktion $T(\eta)$ ist nach η aufzulösen. E/N und S^{ex}/N gehen unter $\epsilon \to 2\epsilon$ und Skalaverschiebung um $-\epsilon$ perfekt in (3.42) über.

Übung 3/5 Der gezinkte Würfel von Übung 1/4 und Bild 1–3 (d) auf warmer Tischplatte wird realistisch, wenn man ihn sich *kleiner* denkt: kubisches Molekül auf der Oberfläche eines Festkörpers (T). $mgh =: \epsilon$. Zustandssumme $Z(T) = ?$ Kanonische Energie $E_{\text{k.}}(T) = ?$ Deren Hoch–Temperatur–Grenzwert und Auflösung $T(E)$? Welches Vorzeichen hat T bei $E > 0$?

Lösung $Z = 4 + 2\text{ch}(\beta\epsilon)$, $E_{\text{k.}} = -\frac{\epsilon\,\text{sh}(\beta\epsilon)}{2+\text{ch}(\beta\epsilon)} \to 0$ bei $T \to \infty$, $T = \epsilon/\ell$ mit $\ell = \ln\left(\frac{-2E+\sqrt{3E^2+\epsilon^2}}{E+\epsilon}\right)$, $E+\epsilon \overset{?}{>} -2E+\sqrt{} \curvearrowright 6E(E+\epsilon) \overset{?}{>} 0$, also T negativ.

Ein Teilchen im Kasten

Ein (spinloses) Teilchen (m) befindet sich in einem würfelförmigen Kasten mit Kante L (Volumen $V = L^3$) und dieser am Wärmebad (T). Übung 1/8 (a) bringt sich in Erinnerung. Der erste Schritt ist ganz einfach,

$$\begin{aligned} E_{n_1,n_2,n_3} &= \frac{\hbar^2}{2m}\left(\frac{\pi}{L}\right)^2\left(n_1^2+n_2^2+n_3^2\right) \quad , \\ Z &= \sum_{n_1=1}^{\infty}\sum_{n_2=1}^{\infty}\sum_{n_3=1}^{\infty} \mathrm{e}^{-\beta\frac{\hbar^2}{2m}\left(\frac{\pi}{L}\right)^2\left(n_1^2+n_2^2+n_3^2\right)} = Z^3_{\text{1D Kasten}} \quad , \end{aligned} \tag{3.43}$$

und der zweite unüberwindlich schwer. Summen über Gauß–Funktionen vom Index lassen sich nicht exakt auswerten — das übliche Unglück in der Statistischen Physik. Vielleicht greift sie darum so gern zum Computer, um wenigstens über Zahlenmaterial zu erfahren, was passiert. Aber selbst dann wird zuvor zu versuchen sein, wenigstens Grenzfälle dingfest zu machen.

Geht die Temperatur gegen Null ($\beta \to \infty$), so ist der asymptotisch führende

Z–Term — ein $+\mathcal{O}(\ldots)$ denken wir uns hinzu — leicht gefunden,

$$Z = \mathrm{e}^{-3\beta\frac{\hbar^2\pi^2}{2mL^2}} \quad , \quad F = 3\frac{\hbar^2\pi^2}{2m}V^{-2/3} \quad , \quad p = -\partial_V F = \frac{\hbar^2\pi^2}{m}V^{-5/3} \quad , \tag{3.44}$$

und wir kommen erwartungsgemäß an beim Druck (1.25) im Grundzustand.

Auch im Grenzfall hoher Temperatur kommen wir mit (3.43) weiter, weil dann wegen $\beta \to 0$ der Summand immer schwächer variiert und die Summe zum Integral wird:

$$\sum_{n=1}^{\infty} \;\to\; \int_0^{\infty} dn \quad , \quad Z_{\text{1D Kasten}} = \int_0^{\infty} dn\; \mathrm{e}^{-\beta\frac{\hbar^2\pi^2}{2mL^2}n^2} = L\sqrt{\frac{m\,T}{2\pi\,\hbar^2}}$$

$$Z \;=\; Z^3_{\text{1D Kasten}} \;=\; \frac{V}{\lambda^3} \qquad \text{mit} \qquad \lambda := \sqrt{\frac{2\pi\,\hbar^2}{m\,T}} \quad . \tag{3.45}$$

λ heißt **thermische DeBroglie–Wellenlänge**. Stop. Obige Ersetzung $\sum \to \int$ läßt sich direkt begreifen (n–Achse malen und Summandenwerte als vertikale Stäbchen anbringen, diese zu Fläche verbinden ...). Wird aber eine konkrete Rechnung verlangt, bittesehr, dann geht das natürlich auch. Dazu stellen wir die Fläche in $(0,\infty)$ unter einer normalen Physiker–Funktion $f(x)$ (deren $\int_0^\infty$ existiere) als Summe über ε-Streifchen dar und teilen dann durch ε:

$$\sum_{n=1}^{\infty} \varepsilon\, f(n\varepsilon) + \mathcal{O}(\varepsilon) \;=\; \int_0^{\infty} dx\; f(x) = \varepsilon \int_0^{\infty} dn\; f(n\varepsilon) \qquad \curvearrowright$$

$$\sum_{n=1}^{\infty} f(n\varepsilon) \;=\; \int_0^{\infty} dn\; f(\varepsilon n) + \mathcal{O}(1) \;=\; \int_0^{\infty} dn\; f(\varepsilon n)\;\left[1 + \mathcal{O}(\varepsilon)\right] \quad . \tag{3.46}$$

Es war egal, ob von $n = 1$ an oder von $n = 0$ an summiert wurde, denn der Unterschied entschwindet in der $\mathcal{O}(\ldots)$–Korrektur. (3.46) ist Spezialfall der Euler–Maclaurin Summenformel [*Abramovitz/S.*, 3.6.28].

Übung 3/6 $\sum_{n=0}^{\infty} \mathrm{e}^{-\varepsilon n} =: J(\varepsilon)$ werde exakt ausgewertet und dann nach ε entwickelt (erste zwei Terme). Welche Auswirkung hat $\sum \to \int$ auf $J(\varepsilon)$?

Lösung Geometr. Reihe, $J = \frac{1}{1-\mathrm{e}^{-\varepsilon}} = \frac{1}{\varepsilon} + 1 + \mathcal{O}(\varepsilon)$. $\sum \to \int$: $J \to \int_0^\infty dn\; \mathrm{e}^{-\varepsilon n} = \frac{1}{\varepsilon}$.

Einmal im Hoch–Temperatur–Grenzfall angekommen, können wir unserem Teilchen im Kasten leicht noch weitere Eigenschaften beimessen:

$$F = -T\ln\left(\frac{V}{\lambda^3}\right) \quad , \quad S_{\text{k.}} = \beta\,(E_{\text{k.}} - F) = \frac{3}{2} + \ln\left(\frac{V}{\lambda^3}\right) \quad , \tag{3.47}$$

$$E_{\text{k.}} = -\partial_\beta \ln(Z) = \partial_\beta \frac{3}{2}\ln(\beta) = \frac{3}{2}T \quad , \quad p_{\text{k.}} = -\partial_V F = \frac{T}{V} \quad . \tag{3.48}$$

Wir haben hier etwas umgruppiert ($E_{\text{k.}}$ erhält man natürlich vor $S_{\text{k.}}$), weil die beiden Resultate in (3.48) eine auffallende Besonderheit haben. Sie hängen nämlich nicht von $\hbar$ ab und haben darum eine Chance, auch aus klassisch–physikalischen Überlegungen zu folgen. So ist es in der Tat. Wie man die Maxwell–Verteilung herleiten kann und wie daraus (3.48) zu gewinnen ist, steht ausführlich in [*PB*]. Hingegen existieren die Größen in (3.47) klassisch nicht, weil sie den Limes $\hbar \to 0$, d.h. $\lambda \to 0$, ersichtlich nicht vertragen. Das macht nichts, denn klassische Physik ist ja falsch.

Wir sehen noch nach, *wie gut* die Gleichungen (3.48) gelten, oder besser, wie hoch die Temperatur sein muß, damit die Näherung $\sum \approx \int$ gerechtfertigt ist. Jenes ε in (3.46) erscheint in der ersten Zeile von (3.45) als Wurzel aus dem n^2–Vorfaktor im Exponenten. Es muß klein gegen 1 sein:

$$\beta \frac{\hbar^2 \pi^2}{2mL^2} \ll 1 \quad , \quad T \gg \frac{\hbar^2 \pi^2}{2mL^2} =: T_0 \;\approx\; 3 \cdot 10^{-37}\,\text{J} \;\approx\; 2 \cdot 10^{-14}\,\text{K} \; . \tag{3.49}$$

Der Zahlenwert zur Rechten wurde mit $L = 1\,\text{cm}$ und der Masse eines Protons erhalten[1]. Die Schwelle T_0 liegt damit weit unter den heute erreichbaren tiefen Temperaturen. Die Näherungen waren also exzellent gut. Diese Aussage trifft zu für ein Teilchen (*ein* Teilchen!) im Kasten. Der Skandal beginnt erst, wenn mehrere Teilchen im gleichen Kasten untergebracht und als unabhängig voneinander angesehen werden. Das wird falsch — nicht wegen ihrer Wechselwirkung, nicht weil ihre Ununterscheidbarkeit mit einem $1/N!$–Faktor vor der Zustandssumme zu berücksichtigen wäre, sondern wegen des Pauli–Prinzips (1.19) der Quantentheorie. Man kann nicht 10^{20} Teilchen numerieren. Die idealen Quantengase (Fermi– und Bose–Gas) werden zeigen, wie es richtig wird und welche viel höhere Schwelle T_0 dann zutrifft, siehe (12.13) und (9.15).

Übung 3/7 Kreisring kanonisch. H wie in Übung 1/7. An den Kreis sei ein Elektron gebunden. Weil es Spin–$\frac{1}{2}$ hat, ist jedes Strichlein im Bild 1–3 (c) zu verdoppeln. Zustandssumme Z und deren führender Term bei $T \to \infty$? Daraus sofort die Hoch–T–Version von $E_{\text{k.}}$. — Es ist ja auch *ein* Freiheitsgrad und zwar ein rein *translatorischer*. Können Sie — noch schneller — auch den führenden $S_{\text{k.}}$–Term bei $T \to 0$ erhalten?

Lösung $Z = 2 + 4\sum_{m=1}^{\infty} \mathrm{e}^{-\beta\hbar^2 m^2/(2\theta)} \;\to\; 4\int_0^{\infty} dm\ \mathrm{e}^{-\beta\hbar^2 m^2/(2\theta)} = 2\sqrt{2\pi\theta/(\beta\hbar^2)}$, $E_{\text{k.}} = -\partial_\beta \ln(Z) = \partial_\beta \frac{1}{2}\ln(\beta) = \frac{1}{2}T$. $Z \to \ln(2)$, $S = -\partial_T F = -\partial_T [-T\ln(2)] = \ln(2)$. (Am schnellsten ist Argument: „Grundzustand $\widehat{=}$ Münze“.)

[1] $m_{\text{Proton}} = 1.67\,265 \cdot 10^{-27}\,\text{kg}$, $\hbar = 1.05\,459 \cdot 10^{-34}\,\text{J s}$ und J–K–Umrechnung per (2.26). Die Daten wurden [*Kittel/Krömer*, vorletzte Seite] entnommen.

Übung 3/8 Ein Kunst–Z. Jemand hat (Näherungen benötigend) die Zustandsumme $Z(T,V,N) = (\alpha \frac{V}{N} T^3)^N$ erhalten (mit $\alpha = \text{const}_{T,V,N}$).
(a) Er sieht alsbald ein, daß mindestens $T > T_0$ mit $T_0 = ?$ gelten muß.
(b) Welcher Faktor ξ erscheint in der Gleichung $p\,V = \xi\,E$?
(c) Wie verhält sich das chemische Potential μ als Fkt. von T ? Skizze!

Lösung (a) $E_{\text{k.}} = 3NT$, $S_{\text{k.}} = \beta E + \ln(Z) = N \ln\left(e^3 \alpha \frac{V}{N} T^3\right) \overset{!}{>} 0$: $T_0 = \left[\frac{N}{e^3 \alpha V}\right]^{1/3}$
(b) $p = -\partial_V F = T \partial_V N \ln(V)$, $pV = NT = \frac{1}{3}E$. $\xi = \frac{1}{3}$ (typisch für ultra–relativistische Materie. „Idealgas" hätte $\xi = \frac{2}{3}$).
(c) $\mu = \partial_N F = -T\partial_N \ln(Z) = -T \ln\left(\alpha \frac{V}{N} T^3\right) + T$.
Bei $T \to \infty$ sinkt μ wie $-3T\ln(T)$ ins Negative:

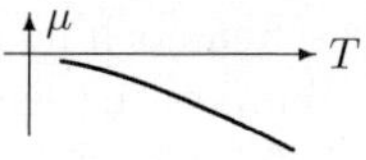

Übung 3/9 Was ist das nun eigentlich, dieses sogenannte „Ideale Gas"? — Es ist eine technische Konstruktion, ein Kunst–Gas, ein Hirngespinst. Vielleicht trägt es das Adjektiv *ideal*, weil es eine so ideale Übungsaufgabe abgibt. Wir setzten N Kästen mit je einem Teilchen (m) ineinander. Dabei sollen unter Pauli–Prinzip–Ignoranz die Teilchen nichts voneinander bemerken. Der Ununterscheidbarkeit der Kästen werde durch einen Vorfaktor $1/N!$ Rechnung getragen. N sei groß. Jeder Einzelkasten (Z_{3D}, s. (3.45)) werde im Sinne $\sum \to \int$ bei Hoch–Temperatur behandelt:

$$Z = \frac{1}{N!} Z_{\text{3D}}^N \quad \text{mit} \quad Z_{\text{3D}} = V\,\lambda^{-3} \quad \text{und} \quad \lambda = \sqrt{\beta\,\frac{2\pi\hbar^2}{m}}\,.$$

Die kanonischen Größen E, F, S, p und μ sollen gebildet werden.
Weil für Übung 4/4 benötigt: Wie hängt $e^{-\beta\mu}$ von p und T ab?

Lösung $E = -\partial_\beta \ln(\beta^{-3N/2}) = \frac{3}{2}NT$, $F = -T\ln\left(\frac{e^N}{N^N}\frac{V^N}{\lambda^{3N}}\right) = -NT\left[\ln\left(\frac{V}{N}\right) + \frac{3}{2}\ln\left(\frac{mT}{2\pi\hbar^2}\right) + 1\right]$, $S = -\partial_T F = N\left([\quad] + \frac{3}{2}\right)$, Defekt: bei T–Erniedrigung wird S negativ. $p = -\partial_V F = \frac{1}{V}NT$ — E, p wie in Übung 2/9, $\mu = \partial_N F = -T([\quad] - 1) = -T\ln\left(\frac{V}{N}\right) - \frac{3}{2}T\ln\left(\frac{mT}{2\pi\hbar^2}\right) \to -\frac{3}{2}T\ln(T)$ bei $T \to \infty$. $-\beta\mu = [\quad] - 1$, $e^{-\beta\mu} = \frac{V}{N}\left(\frac{mT}{2\pi\hbar^2}\right)^{3/2} = \frac{T}{p}\left(\frac{mT}{2\pi\hbar^2}\right)^{3/2}$.

3.5 Virialsatz

Was wir jetzt treiben, ist etwas frech. Wir verfahren nämlich nach dem Motto „weniger ist mehr" (oder: in einfachen Fällen begreift man besser) und behandeln nur ein einzelnes Teilchen in nur einer Dimension: $H = H_{\text{kin}} + V(x)$, wobei (um vom Buchstaben T zu unterscheiden) hier H_{kin} für den Operator $-\frac{\hbar^2}{2m}\partial_x^2$ der kinetischen Energie steht. In der Potentialmulde $V(x)$ habe das Teilchen nur nicht–entartete diskrete Energien E: $H|E\rangle = E|E\rangle$.

Der quantenmechanische Virialsatz,

$$0 = \langle E|\,[\,H\,,\,x\partial_x\,]\,|E\rangle \;=\; \langle E|\,2H_{\text{kin}} - xV'(x)\,|E\rangle \quad ,$$

$$\text{und wenn überdies } V \sim |x|^{\kappa}\,,\ \text{dann}\quad 2\,\langle E|H_{\text{kin}}|E\rangle = \kappa\,\langle E|V|E\rangle \quad , \tag{3.50}$$

überträgt sich zwanglos auf Kanonik. Erwartungswerte werden dabei zu kanonischen Mitteln:

$$\left.\begin{matrix}\langle H_{\text{kin}}\rangle_{\text{k.}} \\ \langle V\rangle_{\text{k.}}\end{matrix}\right\} = \frac{1}{Z}\sum_E \mathrm{e}^{-\beta E}\left\{\begin{matrix}\langle E|H_{\text{kin}}|E\rangle \\ \langle E|V|E\rangle\end{matrix}\right. \quad \curvearrowright \quad 2\,\langle H_{\text{kin}}\rangle_{\text{k.}} = \kappa\,\langle V\rangle_{\text{k.}} \;. \tag{3.51}$$

Unter den genannten Voraussetzungen (einschließlich $V \sim |x|^{\kappa}$) gilt (3.51) in Strenge, d.h. für jede Temperatur des Ofens. Insbesondere ist die Energie beim 1D Oszillator ($\kappa = 2$) in gleichen Portionen auf kinetische und potentielle verteilt. Aber über „Anzahl T's pro Freiheitsgrad" haben wir bis hierher nichts gelernt. Wie machen sie das nur, die [*Brenig*, *Greiner*, *Nolting 6*, *Schwabl*] s? Sie erhalten $\langle H_{\text{kin}}\rangle_{\text{k.}} = \frac{1}{2}T$ aus einer rein klassisch–physikalischen Betrachtung. Eine solche Durchmischung der „Weltbilder" ist uns hier jedoch streng untersagt — durch den Untertitel des Buches. Was nun.

Wenn die Energie erst bei hoher Temperatur ein blankes $\sim T$ zeigt — so war es bei Oszillator, Kasten und Kreisring — und zugleich sein $\hbar$ verliert, sollten die Limites $T \to \infty$ (hohe Energien E favorisierend) und $\hbar \to 0$ äquivalent sein. Quantenmechanik bei $\hbar \to 0$ führt in die quasiklassische Näherung, [*Landau*, Bd. 3, Kap. 7], [*Schiff*, § 34], oft auch WKB–Methode genannt.

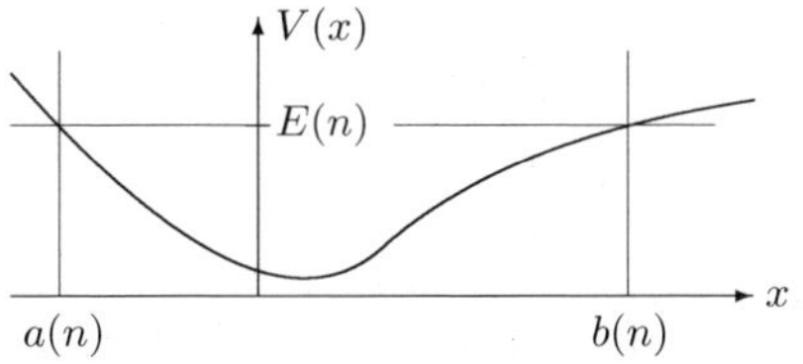

Bild 3–4 : Eindimensionale Potentialmulde $V(x)$ und die Umkehrpunkte zur WKB–Energie $E(n)$.

Um die Lösung $\varphi_E(x)$ der stationären Schrödinger–Gleichung in $\hbar$–entwickelter Form zu erhalten, wird sie in der Form $\exp(\frac{i}{\hbar}\sigma_0 + \sigma_1 + \ldots)$ angesetzt. Zwischen den Umkehrpunkten a, b im Bild 3–4 (und nicht allzu nahe an diesen) erhält man $\sigma_0 = \pm\int^x dx'\; p(x')$ und $\sigma_1 = -\frac{1}{2}\ln\,[\,p(x)\,]$ mit $p(x)$ siehe (3.52). Auch außerhalb (a, b) ist zu lösen sowie exakt in den Umkehrpunkt–Bereichen (bei je unbekannt bleibendem Vorfaktor). Anschlußbedingungen und Normierbarkeits–Forderung führen dann auf eine Lösbarkeitsbedingung für mögliche E's. Es ist anstrengende Materie.

Manche der WKB–Resultate benötigen wir hier nur rudimentär, wie etwa die Irrelevanz der Details am Umkehrpunkt und außerhalb. Führende Beiträge werden nur vom Intervall (a, b) herrühren, und dort wiederum reichen die soeben genannten zwei σ–Terme aus:

$$\varphi_n(x) = \frac{A}{\sqrt{p(x)}} \cos\left(\begin{smallmatrix}\text{stark mit } x\\ \text{anwachsend}\end{smallmatrix}\right) \quad \text{mit} \quad p(x) = \sqrt{2m\,[\,E - V(x)\,]} \ . \tag{3.52}$$

Die zugehörigen E–Eigenwerte sind implizit gegeben durch

$$\int_a^b dx\; p(x) = \pi\hbar \left(n + \frac{1}{2}\right) \quad , \quad n = 0, 1, \ldots \ . \tag{3.53}$$

Dies ist alles, was wir von den WKB–Weisheiten benötigen. Die raschen Kosinus–Oszillationen helfen dabei, die Normierung A festzulegen:

$$1 \stackrel{!}{=} \int_a^b dx\; \frac{A^2}{p(x)} \cos^2(\ldots) = \frac{1}{2} A^2 \int_a^b dx\; \frac{1}{p(x)} \quad \curvearrowright \quad A^2 = \frac{2}{\int_a^b dx\; \frac{1}{p(x)}} \ . \tag{3.54}$$

Als nächstes schreiben wir auf, was es auszurechnen gilt, nämlich $\langle H_{\text{kin}}\rangle_{\text{k.}} = \langle E - V(x)\rangle_{\text{k.}} = \frac{1}{2m}\langle p^2(x)\rangle_{\text{k.}}$. Die Energien sind gemäß (3.53) mit n durchgezählt: $E(n)$. Wenn wir das kanonische Mittel als n–Summe aufschreiben, fällt der Übergang zum Integral leicht:

$$\langle H_{\text{kin}}\rangle_{\text{k.}} = \frac{1}{Z} \int_0^\infty dn\; \mathrm{e}^{-\beta E(n)}\, \Im \quad \text{mit} \quad \Im = \frac{1}{2m} \int_a^b dx\; p^2(x)\, |\varphi_n(x)|^2 \ . \tag{3.55}$$

Zur Auswertung von $\Im$ kann erneut $\cos^2(\ldots)$ durch $1/2$ ersetzt und A^2 aus (3.54) verwendet werden:

$$\Im = \frac{1}{2m \int_a^b dx\; \frac{1}{p(x)}} \int_a^b dx\; p(x) \;=\; \frac{\pi\hbar\, n}{2m} \frac{1}{\int_a^b dx\; \frac{1}{p(x)}} \ . \tag{3.56}$$

Weil n groß ist, durften wir bei (3.53)–Einsetzen $n + \frac{1}{2}$ auf n reduzieren. Das verbliebene Integral im Nenner folgt nun durch Ableiten von (3.53) nach n. Zwar hängen sowohl E als auch b und a von n ab,

$$\begin{aligned} p(b)\, \partial_n b - p(a)\, \partial_n a + \int_a^b dx\; \partial_n p(x) \;&=\; \pi\hbar \quad \curvearrowright \\ m\, E'(n) \int_a^b dx\; \frac{1}{p(x)} = \pi\hbar \qquad &\text{und} \quad \Im = \frac{1}{2}\, n\, E'(n) \ , \end{aligned} \tag{3.57}$$

aber die Funktion $p(x)$ verschwindet gemäß Bild 3–4 an beiden Umkehrpunkten. Mit $\Im$ im Gepäck kehren wir nun nach (3.55) links zurück:

$$\langle H_{\text{kin}}\rangle_{\text{k.}} = \frac{1}{2} \frac{\int_0^\infty dn\; n\, E'(n)\, \mathrm{e}^{-\beta E(n)}}{\int_0^\infty dn\; \mathrm{e}^{-\beta E(n)}} = -\frac{1}{2\beta} \frac{\int_0^\infty dn\; n\, \partial_n\, \mathrm{e}^{-\beta E(n)}}{\int_0^\infty dn\; \mathrm{e}^{-\beta E(n)}} = \frac{1}{2} T \ . \tag{3.58}$$

Per partieller Integration hat sich nämlich soeben der Bruch im halbrechten Ausdruck als -1 entpuppt. Geschafft! Wie könnte man sicher sein, daß Aussagen einer klassisch betriebenen Statistik stimmen, solange sie nicht auch als Limes $\hbar \to 0$ aus der Quantenmechanik erhalten worden sind.

Mittels $\langle H_{\text{kin}}\rangle_{\text{k.}} = \frac{1}{2}T$ kennen wir aufgrund von (3.51), d.h. zu Potentialen $\sim |x|^\kappa$, auch die Mittelwerte $\langle V\rangle_{\text{k.}}$ und $E_{\text{k.}}$ im Grenzfall hoher Temperatur:

$$\langle V\rangle_{\text{k.}} = \frac{2}{\kappa}\,\langle H_{\text{kin}}\rangle_{\text{k.}} = \frac{1}{\kappa}\,T \quad , \quad E_{\text{k.}} = \langle H_{\text{kin}}\rangle_{\text{k.}} + \langle V\rangle_{\text{k.}} = \left(1+\frac{2}{\kappa}\right)\frac{1}{2}T \ . \qquad (3.59)$$

Zum Oszillator ($\kappa = 2$) ist nun das aus (3.38) folgende T pro oszillatorischem Freiheitsgrad erneut herausgekommen. Zum Kasten siehe Übung 3/10.

Übung 3/10 Zum Würfelkasten (L) ist $E_{\text{k.}} = \frac{3}{2}T$ auch aus (3.59) leicht erneut zu erhalten. Aber wie kann jemals $|x|^\kappa$ zu einem Kastenpotential werden?

Lösung $\kappa \to \infty$ von (3.59) gibt Null (!) bzw. $\frac{1}{2}T$, Faktor 3 via $V = V_{1\text{D}}(x) + V_{1\text{D}}(y) + V_{1\text{D}}(z)$ und Separation. $\lim_{\kappa\to\infty} V_0\,|\frac{2x}{L}|^\kappa$ = 1D Kasten der Breite L (malen?!). $\lim_{\kappa\to\infty} V_0\left(|\frac{2x}{L}|^\kappa + |\frac{2y}{L}|^\kappa + |\frac{2z}{L}|^\kappa\right) \to$ 3D Kasten mit Kante L.

3.6 Zustandsdichte

Die Beispiele im § 3.4 sollten nicht den Eindruck erwecken, so armselig sei es um die analytischen Fähigkeiten der Statistiker bestellt. Vielmehr sind sie wie Bausteine, aus denen sich im Teil II Nullte Näherungen zusammensetzen lassen. In Vorbereitung auf diese fehlen uns noch zwei Begriffe: periodische Randbedingung und Zustandsdichte. Bei beiden bringt schon der Name das Wichtigste zum Ausdruck.

Häufig ist ausgedehnte Materie bei Temperatur T zu studieren. Es interessieren dann extensive Anteile, also Größen, als deren Vorfaktor V gewählt werden kann. Welches Volumen? — ein gedachtes Volumen (groß gegen mikroskopische Längen) inmitten des Festkörpers, des Gases oder des Neutronensterns. Generell ist es einer Physik im Labor egal, ob 3 km weiter eine Kopie von ihr abläuft. Jetzt wird sogar V an V gesetzt und dies stört die extensiven Größen nicht. Es ist ihnen egal, ob das Volumen V von unendlich hohen Wänden umgeben (technisch ungeschickt) oder nach allen Seiten fortgesetzt wird. Wie soll fortgesetzt werden? — am besten periodisch.

Periodische Randbedingung

Es handelt sich hierbei — gängige Abkürzung ist PBC, nämlich für *periodic boundary condition* — um eine technische Konstruktion, aber eine sehr sinnvolle. Das Volumen V sei würfelförmig (Kante L) und enthalte ein Teilchen. $H = -\frac{\hbar^2}{2m}\Delta$ enthält kein Wandpotential. Stattdessen sei der Raum periodisch geschlossen. Verläßt man den Würfel nach links durch die yz–Ebene, so erlebt man die gleiche Physik, wie wenn man von rechts durch die Wand bei $x = L$ herein spaziert. Und wer durch den Fußboden bricht, kommt zur Zimmerdecke wieder herein. Der Kreisring mit Umfang $2\pi R =: L$ ist die PBC–Version des 1D Kastens (L). Wie dort ist Einwertigkeit der Zustandsfunktion zu verlangen:

$$H\,A\,\mathrm{e}^{i\vec{k}\,\vec{r}} = \varepsilon_k\,A\,\mathrm{e}^{i\vec{k}\,\vec{r}} \;,\; \varepsilon_k = \frac{\hbar^2 k^2}{2m} \;,\; \mathrm{e}^{ik_1(x+L)} \overset{!}{=} \mathrm{e}^{ik_1 x} \;,\; \mathrm{e}^{ik_1 L} \overset{!}{=} 1$$

$$\curvearrowright \quad \vec{k} = \frac{2\pi}{L}\vec{n} \quad \text{wobei} \quad \vec{k} = (k_1, k_2, k_3) \quad \text{und} \quad \vec{n} = (n_1, n_2, n_3) \qquad (3.60)$$

mit $n_j = 0, \pm 1, \pm 2, \ldots$. PBC–Zustände sind auf 1 normierbar, $1 = \int_V d^3r\; A^2$, woraus $A = 1/\sqrt{V}$ folgt. Die diskreten Werte (3.60) besiedeln den Wellenvektor–Raum (kurz: $\vec{k}$–Raum, man denke an Fourier–Transformation und Übergang zur Fourier–Reihe). Acht benachbarte Punkte im $\vec{k}$–Raum bilden ein kleines Würfelchen mit Volumen $(2\pi/L)^3$. Die Zustandssumme des Teilchens im PBC–Volumen V kann als $\vec{n}$– oder auch als $\vec{k}$–Summe aufgeschrieben werden. Will man bei $\vec{k}$–Sprache bleiben, so kann der Übergang zu Integral wie folgt gedacht werden — „erweitere mit Elementarwürfel!“:

$$Z_{PBC} = \sum_{\vec{k}} \mathrm{e}^{-\beta\varepsilon_k} = \left(\frac{L}{2\pi}\right)^3 \sum_{\vec{k}} \left(\frac{2\pi}{L}\right)^3 \mathrm{e}^{-\beta\varepsilon_k}$$

$$\longrightarrow \frac{V}{(2\pi)^3}\int d^3k\;\mathrm{e}^{-\beta\varepsilon_k} = \frac{V}{(2\pi)^3}\left(\sqrt{\frac{2m}{\hbar^2\beta}}\,\sqrt{\pi}\right)^3 = \frac{V}{\lambda^3} \;. \qquad (3.61)$$

Wie erwartet, hat sich erneut das 3D–Kasten–Resultat (3.45) ergeben: Extensive Größen interessieren sich nicht für die Volumen–Version. $\sum \to \int$ löscht deren Unterschiede. Wer sich darüber wundert, daß oben über den ganzen R^3 integriert wurde, in (3.45) aber nur über drei Halbachsen, der führe das Integral (3.61) auch in $\vec{n}$–Sprache aus und bedenke, daß $\int d^3n\; f(n^2) = \frac{1}{8}\int_0^\infty dn_1 \int_0^\infty dn_2 \int_0^\infty dn_3\; f(n^2)$ ist. Nicht nur in der Festkörperphysik, sondern auch in der Thermischen Feldtheorie treten $\vec{k}$–Summen sehr häufig auf. Stets ist dann deren extensiver Anteil per

$$\sum_{\vec{k}} f(\varepsilon_k) \;\to\; \frac{V}{(2\pi)^3}\int d^3k\; f(\varepsilon_k) \qquad (3.62)$$

zu präparieren. (3.62) bleibe als Merkvers im Gedächtnis. Er leitet über zur wohl einfachsten Definition der

Zustandsdichte

nämlich als Gewichtsfunktion $z(\varepsilon)$ unter Integral:

$$\frac{V}{(2\pi)^3} \int d^3k \; f(\varepsilon_k) \;\; =: \;\; \int d\varepsilon \; z(\varepsilon) \, f(\varepsilon) \quad . \tag{3.63}$$

Die Funktion f braucht keine e–Funktion von $-\beta\varepsilon$ mehr zu sein. Vielmehr hat sich die $\sum \to \int$ begleitende Philosophie verändert. Nicht mehr kleines β, sondern großes Volumen V erteile die Erlaubnis zu diesem Übergang. Also kann $f(\varepsilon)$ irgendeine Physiker–Funktion sein (natürlich eine, welche das Integral konvergent hält). Bald wird die Fermi–Verteilung die Stelle von f einnehmen. Übrigens darf auch ε_k von $\hbar^2 k^2/(2m)$ abweichen — und zum Beispiel zum relativistischen Spektrum $\sqrt{m^2c^4 + \hbar^2k^2c^2}$ werden.

Um einzusehen, daß es sich bei $z(\varepsilon)$ um die (geglättete) Anzahl von Zuständen pro Energie–Intervall eines Systems handelt, setzen wir $f(\varepsilon) = \theta(\varepsilon - \varepsilon_1) - \theta(\varepsilon - \varepsilon_2)$ und erhalten

$$\sum_{\vec{k}\text{, mit } \varepsilon_k \text{ in } (\varepsilon_1, \varepsilon_2)} \quad \to \quad \frac{V}{(2\pi)^3} \int_{\vec{k}\text{ mit} \ldots} d^3k \;=\; \int_{\varepsilon_1}^{\varepsilon_2} d\varepsilon \; z(\varepsilon) \quad . \tag{3.64}$$

Um die Zustandsdichte $z_0(\varepsilon)$ eines spinlosen Teilchens im Würfelkasten (L) kennenzulernen (Index 0 für spinlos), kehren wir zu (3.61) zurück, gehen zu Kugelkoordinaten im $\vec{k}$–Raum über und substituieren $\varepsilon = \hbar^2 k^2/(2m)$:

$$\begin{aligned} Z_{\text{PBC}} &= \frac{V}{(2\pi)^3}\, 4\pi \int_0^\infty dk \; k^2 \, \mathrm{e}^{-\beta\varepsilon_k} \;=\; \frac{V}{(2\pi)^3}\, 4\pi \int_0^\infty d\varepsilon \; \frac{m}{\hbar^2} \left\{ k = \sqrt{\frac{2m}{\hbar^2}\,\varepsilon} \right\} \mathrm{e}^{-\beta\varepsilon} \\ &\stackrel{!}{=} \int_0^\infty d\varepsilon \; z_0(\varepsilon) \, \mathrm{e}^{-\beta\varepsilon} \quad \curvearrowright \quad z_0(\varepsilon) = \frac{1}{2} \, \frac{V}{(2\pi)^3} \, 4\pi \left(\frac{2m}{\hbar^2} \right)^{3/2} \sqrt{\varepsilon} \quad . \end{aligned} \tag{3.65}$$

Man sieht, daß es auf die spezielle Form $\mathrm{e}^{-\beta\varepsilon}$ nicht ankam. Aber hier genügt der Hinweis auf die Eindeutigkeit einer Laplace–Transformierten, um aus dem Integral auf $z_0(\varepsilon)$ zu schließen.

Mit (3.65) kennen wir die Zustandsdichte leider nur in 3D und nur für ein spinloses Teilchen. Wenn denn $z(\varepsilon)$ so wichtig ist, warum nicht gleich d Dimensionen anpacken und Spin–$\frac{1}{2}$–Teilchen behandeln — unsere Welt ist voller quarks und Elektronen. Alle Strichlein sind dann zu verdoppeln. ε_k bleibe $= \hbar^2k^2/(2m)$. V_d sei das Volumen in der d–dimensionalen Welt und Ω_d die Oberfläche der d–dimensionalen Einheitskugel:

$$\begin{aligned} 2 \sum_{\vec{k}} f(\varepsilon_k) \quad &\to \quad 2 \, \frac{V_d}{(2\pi)^d} \, \Omega_d \int_0^\infty dk \; k^{d-1} \, f(\varepsilon_k) \;\stackrel{!}{=}\; \int d\varepsilon \; z(\varepsilon) \, f(\varepsilon) \\ \curvearrowright \quad\quad z(\varepsilon) \;&=\; \frac{V_d}{(2\pi)^d} \, \Omega_d \left(\frac{2m}{\hbar^2} \right)^{\frac{d}{2}} \varepsilon^{\frac{d}{2}-1} \, \theta(\varepsilon) \quad . \end{aligned} \tag{3.66}$$

Übung 3/11 wird sich um die Einheitskugel kümmern, aber wir verraten Ω_d besser schon jetzt:

d	1	2	3	4	allgemein
V_d	L	F	V	V_4	V_d
Ω_d	2	2π	4π	$2\,\pi^2$	$\dfrac{2\,\pi^{d/2}}{\Gamma(d/2)}$

(3.67)

Zu $d = 1$ enthält (3.66) das 1D Resultat (3.65) (wenn man den Spin–Entartungs–Faktor 2 wieder streicht). Bild 3–5 zeigt, wie sich zu $d = 1$ begreifen läßt, daß $z(\varepsilon)$ bei sinkender Energie ε immer größer wird, nämlich gemäß (3.66) $\sim 1/\sqrt{\varepsilon}$. Zu $d = 2$ ist die Zustandsdichte konstant. Zum 1D Oszillator übrigens ebenfalls. Zu $d = 3$ wächst sie wurzelartig an: $z(\varepsilon) = 2 \cdot z_0(\varepsilon) = 2 \cdot (3.65)$.

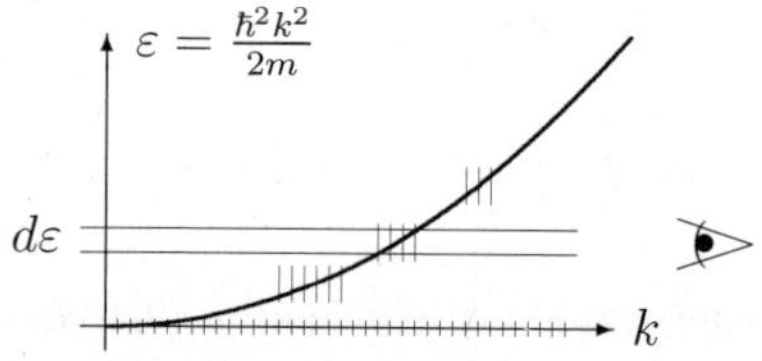

Bild 3–5: Wie man von rechts blickend „sehen" kann, daß in 1D mit sinkender Energie ε immer mehr Zustände in ein vorgegebenes Energieintervall $d\varepsilon$ gelangen.

Mit Zustandsdichte zu arbeiten, kann in schwierigen Fällen die folgenden Vorteile bieten. Man kann

- $z(\varepsilon)$ aus Experimenten entnehmen (Halbleiter, Metalle),
- Den $z(\varepsilon)$–Verlauf durch einfache Funktionen approximieren,
- generell verschiedene $z(\varepsilon)$–Modelle durchspielen, um mögliche Verhaltensweisen auszuloten,
- über Physik auf einer ε–Achse meist besser nachdenken als etwa räumlich im $\vec{k}$–Raum.

Übung 3/11 Die Oberfläche Ω_d der d–dimensionalen Einheitskugel ergibt sich, indem man über e^{-r^2} integriert — einmal kartesisch, einmal in Kugelkoordinaten.

Lösung $\sqrt{\pi}^{\,d} = \Omega_d \int_0^\infty dr\; r^{d-1} e^{-r^2}$, Substitution $r^2 = t$, Resultat siehe (3.67).

Übung 3/12 Ob ein Spektrum $E = \epsilon n'$ (n' und $n = 0, 1, \ldots$) eine mit wachsendem n' zunehmende Entartung $g(n')$ hat, oder ob nicht–entartete E's immer enger zusammenrücken: $E = \epsilon f(n)$ ($f(0) = 0$), das sollte bei höherer Temperatur ($\sum \to \int$) thermodynamisch äquivalent sein.

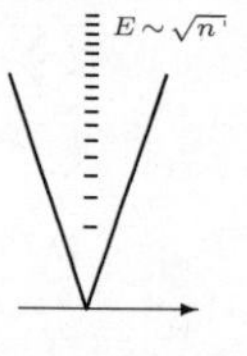

Wie hängen die Funktionen g und f miteinander zusammen? Wenn speziell $g(n') = (n')^{m-1}$ ist (mit $m = 1, 2, \dots$), dann läßt sich $f(n)$ angeben. Die Energie $E_{k.}$ zeige, wieviele Portionen T in das System gekrochen sind. (Im obigen Bild ist übrigens $V(x) \sim |x|$ zu sehen, und es illustriert den Fall $m = 2$.)

Lösung Schwer? Es muß aber auch mal etwas zu beißen geben. $\int_0^\infty dn\, \mathrm{e}^{-\beta\epsilon f(n)} \stackrel{!}{=} \int_0^\infty dn'\, g(n')\, \mathrm{e}^{-\beta\epsilon n'} \curvearrowright f'(n) \cdot g\,[(f(n)] \equiv 1$, $f(n) = (mn)^{1/m}$, $E_{\text{k.}} = mT$.

Übung 3/13 Ein spinloses Teilchen habe einen g–fach entarteten Grundzustand und ansonsten konstante Zustandsdichte: $z_0(\varepsilon) = g\,\delta(\varepsilon) + \gamma\,\theta(\varepsilon - \varepsilon_0)$. Zu welchen Funktionen von T werden dann Zustandssumme Z, $E_{\text{k.}}$ und $S_{\text{k.}}$? Es ist instruktiv, sich das Tief–Temperatur–Verhalten von $S_{\text{k.}}$ der Reihe nach für (a) $g > 1$, (b) $g = 1$ und (c) $g = 0$ zu notieren.

Lösung $Z = \int d\varepsilon\, z_0(\varepsilon)\, \mathrm{e}^{-\beta\varepsilon} = g + \gamma T \mathrm{e}^{-\beta\varepsilon_0}$, $E_{\text{k.}} = -\partial_\beta \ln(Z) = \frac{\gamma T(\varepsilon_0 + T)\mathrm{e}^{-\beta\varepsilon_0}}{g + \gamma T \mathrm{e}^{-\beta\varepsilon_0}}$, $S_{\text{k.}} = \frac{\gamma(\varepsilon_0 + T)\mathrm{e}^{-\beta\varepsilon_0}}{g + \gamma T \mathrm{e}^{-\beta\varepsilon_0}} + \ln(g + \gamma T \mathrm{e}^{-\beta\varepsilon_0})$. (a) $S_{\text{k.}} \to \ln(g)$ (Konfigurations–Entropie), (b) $S_{\text{k.}} \to 0$ (Ausfrieren), (c) zu $g = 0$ ist $S_{\text{k.}} = 1 + \ln(\gamma T)$. Daran, daß nun $S_{\text{k.}} \to -\infty$ ($\lightning$), zeigt sich, daß bei tiefer Temperatur zumindest der tiefste Zustand nicht mehr per Zustandsdichte verhackstückt werden darf.

4 Großkanonisches Ensemble

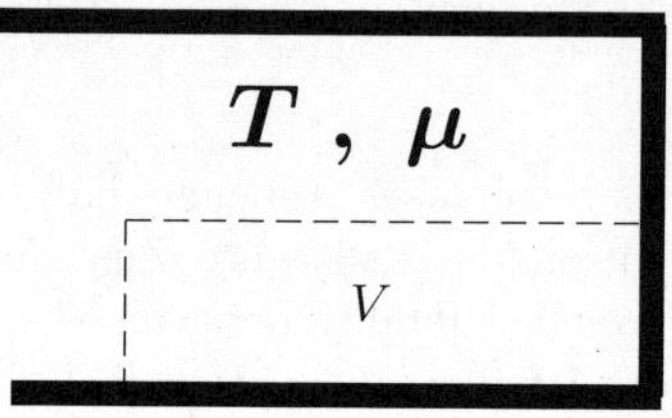

Bild 4–1: Das großkanonisch präparierte Quantensystem ist Teil eines großen mikrokanonischen. Die Trennwand (unterbrochene Linien) läßt Energie und Teilchen hindurch.

Warum nur sollen wir die Mühsal auf uns nehmen, mit allen Details ein weiteres Ensemble zu studieren? Das vorige funktionierte doch bestens. Nein, wir wollen stets auf kanonischem Wege *ab initio* die warme Welt erschließen. Es gibt darauf drei Erwiderungen — mit zunehmender Gewichtigkeit. Großkanonisch werden die interessierenden Größen sofort in Abhängigkeit von *nur* noch kontinuierlichen Variablen erhalten (T, V, μ), kein Stirling mehr. Zweitens erlangt bei Behandlung mehrerer Teilchen die Erzeuger–Vernichter–Sprache große Bedeutung. Sie arbeitet im „großen Hilbert–Raum" aller Teilchenanzahlen N — Großkanonik ebenfalls, was sie zumindest als naheliegenden Weg favorisiert. *Last not least* ist großkanonisch eine exakte (und einfache!) Herleitung der Fermi– und Bose–Verteilung möglich, kanonisch aber nicht.

Das interessierende System stehe in schwachem Kontakt zu einem „unendlich großen" Wärme–Teilchen–Reservoir (Index Bad). Schwacher Kontakt heißt jetzt, daß nur sehr selten mal eine Energie–Portion oder ein Teilchen durch die Wand spaziert. In der Zwischenzeit behält das System seine Teilchenzahl N. Also muß N eine Erhaltungsgröße sein (und als solche einen mit H vertauschbaren Operator $\hat{N}$ haben, beide im großen Hilbert–Raum wirkend). Ist vom „kleinen" Hamilton–Operator zu gegebener Teilchenzahl des Systems die Rede, so werde er mit $H^{(N)}$ bezeichnet. N kann groß sein oder auch klein.

4.1 Großkanonische Verteilung

Wir fragen nach der Wahrscheinlichkeit $p_{N,E,\nu}$, mit der das System bei Teilchenzahl N und *dazu* bei Energie E und *dazu* im ν–ten Unterraum–Basis–Zustand angetroffen wird. Übrigens war ν schon immer ein solcher „dazu–Index". Die Strategie ist bereits bestens vorgezeichnet, nämlich mit den drei Schritten am Beginn von § 3.1.

Erster Schritt. Keine Entartung, d.h. zu jedem Paar N, E gebe es nur einen Zustand. Seine Energie, d.h. der zugehörige Eigenwert von $H^{(N)}$, heiße vorübergehend $E_n^{(N)}$. Ist das System bei $E_0^{(N)}$, so hat das Bad $N_{\text{gesamt}} - N$, $E_{\text{gesamt}} - E_0^{(N)}$ und Entartungsgrad $g_0^{(N)}$. Zu $n = 1$ gilt entsprechendes und so weiter. Bei Summation über n addieren sich die $g_n^{(N)}$ zu einem $g_{\text{gesamt}}^{(N)}$. Summiert man auch noch diese über N ($N = 0, 1, \dots$), so entsteht der Entartungsgrad g_{gesamt} des mikrokanonischen Gesamtsystems:

$$p_n^{(N)} = \frac{\text{Anzahl der Möglichkeiten, das System bei } N,\, E_n^{(N)} \text{ vorzufinden}}{\text{Anzahl der Möglichkeiten insgesamt}} = \frac{g_n^{(N)}}{g_{\text{gesamt}}} \ . \tag{4.1}$$

Zweiter Schritt. Logarithmiere (4.1) und Taylor–entwickle S_{Bad}:

$$\begin{aligned} \ln(p_n^{(N)}) &= -S_{\text{gesamt}} + S_{\text{Bad}}(\,E_{\text{gesamt}} - E_n^{(N)}\,,\, V_{\text{Bad}}\,,\, N_{\text{gesamt}} - N\,) \\ &= \dots - E_n^{(N)} \partial_E S_{\text{Bad}}|_{E=E_{\text{gesamt}},N=N_{\text{gesamt}}} - N \partial_N S_{\text{Bad}}|_{E=E_{\text{gesamt}},N=N_{\text{gesamt}}} \\ &= \text{const}_{n,N} - \beta\, E_n^{(N)} + \beta\mu N \quad \curvearrowright \quad p_n^{(N)} \sim \mathrm{e}^{-\beta E_n^{(N)} + \beta\mu N} \ . \end{aligned} \tag{4.2}$$

Diesmal kam nicht nur $\beta := \partial_E S^{\text{ex}}$ zum Tragen, sondern auch $-\beta\mu := \partial_N S^{\text{ex}}$, also zwei der drei mikrokanonischen Definitionen (2.31) bis (2.33).

Dritter Schritt. Gibt es Entartungen, so hebe sie mittels Zusatz $\delta H^{(N)}$ auf, woraufhin (4.2) zutrifft, und gehe mit $\delta H^{(N)}$ wieder nach Null. Jetzt läßt sich (wie schon im § 3.1) die Notation wieder entspannen:

$$p_{N,E,\nu} = \frac{1}{Z_{\text{gr.}}}\, \mathrm{e}^{-\beta\,(E-\mu N)} \ . \tag{4.3}$$

Die e–Funktion in (4.3) heißt **Gibbs–Faktor**. Er verallgemeinert den Boltzmann–Faktor $\mathrm{e}^{-\beta E}$. Noch vieles mehr hat die Statistik Josia Willard Gibbs (1839 – 1903) und Ludwig Boltzmann (1844 – 1906) zu verdanken.

Erst wenn man $p_{N,E,\nu}$ über alle N, dazu je über alle E und dazu je über alle ν summiert, muß Eins herauskommen. Also erhält man die **großkanonische Zustandssumme** $Z_{\text{gr.}}$ (man darf wohl salopp auch von der großen Zustandssumme sprechen) per

$$Z_{\text{gr.}}(T, V, \mu) = \sum_{N=0}^{\infty} \sum_{E,\nu} \mathrm{e}^{-\beta\,(E-\mu N)} \ . \tag{4.4}$$

Wegen „dazu“ ist hier die Reihenfolge der Summen wesentlich (auch die Summe über ν war (ist) zu festem E auszuführen). (4.4) zeigt deutlich die koninuierliche Abhängkigkeit von den Reservoir–Charakteristika T und μ, während sich wieder die (ebenfalls kontinuierliche) V–Abhängigkeit in den E–Werten versteckt.

Nicht nur die Energie des Systems, sondern auch seine Teilchenzahl ist jetzt nur noch Mittelwert. Beide sind großkanonische Mittel — folglich Funktionen von T, V, μ — und zeigen sich erstmals, wenn wir das bekannte Versprechen einlösen:

$$\begin{aligned} S_{\text{gr.}}(T,V,\mu) &= -\sum_{N=0}^{\infty}\sum_{E,\nu}\frac{1}{Z_{\text{gr.}}}\mathrm{e}^{-\beta(E-\mu N)}\left[-\ln(Z_{\text{gr.}})-\beta E+\beta\mu N\right] \\ &= \beta E_{\text{gr.}}-\beta\mu N_{\text{gr.}}+\ln(Z_{\text{gr.}}) \ , \end{aligned} \tag{4.5}$$

Aber dies werden wir uns auch in Spur–Sprache noch einmal ansehen: (4.13).

Die Wahrscheinlichkeiten (4.3) sind den Zuständen $|N,E,\nu\rangle$ einer Basis des großen Hilbert–Raumes zugeordnet. Man kann das „große" H auf irgendeinen dieser vielen Zustände anwenden und unter Reproduktion desselben den Eigenwert E erhalten (E zum N des Zustandes). Das „kleine" $H^{(N)}$ weiß hingegen nur mit *seinen* $|N,\ldots\rangle$ etwas anzufangen (und gibt dann ebenfalls E). Weil ein Operator durch Angabe der Wirkung auf alle Zustände einer Basis definierbar ist (so klingt es seit (3.9) sehr bekannt), läßt sich zwanglos per

$$\hat{N}\,|N,E,\nu\rangle \ := \ N\,|N,E,\nu\rangle \tag{4.6}$$

der Operator $\hat{N}$ der Teilchenzahl definieren. Es gibt ihn, im großen Hilbert–Raum nämlich. Und der großkanonische statistische Operator $\hat{\rho}_{\text{gr.}}$ sei jener, der die $|N,E,\nu\rangle$ als Eigenzustände mit Eigenwerten $p_{N,E,\nu}$ hat:

$$\hat{\rho}_{\text{gr.}} = \frac{1}{Z_{\text{gr.}}}\,\mathrm{e}^{-\beta(\hat{H}-\mu\hat{N})} \ . \tag{4.7}$$

Die drei Eingenschaften (3.21) eines statistischen Operators sind gesichert, denn die große Zustandssumme (4.4) schreibt sich als „große Spur":

$$\begin{aligned} Z_{\text{gr.}} &= \mathrm{Sp}_{\text{gr}}\left(\mathrm{e}^{-\beta(\hat{H}-\mu\hat{N})}\right) = \sum_{N,E,\nu}\langle N,E,\nu|\mathrm{e}^{-\beta(\hat{H}-\mu\hat{N})}|N,E,\nu\rangle \\ &= \sum_{N=0}^{\infty}\mathrm{e}^{\beta\mu N}\sum_{E,\nu}\langle N,E,\nu|\mathrm{e}^{-\beta\hat{H}}|N,E,\nu\rangle \\ &= \sum_{N=0}^{\infty} Z(T,V,N)\,\mathrm{e}^{\beta\mu N} \ . \end{aligned} \tag{4.8}$$

Weil N Erhaltungsgröße ist, durften wir in der ersten Zeile $[\hat{H}\,,\,\hat{N}]=0$ ausnutzen. In der zweiten Zeile konnten wir $\hat{H}$ durch $\hat{H}^{(N)}$ ersetzen, woraufhin die kanonischen Zustandssumme Z ins Spiel kam.

Übung 4/1 Wie sieht die große Zustandssumme aus, wenn das System (statt nur N) zwei Erhaltungsgrößen N_1 und N_2 hat?

Lösung Das Reservoir hat dann zwei μ's: $Z_{\text{gr.}} = \sum_{N_1, N_2, E, \nu} \mathrm{e}^{-\beta(E-\mu_1 N_1 - \mu_2 N_2)}$.

Übung 4/2 $Z_{\text{gr.}}$ eines Systems aus zwei unabhängigen Teilen sollte faktorisieren. Wie ergibt sich dies, wenn zunächst eine Summe über Gesamt–N's voransteht?

Lösung $Z_{\text{gr.}} = \sum_{N=0}^{\infty} \left[\sum_{N_1=0}^{N} Z_1(N_1)\, Z_2(N-N_1)\right] \mathrm{e}^{\beta\mu N}$, $\sum_{N=0}^{\infty}\sum_{N_1=0}^{N}\cdots = \sum_{N_1=0}^{\infty}\sum_{N=N_1}^{\infty}\cdots$ (wie in Bild 16–2 erklärt), $Z_{\text{gr.}} = \sum_{N_1=0}^{\infty} Z_1(N_1)\,\mathrm{e}^{\beta\mu N_1} \sum_{N=N_1}^{\infty} Z_2(N-N_1)\,\mathrm{e}^{\beta\mu(N-N_1)}$, $N \to N + N_1$ $\curvearrowright$ $Z_{\text{gr.}} = Z_{\text{gr.}1} \cdot Z_{\text{gr.}2}$.

4.2 Großkanonisch zur Thermodynamik

Wir folgen weiter dem Plan von Kapitel 3 und vermuten, daß alle thermodynamische Information auch in der großen Zustandssumme enthalten ist. $Z_{\text{gr.}}(T, V, \mu)$ sei ausgerechnet worden. Vielleicht erweist sich auch wieder $\ln(Z_{\text{gr.}})$ als Angelpunkt. Also definieren wir (als Analogon zur Freien Energie) das **großkanonische Potential**

$$\Omega(T, V, \mu) \; := \; -T \ln\Big(Z_{\text{gr.}}(T, V, \mu)\Big) \; = \; E_{\text{gr.}} - T S_{\text{gr.}} - \mu N_{\text{gr.}} \tag{4.9}$$

Die rechts stehende Version folgt aus (4.5). Großkanonische Mittelwerte können wir unverzüglich mittels Spur und $\hat{\rho}_{\text{gr.}}$ studieren. N, E und $p = -\partial_V E$ sind Eigenschaften eines jeden Zustandes $|N, E, \nu\rangle$:

$$N_{\text{gr.}} \; = \; \langle \hat{N} \rangle_{\text{gr.}} = \mathrm{Sp}_{\text{gr.}} \left(\hat{N}\, \frac{1}{Z_{\text{gr.}}} \mathrm{e}^{-\beta\hat{H} + \beta\mu\hat{N}} \right) = T\partial_\mu \ln(Z_{\text{gr.}}) = -\partial_\mu \Omega \tag{4.10}$$

$$E_{\text{gr.}} - \mu N_{\text{gr.}} \; = \; \langle \hat{H} - \mu\hat{N} \rangle_{\text{gr.}} = -\partial_\beta \ln(Z_{\text{gr.}}) \tag{4.11}$$

$$p_{\text{gr.}} \; = \; \langle -\partial_V \hat{H} \rangle_{\text{gr.}} = T\partial_V \ln(Z_{\text{gr.}}) = -\partial_V \Omega \; . \tag{4.12}$$

Gemäß (3.22) ist auch die Entropie eine Mittelbildung. Daß wirklich per $\langle -\ln(\hat{\rho_{\text{gr.}}}) \rangle$ auch großkanonisch die Entropie richtig herauskommt, zeigen die ersten beiden Zeilen der folgenden drei:

$$\begin{aligned} S_{\text{gr.}} &= -\mathrm{Sp}_{\text{gr.}} \left[\hat{\rho}_{\text{gr.}} \ln(\hat{\rho}_{\text{gr.}}) \right] = -\mathrm{Sp} \left(\hat{\rho}_{\text{gr.}} \left[-\beta\hat{H} + \beta\mu\hat{N} - \ln(Z_{\text{gr.}}) \right] \right) \\ &= \beta E_{\text{gr.}} - \beta\mu N_{\text{gr.}} + \ln(Z_{\text{gr.}}) \; = \; (4.5) \\ &= (1 - \beta\partial_\beta) \ln(Z_{\text{gr.}}) \; = \; \ldots \; = \; -\partial_T \Omega \; , \end{aligned} \tag{4.13}$$

Die nur mit Punkten angedeuteten Schritte sind mit (3.28) identisch.

Großkanonisches Thermodynamisches Potential

Wegen der Parallelitäten zu Kapitel 3, einschließlich technischer, sind wir sehr zügig vorangekommen. Sogar die „Gradient"–Relationen stehen verstreut oben ab (4.10) bereits da. Das großkanonische Potential $\Omega(T,V,\mu)$ ist zugleich auch das Thermodynamische der Großkanonik, und T, V, μ sind die großkanonischen natürlichen Variablen:

$$(\,S\,,\,p\,,\,N\,)_{\text{gr.}} \;=\; -\,(\,\partial_T\,,\,\partial_V\,,\,\partial_\mu\,)\,\Omega(T,V,\mu)\;\;. \tag{4.14}$$

Eine Pause sei uns vergönnt — und schon stellen sich im Rückblick drei Gedanken ein. Wir waren schon zwei mal auf der Suche nach „Gradienten", und es war beide Male, vor (2.39) und vor (3.36), notwendig geworden, auf große Systeme umzuschwenken. Aber hier — dank der von vornherein kontinuierlichen Variablen — kam nichts dergleichen vor. Alle bisherigen Gleichungen, (4.2) bis (4.14), gelten für große *und* für kleine Systeme am Wärme–Teilchen–Reservoir.

Damals, tief in der Mikrokanonik, hatten wir zwei Systeme nur schwach–energetisch in Kontakt treten lassen: Bild 2–5. Lassen wir auch Teilchen hin und wieder durch die Trennwand, dann bekommt die Betrachtung (2.24) einen Partner:

$$0 = \partial_{N_1}\,\Big[\,S_1^{\text{ex}}(N_1) + S_2^{\text{ex}}(N-N_1)\,\Big] = -\frac{\mu_1}{T} + \frac{\mu_2}{T}\;\;. \tag{4.15}$$

Wenn sich also zwei Systeme auch per Teilchenaustausch ins Gleichgewicht setzen können, werden ihre chemischen Potentiale gleich. Wird auch noch Volumenaustausch zugelassen — beweglicher Kolben als Trennwand — so dürfen wir darauf wetten (oder in Gedanken obige Rechnung mit V statt N durchführen), daß sich dann auf beiden Seiten der gleiche Druck einstellt.

Der dritte Gedanke befaßt sich mit *ex*, *int* und folglich (nun also doch noch) mit großen Systemen. Nur noch *eine* der natürlichen, großkanonischen Variablen ist extensiv. Auch Ω selbst ist extensiv. Also kann man, um dies explizit zu machen, nur noch V nach vorn ziehen. Auch läßt sich kein intensives Verhältnis zweier extensiver Größen bilden:

$$\Omega(T,V,\mu) \;=\; V\cdot\omega(T,\mu) \quad \curvearrowright \quad p = -\partial_V\Omega = -\omega\;\;,\;\; p\cdot V = -\Omega\;\;. \tag{4.16}$$

Der obere Index ^{ex} an Ω wurde hier nur der Einfachheit halber weggelassen. Obacht, (4.16) ist nicht die Zustandsgleichung $p = p(T,V,N)$. Diese entsteht erst, wenn $p = -\Omega(T,V,\mu)/V$ auf die Variablen T,V,N umgerechnet wird (löse $N = -\partial_\mu\Omega$ nach μ auf und setze ein).

Übung 4/3

Adsorption. Auf den M Gitterplätzen einer Festkörperoberfläche kann je (höchstens) ein Atom aus einem umgebenden Gas (T, μ) adsorbiert werden: Energie $-\epsilon$. Es interessiert die mittlere Anzahl N adsorbierter Teilchen. System ist die Oberfläche.

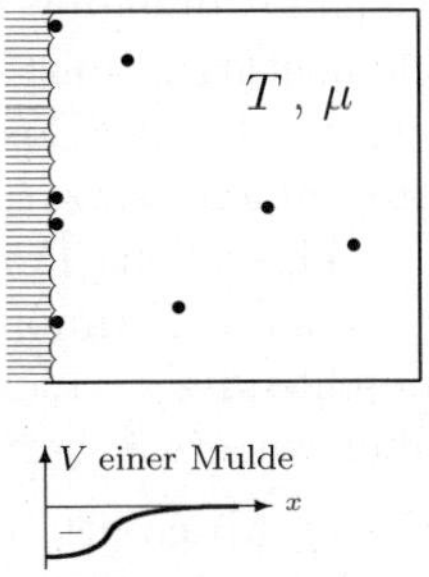

(a) Zu $M = 1$ hätte das System nur zwei Zustände und $Z_{\text{gr.}}^{M=1} = ?$ Mit welcher Wahrscheinlichkeit p_1 ist diese eine Mulde besetzt? Auf M Mulden befinden sich also im Mittel $N = ?$ Atome.

(b) Kommt das (a)–Resultat auch heraus, wenn man allgemein $Z_{\text{gr.}}$ zu $M > 1$ aufschreibt und N als $-\partial_\mu \Omega$ ermittelt?

(c) Ist das Gas $\approx$ „ideal" (mit $e^{-\beta\mu}$ aus Übung 3/9), wie hängt dann die Konzentration $c := N/M$ von Gasdruck p und Temperatur T ab?

Lösung

(a) $N = 0$ und $N = 1$, $Z_{\text{gr.}}^{M=1} = 1 + e^{-\beta(-\epsilon-\mu)}$, $p_1 = \frac{1}{e^{\beta(-\epsilon-\mu)}+1}$, $N = M \cdot p_1$. Sie haben soeben die Fermi–Verteilung hergeleitet! vgl. (4.40).

(b) $Z_{\text{gr.}} = (Z_{\text{gr.}}^{M=1})^M$, $\Omega = -TM \ln(1 + e^{\beta(\epsilon+\mu)})$, $N_{\text{gr.}} = -\partial_\mu \Omega =$ wie oben.

(c) $c = p \,/\, \left[p + T^{5/2} \, e^{-\beta\epsilon} \, (\frac{m}{2\pi\hbar^2})^{3/2} \right]$.

Übung 4/4

Kennt man Z für alle N, so folgt $Z_{\text{gr.}}$ nach (4.8) — und im Falle der „Idealgas"–Konstruktion $Z = Z_{\text{3D}}^N / N!$ sogar in geschlossener Form. Welcher „Gradient" von Ω ergibt sich? Nach Eliminieren von μ zugunsten von N sollten E und p vertraute Gestalten annehmen, vgl. Übung 3/9.

Lösung

$Z_{\text{gr.}} = e^{Z_{\text{3D}} e^{\beta\mu}}$, $\Omega = -T Z_{\text{3D}} \, e^{\beta\mu}$, $S = (\beta\mu - \frac{5}{2})\beta\Omega$, $p = -\frac{1}{V}\Omega$, $N = -\beta\Omega$, $E = -\frac{3}{2}\Omega$. μ–N–Beziehung ist $\Omega = -NT \;\curvearrowright\; E = \frac{3}{2}NT$ und $pV = NT$.

Übung 4/5

Welche relative Schwankung $(\Delta N/N)_{\text{gr.}}$ erleidet die Teilchenzahl eines großkanonisch präparierten Systems?

Lösung

Völlig analog zu (3.30), nur $\hat{N}$ statt H, $\text{Sp}_{\text{gr.}}$ statt Sp, $Z_{\text{gr.}}$ statt Z und $T\partial_\mu$ statt $\partial_\beta \quad \curvearrowright \quad (\Delta N/N)_{\text{gr.}} = \sqrt{T\partial_\mu N_{\text{gr.}}} \,/\, N_{\text{gr.}} = \mathcal{O}(1/\sqrt{N_{\text{gr.}}})$.

4.3 Besetzungszahl–Darstellung

N Teilchen — wie soll das gemeint sein? Schon bei mehr als einem Teilchen greift das Pauli–Prinzip (1.19) ein. Es verlangt als erstes eine Antwort auf die Frage, ob es sich um unterscheidbare oder um identische Fermionen oder Bosonen handelt. Jenseits aller Fairness werden wir hier den identischen Fermionen einen bevorzugten Platz einräumen und Bosonen nach Kapitel 9 abdrängen. Die elementaren Bausteine unserer Materie sind quarks und Elektronen, beide fermionisch. Massive Bosonen (z.B. He^4) sind hingegen aus den genannten Fermionen zusammengesetzt (ob auch das Higgs–Boson aus etwas besteht, ist wohl derzeit eine offene Frage). Sodann gibt es noch Eichbosonen. Sie werden von den genannten Fermionen ausgesendet, wenn man an ihnen wackelt, wenn sie sich beschleunigen. Licht ist wichtig — wie könnte man sonst diese Seite lesen — aber wir erwärmen es besser separat im Kapitel 8.

Dieser Abschnitt bleibt rein quantenmechanisch. Er führt Notationen ein, kann der Erinnerung dienen und vielleicht auch hier und da ein wenig überraschen.

In *allen* Variablensatz–Paaren hat die Zustandsfunktion eines Mehr–Fermion–Systems antisymmetrisch zu sein. Ein Klümpchen, das aus einer geraden Anzahl identischer Fermionen zusammengesetzt ist, ist ein Boson, denn Vertauschung von Klümpchen–Variablen, (1,2) [3,4] → [1,2] (3,4) , gibt ein Pluszeichen an der Zustandsfunktion:

$$\psi(1,2\;;\;3,4) = -\psi(3,2\;;\;1,4) = +\psi(3,4\;;\;1,2)\ . \qquad (4.17)$$

Die rechte Seite kann natürlich auch mühsam mit vier Permutationen benachbarter Variablensätze erreicht werden. Es versteht sich, daß auch dann ein Boson entsteht, wenn unterscheidbare Fermionen in gerader Anzahl einen *bound state* bilden. Der Terminus „Variablensatz“ ist nötig, weil fermionische Zustandsfunktionen unausweichlich (Vorgriff auf § 7.4 und § 10.1, es hilft nichts) neben der Ortsvariablen $\vec{r}$ auch noch Abhängigkeit von einer diskreten Spinvariablen σ zeigen ($\sigma = \pm 1$ bei Spin–$\frac{1}{2}$–Teilchen). Es ist also $1 := \vec{r}_1, \sigma_1$, $2 := \vec{r}_2, \sigma_2$ und so weiter. Sei $\mathcal{P}_{j\ell}$ der Operator, welcher in ψ die Argumente j und ℓ vertauscht. Wegen der Ununterscheidbarkeit zweier gleicher Fermionen darf kein (korrekter) Hamilton–Operator $H^{(N)}$ etwas von solcher Vertauschung bemerken: $[\mathcal{P}_{j\ell}\,,\, H] = 0$. Während der zeitlichen Entwicklung eines N–Fermion–Zustandes *bleibt* er also Eigenfunktion aller $\mathcal{P}_{j\ell}$, sofern er es einmal war. Das Pauli–Prinzip ist eine „Welt–Anfangsbedingung“ :

$$\begin{aligned} t = 0 \;:\; \text{graue Vorzeit} \quad &, \quad \mathcal{P}_{j\ell}\,\psi(t=0) = -\psi(t=0) \\ \curvearrowright \quad \mathcal{P}_{j\ell}\,\psi\,(\text{heute}) \; &= \; \mathcal{P}_{j\ell}\,\mathrm{e}^{-\frac{i}{\hbar}H_{\text{Welt}}\,t}\,\psi(t=0) = -\psi\,(\text{heute})\ . \end{aligned} \qquad (4.18)$$

So ist es ja auch um die skalaren Maxwell–Gleichungen bestellt: [*PB*, § 11.1].

Üblicherweise hat der Hamilton–Operator eines N–Fermion–Systems die Gestalt

$$H^{(N)} = \sum_{j=1}^{N} H_j + \frac{1}{2}\sum_{j,\ell}^{N}{}' V_{j,\ell} \;=:\; H_0 + H_{\text{int}}\ , \qquad (4.19)$$

wobei der Strich am Summenzeichen $j = \ell$ ausschließt. In (4.19) besteht $H^{(N)}$ aus einem **Einteilchen–Operator** H_0 und einem **Zweiteilchen–Operator** H_{int} , der Wechselwirkung. Hat sich jemand mühsam eine Eigenfunktion

$\psi_0(1,2,\ldots,N)$ seines $H^{(N)}$ verschafft, so muß er sie noch antisymmetrisieren,

$$\psi \sim \sum_{\text{Permutationen}} (-1)^{Z_P}\, P\,\psi_0(1,2,\ldots,N)\ , \tag{4.20}$$

und darum bangen, daß (4.20) nicht Null ergibt. Der Operator P führe eine bestimmte der $N!$ Permutationen an ψ_0 aus, und Z_P ist die Anzahl der auf $P\psi_0$ führenden Zweier–Permutationen. So weit allgemein. Bis hierher bitte kein voreiliges Wort von Determinante.

Erst wenn *nicht*-wechselwirkende Fermionen betrachtet werden, d.h. (4.19) keine $V_{j,\ell}$'s hat, wird ψ_0 zu einem N–fachen Produkt aus Einteilchen–Zuständen φ_λ, $H_1\varphi_\lambda(1) = \varepsilon_\lambda\varphi_\lambda(1)$. Im genannten Produkt dürfen keine zwei φ's die gleichen sein, weil es sonst unter Antisymmetrisierung verschwindet. Damit wandelt sich (4.20) zur **Slater–Determinante**:

$$\psi_{\lambda_1,\lambda_2,\ldots,\lambda_N}(1,2,\ldots,N) = \frac{1}{\sqrt{N!}} \begin{vmatrix} \varphi_{\lambda_1}(1) & \varphi_{\lambda_2}(1) & \ldots & \varphi_{\lambda_N}(1) \\ \varphi_{\lambda_1}(2) & \varphi_{\lambda_2}(2) & \ldots & \varphi_{\lambda_N}(2) \\ \cdot & \cdot & & \cdot \\ \cdot & \cdot & & \cdot \\ \cdot & \cdot & & \cdot \\ \varphi_{\lambda_1}(N) & \varphi_{\lambda_2}(N) & \ldots & \varphi_{\lambda_N}(N) \end{vmatrix} \tag{4.21}$$

$$= \frac{1}{\sqrt{N!}}\, \varepsilon_{j_1,j_2,\ldots j_N}\ \ \varphi_{\lambda_1}(j_1)\cdot\varphi_{\lambda_2}(j_2)\cdot\ldots\cdot\varphi_{\lambda_N 1}(j_N)\ . \tag{4.22}$$

Der Wert der Zustände (4.21) liegt nur zum Teil darin, daß sich bereits ohne Wechselwirkung zwischen den Teilchen allerlei Physik erschließt. Zum anderen bilden die Slater–Determinanten eine Basis des großen Hilbert–Raumes, d.h. eine Nullte Näherung für wechselwirkende Fermi–Systeme. Die Version (4.22) wurde angefügt (mit Summenkonvention in jedem j), weil dann gut zu sehen ist, was bei Anwendung von $H_0 := \sum_{j=1}^{N} H_j$ passiert. Jeder Term gibt den gleichen Faktor ab:

$$H_0\ \psi_{\lambda_1,\ldots,\lambda_N}(1,\ldots,N) = \left(\sum_{\text{die enthaltenen }\lambda\text{'s}} \varepsilon_\lambda\right)\psi_{\lambda_1,\ldots,\lambda_N}(1,\ldots,N)\ . \tag{4.23}$$

Slater $\widehat{=}$ Konfiguration

Um eine bestimmte $N\times N$ Slater–Determinante anzugeben, sind aus dem Einteilchen–Spektrum N Zustände auszuwählen. Jeder dieser Zustände hat sein Strichlein im Zuständediagramm von H_1. Die getroffene Auswahl läßt sich im Zuständediagramm markieren — durch Anbringen von Punkten auf den ausgewählten Gedankenstrichen: Bild 4–2. Jeder Anordnung von N dicken Punkten im Diagramm, jeder Konfiguration $\mathcal{K}_N$, entspricht eine Slater–Determinante. Die Entsprechung ist perfekt: eine Abbildung Eins zu Eins. Durchlaufen wir, beginnend bei $N = 0$, auch noch alle N — und stehe $\mathcal{K}$ für irgendeine Konfiguration aus den $\mathcal{K}_N$ — so kommen wir bei einer Basis des großen Hilbert–Raumes an. Ihre Zustände sind indiziert mit $\mathcal{K}$, respektive mit Bildern.

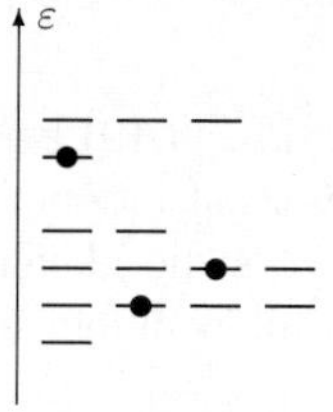

Bild 4–2 : Eine Konfiguration $\mathcal{K}_3$ im Zuständediagramm. Um die ihr entsprechende Slater–Determinante zu notieren, wurden die Gedankenstriche von unten beginnend und in jeder Zeile von links an numeriert :

$$\frac{1}{\sqrt{3!}}\begin{vmatrix} \varphi_3(1) & \varphi_8(1) & \varphi_{12}(1) \\ \varphi_3(2) & \varphi_8(2) & \varphi_{12}(2) \\ \varphi_3(3) & \varphi_8(3) & \varphi_{12}(3) \end{vmatrix} .$$

Mit anderen Worten, alle Zustände eines nicht–wechselwirkenden („idealen") Fermi–Systems werden erhalten, wenn man — zu allen Anzahlen N — alle möglichen Konfigurationen $\mathcal{K}$ von Punkten im Einteilchen–Zuständediagramm aufmalt. Zu irgendeinem N kann damit den Zuständen (4.21) die Gestalt $\langle 1, 2, \ldots \,|\, \mathcal{K} \rangle =: \langle\, r \,|\, \mathcal{K} \rangle$ gegeben werden. Und der H_0–Eigenwert schreibt sich gemäß (4.23) als $E_\mathcal{K} = \sum_{\lambda \in \mathcal{K}} \varepsilon_\lambda$. Jedes $\mathcal{K}$ hat sein N und weiß davon. Haben $\mathcal{K}$ und $\mathcal{K}'$ verschiedene N's, so ist $\langle \mathcal{K} | \mathcal{K}' \rangle = 0$.

Darstellungswechsel

Der harmlose Übergang von einer Darstellung zu einer anderen, das ist nie und nimmer eine „zweite Quantisierung". Ist $\langle r| \quad \rangle$ der Informationsträger in Ortsdarstellung (mit $r := \vec{r}_1 \sigma_1, \ldots$), so ist $\langle \mathcal{K}| \quad \rangle$ jener in „Slater–Determinanten–Darstellung". Den letzteren erhält man mittels $\langle \mathcal{K}| \quad \rangle = \langle \mathcal{K}|r\rangle\langle r| \quad \rangle$, wobei $\langle \mathcal{K}|r\rangle = \langle r|\mathcal{K}\rangle^*$.

Von einem Operator sei bekannt, wie er in Ortsdarstellung wirkt: $\langle r|\hat{A}| \quad \rangle = A\,\langle r| \quad \rangle$. Um zu erfahren, was er in $\mathcal{K}$–Darstellung anrichtet, müssen seine Matrixelemente $\langle \mathcal{K}|\hat{A}|\mathcal{K}'\rangle$ ermittelt werden, weil sich dann die Frage $\langle \mathcal{K}|\hat{A}| \quad \rangle = \langle \mathcal{K}|\hat{A}|\mathcal{K}'\rangle\langle \mathcal{K}'| \quad \rangle = ?$ beantwortet. Im folgenden bleiben wir zunächst im „kleinen" Hilbert–Raum zu gegebenem N (ohne dies ständig als Index anzumerken). Wie zu erweitern ist, wird sich am Ende herausstellen.

Sei A ein Einteilchen–Operator, habe also die Struktur $A = \sum_{j=1}^{N} A_j$. Stehe $\int^N$ für die N Integrationen über $\vec{r}_1$ bis $\vec{r}_N$ *und* Summationen über σ_1 bis σ_N und bezeichne Pj den Variablensatz, welcher durch Permutation P in das j–te Argument gelangt ist, dann haben wir

$$\begin{aligned}\langle\mathcal{K}|\hat{A}|\mathcal{K}'\rangle &= \langle\mathcal{K}|r\rangle\, A\,\langle r|\mathcal{K}'\rangle = \langle\mathcal{K}|r\rangle \sum_{j=1}^{N} A_j\,\langle r|\mathcal{K}'\rangle \\ &= \frac{1}{N!}\int^N \Big[\sum_P (-)^{Z_P}\varphi_{\lambda_1}(P1)\ldots\varphi_{\lambda_N}(PN)\Big]^* \cdot \\ &\quad \cdot \sum_{j=1}^{N} A_j \Big[\sum_{P'}(-)^{Z_{P'}}\varphi_{\lambda_1'}(P'1)\ldots\varphi_{\lambda_N'}(P'N)\Big] \;. \qquad (4.24)\end{aligned}$$

An der Unansehnlichkeit von (4.24) liegt es wohl, weshalb man in der Literatur nach expliziter Durchführung des Darstellungswechsels zumeist vergeblich sucht. Man muß sich hineindenken.

Die dritte Zeile in (4.24) ist antisymmetrisch in allen Variablensatz–Vertauschungen. Auch die P–Summe ist es. Unter $\int^N$ können wir solche Vertauschungen vornehmen und zwar z.B. so, daß jeder der Terme in der P–Summe gleich dem ersten wird (jenem mit identischer = keiner Permutation). Dann kürzt sich der $N!$–Nenner, und aus (4.24) wird

$$\sum_{j=1}^{N}\int^N \varphi^*_{\lambda_1}(1)\ldots\varphi^*_{\lambda_N}(N)\, A_j \sum_{P'}(-)^{Z_{P'}}\varphi_{\lambda_1'}(P'1)\ldots\varphi_{\lambda_N'}(P'N) \;. \qquad (4.25)$$

Setzen wir einmal alle $A_j = 1$ (so daß $A = N$), dann sorgt die Orthonormierung $\int_1 \varphi^*_\lambda(1)\varphi_{\lambda'}(1) = \delta_{\lambda\lambda'}$ dafür, daß auch aus der P'–Summe nur der erste Term überlebt und $(4.25) = N\,\delta_{\mathcal{K}\mathcal{K}'}$ herauskommt — sehr vernünftig. Der Operator A_j (jetzt wieder $\neq 1$) wirkt auf den Variablensatz j, kann also in jedem P'–Summen–Term nur genau ein $\varphi_{\lambda'}$ in eine neue Funktion verwandeln. Die anderen $N-1$ Faktoren $\varphi_{\lambda'}$ müssen ein φ^*_λ mit gleichem Argument finden. Erstes (grobes) Fazit: Die Konfiguration $\mathcal{K}'$ darf sich von $\mathcal{K}$ nur in einer Besetzung unterscheiden oder in keiner. Trifft das letztere zu, dann ist $\mathcal{K}' = \mathcal{K}$, d.h. $\lambda_1' = \lambda_1\,,\ \ldots\ ,\ \lambda_N' = \lambda_N$. Die P'–Summe reduziert sich auf die identische Permutation und es entsteht

$$\begin{aligned}\langle\mathcal{K}|\hat{A}|\mathcal{K}\rangle &= \sum_{j=1}\int_j \varphi^*_{\lambda_j}(j)\,A_j\,\varphi_{\lambda_j}(j) = \sum_\nu A_{\nu\nu} \\ \text{mit}\quad \int_j &:= \int d^3r_j \sum_{\sigma_j} \quad\text{und}\quad A_{\mu\nu} := \int_1 \varphi^*_\mu(1)\,A_1\,\varphi_\nu(1) \;. \qquad (4.26)\end{aligned}$$

Jetzt indiziert ν die in $\mathcal{K}$ enthaltenen Zustände.

Auch wenn sich $\mathcal{K}'$ von $\mathcal{K}$ unterscheidet, nämlich in nur einer Besetzung, reduziert sich die P'–Summe auf eine. Aber es ist nicht mehr die identische. Sei μ der in $\mathcal{K}'$ zusätzlich besetzte Zustand, und ν der gegenüber $\mathcal{K}$ fehlende. Bild 4–3 will erklären, daß die verbleibende P'–Permutation aus $Z_{\mu\nu}$ Zweier–Permutationen besteht, wobei $Z_{\mu\nu}$ die Zahl der zwischen μ und ν liegenden gemeinsamen Zustände ist. Das Vorzeichen von $Z_{\mu\nu}$ spielt in $(-1)^{Z_{\mu\nu}}$ keine Rolle.

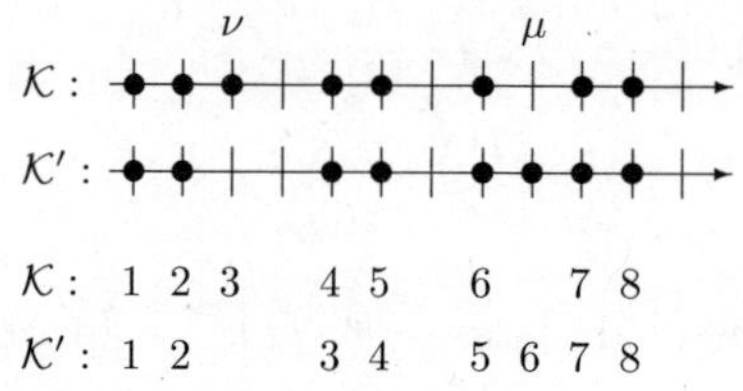

Bild 4–3: Weshalb eine Permutation erforderlich ist, wenn ein in $\mathcal{K}'$ zusätzlicher Zustand μ vom Variablensatz des in $\mathcal{K}$ zuätzlichen Zustandes ν abhängen soll. Wie die unterste Zeile zeigt, ist hier $Z_{\mu\nu} = 3$.

Im Falle $\mathcal{K}' \neq \mathcal{K}$ ist also

$$\langle\mathcal{K}|\hat{A}|\mathcal{K}'\rangle = \begin{cases} (-1)^{Z_{\mu\nu}} A_{\mu\nu} & \text{für} \quad \mathcal{K}' = \mathcal{K}^{\{\nu \text{ entleert und } \mu \text{ gefüllt}\}} \\ \text{Null sonst} & \end{cases} . \tag{4.27}$$

Mit (4.26) und (4.27) sind alle nicht–verschwindenen Matrixelemente eines Einteilchen–Operators A ausgewertet. Das Resultat gefällt nur noch nicht besonders.

Fermi–Operatoren

Im „großen“ Hilbert–Raum lassen sich Operatoren definieren, welche von einem Sektor in den anderen führen. Im einfachsten Falle nimmt ein Operator b_ν aus $|\mathcal{K}\rangle$ die auf Strichlein ν sitzende Kugel heraus: Er ist ein **Vernichtungsoperator** (kurz: Vernichter). Ist aber $|\mathcal{K}\rangle$ bei Zustand ν nicht besetzt, so komme bei b_ν–Anwendung Null heraus. Sei Z_ν die Anzahl der unterhalb ν besetzten Zustände in $\mathcal{K}$. Und sei $\mathcal{K}^{\text{ohne}}$ die Konfiguration $\mathcal{K}$ ohne ν. Damit definieren wir

$$b_\nu |\mathcal{K}\rangle := \begin{cases} (-1)^{Z_\nu} |\mathcal{K}^{\text{ohne}}\rangle, & \text{wenn } \mathcal{K} \text{ in } \nu \text{ besetzt ist} \\ 0 & \text{, wenn } \mathcal{K} \text{ in } \nu \text{ leer ist}. \end{cases} \tag{4.28}$$

Herauszufinden, wie das hermitesch Adjungierte von b wirkt, hat nur mit Zuständen zu tun, die bei ν besetzt oder leer sind. Darum bezeichnen wir diese beiden vorübergehend kurzerhand mit $|1\rangle$ und $|0\rangle$:

$$\begin{array}{lllllll} & & \langle 1|b|0\rangle = 0 & & \langle 0|b^\dagger|1\rangle = 0 & & \\ b\,|0\rangle = 0 & & \langle 0|b|0\rangle = 0 & & \langle 0|b^\dagger|0\rangle = 0 & & b^\dagger|1\rangle = 0 \\ b\,|1\rangle = \pm|0\rangle & \curvearrowright & \langle 1|b|1\rangle = 0 & \curvearrowright & \langle 1|b^\dagger|1\rangle = 0 & \curvearrowright & b^\dagger|0\rangle = \pm|1\rangle\,. \\ & & \langle 0|b|1\rangle = \pm 1 & & \langle 1|b^\dagger|0\rangle = \pm 1 & & \end{array} \tag{4.29}$$

In der dritten Spalte steht das konjugiert Komplexe der zweiten Spalte. Ersichtlich ist $b^\dagger$ **Erzeugungsoperator**. Mit (4.29) (und mit Plus–Kommutator $\{A, B\} := AB + BA$) ist leicht nachgewiesen, daß die Operator–Identitäten $\{b, b\} = 0$, $\{b^\dagger, b^\dagger\} = 0$ und $\{b, b^\dagger\} = 1$ gelten: die Fermi–Operator–Algebra.

Nach Rückkehr in den Raum der $|\mathcal{K}\rangle$ nehmen diese Zwischenresultate die Form

$$\{b_\mu, b_\nu\} = 0 \quad , \quad \{b_\mu^\dagger, b_\nu^\dagger\} = 0 \quad , \quad \{b_\mu, b_\nu^\dagger\} = \delta_{\mu,\nu} \tag{4.30}$$

und

$$b_\nu^\dagger\,|\mathcal{K}\rangle := \begin{cases} (-1)^{Z_\nu}\,|\mathcal{K}^{\,\text{mit}}\rangle\,, & \text{wenn } \mathcal{K} \text{ in } \nu \text{ leer ist} \\ \quad 0 & , \text{ wenn } \mathcal{K} \text{ in } \nu \text{ besetzt ist} \end{cases} \tag{4.31}$$

an. Den Kontakt zu (4.27), d.h. zu $\langle\mathcal{K}|\hat{A}|\mathcal{K}'\rangle$ mit $\mathcal{K}' = \mathcal{K}^{\{\nu \text{ entleert und } \mu \text{ gefüllt}\}}$, stellen wir jetzt ausnahmsweise rückwärts, vom Resultat ausgehend her:

$$\langle\mathcal{K}|\sum_{\nu',\mu'} A_{\nu'\mu'} b_{\nu'}^\dagger b_{\mu'}|\mathcal{K}^{\nu \text{ entleert, } \mu \text{ gefüllt}}\rangle = (-1)^{Z_\mu}\langle\mathcal{K}|\sum_{\nu'} A_{\nu'\mu} b_{\nu'}^\dagger|\mathcal{K}^{\nu \text{ entleert}}\rangle$$
$$= (-1)^{Z_\mu}(-1)^{Z_\nu} A_{\nu\mu}\langle\mathcal{K}|\mathcal{K}\rangle \;=\; (4.27)\ . \tag{4.32}$$

Endlich wird klar, weshalb jene $(-1)^Z$–Vorzeichen allesamt erforderlich waren. Auch (4.26), d.h. $\langle\mathcal{K}|\hat{A}|\mathcal{K}\rangle$, kommt richtig heraus, wenn man $\sum_{\nu'\mu'} A_{\nu'\mu'} b_{\nu'}^\dagger b_{\mu'}$ zwischen $\langle\mathcal{K}|$ und $|\mathcal{K}\rangle$ nimmt. Dann wird nur $\mu' = \nu'$ erzwungen, und eine Summe bleibt stehen. Sind sämtliche Matrixelemente zweier Operatoren gleich, dann auch die Operatoren selber. Wir haben somit gezeigt, daß jeder Einteilchen–Operator A die Gestalt

$$\hat{A} \;=\; \sum_{\nu,\mu} A_{\nu\mu}\, b_\nu^\dagger\, b_\mu \tag{4.33}$$

hat, und zwar im abstrakten „großen" Hilbert–Raum aller N. In diesem nennt man die leere „Konfiguration" das **Vakuum** und bezeichnet es mit $|0\rangle$. Im N–Sektor kann nun ein Basis–Zustand $|\mathcal{K}\rangle$ und auch der allgemeine Hilbert–Vektor $|\;\;\rangle$ konkret zu Papier gebracht werden,

$$|\mathcal{K}\rangle = b_{\lambda_1}^\dagger \ldots b_{\lambda_N}^\dagger\,|0\rangle \quad , \quad |\;\;\rangle = \sum_{\lambda_1,\ldots,\lambda_N} c_{\lambda_1,\ldots,\lambda_N}\, b_{\lambda_1}^\dagger \ldots b_{\lambda_N}^\dagger\,|0\rangle\ , \tag{4.34}$$

ebenso der Teilchenzahl–Operator $\hat{N}$ und der Hamilton–Operator $\hat{H}_0$:

$$\hat{N} = \sum_\lambda b_\lambda^\dagger\, b_\lambda \quad , \quad \hat{H}_0 = \sum_\lambda \varepsilon_\lambda\, b_\lambda^\dagger\, b_\lambda\ . \tag{4.35}$$

Wird nun die Behandlung des Zweiteilchen–Operators H_{int} in (4.19) weitere zehn Seiten in Anspruch nehmen? Keineswegs. Aber man führt zuvor besser den **Feldoperator**

$$\Psi(1) := \sum_\lambda \varphi_\lambda(1)\, b_\lambda \qquad \curvearrowright \qquad b_\lambda = \int_1 \varphi_\lambda^*(1)\,\Psi(1) \tag{4.36}$$

ein, woraufhin der Einteilchen–Operator die Verwandlung

$$A = \sum_{j=1}^N A_j \quad \longrightarrow \quad \hat{A} = \int_1 \Psi^\dagger(1)\, A_1\, \Psi(1) \tag{4.37}$$

erlebt, und behandelt $H_{\rm int}$ á la (4.37) zuerst im Index ℓ und danach im Index j:

$$V = \frac{1}{2}\sum_{j,\ell}{}' V_{j,\ell} \quad \longrightarrow \quad \frac{1}{2}\int_1\int_2 \Psi^\dagger(1)\Psi^\dagger(2)\, V_{12}\, \Psi(2)\Psi(1)\ . \tag{4.38}$$

So ist es mit vielen Dingen, welche anfangs hoffnungslos kompliziert erscheinen. Ist die angemessene Formulierung gefunden, werden sie verständlich und überschaubar — oder auch manchmal umgekehrt: Sind sie verstanden, findet sich die geeignete Sprache. Stehen einmal alle relevanten Operatoren eines Systems in Ψ–Sprache auf dem Papier, so darf übrigens der Zusammenhang (4.36) wieder vergessen werden, d.h. Ψ kann durch die Funktionen und Vernichter einer anderen Basis dargestellt werden.

Übung 4/6

(a) $b^\dagger_{\lambda_1} b^\dagger_{\lambda_2}|0\rangle$ ist $\hat N$–Eigenfunktion zu Eigenwert 2. Wie kommt das heraus?
(b) Ist eigentlich $|b^\dagger_{\lambda_1} \ldots b^\dagger_{\lambda_N}|0\rangle$ bereits richtig normiert?
(c) Weshalb ist $\hat A = \int_1 \Psi^\dagger(1)\, A_1\, \Psi(1)$ mit (4.33) identisch?
(d) Man verifiziere $\{\Psi(1), \Psi^\dagger(2)\} = \delta(1-2)$ und $\{\Psi(1), \Psi(2)\} = 0$.

Lösung

(a) $\sum_\nu b^\dagger_\nu \left(\delta_{\nu\lambda_1} - b^\dagger_{\lambda_1} b_\nu\right) b^\dagger_{\lambda_2}|0\rangle = b^\dagger_{\lambda_1} b^\dagger_{\lambda_2}|0\rangle - b^\dagger_{\lambda_2} b^\dagger_{\lambda_1}|0\rangle = 2\, b^\dagger_{\lambda_1} b^\dagger_{\lambda_2}|0\rangle$.
(b) $\langle 0|b_{\lambda_N} \ldots b_{\lambda_1} b^\dagger_{\lambda_1} \ldots b^\dagger_{\lambda_N}|0\rangle = \langle 0|b_{\lambda_N} \ldots b_{\lambda_2} b^\dagger_{\lambda_2} \ldots b^\dagger_{\lambda_N}|0\rangle = \ldots = \langle 0|0\rangle$ $= 1$, denn $b_{\lambda_1} b^\dagger_{\lambda_1} = 1 - b^\dagger_{\lambda_1} b_{\lambda_1} \to 1$, weil sich wegen $\lambda_1 \neq$ *alle anderen* b_{λ_1} nach rechts bis an $|0\rangle$ durch tauscht.
(c) (4.36) einsetzen und sich der $A_{\mu\nu}$–Definition erinnern.
(d) (4.36) einsetzen, Fermi–Kommutator (4.30) nutzen und zuletzt die Vollständigkeits–Relation erkennen: $\sum_\lambda \varphi_\lambda(1)\varphi^*_\lambda(2) = \delta(1-2)$.

Übung 4/7

Hubbard chain. G Atome bilden mit Abständen a ein großes ringförmiges Molekül. Stark idealisiert leben die $< G$ Elektronen (Spin $\frac{1}{2}$) auf einer diskretisierten x–Achse ($x = j\,a,\ j = 1, \ldots, G$) und haben kinetische Energie $\hat H_0 = -T \sum_\sigma \sum_x \left[\Psi^\dagger_\sigma(x)\Psi_\sigma(x+a) + \Psi^\dagger_\sigma(x)\Psi_\sigma(x-a)\right]$. Variablensatz ist $1 = \sigma, x$. Mit Ortsoperator–Eigenfunktionen $\varphi_{s,\ell}(\sigma, x) = \delta_{s,\sigma}\delta_{\ell a,x}$ ist $\Psi_\sigma(x) = \sum_{s,\ell} \varphi_{s,\ell}(\sigma, x)\, b_{s,\ell} = b_{\sigma,j}$, und $\hat H_0$ läßt Elektronen auf benachbarte Plätzte bei $x \pm a$ hüpfen.
(a) $\Psi_\sigma(x) = \frac{1}{\sqrt{G}} \sum_k e^{ikx} c_{\sigma,k}$ (mit welchen k–Werten?) hingegen diagonalisiert $\hat H_0$ und liefert die Einteilchen–Energien $\varepsilon_k = ?$
(b) Der Wechselwirkung $\frac{1}{2}U \sum_\sigma \sum_x \Psi^\dagger_\sigma(x)\Psi^\dagger_{-\sigma}(x)\Psi_{-\sigma}(x)\Psi_\sigma(x)$ kann die Form $\hat H_{\rm int} = U \sum_x n_+(x) n_-(x)$ gegeben werden, nämlich mit $n_\sigma(x) = ?$
Das Hubbard–Modell gehört zu den wenigen wechselwirkenden Vielteilchen–Modellen, die exakt gelöst werden können (Stichwort Bethe–Ansatz).

Lösung (a) $k = n\frac{2\pi}{Ga}$, $n \in Z$. $\hat{H}_0 = -T\sum_\sigma \sum_{k,k'} \frac{1}{G}\sum_x \mathrm{e}^{i(k-k')x}(\mathrm{e}^{-ik'a} + \mathrm{e}^{ik'a})$ $c^\dagger_{\sigma,k} c_{\sigma,k'} = -T\sum_\sigma \sum_k 2\cos(ka)\, c^\dagger_{\sigma,k} c_{\sigma,k}$, $\varepsilon_k = -2T\cos(ka)$.

(b) Tausche $\Psi_\sigma(x)$ zwei mal nach links (und einmal n_+ an n_-vorbei): $n_\sigma(x) = \Psi^\dagger_\sigma(x)\, \Psi_\sigma(x)$. Wenn sie verschiedene Spinvariable haben, verbietet Pauli zwei Elektronen nicht, den gleichen Platz einzunehmen. Aber Hubbard bestraft dies mit um U erhöhter Energie.

4.4 Fermi–Verteilung

Es klingt wie ein Anfängerfehler. Wir fragen nach der Wahrscheinlichkeit p_λ , mit welcher auf dem λ–ten Gedankenstrich im Einteilchen–Zuständediagramm eine runde Kugel nistet. — „Nanu, wir haben doch aber gelernt, daß die Wahrscheinlichkeiten für Zustände stets $\mathrm{e}^{-\beta\cdots}$–Form haben. Von den § 4.2–Resultaten ist also auszugehen.“ — Antwort: Ein System aus identischen Fermionen im großkanonisch präparierten Kasten (mit $N_{\text{gr.}}$ Teilchen im Mittel) hat in der Tat Zustände $|\mathcal{K}\rangle$ mit Energie $E_\mathcal{K}$. Für diese ist Eure Aussage in Ordnung: „stets“ für Zustände (!) des Systems. Wir aber führen uns jetzt die Gesamtheit aller dieser Zustände mit je ihrer Punkte–Anordnung vor Augen und sehen uns zu jedem $|\mathcal{K}\rangle$ an, ob ein gegebener Gedankenstrich besetzt ist. Das gibt eine Wahrscheinlichkeit p_λ für λ–Besetzung. Ob die $\mathrm{e}^{-\beta\cdots}$–Regel noch gilt, wird sich zeigen. So zu fragen, ist neuartig und etwas obskur — jedoch: wir dürfen!

Die „geniale“ Herleitung

Die vielen, vielen Konfigurationen der Groß–Hilbert–Raum–Basis $|\mathcal{K}\rangle$ haben allesamt eines gemeinsam: das Zuständediagramm. Wir können es in den Kasten malen, als „eingefüllte Theorie“ sozusagen: Bild 4–4. Das Wärme–Teilchen–Bad spendet und entnimmt Energie–Portionen und Teilchen. Man begreife, daß sich jeder Gedankenstrich λ bevölkert und entleert, als wären die anderen gar nicht da. Sind die anderen gar nicht da, bleibt ein Kunstsystem mit nur einem Einteilchen–Zustand λ und Energie ε_λ übrig. Nennen wir es den λ–Kasten.

Bild 4–4 : Jeder Strich im Zuständediagramm wird vom Wärme–Teilchen–Reservoir separat bedient. Es genügt darum, einen „λ–Kasten“ großkanonisch zu behandeln.

Um den λ–Kasten zu behandeln, greifen wir auf (4.3) zurück und insofern auf die $\mathrm{e}^{-\beta\cdots}$–Regel. Der λ–Kasten hat nur zwei Zustände: Er enthält entweder kein Teilchen, so daß $N=0$, $E=0$ ist, oder er enthält eines, so daß $N=1$, $E=\varepsilon_\lambda$ ist. (4.3) liefert die zugehörigen Wahrscheinlichkeiten zu

$$p_{0,0}=\frac{1}{Z_{\mathrm{gr}}} \quad , \quad p_{1,\varepsilon_\lambda}=\frac{1}{Z_{\mathrm{gr}}}\,\mathrm{e}^{-\beta\,(\varepsilon_\lambda-\mu)} \quad =: p_\lambda \ . \tag{4.39}$$

Da deren Summe Eins geben muß, folgt $Z_{\mathrm{gr.}}=1+\mathrm{e}^{-\beta\,(\varepsilon_\lambda-\mu)}$. Und schon steht sie da, die **Fermi–Verteilung**:

$$p_\lambda \;=\; \frac{1}{\mathrm{e}^{\beta\,(\varepsilon_\lambda-\mu)}+1} \ . \tag{4.40}$$

Merken! Sie *ist* also durchaus von $\mathrm{e}^{-\beta\cdots}$–Form, denn wir haben ja in $\mathrm{e}^{-\beta(\varepsilon_\lambda-\mu)}/Z_{\mathrm{gr.}}$ nur oben und unten mit $\mathrm{e}^{\beta(\varepsilon_\lambda-\mu)}$ multipliziert. Es versteht sich, daß $1-p_\lambda$ die Wahrscheinlichkeit dafür angibt, daß der Einteilchen–Zustand λ leer bleibt. Die mittlere Anzahl $\langle N\rangle^{\lambda\text{–Kasten}} =: n_\lambda$ der auf λ versammelten Kugeln ist

$$n_\lambda \;=\; (1-p_\lambda)\cdot 0+p_\lambda\cdot 1 \;=\; p_\lambda \ . \tag{4.41}$$

Sie ist also mit der Wahrscheinlichkeit p_λ identisch. Vorsicht, bei Bosonen trifft das nicht mehr zu.

Übung 4/8

Wem obiges „Man begreife“ ein allzu großes Wagnis ist, der hat es schwerer. Er sollte $p_{\mathcal{K}}$ aufschreiben und alle $p_{\mathcal{K}^{\mathrm{mit}}}$ addieren ($\mathcal{K}^{\mathrm{mit}}$ = solche, die λ enthalten). Welcher $Z_{\mathrm{gr.}}^{\mathrm{mit}}$–$Z_{\mathrm{gr.}}^{\mathrm{ohne}}$–Zusammenhang hilft am Ende weiter?

Lösung

(4.3): $p_{\mathcal{K}}=\frac{1}{Z_{\mathrm{gr.}}}\prod_{\lambda\in\mathcal{K}}\mathrm{e}^{-\beta(\varepsilon_\lambda-\mu)}$, $p_\lambda=\sum_{\mathcal{K}^{\mathrm{mit}}}p_{\mathcal{K}}=\frac{Z_{\mathrm{gr.}}^{\mathrm{mit}}}{Z_{\mathrm{gr.}}}=\frac{Z_{\mathrm{gr.}}^{\mathrm{mit}}}{Z_{\mathrm{gr.}}^{\mathrm{mit}}+Z_{\mathrm{gr.}}^{\mathrm{ohne}}}$.
Jeder Term in $Z_{\mathrm{gr.}}^{\mathrm{mit}}$ enthält $\mathrm{e}^{-\beta(\varepsilon_\lambda-\mu)}$ $\curvearrowright$ $Z_{\mathrm{gr.}}^{\mathrm{mit}}=\mathrm{e}^{-\beta(\varepsilon_\lambda-\mu)}Z_{\mathrm{gr.}}^{\mathrm{ohne}}$, qed.

Großkanonik des idealen Fermi–Systems

Die Idee des λ–Kastens bietet nicht nur die obige kurze Herleitung der Fermi–Verteilung (können!), sondern führt auch schnurgerade zu allen interessierenden Größen des idealen Fermi–Gases als Gesamtsystem (Index id.F.). Das Gas entsteht durch Ineinandersetzen (jetzt darf man!) der unendlich vielen λ–Kästen. Unverzüglich kommen daraufhin — getreulich nach (1.3) — die folgenden drei Gleichungen zu Papier:

$$N^{\,\mathrm{id.F.}} \;=\; \sum_\lambda p_\lambda \quad , \tag{4.42}$$

$$E^{\,\mathrm{id.F.}} \;=\; \sum_\lambda p_\lambda\,\varepsilon_\lambda \quad , \tag{4.43}$$

$$S^{\,\mathrm{id.F.}} \;=\; -\sum_\lambda \Big[\,p_\lambda\ln(p_\lambda)\;+\;(1-p_\lambda)\ln(1-p_\lambda)\Big] \ . \tag{4.44}$$

Die drei „Trivialformeln“ wollen wir sie nennen. Da die Fermi–Verteilung p_λ von T und von μ explizit abhängt und ε_λ implizit von V, ergibt sich jede der drei Größen N, E, S als Funktion von T, V und μ.

Wegen der Unabhängigkeit der λ–Kästen — sie setzen sich unabhängig voneinander mit dem Reservoir ins Benehmen — können wir auch die große Zustandssumme aufschreiben, nämlich als Produkt:

$$Z_{\text{gr.}}^{\text{id.F.}} = \prod_\lambda \left(1 + e^{-\beta(\varepsilon_\lambda - \mu)}\right) \ , \tag{4.45}$$

womit die Definition (4.9) des großkanonischen Potentials bestückt werden kann:

$$\Omega^{\text{id.F.}} = -T \sum_\lambda \ln\left(1 + e^{-\beta(\varepsilon_\lambda-\mu)}\right) = T \sum_\lambda \ln(1 - p_\lambda) \ . \tag{4.46}$$

All dies gilt (wir wiederholen uns) auch für kleine Systeme am Wärme–Teilchen–Bad, beispielsweise auch für solche, die nur wenige λ's haben.

Der Leser möge verzeihen, daß wir oben ein „merken!“ und ein „können!“ eingestreut hatten. Es sind sehr wichtige Details — für das Verstehen von Materie. Und die drei Trivialformeln, nun, „die schreibt man doch einfach so hin!“ Er tut das glatt, der Kandidat X in einer gewissen angespannten Situation. Wie schön. Aber dann zögert er sehr bei der Frage, welche Aussage denn p_λ mache: Wahrscheinlichkeit wofür? — dafür, daß in den unendlich vielen $\mathrm{e}^{-\beta(E_K-\mu N)}$–verteilten Slater–Determinanten des großkanonisch präparierten idealen Fermi–Systems der Einteilchen–Zustand φ_λ enthalten ist. Sehr gut.

Übung 4/9 Kontrollgang 1. Das große Potential (4.46) sollte sich auch ergeben, wenn man (4.9), d.h. $\Omega = E - TS - \mu N$, mit den drei Trivialformeln bestückt.

Lösung Es ist so. $1-p_\lambda = 1/(1+\mathrm{e}^{-\beta(\ \ )})$ und $p_\lambda = \mathrm{e}^{-\beta(\ \ )}(1-p_\lambda)$ helfen dabei.

Übung 4/10 Kontrollgang 2. Gegeben Ω als (4.46). Wie kommen die Trivialformeln (4.42) und (4.44) per $N = -\partial_\mu \Omega$ und $S = -\partial_T \Omega$ wieder zum Vorschein?

Lösung $N = \sum_\lambda \frac{\mathrm{e}^{-\beta(\ )}}{1+\mathrm{e}^{-\beta(\ )}} = (4.42)$, $S = \ldots = -\sum \ln(1-p_\lambda) + \sum p_\lambda \beta(\ \ )$, und mit $\beta(\ \ ) = \ln([1-p_\lambda]/p_\lambda)$ (s.a. Lösung zu 4/9) folgt (4.44) in der Tat.

Übung 4/11 Wie sich bei $T \to 0$ die große Zustandssumme idealer Fermionen verhält, ist (4.45) schwer anzusehen. Aber (4.46) zeigt gern, daß $\Omega^{\text{id.F.}} \to ?$ geht.

Lösung $\ln \to -\beta(\ \ )$ für $\varepsilon_\lambda < \mu$, $\Omega^{\text{id.F.}} \to \sum_\lambda^{\varepsilon_\lambda<\mu} (\varepsilon_\lambda - \mu) = E_0(\mu) - \mu N(\mu)$, s. (4.9).

Nicht selten stellt sich die Frage nach dem chemischen Potential μ *zu gegebener* mittlerer Anzahl N von Teilchen. Der Zusammenhang von N mit μ steht in (4.42). Also ist er auszuwerten, $N = N(T, V, \mu)$, und sodann nach μ aufzulösen, Resultat $\mu(T, V, N)$. Das wird zu üben sein.

Damit ist zu idealen Fermi–Systemen die Essenz dokumentiert, nämlich soweit dies möglich ist, wenn das Einteilchen–Spektrum noch allgemein bleiben soll. Dieses Detail wird erst konkret, wenn im Kapitel 7 speziell die Elektronen in Bändern interessieren. Aber eine Nachlese ist angezeigt — in Bildern.

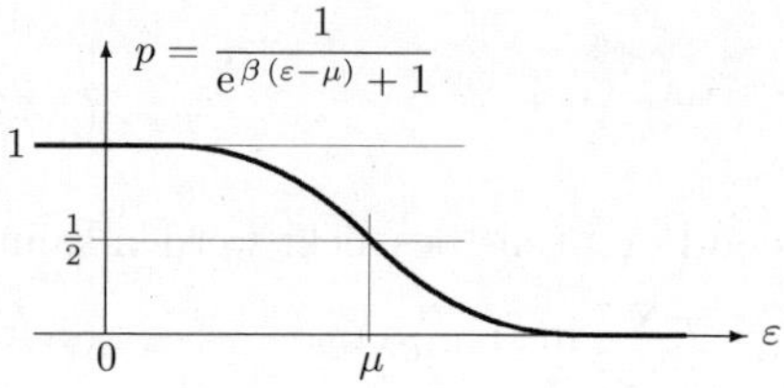

Bild 4–5 : Fermi–Verteilung. „Was ist μ ? " — die Stelle auf der ε–Achse, bei der die Wahrscheinlichkeit $p = \frac{1}{2}$ wird.

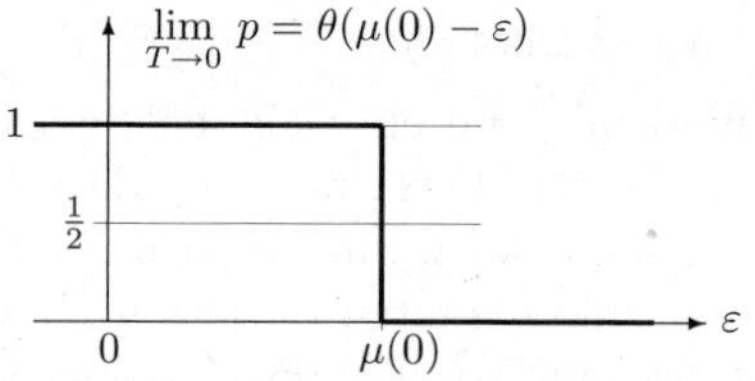

Bild 4–6 : Fermi–Eisblock. Bei $T \to 0$ wird p zur Stufenfunktion. Zugleich zieht sich die Temperatur–abhängige „$\frac{1}{2}$–Stelle" auf ihren Wert $\mu(0)$ zurück.

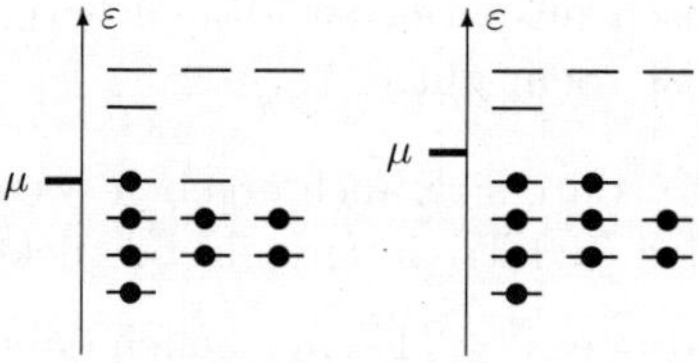

Bild 4–7 : $T = 0$. Wird die Fermi–Energie ε_F als das höchste noch besetzte ε_λ im Einteilchen–Zuständediagramm definiert, so liegt $\mu(0)$ entweder (linkes Bild) bei genau ε_F oder (rechtes Bild) im Zwischenraum darüber.

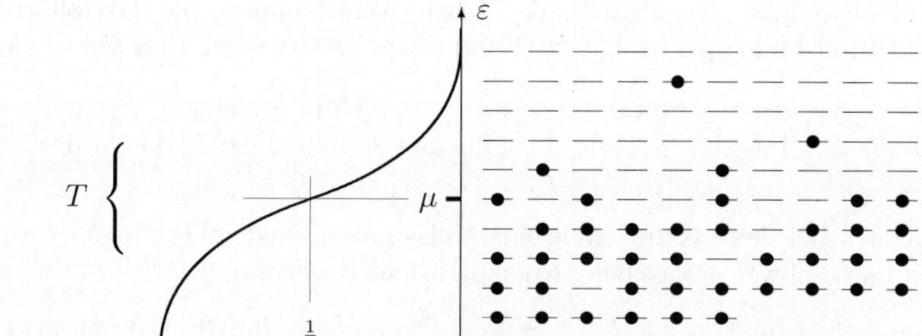

Bild 4–8 : Die „Staubwolke". Temperatur wirbelt die Körnchen auf. Der Fermi–Eisblock hat sich in einem Intervall der Größenordnung T aufgeweicht.

Im Text zu Bild 4–7 wurde die **Fermi–Energie** ε_F definiert. Oft sagt man auch **Fermi–Kante** zu ihr. Grob gesprochen: gegeben N, dann kennt man ε_F. Vorsicht, in den Bildern 4–7 links und 4–8 ist es nicht ganz richtig, daß eine bestimmte Anzahl von Teilchen zu sehen ist. Großkanonische Vorgaben sind ja μ und T, und die Fermi–Verteilung ordnet jedem Gedankenstrich nur eine Wahrscheinlichkeit zu, dem System folglich nur eine mittlere Teilchenzahl $N_{\text{gr.}}$.

Auch im Bild 3–2 war Wahrscheinlichkeit nach links aufgetragen. Gilt es noch? Aber ja!! Lediglich beziehen sich die dortigen Gedankenstriche auf N–Teilchen–Zustände des ganzen Systems. Und natürlich kann auch ein Fermi–Gas an den Ofen gehalten werden, ohne Teilchen auszutauschen. N ist dann fest.

Bild 4–8 erlaubt eine hübsche Überlegung zum Verhalten von $\mu(T)$ bei wachsender Temperatur, wenn das Spektrum ein unteres Ende hat und kein oberes. Der $\mathcal{O}(T)$–Bereich vergrößert sich. Immer mehr Staub wird aufgewirbelt — bis sich schließlich der Fußboden zeigt, d.h. sich selbst der Grundzustand entleert. Überall im Spektrum sinkt die Wahrscheinlichkeit weit unter 1. Die $p = \frac{1}{2}$–Stelle μ muß sich also tief in den Keller begeben haben: $\mu(T) \to -\infty$.

Übung 4/12 $T = 0$. Mehrere nicht–wechselwirkende Spin–$\frac{1}{2}$–Fermionen (m) sind an eine Kugeloberfläche (R) gebunden. Die Grundz.–Energie ist $E_0 = 42\,\frac{\hbar^2}{2mR^2}$. Welche Fermi–Energie ε_F wird erreicht und wie viele Teilchen sind es?

Lösung $H = \frac{\hbar^2}{2mR^2}\vec{L}^{\,2}$, $E_\ell = \frac{\hbar^2}{2mR^2}\ell(\ell+1)$. $E_0 = 0$ hat 2 Strichlein, $E_1 = 2\frac{\hbar^2}{2mR^2}$ hat 6 und $E_2 = 6\frac{\hbar^2}{2mR^2}$ hat 10 (je die tiefsten im Bild 1–4). $0\cdot 2 + 2\cdot 6 + 6\cdot\{n=?\} \overset{!}{=} 42 \quad \curvearrowright \quad n = 5$, $\varepsilon_F = \frac{3\hbar^2}{mR^2}$, und es sind 13 Teilchen.

Übung 4/13 Zwei–Niveau–System. Der N–μ–Zusammenhang werde nach μ aufgelöst. N gegeben ($0 < N < 2$). Wie verhält sich $\mu(T)$ bei $T \to \infty$? Und wie bei $T \to 0$? Wenn aber genau $N = 1$ ist, dann …

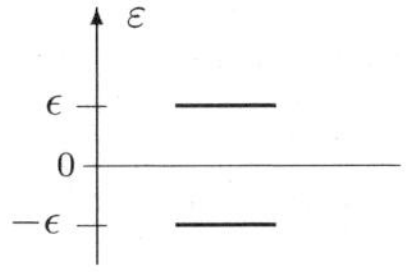

Lösung $N = \frac{1}{\mathrm{e}^{-\beta\epsilon}x+1} + \frac{1}{\mathrm{e}^{\beta\epsilon}x+1}$ ist (zu lösende) quadratische Gleichung in $x := \mathrm{e}^{-\beta\mu}$.
$\mu = -T\ln\Big(\frac{1-N}{N}\mathrm{ch}(\beta\epsilon) + \frac{1}{N}\sqrt{(1-N)^2\mathrm{sh}^2(\beta\epsilon)+1}\,\Big)$. $T\to\infty$: $\mu \to \pm\infty$, $T \to 0$: $\mu \to \pm\,\epsilon$, je $\pm$ zu $N \gtrless 1$. Aber $N = 1$ gibt $\mu(T) \equiv 0$ für alle T!
Fügt man in Gedanken weitere solche Strich–Paare hinzu, so wird klar, daß *jedes* um $\varepsilon = 0$ Teilchen–Loch–symmetrische, halb gefüllte Spektrum $\mu \equiv 0$ hat für alle T. So ist es bei einem reinen Teilchen–Loch–symmetrischen Halbleiter und beim Dirac–Spektrum: „Welthalbleiter“, s. § 7.4 und § 7.5.

Die $\langle\, b^\dagger b \,\rangle$ –Herleitung

Noch einmal und ganz von vorn. Statt nach der Wahrscheinlichkeit p_λ zu fragen, kann wegen (4.41) auch die mittlere Anzahl von Kugeln auf Gedankenstrich λ untersucht werden. Die folgende kurze Betrachtung hat ihre eigene Eleganz und steht dem „genialen" Weg kaum nach.

Wir erinnern uns der Operatoren (4.35), $\hat{N} = \sum_\lambda b_\lambda^\dagger b_\lambda$ und $\hat{H}_0 = \sum_\lambda \varepsilon_\lambda b_\lambda^\dagger b_\lambda$. In Besetzungszahl–Darstellung kann aber auch jedem einzelnen λ–Zustand sein Teilchenzahl–Operator zugeordnet werden, nämlich $b_\lambda^\dagger b_\lambda =: \hat{n}_\lambda$. Der großkanonische Mittelwert $n_\lambda = \langle \hat{n}_\lambda \rangle_{\text{gr.}}$ wird gesucht:

$$
\begin{aligned}
n_\lambda &= \frac{1}{Z_{\text{gr.}}} \operatorname{Sp}_{\text{gr.}} \left(\mathrm{e}^{-\beta(\hat{H}_0 - \mu \hat{N})}\, b_\lambda^\dagger b_\lambda \right) = \frac{1}{Z_{\text{gr.}}} \operatorname{Sp}_{\text{gr.}} \left(\mathrm{e}^{-\beta(\varepsilon_\lambda - \mu)}\, b_\lambda^\dagger\, \mathrm{e}^{-\beta(\hat{H}_0 - \mu \hat{N})}\, b_\lambda \right) \\
&= \mathrm{e}^{-\beta(\varepsilon_\lambda - \mu)} \frac{1}{Z_{\text{gr.}}} \operatorname{Sp}_{\text{gr.}} \left(\mathrm{e}^{-\beta(\hat{H}_0 - \mu \hat{N})} b_\lambda\, b_\lambda^\dagger \right) \quad , \quad b_\lambda\, b_\lambda^\dagger = 1 - b_\lambda^\dagger\, b_\lambda \\
&= \mathrm{e}^{-\beta(\varepsilon_\lambda - \mu)} \left(1 - n_\lambda \right) \quad \curvearrowright \quad n_\lambda = \frac{1}{\mathrm{e}^{\beta(\varepsilon_\lambda - \mu)} + 1} \ .
\end{aligned} \tag{4.47}
$$

Fertig. In der zweiten Zeile fanden $\operatorname{Sp}(AB) = \operatorname{Sp}(BA)$ und die Fermi–Algebra (4.30) Verwendung. Die letzte Zeile dürfte dann klar sein. Aber was ist in der ersten passiert? Wir haben lediglich mächtig nachgedacht. Die Spur besteht aus Matrixelementen $\langle \mathcal{K} | \ldots | \mathcal{K} \rangle$. In $b_\lambda | \mathcal{K} \rangle$ ist λ leer, und in $b_\lambda^\dagger b_\lambda | \mathcal{K} \rangle$ ist λ besetzt. Wird nun der Operator $\mathrm{e}^{-\beta(\hat{H}_0 - \mu \hat{N})}$ zwischen $b_\lambda^\dagger$ und b_λ gesetzt, dann liefert er den Faktor $\mathrm{e}^{-\beta(\varepsilon_\lambda - \mu)}$ nicht. Also schreiben wir ihn explizit dazu. Schwer? Aber gut gedacht! Wir notieren die Behauptung noch einmal als Operator–Identität:

$$
\mathrm{e}^{-\beta(\hat{H}_0 - \mu \hat{N})}\, b_\lambda^\dagger\, \mathrm{e}^{\beta(\hat{H}_0 - \mu \hat{N})} = \mathrm{e}^{-\beta(\varepsilon_\lambda - \mu)}\, b_\lambda^\dagger \ . \tag{4.48}
$$

In dieser Form kann sie mittels

$$
\mathrm{e}^{A} B\, \mathrm{e}^{-A} = B + [\, A, B\,] + \frac{1}{2!}\, [\, A, [\, A, B\,]\,] + \ldots = \mathrm{e}^{[A,\ \,]} B \tag{4.49}
$$

nachgeprüft werden.

Übung 4/14 Vorgriff–Angebot. Ideale Bosonen dürfen ihre Strichlein mehrfach besetzen. Die b, $b^\dagger$ in (4.47) werden zu Bose–Operatoren a, $a^\dagger$ mit $[a_\lambda, a_{\lambda'}^\dagger] = \delta_{\lambda,\lambda'}$. Welche mittlere Anzahl n_λ^{Bose} von „Kugeln" auf λ ist die Folge?

Lösung Mit a statt b bleibt die erste Zeile von (4.47) richtig, ebenso die erste Hälfte der zweiten. Aber nun folgt $n_\lambda = \mathrm{e}^{-\beta(\varepsilon_\lambda - \mu)}(1 + n_\lambda) \curvearrowright n_\lambda^{\text{Bose}} = \frac{1}{\mathrm{e}^{\beta(\varepsilon_\lambda - \mu)} - 1}$.

Die kanonische Herleitung

Es ist nicht wahr, daß die Fermi–Verteilung etwa *nur* großkanonisch zu erhalten wäre. Auch ganz im kanonischen Ensemble ist das möglich. Es entsteht übrigens weiter kein Schaden, wenn sich der Leser — dies noch vernommen habend — hier schon aus Kapitel 4 verabschiedet. Die dritte Herleitung hier zu behandeln, das hat etwas mit Herausforderung und mit Hartnäckigkeit zu tun, und auch ein wenig damit, daß sie sonst nirgends steht.

Für kleine Systeme geben die verschiedenen Ensembles verschiedene Antworten. Die Fermi–Verteilung gilt großkanonisch exakt. Wir erwarten also, daß sie kanonisch erst im Thermodynamischen Limes zum Vorschein kommt. Wir sind neugierig darauf, wann und wie das geschieht.

Am Ofen (T) hängt das gesamte ideale Fermi–Gas im Kasten V und mit Teilchenzahl N. Die Wahrscheinlichkeit $q_\mathcal{K}$, es im Zustand $|\mathcal{K}\rangle$ bei Energie $E_\mathcal{K}$ vorzufinden — wir sparen den Index N an $\mathcal{K}$ ein, benötigen ihn aber an Z — ist

$$q_\mathcal{K} = \frac{1}{Z_N}\,\mathrm{e}^{-\beta E_\mathcal{K}} \quad \text{mit} \quad Z_N = \sum_\mathcal{K} \mathrm{e}^{-\beta E_\mathcal{K}} = \sum\nolimits^{\text{mit}} + \sum\nolimits^{\text{ohne}} \quad . \tag{4.50}$$

Rechts in (4.50) haben wir die Zustandssumme aufgespalten in Konfigurationen, welche einen bestimmten Einteilchen–Zustand λ enthalten und jene, die ihn leer lassen. Gegenüber der gesuchten Wahrscheinlichkeit p_λ, eine λ–Besetzung anzutreffen, ist $q_\mathcal{K}$ winzig. Vielmehr müssen wir alle $q_\mathcal{K}$ aufaddieren, in deren $|\mathcal{K}\rangle$ der Zustand λ enthalten ist:

$$p_\lambda = \sum_{\mathcal{K}_{\text{mit}}} q_\mathcal{K} = \frac{\sum^{\text{mit}}}{\sum^{\text{mit}} + \sum^{\text{ohne}}} = \frac{1}{\frac{\sum^{\text{ohne}}}{\sum^{\text{mit}}} + 1} \quad . \tag{4.51}$$

Nicht wahr, es duftet bereits stark nach Fermi–Verteilung.

Da die Summe $\sum^{\text{ohne}}$ alle $\mathrm{e}^{-\beta E_\mathcal{K}}$'s mit $\mathcal{K}$ ohne λ addiert, ist sie die Zustandssumme eines anderen Systems, welches den Einteilchen–Zustand λ gar nicht enthält, aber dennoch N Teilchen hat: $\widetilde{Z}_N$. In der Summe $\sum^{\text{mit}}$ enthält jeder Term den Faktor $\mathrm{e}^{-\beta\varepsilon_\lambda}$. Ziehen wir ihn nach vorn, dann ist der andere Faktor die Zustandssumme des soeben genannten anderen Systems, aber mit einem Teilchen weniger: $\widetilde{Z}_{N-1}$:

$$\sum\nolimits^{\text{ohne}} = \widetilde{Z}_N \ , \ \sum\nolimits^{\text{mit}} = \mathrm{e}^{-\beta\varepsilon_\lambda}\,\widetilde{Z}_{N-1} \quad \curvearrowright \quad Z_N = \widetilde{Z}_N + \mathrm{e}^{-\beta\varepsilon_\lambda}\,\widetilde{Z}_{N-1} \ . \tag{4.52}$$

Mit den beiden Beziehungen links in (4.52) formen wir (4.51) um,

$$p_\lambda = \frac{1}{\mathrm{e}^{\beta\varepsilon_\lambda}\,\frac{1}{u_N} + 1} \qquad \text{mit} \qquad u_N := \frac{\widetilde{Z}_{N-1}}{\widetilde{Z}_N} \ , \tag{4.53}$$

und aus der Rekursionsformel rechts in (4.52) gewinnen wir

$$\widetilde{Z}_N = \frac{Z_N}{1 + \mathrm{e}^{-\beta\varepsilon_\lambda}\,u_N} \quad \curvearrowright \quad u_N = \frac{\widetilde{Z}_{N-1}}{\widetilde{Z}_N} = \frac{Z_{N-1}}{Z_N}\,\frac{\mathrm{e}^{\beta\varepsilon_\lambda} + u_N}{\mathrm{e}^{\beta\varepsilon_\lambda} + u_{N-1}} \ . \tag{4.54}$$

Bis hierher gilt alles auch für ein kleines System. Ach, wenn doch u_N irgendwie zu $e^{\beta\mu}$ werden könnte! Dann wäre (4.53) links die Fermi–Verteilung. Aber in der Kanonik kleiner Systeme gibt es kein μ.

Offenbar ist der Moment gekommen, an dem die Beschränkung auf ein großes Fermi–System unumgänglich wird. Natürlich schielen wir jetzt auf die u_N–Formel rechts in (4.54). Deren erster Faktor läßt sich durch die Freie Energie $F(T,V,N) = -T\ln(Z_N)$ ausdrücken,

$$\frac{Z_{N-1}}{Z_N} = e^{\beta\,[\,F(T,V,N)\,-\,F(T,V,N-1)]} \;\longrightarrow\; e^{\beta\,\partial_N F(T,V,N)} = e^{\beta\mu} \quad , \tag{4.55}$$

denn wenn F extensiv wird und somit kontinuierlich N–abhängig, trifft (3.35) zu, d.h. $\partial_N F = \mu$. Schon der erste Faktor in (4.54) rechts führt also das Wunschresultat herbei. Damit der zweite Faktor Eins wird, müßten u_N und u_{N-1} gleich werden. Gemäß Definition (4.53) und mit (4.55)–analoger Überlegung werden sie zum $e^{\beta\widetilde{\mu}}$ des Kunst–Systems ohne λ:

$$u_N \;\longrightarrow\; e^{\beta\widetilde{\mu}(T,V,N)} \qquad \text{beziehungsweise}$$

$$u_{N-1} \;\longrightarrow\; e^{\beta\widetilde{\mu}(T,V,N-1)} = e^{\beta\left[\widetilde{\mu}(T,V,N)-\partial_N\widetilde{\mu}(T,V,N)+\ldots\right]} = u_N\,\left[1+\mathcal{O}(\tfrac{1}{N})\right] \quad , \tag{4.56}$$

weil $\partial_N\mu$ nur noch eine ∂_{ex}int–Bildung ist. Übrigens durfte man bereits zu den links in (4.56) erscheinenden beiden e–Funktionen argumentieren, daß der führende Term der intensiven Größe u nichts von einer intensiven Änderung (um -1) der extensiven Variablen N bemerken könne. Rückblickend auf (4.54) wird ferner klar, daß kein Unterschied mehr zwischen ursprünglichem System und Kunst–System besteht. Der Thermodynamische Limes macht unempfindlich gegen Herausnahme eines Einteilchen–Zustandes. Herleitung gelungen.

5 Extremaleigenschaften

Bei Behandlung der drei wichtigsten Gesamtheiten (aus acht möglichen, s. § 11.2) in den vergangenen drei Kapiteln 2 bis 4 ging es fast ausschließlich um das Gleichgewicht eines Systems zu vorgegebener Präparierung. Jetzt geraten Abweichungen vom Gleichgewicht wieder ins Blickfeld. Die Essenz des folgenden kurzen Kapitels läßt sich in zwei Sätzen voranstellen:

> Es hängt vom Ensemble ab, welche Größe beim Gang eines Systems ins Gleichgewicht ein Extremum annimmt. Bei dessen mikrokanonischer Präparierung wird S maximal, bei kanonischer wird F minimal und bei großkanonischer erreicht Ω ein Minimum. (5.1)

Als erstes halten wir fest, daß es — sofern (5.1) zutrifft — zu jedem Ensemble ein Extremalprinzip *gibt*. Sodann sind wir recht zufrieden damit, daß sich die Ensembles (endlich mal) auch dann noch unterscheiden, wenn Aussagen über große Systeme anstehen. Nichtsdestotrotz wird alles in diesem Kapitel *auch für kleine* Systeme zutreffen.

Die erste schwierige Frage zu (5.1) entzündet sich bei „Gang ins Gleichgewicht". Was geht da durch welchen Raum (einem Nicht–Gleichgewicht entsprechend) und gelangt zu Gleichgewicht? Ein System mag Zustände durchlaufen. Aber nach § 1.2 Punkt 5. ist Gleichgewicht eine Ensemble–Eigenschaft. Also ist es ein Ensemble, welches sich durch den Nicht–Gleichgewichts–Raum bewegt. Für solcherlei Wortklumpen kennen wir glücklicherweise ein konkretes Beispiel, nämlich die erschütterte Münze: (1.9) bis (1.11).

Für Gleichgewicht können wir den Statistischen Operator $\rho_{\text{Gl.}}$ des betrachteten Ensembles aufschreiben — (3.10) zur Kanonik, (4.7) zur Großkanonik und (5.4), siehe unten, zur Mikrokanonik. Es bietet sich an, als Nicht–Gleichgewichts–Raum den Raum der Statistischen Operatoren (im Hilbert–Raum des Ensembles) anzusehen. Tatsächlich wird alsbald die Herleitung von (5.1) *bezüglich* dieses Raumes gelingen. Nicht wahr, zu (5.1) ist unbedingt anzugeben, in Bezug auf welche Variationen ein Extremum erreicht wird.

Schon stellt sich die nächste Frage ein, nämlich, ob jede Sorte Nicht–Gleichgewicht im Raum der Statistischen Operatoren enthalten ist, wenn dieser durch die drei Eigenschaften

$$(3.21): \quad (1)\ \rho^\dagger = \rho \quad , \quad (2)\ \mathrm{Sp}(\rho) = 1 \quad , \quad (3)\ \rho \text{ ist positiv definit}$$

festgelegt wird. Die Antwort ist *Ja*, denn ein Nicht–Gleichgewicht muß doch wohl beruhen (wie sonst?) auf der (wenigstens im Prinzip möglichen) Vorgabe auf–1–normierter p_j für das Vorliegen beliebiger (normierter, nicht notwendig orthogonaler) Zustände $|j\rangle$ aus dem Hilbert–Raum des Systems. Daß für solche Vorgaben die drei Eigenschaften gelten, wurde schon im § 3.2 gezeigt, siehe (3.19) und (3.20).

Jedem Nicht–Gleichgewicht kann also ein ρ zugeordnet werden. Dies induziert die Frage, ob auch jedem ρ ein bestimmtes Nicht–Gleichgewicht zugeordnet werden kann. Hierauf ist *Nein* die Antwort. Daß mehrere Vorgaben p_j , $|j\rangle$ zum gleichen Statistischen Operator $\hat{\rho}$ führen können, hatten wir bereits im § 3.2 ergründet. Ausgehend von (3.19), nämlich $\hat{\rho} = \sum_j |j\rangle\, p_j\, \langle j|$, hatte sich dort (3.23) ergeben, nämlich $\hat{\rho} = \sum_n |n\rangle\, \lambda_n\, \langle n|$. Der gleiche Statistische Operator $\hat{\rho}$ wird also *auch* durch Vorgabe von Wahrscheinlichkeiten λ_n für die orthonormierten Zustände $|n\rangle$ erhalten — für ein anderes Nicht–Gleichgewicht also.

Das obige *Nein* verdient keine Aufregung. Bereits die Frage war irrelevant. Zu fragen ist, was man messen kann. Der Ausgang sämtlicher Messungen am System will mit Wahrscheinlichkeiten versehen werden. In (3.18) stand die Antwort. Hier haben wir sie lediglich etwas expliziter werden zu lassen. Zu gegebenem Operator $\hat{A}$ mit Eigenzuständen $|a, \mu\rangle$ ist die Wahrscheinlichkeit, a zu erhalten, durch

$$p_a = \sum_j p_j P_a^{(j)} = \sum_j p_j \sum_\mu |\langle a, \mu | j\rangle|^2 = \sum_\mu \langle a, \mu|\, \hat{\rho}\, |a, \mu\rangle \qquad (5.2)$$

gegeben. Dies zeigt, daß $\hat{\rho}$ genügt. Fazit: Der gesuchte Raum des Nicht–Gleichgewichtes ist der der Statistischen Operatoren, d.h. all jener, welche hermitesch und positiv definit sind und Spur 1 haben.

Die anstehende Herleitung bedarf noch einer technischen Vorbereitung, nämlich der Umwandlung der Bild 1–1–Ungleichung $\ln(x) \leqslant x - 1$ (für $0 < x$) in eine Operator–Identität :

$$A \text{ sei hermitesch und positiv definit} \quad \curvearrowright \quad \ln(A) \leqslant A - 1 \ . \qquad (5.3)$$

Da der Operator A hermitesch ist, hat er reelle Eigenwerte a und generiert eine Basis $|a, \nu\rangle$ des Hilbert–Raumes (in dem er wirkt). Nach zweiter Voraussetzung ist $0 \leqslant a$. Also gilt $\ln(a) \leqslant a - 1$. Genau dies ensteht, wenn man beide Seiten der Operator–Ungleichung (5.3) auf alle Basis–Zustände $|a, \nu\rangle$ anwendet, qed.

Sei ρ der Statistische Operator im Nicht–Gleichgewicht eines Systems — egal zu welcher der genannten Präparierungen — und sei S die zugehörige Entropie, dann gilt

$$S \;=\; -\mathrm{Sp}\,[\,\rho \ln(\rho)\,] = \mathrm{Sp}\Big(\rho\,[\,\ln(\rho_{\text{Gl.}}) - \ln(\rho) - \ln(\rho_{\text{Gl.}})\,]\,\Big)$$

$$
\begin{aligned}
&\stackrel{=}{} \sum_n p_n \langle n|\ \ln(\rho_{\text{Gl.}}) - \ln(p_n) - \ln(\rho_{\text{Gl.}})\ |n\rangle \\
&\stackrel{=}{} \sum_n p_n \langle n|\ \ln\Big(\frac{\rho_{\text{Gl.}}}{p_n}\Big) - \ln(\rho_{\text{Gl.}})\ |n\rangle \\
&\leqslant \sum_n p_n \langle n|\ \frac{\rho_{\text{Gl.}}}{p_n} - 1 - \ln(\rho_{\text{Gl.}})\ |n\rangle \;=\; \text{Sp}(\rho_{\text{Gl.}} - \rho) - \text{Sp}\,[\,\rho \ln(\rho_{\text{Gl.}})\,]
\end{aligned}
$$

$$
\curvearrowright \qquad S = -\text{Sp}\,[\,\rho\ln(\rho)\,] \;\leqslant\; -\text{Sp}\,[\,\rho\ln(\rho_{\text{Gl.}})\,] \quad . \tag{5.4}
$$

In der zweiten Zeile wurde die Spur mit den ρ–Eigenzuständen ($\rho|n\rangle = p_n|n\rangle$) ausgeführt, die Ungleichung kam per (5.3) ins Spiel, und $\text{Sp}(\rho_{\text{Gl.}} - \rho) = 1 - 1$ ist Null. Ein Rückblick auf Gleichung (1.8) zeigt, daß es sich bei (5.4) „nur" um deren Operator–Version handelt. Gleich macht sie sich nützlich, diese eigenwillige Ungleichung (5.4), und zwar in allen drei interessierenden Fällen.

Mikrokanonik. (5.4) will mit $\rho_{\text{Gl.}}$ bestückt werden. Der Statistische Operator des mikrokanonischen Gleichgewichts war bisher nirgends notiert worden. Aber dies ist nach Blick auf (3.17) kein Problem:

$$
\rho_{\text{Gl.}}^{\text{mikrokanonisch}} = \sum_\nu |\nu\rangle\, \frac{1}{g}\, \langle\nu| \ . \tag{5.5}
$$

So sieht der mikrokanonische Statistische Operator aus, wenn man der unter (2.28) erklärten und ΔE vermeidenden Philosophie folgt — statt der Literatur (welche mitunter ein $\sim \delta(H - E)$ zumutet). Natürlich wissen wir aus alten Würfel–Zeiten, daß sich nun (5.4) flugs in $S \leqslant S_{\text{Gl.}} = \ln(g)$ verwandeln muß. Vorerst testen wir also (5.4) nur. Die Spur in (5.4) erstreckt sich über den E–Entartungsunterraum. Wir setzen (5.5) in (5.4) ein, bilden die Spur mit der $|\nu\rangle$–Basis und nutzen $\rho_{\text{Gl.}}^{\text{mikro.}}|\nu\rangle = \frac{1}{g}|\nu\rangle$ sowie $\text{Sp}(\rho) = 1$ aus. Auf der rechten Seite von (5.4) entsteht dann:

$$
-\sum_{\nu,\nu'} \langle\nu|\rho|\nu'\rangle\langle\nu'|\ln(\rho_{\text{Gl.}}^{\text{mikro.}})|\nu\rangle \;=\; \sum_\nu \langle\nu|\rho|\nu\rangle\Big[-\ln\Big(\frac{1}{g}\Big)\Big] = \ln(g)
$$

$$
\curvearrowright \qquad S_{\text{Gl.}}^{\text{mikro}} \;\geqslant\; S_{\text{Nicht-Gleichgewicht}}^{\text{mikro}} \ . \tag{5.6}
$$

Es hat funktioniert. Die die Mikrokanonik betreffende Behauptung in (5.1) stimmt.

Kanonik. In (5.4) ist jetzt $\rho_{\text{Gl.}}^{\text{kanonisch}} = \frac{1}{Z}\text{e}^{-\beta H}$ einzusetzen:

$$
S \;\leqslant\; -\text{Sp}\Big(\,\rho\,[\,-\beta H - \ln(Z)\,]\,\Big) = \beta E + \ln(Z) \ . \tag{5.7}
$$

Alarm. Ausgenommen $\ln(Z)$ leben alle Größen in (5.7) im Nicht–Gleichgewichts–Raum. Daß dort die verallgemeinerte S–Definition $\langle -\ln(\rho)\rangle$ zutrifft, wissen wir schon seit (3.22). Aber auch Energie E hat ein System weit ab von Gleichgewicht. Man erhält sie als $E = \langle H \rangle = \mathrm{Sp}(\rho H)$. Wir multiplizieren (5.7) mit T, und isolieren den einzigen Gl.–Term auf der linken Seite:

$$-T\ln(Z) = F_{\text{Gl.}} \leqslant [E - TS]_{\text{Nicht-Gleichgewicht}} =: F_{\text{Nicht-Gleichgewicht}} \; . \tag{5.8}$$

Ein weiterer kleiner Mangel im (5.1)–Text ist sichtbar geworden. Es war zu erklären, was Freie Energie im Nicht–Gleichgewicht denn eigentlich sein soll. Z ist nur im Gleichgewicht definiert, $-T\ln(Z)$ kennt keine Verallgemeinerung. Also war $F = E - TS$ zu Rate zu ziehen. Die beiden Terme erleben das Nicht–Gleichgewicht unbeschadet. Die die Kanonik betreffende Behauptung in (5.1) stimmt.

Großkanonik. In (5.4) ist $\rho^{\text{gr.}}_{\text{Gl.}} = \frac{1}{Z_{\text{gr.}}} \mathrm{e}^{-\beta H + \beta\mu\hat{N}}$ einzusetzen:

$$\begin{aligned} S &\leqslant -\mathrm{Sp}\Big(\rho \, \Big[-\beta H + \beta\mu\hat{N} - \ln(Z) \Big] \Big) = \beta E - \beta\mu N + \ln(Z_{\text{gr.}}) \\ \curvearrowright \quad \Omega_{\text{Gl.}} &\leqslant [E - TS - \mu N]_{\text{Nicht-Gleichgewicht}} =: \Omega_{\text{Nicht-Gleichgewicht}} \end{aligned} \tag{5.9}$$

mit Kommentaren ganz analog zu jenen unter (5.8). Auch die die Großkanonik betreffende Behauptung in (5.1) stimmt.

Neben dem allgemeinen Gewinn der obigen Untersuchungen (erste Orientierung im Nicht–Gleichgewicht) ist auch ein ganz konkreter Nutzen entstanden. Wir haben nämlich Variationsprinzipien entdeckt. Es ist wie mit dem Energie–Funktional in der Quantenmechanik. Dort kann man mit geeignet parametrisierten *trial* Zustandsfunktionen im Hilbert–Raum spazieren gehen, um dem Minimum von $\int \psi^* H \psi$ nahe zu kommen. Hier kann man mit geeignet parametrisierten *trial* Statistischen Operatoren den Nicht–Gleichgewichts–Raum durchwandern, um dem Minimum von $-S$ bzw. von F bzw. von Ω nahe zu kommen. Etwas mehr hierzu folgt im Kapitel 13.

Übung 5/1 Rekapitulation. $\int \psi^* H \psi$ soll minimal werden unter der Nebenbedingung $\int \psi^* \psi = 1$. Variationsfunktional $\mathcal{V}[\psi, \lambda]$, Durchführung, Resultate ?
$\int$ ist nützliche (!) Abkürzung für $\int$ bzw. $\sum$ über alle Variablen, von denen ψ abhängt.

Lösung $\mathcal{V} = \int \psi^* H \psi - \lambda \, [\int \psi^* \psi - 1]$, $0 \overset{!}{=} \delta\mathcal{V} = \int (\delta\psi^*)(H-\lambda)\psi + \int \psi^*(H-\lambda)$ $\delta\psi - \delta\lambda \, [\;\;] = \ldots + \int [(H-\lambda)\psi]^* \, \delta\psi + \ldots \curvearrowright H\psi = \lambda\psi$ und $\int \psi^* \psi = 1$.

Übung 5/2 $\rho^{\text{kanonisch}}_{\text{Gl.}}$ und $\rho^{\text{großkanonisch}}_{\text{Gl.}}$ aus Variationsrechnung.

(a) Die Entropie soll maximiert werden unter der Nebenbedingung $\mathrm{Sp}(\rho) = 1$ und einer zweiten, daß $\langle H \rangle$ einen vorgegebenen Wert E hat.

(b) Wie bei (a), aber als dritte Nebenbedingung komme hinzu, daß auch die mittlere Teilchenzahl $\langle \hat{N} \rangle$ einen vorgegebenen Wert N hat.

Lösung (a) $\mathcal{V} = \mathrm{Sp}\,[\,-\rho\ln(\rho) - \lambda(\rho-1) - \eta(\rho H - E)\,]$, $0 \overset{!}{=} -\delta\mathcal{V} = \mathrm{Sp}[\delta\rho\{\ln(\rho)+1+\lambda+\eta H\}+\delta\lambda(\rho-1)+\delta\eta(\rho H - E)\big]$ $\curvearrowright$ $\rho = \mathrm{e}^{-1-\lambda-\eta H} \sim \mathrm{e}^{-\eta H}$ *und* die Nebenbd. $\mathrm{Sp}(\rho) = 1$ $\curvearrowright$ Z_η, $\langle H\rangle = -\partial_\eta \ln(Z_\eta) = E$ $\curvearrowright$ $\eta = \beta$.

(b) $\mathcal{V} = \mathrm{Sp}\,[\,\ldots - \gamma(\rho\hat{N} - N)\,]$, $\ldots$ $\curvearrowright$ $\rho = \mathrm{e}^{-1-\lambda-\eta H-\gamma\hat{N}}$ und 3 Nebenbdn.

Übung 5/3 Vierte und fünfte Herleitung der Fermi–Verteilung.

(a) $\Omega = E - TS - \mu N$, wobei E, S, N die „Trivialformel"–Ausdrücke seien, soll minimal werden unter Variation der Zahlenfolge p_λ .

(b) Wie bei (a), aber die Freie Energie $F = E - TS$ werde unter einer — welcher? — Nebenbedingung zum Minimum.

Lösung (a) $\mathcal{V} = \sum_\lambda\,[\,\varepsilon_\lambda p_\lambda + Tp_\lambda\ln(p_\lambda) + T(1-p_\lambda)\ln(1-p_\lambda) - \mu\, p_\lambda\,]$, $0 \overset{!}{=} \delta\mathcal{V} = \sum_\lambda \delta p_\lambda[\,\varepsilon_\lambda + T\ln(p_\lambda) - T\ln(1-p_\lambda) - \mu\,]$, $\ln(\frac{1-p_\lambda}{p_\lambda}) = \beta(\varepsilon_\lambda - \mu)$, qed.

(b) $\mathcal{V} = \eta N + \mathcal{V}_{\text{s. (a)}}\big|_{\eta\to\mu}$ $\curvearrowright$ (a)–Resultat$\big|_{\mu\to\eta}$ und Nebenbd. $N = \sum p_\lambda$.

Übung 5/4 Von Neumann–Gleichung. Welche zeitliche (sozusagen systemimmanente) Änderung erfährt ein Statistischer Operator aufgrund dessen, daß jeder Zustand der Schrödinger–Gleichung folgt? Ist diese Änderung unitär? ($U(t) = ?$) Wie ändert sich folglich (d.h. systemimmanent) die Entropie?

Lösung $|j\rangle^\bullet = -\frac{i}{\hbar}H\,|j\rangle$ $\curvearrowright$ $\dot\rho = \sum_j \Big(\,|j\rangle^\bullet p_j\,\langle j| + |j\rangle\, p_j\,\langle j|^\bullet\,\Big) = -\frac{i}{\hbar}\,[\,H\,,\,\rho\,]$.

Falls z.B. $\rho \sim \mathrm{e}^{-\beta H}$, so $\dot\rho = 0$: keine Änderung im Gleichgewicht. Wegen des „falschen" Vorzeichens hat ρ *nicht* die Zeitabhängigkeit von Heisenberg–Operatoren, dennoch aber ein $U(t) = \mathrm{e}^{+\frac{i}{\hbar}Ht}$ (ggf. zeitgeordnet). $\curvearrowright$ $S(t) = -\mathrm{Sp}\,\big(\,U^\dagger(t)\,\rho(0)\ln[\rho(0)]\,U(t)\,\big) = S(0)$, ergo $\dot S = 0$ — auch im Nicht–Gleichgewicht. Man muß schon „echt erschüttern", um S zu ändern.

Zusammenfassung der Grundlagen

In *jedem* Ensemble ist mit *Entropie* die dimensionslose Größe $S = -\sum_\nu p_\nu \ln(p_\nu)$ gemeint (p_ν = Wahrscheinlichkeit für Meßresulat ν). Sind jedoch Wahrscheinlichkeiten p_j für nicht–orthogonale Zustände $|j\rangle$ vorgegeben, so lese man die p_ν als Eigenwerte des *Statistischen Operators* $\rho = \sum_j |j\rangle\, p_j\, \langle j|$.

$\curvearrowright\ S = -\mathrm{Sp}\,(\rho \ln(\rho))$ und $\langle A\rangle = \sum_a a \sum_j p_j \cdot \sum_\nu |\langle a\nu|j\rangle|^2 = \mathrm{Sp}(\rho A)$.

Mikrokanonisches Ensemble : System ohne Kontakt. *A priori* ist jeder der g Zustände einer Basis im E–Entartungsunterraum gleich wahrscheinlich :

$p_\nu = \frac{1}{g} \ \curvearrowright\ S_{\mathrm{mikro}}(E,V,N) = \ln(g)$. *Wärmebad* := großes, gesundes, mikrok. präpariertes System : Der extensive Anteil S^{ex} von S ist differenzierbare Funktion von E, V, N . Die Ableitung nach E (V, N fest), $\partial_E\, S^{\mathrm{ex}}(E,V,N)$ =: $\frac{1}{T}$ =: β , ist intensive Größe und Maß für „Kühle". T heißt *Temperatur* und hat Dimension Energie. ((T in Joule $= k_B$ (T in Kelvin) , $k_B = 1.38065 \cdot 10^{-23}\ J/K$))

Auch die zwei anderen Ableitungen, $\partial_V\, S^{\mathrm{ex}}(E,V,N) =: \frac{p}{T}$ und $\partial_N\, S^{\mathrm{ex}}(E,V,N)$ =: $-\frac{\mu}{T}$, führen auf intensive Größen, nämlich *Druck* p und *chemisches Potential* μ . Auflösung von $S = S(E,V,N)$ nach E gibt $E(S,V,N)$ und

$$(T,-p,\mu) = (\partial_S, \partial_V, \partial_N)\, E(S,V,N) \ .$$

E ist mikrokanonisches *Thermodynamisches Potential*, und S, V, N sind die *natürlichen Variablen* der Mikrokanonik.

Kanonisches Ensemble : System in Energie–Kontakt mit Wärmebad (T). g_n : = Bad–Entartungsgrad, wenn System im nicht–entarteten Zustand bei E_n . Wahrscheinlichkeit für n : $p_n = g_n / g_{\mathrm{gesamt}}$: $\ln(p_n) = \ln(g_n) - \ln(g_{\mathrm{ges.}}) = S_{\mathrm{Bad}}(E_{\mathrm{ges.}} - E_n) - S_{\mathrm{ges.}} = \mathrm{const}_n - \beta E_n \ \curvearrowright\ p_n = \frac{1}{Z} e^{-\beta E_n}$. Hat E_n Entartung, so hebe sie auf ($H \to H + \delta H$), ordne p_n zu und stelle sie wieder her : $\delta H \to 0$. Also ist

$$p_{E,\nu} = \frac{1}{Z} e^{-\beta E} \quad \text{mit} \quad Z = \sum_{\mathrm{E},\nu} e^{-\beta E} = \sum_{\mathrm{E}} g(E) e^{-\beta E}$$

die Wahrscheinlichkeit für Zustände (nicht für Energieniveaus). Die *Zustandssumme* Z ist die Laplace–Transformierte des Spektrums. Kanonik in ρ–Sprache :

$$\rho_{\mathrm{k.}} = \frac{1}{Z}\, \mathrm{e}^{-\beta H} \quad , \quad \mathrm{Sp}(\rho_{\mathrm{k.}}) = 1 \ \curvearrowright\ Z(T,V,N) = \mathrm{Sp}(e^{-\beta H})$$

$$E_{\mathrm{k.}}(T,V,N) = \mathrm{Sp}(\rho_{\mathrm{k.}} H) \ = \ -\partial_\beta \ln(Z)$$

$$S_{\mathrm{k.}}(T,V,N) = -\mathrm{Sp}\,[\,\rho_{\mathrm{k.}} \ln(\rho_{\mathrm{k.}})\,] \ = \ \beta E_{\mathrm{k.}} + \ln(Z)$$

Freie Energie $F(T,V,N) := -T\ln(Z) \ = \ E_{\mathrm{k.}} - T S_{\mathrm{k.}} \ \curvearrowright$

$S_{\mathrm{k.}} = (1 - \beta\partial_\beta)\ln(Z) = -\partial_T F$ und *Druck* $p_{\mathrm{k.}} = \mathrm{Sp}[\rho_{\mathrm{k.}}(-\partial_V H)] = -\partial_V F$.

auf Querformat DIN A4

Diese 5 Formelzeilen gelten auch für kleine Systeme, aber ∂_N braucht große:

$$(-S, -p, \mu)_{\text{k.}} = (\partial_T, \partial_V, \partial_N)\; F(T, V, N)\,.$$

F ist kanonisches *Thermodynamisches Potential*, und T, V, N sind die *natürlichen Variablen* der Kanonik.

Schwankung: $(\Delta E)^2 = \langle H^2\rangle - \langle H\rangle^2 = \ldots = \partial_\beta\left(\frac{\partial_\beta Z}{Z}\right) = \partial_\beta^2 \ln(Z) = -\partial_\beta E = O(N) \curvearrowright \frac{\Delta E}{E} = O(\frac{1}{\sqrt{N}})$. *Darum* geben die Ensembles für große Systeme (nach entspr. Auflösungen) Gleiches. Aber für kleine Systeme am Ofen (die gibt es!) brauchten die meisten der obigen Größen den Index k. := kanonisch.

Großkanonisches Ensemble: System in Energie– und Teilchenaustausch mit Reservoir (T, μ). $\ln(p_n^{(N)}) = \ln(g_n^{(N)}) - \ln(g_{\text{ges.}}) = S_{\text{Bad}}(E_{\text{ges.}} - E_n^{(N)}, N_{\text{ges.}} - N) - S_{\text{ges.}} = \text{const}_{N,n} - \beta E_n^{(N)} + \beta\mu N \curvearrowright p_n^{(N)} = \frac{1}{Z_{\text{gr.}}} e^{-\beta(E_n^{(N)} - \mu N)}$,

d.h. $\rho_{\text{gr.}} = \frac{1}{Z_{\text{gr.}}} e^{-\beta(H - \mu\hat{N})}$ mit $Z_{\text{gr.}}(T, V, \mu) = \text{Sp}_{\text{gr.}}\left(e^{-\beta(H-\mu\hat{N})}\right)$.

Mit dem *großkanonischen Potential* $\Omega(T, V, \mu) := -T\ln(Z_{\text{gr.}})$ und Rechnungen ähnlich den obigen zur Kanonik folgt

$$(-S, -p, -N)_{\text{gr.}} = (\partial_T, \partial_V, \partial_\mu)\; \Omega(T, V, \mu)\,.$$

Ω ist großkanonisches *Thermodynamisches Potential*, und T, V, μ sind die *natürlichen Variablen* der Großkanonik. Ein Gr.–Vorteil: Es gilt exakt die

Fermiverteilung: Zustände eines Systems von N Fermionen *ohne* Ww. sind Slater–Determinanten $\widehat{=}$ Konfigurationen $\mathcal{K}$ von N Punkten im Einteilchen–Zuständediagramm. Man begreife, daß jeder Zustand λ im letzteren separat an das Wärme–Teilchen–Bad koppelt — der „λ–Kasten“:

$$p_{0,0} = \frac{1}{Z_{\text{gr.}}}\,, \quad p_{1,\varepsilon_\lambda} = \frac{1}{Z_{\text{gr.}}}\,\mathrm{e}^{-\beta\,(\varepsilon_\lambda - \mu)} =: p_\lambda\,.\;\text{ Also ist }\; p_\lambda = \frac{1}{e^{\beta(\varepsilon_\lambda-\mu)}+1}$$

die Wahrscheinlichkeit dafür, in der mit $p_{\mathcal{K}} = \frac{1}{Z_{\text{gr.}}}\prod_{\lambda\in\mathcal{K}} \mathrm{e}^{-\beta(\varepsilon_\lambda-\mu)}$ verteilten Slater–Determinanten–Kollektion einen Einteilchen–Zustand λ vorzufinden. Ineinandersetzen der λ–Kästen gibt die drei „Trivialformeln“

$$N = \sum_\lambda p_\lambda\,, \quad E = \sum_\lambda p_\lambda \varepsilon_\lambda\,, \quad S = -\sum_\lambda \left[p_\lambda \ln(p_\lambda) + (1-p_\lambda)\ln(1-p_\lambda)\right].$$

N vorgegeben, Frage nach $\mu(T)$ — löse $N = \sum_\lambda p_\lambda$ nach μ auf.
„Was ist μ ?“ — die Stelle auf der ε–Achse, an der $p_\lambda = \frac{1}{2}$ wird.

Beim Gang in mikrokanonisches bzw. kanonisches bzw. großk. Gleichgewicht wird $-S$ bzw. F bzw. Ω minimal. Gang ? — durch den Nicht–Gleichgewichts–Raum der ρ mit (1) $\rho^\dagger = \rho$, (2) $\text{Sp}(\rho) = 1$, (3) ρ positiv definit.

Teil II

Anwendungen

6 Phononen

Auch für einige andere Gebiete der Theoretischen Physik ist es eine gute Idee, in Grundsätzliches, exakt lösbare Fälle und Näherungsverfahren zu unterteilen. Die letzteren benötigen dann die gelösten Fälle als Ausgangspunkt. Beinahe wäre auch der hiesige Teil II mit „Lösbare Fälle" überschrieben worden. Wir wollen uns jedoch nicht so stark binden und gelegentlich auch phänomenologische Details wie zum Beispiel Bandstrukturen zulassen.

Die Welt — ausgenommen die Kältemaschinen der Menschen — hat mindestens die Temperatur der sogenannten Hintergrundstrahlung. Das sind ca. 4K $= 5.5 \cdot 10^{-23}\,\mathrm{J} = 3.4 \cdot 10^{-4}\,\mathrm{eV}$. Warm ist alles. Manchmal gehen wir hin zum Weißen Zwerg mit seinen $10^7\,\mathrm{K}$, und manchmal holen wir uns den Kubikzentimeter Kupfer hinein ins warme Labor. Es wird im folgenden wohl leicht zu erkennen sein, welche Paragraphen den quantenmechanischen Rohbau zimmern und welche die geheizten fertigen Wohnungen betreffen.

6.1 Das allgemeine harmonische Molekül

Phononen sind Schwingungs–Freiheitsgrade und gehören in die Theorie der festen Körper. Daß ein Festkörper (im Idealfall) regelmäßig aufgebaut ist, spielt (man staune) bei der ersten „Rohbau"–Phase noch keine Rolle. Der Festkörper ist jedenfalls *auch* ein Molekül (aus sehr vielen Teilchen). Energie läßt sich auf drei Weisen in einem Molekül unterbringen — in elektronischen Anregungen, in Rotations– und in Schwingungs–Freiheitsgraden.

Eine Separation dieser Freiheitsgrade wird im Born–Oppenheimer–Verfahren erreicht. Es sieht die Positionen $\vec{R}$ ($\vec{R}$ ist $3N$–komponentiger Vektor aus $\vec{r}_1^{\,\mathrm{Kern}}$, $\vec{r}_2^{\,\mathrm{Kern}}$ usw.) der schweren (d.h. „langsamen") Kerne zunächst als gegeben an und löst zu Parametern $\vec{R}$ das Problem $H_0(\vec{R})\,\varphi_n(\vec{R},\vec{r}) = E_n(\vec{R})\;\varphi_n(\vec{R},\vec{r})$ ($\vec{r}$ ist vielkomponentiger Vektor aus $\vec{r}_1^{\,\mathrm{Elektron}}$, $\vec{r}_2^{\,\mathrm{Elektron}}$ usw.) für die leichten (d.h. „schnellen") Elektronen. Nach der elektronischen Basis $\varphi_n(\vec{R},\vec{r})$ kann die gesuchte H–Eigenfunktion $\psi(\vec{R},\vec{r})$ entwickelt werden: $\psi(\vec{R},\vec{r}) = \sum_n c_n(\vec{R})\,\varphi_n(\vec{R},\vec{r})$. Leider läuft diese gute Idee noch in Schwierigkeiten, denn wenn man die ψ–Entwicklung in

$$H\psi = E\psi \quad \text{mit} \quad H = T_{\text{Kerne}} + H_0$$
$$\text{und} \quad H_0 = T_{\text{Elektronen}} + V_{\text{El-El}} + V_{\text{Kern-El}} + V_{\text{Kern-Kern}} \qquad (6.1)$$

einsetzt und beide Seiten mit $\int_r \varphi_m^*$ bearbeitet, bleiben noch n–m–Mischterme im Spiel (weil in $T_{\text{Kerne}} c_n(\vec{R})\varphi_n(\vec{R},\vec{r})$ auch nach der $\vec{R}$–Abhängigkeit von φ differenziert wird). Weshalb man sie (in einem ersten Schritt) vernachlässigen darf, steht gut bei [*Schwabl QM*]. Wir kürzen hier ab, notieren die resultierende Kerne–Schrödinger–Gleichung

$$\left[T_{\text{Kerne}} + E_n(\vec{R})\right] c_n(\vec{R}) \approx E\, c_n(\vec{R}) \qquad (6.2)$$

und sehen, daß das Potential der Kerne elektronischen Ursprungs ist: $V(\vec{R}) = E_n(\vec{R})$. In dieser Näherung reagieren die leichten Elektronen instantan auf die „langsamen" $\vec{R}$–Veränderungen — mit Grüßen vom Adiabatensatz (1.26).

Den Glücksfall, daß eine gute Idee auch einmal bis zum Ende reibungsfrei hindurch läuft, den erleben wir jetzt. Jene Rechnung, welche in der Mechanik die Normalkoordinaten gewinnt, überträgt sich nämlich fast eins zu eins auf Quantenmechanik.

Das Molekül bestehe aus N Kernen (egal ob $N = 7$ oder $N = 10^{24}$). Es habe zunächst eine feste Position, d.h. es rotiere nicht und sein Schwerpunkt liege im Ursprung. Es gibt dann eine Gleichgewichtskonstellation $\vec{R}_0$. Das Potential $V(\vec{R})$ sei bekannt (hinter „sei" verstecken sich die Schwierigkeiten). In **harmonischer Näherung** zu arbeiten heißt, V nach den Abweichungen $\vec{R} - \vec{R}_0 =: \vec{u}$ zu entwickeln und nach quadratischen Termen abzubrechen. Die Konstante $V(\vec{R}_0)$ wurde in der zweiten Zeile noch artig notiert, aber dann kurzerhand weggelassen:

$$\begin{aligned}
H &= T_{\text{Kerne}} + V(\vec{R}) = \sum_{j=1}^{N} \frac{\hbar^2}{2\,m_j}\Delta_j + V(\vec{R}) \\
&= -\nabla_u\, \underline{\underline{M}}^2\, \nabla_u + V(\vec{R}_0) + \vec{u}\, \underline{\underline{V}}\, \vec{u} + \mathcal{O}(u^3) \quad , \quad \underline{\underline{M}} = \operatorname{diag}\left(\sqrt{\frac{\hbar^2}{2\,m_j}}\right) \\
&= -\Delta_{\text{neu}} + \vec{u}_{\text{neu}}\, \underline{\underline{M}}\, \underline{\underline{V}}\, \underline{\underline{M}}\, \vec{u}_{\text{neu}} \quad ; \quad D\,\vec{u}_{\text{neu}} =: \vec{r} \quad \curvearrowright \\
&= -\Delta + \vec{r}\ \operatorname{diag}(\lambda_1, \lambda_2, \ldots, \lambda_{3N})\ \vec{r} \quad ; \quad \vec{r} \to \sqrt{\frac{2m}{\hbar^2}}\,\vec{r} \quad \curvearrowright \\
&= -\frac{\hbar^2}{2m}\Delta + \vec{r}\ \operatorname{diag}\left(\frac{m}{2}\omega_1^2, \ldots\right)\vec{r} = \text{3N–fache Summe entkoppelter Oszillator–}H\text{'s} \quad . \qquad (6.3)
\end{aligned}$$

Fertig! In der zweiten Zeile kam der $3N$–komponentige Nabla–Operator $\nabla_R = (\partial_{X_1}, \partial_{Y_1}, \partial_{Z_1}, \partial_{X_2}, \ldots)$ ins Spiel. Unter $\vec{R} = \vec{R}_0 + \vec{u}$ wird er zu ∇_u im $\vec{u}$–Raum.

$\underline{\underline{M}}^2$ ist also eine Diagonalmatrix mit drei mal m_1 im Nenner, drei mal m_2 usw. Die Wurzel einer Diagonalmatrix ist jene aus den Wurzeln ihrer Elemente. Per $\vec{u} =: \underline{\underline{M}}\, \vec{u}_{\text{neu}}$ entstand die dritte Zeile. $\partial_{u_1\,\text{neu}} = M_{11}\, \partial_{u_1}$ zeigt, daß $\nabla_u = \underline{\underline{M}}^{-1} \nabla_{\text{neu}}$ ist. Die Matrix $\underline{\underline{V}}$ ist reell und symmetrisch, $\underline{\underline{M}}\,\underline{\underline{V}}\,\underline{\underline{M}}$ also ebenfalls. Und bei geeigneter Drehung D im $3N$–dimensionalen Raum wird $D\underline{\underline{M}}\,\underline{\underline{V}}\,\underline{\underline{M}}D^T$ diagonal, nämlich zur Diagonalmatrix der vierten Zeile. Sei („sei“ $\lightning$) all dies gelungen, dann ist die abschließende $\vec{r}$–Skalierung nur noch Kosmetik (mit welchem „m“ auch immer), um das Resultat als Oszillatoren–Summe zu erkennen: $\frac{2m}{\hbar^2}\lambda_j =: \frac{m}{2}\omega_j^2$.

Die Rechnung (6.3) hat drei Glanzlichter: (a) ist ihre Logik einmal begriffen, schreibt sie sich wie von selber auf einen Zettel (versuchen ?!), (b) sie gilt für jede Anzahl $\geqslant 2$ von Kernen im Molekül, und (c) auch die Eigenwerte des Hamilton–Operators (6.3) lassen sich unverzüglich niederschreiben:

$$E = \sum_{j=1}^{3N} \hbar\omega_j \left(\frac{1}{2} + n_j\right) \qquad \text{mit} \quad \hbar\omega_j = 2\sqrt{\lambda_j} \qquad \text{und} \quad n_j = 0, 1, 2, \ldots \quad . \tag{6.4}$$

Wie schon $V(\vec{R}_0)$ in (6.3) können auch die $\frac{1}{2}$–Terme in (6.4) entfallen, sofern nur relative Phänomene interessieren. Wird aber etwa die Dissoziation des Moleküls behandelt, so haben beide Konstanten, $V(\vec{R}_0)$ und die $\frac{1}{2}$'s, ihren Platz wieder einzunehmen.

Sind einzelne Eigenwerte ω_j Null, so bleibt (6.4) richtig, denn wir hatten ein Molekül ohne Rotation und Translation vorausgesetzt. Die entsprechenden Freiheitsgrade (sechs, sofern $N \geqslant 3$) haben auch quantenmechanisch ihren tiefsten Energie–Eigenwert bei Null. Beim Diagonalisieren von $\underline{\underline{M}}\,\underline{\underline{V}}\,\underline{\underline{M}}$ erhält man nicht nur 6 verschwindende λ's, sondern auch zugehörige Eigenvektoren. Diese sind dann sortierbar in jene, die Translation anzeigen, und jene, die Rotation andeuten. Hat z.B. zu einem quadratischen Molekül in der xy–Ebene ein Eigenvektor $+1$ bei den z–Komponenten der beiden oberen Kerne stehen, sowie -1 bei den beiden unteren, dann zeigt er das Rotieren–Wollen um die x–Achse an.

Die volle Rotation liegt natürlich außerhalb der harmonischen Näherung, ist mit Vibration gekoppelt und bereits beim Aufschreiben des Hamilton–Operators eine recht anstrengende Materie, [*Landau*, Bd. 3, § 103]. Dafür, daß ein Festkörper ein recht einfaches Molekül ist, kennen wir jetzt einen ersten Grund. Er liegt auf dem Tisch (oder ist angelötet), gleitet nicht und rotiert auch nicht. Alle $\lambda_j \neq 0$. Die obigen Notationen $\vec{R}$, $\vec{u}$ usw. für $3N$–komponentige Vektoren bleiben übrigens auf diesen § 6.1 beschränkt, gelten also im folgenden nicht mehr.

Übung 6/1 Jemand hat 4 gleiche Kerne modellhaft mit Federn so verbunden, daß ein quadratisches Molekül mit $\vec{r}_{j\,0} = (\pm a\, , \pm a\, , 0\,)$ entstand. In jenem $4 * 4$–Block der Matrix $\underline{\underline{M}}\,\underline{\underline{V}}\,\underline{\underline{M}}$, welcher z–Komponenten verknüpft, hat er lauter Nullen stehen. Welche — gut interpretierbaren — 4 Eigenvektoren (je zu $\lambda = 0\,$) kann er daraufhin sofort angeben?

Lösung Der Translation in z–Richtung entspricht $(1, 1, 1, 1)$. Dazu orthogonal sind $(1, 1, -1, -1)$ (Rotation um x–Achse), $(1, -1, -1, 1)$ (Rotation um y–Achse) und $(1, -1, 1, -1)$. Dieser vierte Eigenvektor zeigt Deformation an. Im Modell wurde vergessen, das Verbiegen des Moleküls mit Potentialzuwachs zu bestrafen ($\lambda = 0$ infolge Modellsünde).

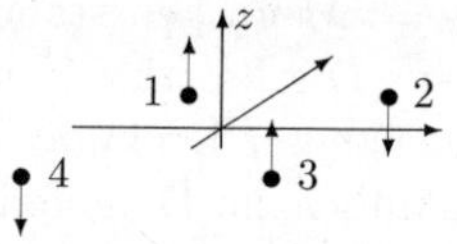

6.2 Gitterschwingungs–Freiheitsgrade

Wenn ein Oszillator in einem angeregten Zustand verweilt, dann schwingt da nichts. Er würde ja sonst strahlen. Zwar gibt es optische Übergänge zwischen diesen Zuständen (Wärmestrahlung), aber in jener mageren Quantik, welche elektromagnetische Felder klassisch läßt, sind sie noch nicht enthalten. Der Wortklumpen in der Abschnittsüberschrift war schwerlich zu vermeiden.

Die allgemeine Gleichung (6.4) wartet auf Eingabe der Frequenzen ω_j. Daß sich diese bei einem sauberen Festkörper sortieren und geeignet numerieren lassen, liegt entscheidend an seinem regelmäßigen Aufbau. Er bildet ein Gitter aus **Elementarzellen**. Gibt es nur einen Kern pro Zelle (**Bravais–Gitter**), so lassen sich drei primitive (= kleinste) Gittervektoren $\vec{a}_1$, $\vec{a}_2$, $\vec{a}_3$ derart angeben, daß die gesamte Gleichgewichtskonstellation des Riesenmoleküls aus Linearkombinationen $n_j \vec{a}_j =: \vec{R}$ besteht, Bild 6–1. Man sagt gern „Kristall" zu diesem Aufbau, was aber nichts mit Durchsichtigkeit zu tun hat. Wir denken z.B. (im Sinne einer nullten Näherung) an ein sauberes Stück Kupfer, streng *face centered cubic* — keine Fremdatome, Fehlstellen oder Versetzungen. Die $\vec{a}_j$ sind Kanten eines Parallelepipeds mit Volumen $V_c = \vec{a}_1 \cdot (\vec{a}_2 \times \vec{a}_3)$ (Index c für *cell*).

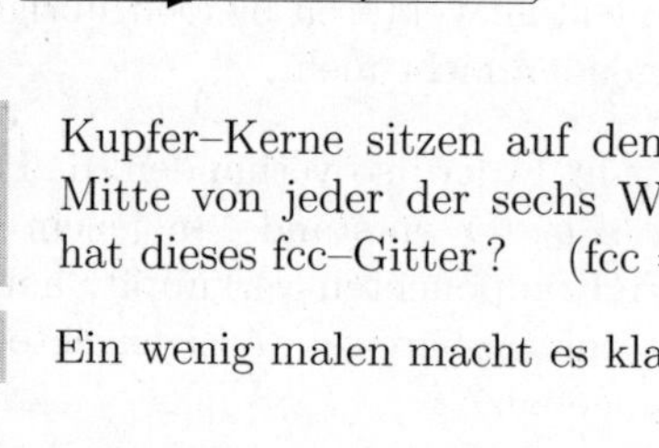

Bild 6–1: Kristall im Gleichgewicht. Die drei primitiven Gittervektoren $\vec{a}_j$ und eine ihrer Linearkombinationen $\vec{R}$.

Übung 6/2 Kupfer–Kerne sitzen auf den acht Ecken eines Würfels und auch in der Mitte von jeder der sechs Wände. Welche primitiven Gittervektoren $\vec{a}_j$ hat dieses fcc–Gitter? (fcc = *face centered cubic*)

Lösung Ein wenig malen macht es klar: $\vec{a}_j = (\vec{e}_1 + \vec{e}_2 + \vec{e}_3 - \vec{e}_j)\, a/\sqrt{2}$.

Brillouin–Zone

Die Gittervektoren $\vec{R}$ stellen eine diskrete dreikomponentige Ortsvariable dar, welche Gleichgewichtspositionen numeriert. Jeder Stelle $\vec{R}$ kann eine Auslenkung $\vec{u}_{\vec{R}}$ zugeordnet werden. Vermutlich — mit Gedanken an Schallwellen und Orgelpfeifen — spielen periodische Verzerrungen $\vec{u}_{\vec{R}} \sim \mathrm{e}^{i\vec{k}\vec{R}}$ eine besondere Rolle, wobei $\vec{k}$ solche stehenden Wellen vektoriell numeriert (Wellenvektor). Soll die Numerierung nicht überzählen, so wird nur ein gewisser Bereich des $\vec{k}$–Raumes zuzulassen sein.

Der Reihe nach. Sei $\vec{k}$ vorgegeben. Ein anderer Wellenvektor $\vec{k}+\vec{K}$ führt genau dann zur gleichen Welle, wenn für alle $\vec{R}$

$$\mathrm{e}^{i\vec{k}\vec{R}} \overset{!}{=} \mathrm{e}^{i(\vec{k}+\vec{K})\vec{R}} \quad \curvearrowright \quad \vec{K}\,\vec{R} = n_j \vec{K}\,\vec{a}_j = n_j m_\ell\, \vec{b}_\ell \vec{a}_j \overset{!}{=} 2\pi \cdot \text{natürliche Zahl} \tag{6.5}$$

gilt. Im vorletzten Schritt hatten wir lediglich die gesuchten $\vec{K}$–Vektoren aus unbekannten $\vec{b}_1$, $\vec{b}_2$, $\vec{b}_3$ linearkombiniert. Die Forderung (6.5) macht nun klar, wie sie zu wählen sind:

$$\vec{b}_\ell \vec{a}_j = 2\pi\, \delta_{\ell j} \quad , \quad \text{d.h.} \quad \vec{b}_1 = \frac{2\pi}{V_c}\, \vec{a}_2 \times \vec{a}_3 \quad \text{und zyklisch} \quad . \tag{6.6}$$

Die drei $\vec{b}_\ell$ spannen das **reziproke Gitter** auf, die gesuchten $\vec{K} = m_\ell\, \vec{b}_\ell$ (das Analogon der $\vec{R}$'s) heißen **reziproke Gittervektoren** und die Elementarzelle des reziproken Gitters heißt **Brillouin–Zone**. Deren Volumen ist

$$\begin{aligned} V_{BZ} &= \vec{b}_1 \cdot (\vec{b}_2 \times \vec{b}_3) = \frac{2\pi}{V_c}\, (\vec{a}_2 \times \vec{a}_3) \cdot (\vec{b}_2 \times \vec{b}_3) \\ &= \frac{2\pi}{V_c} \Big[(\vec{a}_2\, \vec{b}_2)\, (\vec{a}_3\, \vec{b}_3) - (\vec{a}_2\, \vec{b}_3)\, (\vec{a}_3\, \vec{b}_2) \Big] = \frac{(2\pi)^3}{V_c} \quad . \end{aligned} \tag{6.7}$$

Kleine Elementarzelle, große Brillouin–Zone. Wird gar per $V_c \to 0$ die Gitterstruktur ganz entfernt, so breitet sich V_{BZ} auf den ganzen $\vec{k}$–Raum aus. Meist wird übrigens die Brillouin–Zone um den Ursprung des $\vec{k}$–Raums zentriert: Halbiere die sechs $\pm\, \vec{b}_j$ durch je eine zu $\vec{b}_j$ senkrechte Ebene.

Übung 6/3 Jede gitterperiodische Funktion $n(\vec{r}) = n(\vec{r} + \vec{R})$ — wir denken etwa an Teilchen– oder Ladungsdichte — kann nach $\mathrm{e}^{i\vec{K}\vec{r}}$–Funktionen entwickelt werden. Welche Koeffizienten $n_{\vec{K}}$ hat diese Entwicklung?

Lösung $n(\vec{r}) = \sum_{\vec{K}} n_{\vec{K}}\, \mathrm{e}^{i\vec{K}\vec{r}}$, $\int_{V_c} d^3r\ \mathrm{e}^{-i\vec{Q}\vec{r}} n(\vec{r}) = \sum_{\vec{K}} n_{\vec{K}} \int_{V_c} d^3r\ \mathrm{e}^{i(\vec{K}-\vec{Q})\vec{r}}$, $\vec{r} = \xi_j \vec{a}_j$, $d^3r = d^3\xi\ \vec{a}_1(\vec{a}_2 \times \vec{a}_2)$, $\int_0^1 d\xi\ \mathrm{e}^{i2\pi m\xi} = \delta_{m,0}$, $\int_{V_c} \dots = V_c\, \delta_{\vec{K},\vec{Q}} \curvearrowright n_{\vec{K}} = \frac{1}{V_c} \int_{V_c} d^3r\ n(\vec{r})\, \mathrm{e}^{-i\vec{K}\vec{r}}$. Dies in $n(\vec{r}) = \dots$ gibt $\sum_{\vec{K}} \mathrm{e}^{i\vec{K}\vec{r}} = V_c \sum_{\vec{R}} \delta(\vec{r} - \vec{R})$.

Bis hierher war von „allen“ $\vec{R}$ die Rede, als sei die ganze Welt aus Kupfer. Das endliche Volumen des Kristalls bringen wir jetzt mittels Periodischer Randbedingung ins Spiel — unter Erinnerung an die Kommentare im § 3.6. Gegenüber (3.60) tritt jetzt eine kleine Änderung ein, weil wir beim periodischen Schließen den Gittervektoren folgen: N' mal Strecke $\vec{a}_1$, N' mal $\vec{a}_2$ und N' mal $\vec{a}_3$. Es werden also $N'^3 =: N$ Elementarzellen erfaßt, und das PBC–Volumen ist $V = NV_c$. Die (3.60)–Modifikation lautet

$$e^{i\vec{k}\left[\vec{R}+N'\vec{a}_j\right]} \stackrel{!}{\equiv} e^{i\vec{k}\vec{R}} \quad , \quad \zeta_\ell \vec{b}_\ell N'\vec{a}_j = 2\pi N'\zeta_j \stackrel{!}{=} 2\pi * \text{natürliche Zahl} \quad \curvearrowright$$

$$\vec{k} = \zeta_\ell \vec{b}_\ell \quad \text{mit} \quad \zeta_\ell = \frac{n_\ell}{N'} \quad \text{und} \quad n_\ell = -\frac{N'}{2} + 1, \ldots, 0, 1, \ldots, \frac{N'}{2} \quad . \qquad (6.8)$$

Durch die PBC wird also das Innere der Brillouin–Zone diskretisiert. Mit $N'^3 = N$ liegen in ihr so viele $\vec{k}$–Werte wie es Zellen in V gibt. Acht benachbarte Punkte im $\vec{k}$–Raum bilden ein kleines Parallelepiped mit Volumen $V_{\mathrm{BZ}}/N'^3 = (2\pi)^3/(V_c N) = (2\pi)^3/V$. Damit bleibt (3.62) gültig, d.h. eine $\vec{k}$–Summe über Werte in der Brillouin–Zone läßt sich in das Integral $\frac{V}{(2\pi)^3}\int_{\mathrm{BZ}} d^3k$ verwandeln.

Fazit: Bei Numerierung von e–hoch–$i\vec{k}\vec{R}$–Wellen bleiben die Wellenvektoren $\vec{k}$ in der Brillouin–Zone, diskretisiert durch PBC — oder als Merkvers: Die große Brillouin–Zone beruht auf der feinen atomaren Struktur, die feine $\vec{k}$–Diskretheit beruht auf der großen PBC.

Wie der Beginn eines Lehrbuches über Festkörperphysik mag obiges erscheinen. Aber er ist schon vorüber. Wie sich die Werte der Frequenzen ω über der Brillouin–Zone wohlgeordnet erheben, zeigen wir am besten am Beispiel. Am Ende dieses § 6.2 werden sich dann die Verallgemeinerungen gut „erfühlen“ bzw. zitieren lassen.

Lineare Kette

Es gibt quasi–eindimensionale Kristalle. Ihrem dreidimensionalen Äußeren sieht man nur nicht an, daß sie mehr einem Bündel langer Moleküle ähneln, die voneinander in Querrichtung nicht viel bemerken. Beim einfachsten 1D Festkörper sitzen N gleiche Massen m im Abstand a in einer Reihe und sind überdies nur benachbart verfedert: Bild 6–2. In der ersten Zeile von (6.3) ist das Potential aus N Termen $\frac{\kappa}{2}(x_{j+1} - x_j - a)^2$ zusammenzusetzen. $x_j = ja + u_j$ sowie PBC führen zur zweiten Zeile von (6.3) mit

$$V \;=\; \frac{\kappa}{2}(u_2 - u_1)^2 + \frac{\kappa}{2}(u_3 - u_2)^2 + \ldots + \frac{\kappa}{2}(u_N - u_{N-1})^2 + \frac{\kappa}{2}(u_1 - u_N)^2$$

$$
\stackrel{\perp}{=} \frac{\kappa}{2}\,\vec{u}\begin{pmatrix} 2 & -1 & 0 & . & . & . & 0 & -1 \\ -1 & 2 & -1 & 0 & . & . & . & 0 \\ 0 & -1 & 2 & -1 & 0 & . & . & . \\ . & 0 & . & . & . & . & . & . \\ . & . & . & . & . & . & -1 & 0 \\ 0 & . & . & . & . & -1 & 2 & -1 \\ -1 & 0 & . & . & . & 0 & -1 & 2 \end{pmatrix}\vec{u} \quad , \quad \underline{\underline{V}}_{j\ell} = \frac{\kappa}{2}\Big(2\,\delta_{j,\ell} - \delta_{j,\ell-1} - \delta_{j,\ell+1}\Big) \, . \tag{6.9}
$$

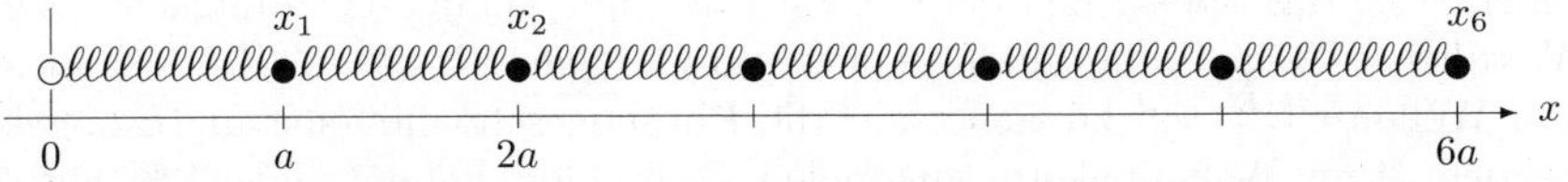

Bild 6–2 : Lineare Kette der Länge $6\,a$ mit periodischer Randbedingung: $x_6 \equiv x_0$.

Statt nun weiter nach Schema (6.3) zu verfahren ($\underline{\underline{M}}$ ist $\sim\underline{\underline{1}}$) und mühsam die Drehmatrix D zu ermitteln, verfolgen wir die Orgelpfeifen–Idee: Es könnte sich doch (mit $R = aj$) unverzüglich $u_j \sim \mathrm{e}^{ik\,aj}$ als k–ter Eigenvektor von $\underline{\underline{V}}$ erweisen. Das will angeschaut werden:

$$
(\,\underline{\underline{V}}\vec{u}\,)_j = \frac{\kappa}{2}\Big(2\,\delta_{j,\ell} - \delta_{j,\ell-1} - \delta_{j,\ell+1}\Big)\,\mathrm{e}^{ika\,\ell} = \frac{\kappa}{2}\,[\,2 - 2\cos(ka)\,]\,\mathrm{e}^{ika\,j} \quad . \tag{6.10}
$$

Tatsächlich! Das kürzt ab. Wenn also $\kappa\,[\,1-\cos(ka)\,] = 2\kappa\sin^2\left(\frac{ka}{2}\right)$ zur k–ten Welle der $\underline{\underline{V}}$–Eigenwert ist, so hat $\underline{\underline{M}}\,\underline{\underline{V}}\,\underline{\underline{M}}$ den Eigenwert $\lambda = \frac{\hbar^2}{2m}2\kappa\sin^2\left(\frac{ka}{2}\right)$. Und mittels (6.4), d.h. $\hbar\omega = 2\sqrt{\lambda}$, erhalten wir die gesuchten Frequenzen zu

$$
\omega_k = 2\sqrt{\frac{\kappa}{m}}\,\left|\sin\left(\frac{ka}{2}\right)\right| \quad . \tag{6.11}
$$

Das 1D Volumen der Elementarzelle ist a, das der Kette $Na =: L$. Nach (6.6) ist $b = \frac{2\pi}{a}$ der primitive reziproke Gittervektor. Also erstreckt sich die zentrierte Brillouin–Zone von $-\frac{\pi}{a}$ bis $\frac{\pi}{a}$. In ihr liegen nach (6.8) die k–Werte $\frac{n}{N}\frac{2\pi}{a} = \frac{2\pi}{L}n$. Am Rand der Brillouin–Zone bei $k = \frac{\pi}{a}$ wird $\frac{ka}{2} = \frac{\pi}{2}$ und das Frequenzspektrum (6.11) erreicht sein Maximum: Bild 6–3.

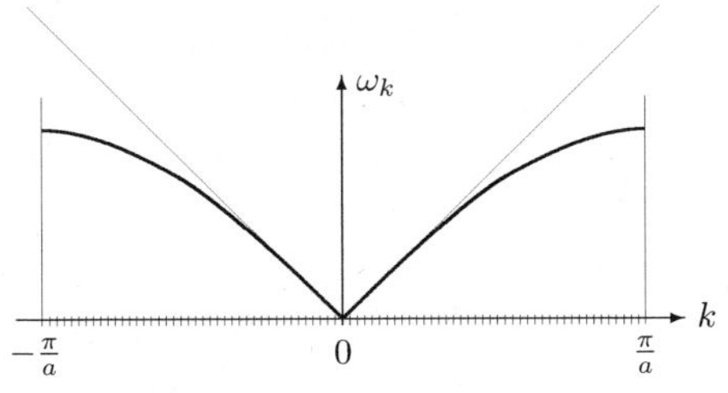

Bild 6–3 : Spektrum der linearen Kette, Brillouin–Zone $(-\frac{\pi}{a}, \frac{\pi}{a})$ und akustischer Zweig $\omega = c_S|k|$, wenn es die atomare Struktur nicht gäbe.

Auch die Eigenvektoren $\vec{u}$ sind interessant. Wir hatten frevelhaft den reellen u_j etwas Komplexes zugeordnet. Es rechnete sich so gut mit e–hoch. Von (6.10) kann jedoch bequem Real– und Imaginärteil genommen werden: Sowohl $\sin(kaj)$ als auch $\cos(kaj)$ sind Eigenvektor–Komponenten (Übung: Erhalte (6.11) aus durchweg reeller Rechnung). Man kann den positiven k die Kosinus–Lösungen zuordnen, und den negativen die Sinüsse. Am rechten Rand der Brillouin–Zone, wo $k = \pi/a$ wird, zeigt $\cos(\pi j)$ an, daß die Kerne gegeneinander schwingen. Die Zone hat ein Ende, weil mehr als gegeneinander nicht geht.

Der Anstieg c_S des Spektrums bei kleinen k ist die Schallgeschwindigkeit. Wieso? Wirklich? Nach Einbeziehung der zeitabhängigen Phase $\mathrm{e}^{-\frac{i}{\hbar}(\hbar\omega_k)t}$ kann an unseren Wellen $\mathrm{e}^{ik(R-\frac{\omega_k}{k})t}$ zunächst nur die Phasengeschwindigkeit ω_k/k abgelesen werden. Erst Wellenpakete, aus vielen k gebildet, haben nach [*PB*, § 12.3] eine Gruppengeschwindigkeit $v_g = \langle\, \partial_k \omega_k \,\rangle$, die sodann als die Geschwindigkeit $\partial_k \omega_k = c_S$ einer Schallanregung angesehen werden kann.

Übung 6/4 In einer linearen Kette seien auch die übernächsten Nachbarn mit einer Feder $\overline{\kappa}$ verbunden. Welches Spektrum ω_k entsteht?

Lösung $\underline{\underline{V}}_{j\ell} = \kappa\, \delta_{j,\ell} - \frac{\kappa}{2}\, \delta_{j,\ell-1} - \frac{\kappa}{2}\, \delta_{j,\ell+1} + \overline{\kappa}\, \delta_{j,\ell} - \frac{\overline{\kappa}}{2}\, \delta_{j,\ell-1} - \frac{\overline{\kappa}}{2}\, \delta_{j,\ell+1}$. Das Maximum von $\omega_k = 2\sqrt{\frac{\kappa}{m}\sin^2\left(\frac{ka}{2}\right) + \frac{\overline{\kappa}}{m}\sin^2(ka)}$ hat sich in das BZ–Innere verschoben. Bei $k = \frac{\pi}{2}$ wird $\omega = 2\sqrt{\frac{\overline{\kappa}}{m}}$, und mit $\kappa \to 0$ wird das Phonon dort „weich“, was zumeist einen strukturellen Phasenübergang signalisiert.

Übung 6/5 Optisches Phonon. Wenn in der linearen Kette zwei Massen m_1, m_2 alternieren, numeriere j bzw. ℓ die Elementarzellen und ein Index $s = 1, 2$ die Kerne innerhalb derselben: u_{js}. $(\underline{\underline{M}}\,\underline{\underline{V}}\,\underline{\underline{M}})_{j\ell} = ?$ $\quad \omega_k = ?$ $\quad$ Kommt mit $m_2 \to 0$ (6.11) wieder heraus?

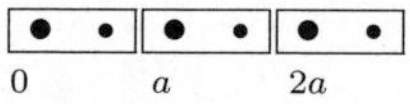

Lösung $\frac{\hbar^2\kappa}{4}\left[\begin{pmatrix} \frac{2}{m_1} & \frac{-1}{\sqrt{m_1 m_2}} \\ \frac{-1}{\sqrt{m_1 m_2}} & \frac{2}{m_2} \end{pmatrix} \delta_{j,\ell} - \begin{pmatrix} 0 & 0 \\ \frac{1}{\sqrt{m_1 m_2}} & 0 \end{pmatrix} \delta_{j,\ell-1} - \begin{pmatrix} 0 & \frac{1}{\sqrt{m_1 m_2}} \\ 0 & 0 \end{pmatrix} \delta_{j,\ell+1}\right]$.

Die Idee $u_{js} = v_s \mathrm{e}^{ikaj}$

führt auf $\frac{\hbar^2\kappa}{4} H\, \vec{v} = \lambda\, \vec{v}$ mit $H = \begin{pmatrix} \frac{2}{m_1} & \frac{-1}{\sqrt{m_1 m_2}}(1 + \mathrm{e}^{-ika}) \\ \frac{-1}{\sqrt{m_1 m_2}}(1 + \mathrm{e}^{ika}) & \frac{2}{m_2} \end{pmatrix} \curvearrowright$

$\omega_k = \sqrt{\frac{\kappa}{\mu}}\sqrt{1 \pm \sqrt{1 - \frac{4\mu}{m_1+m_2}\sin^2\left(\frac{ka}{2}\right)}}$. $\mu := \frac{m_1\, m_2}{m_1 + m_2} \to 0$: Ja. Opt.Zweig $\to \infty$.

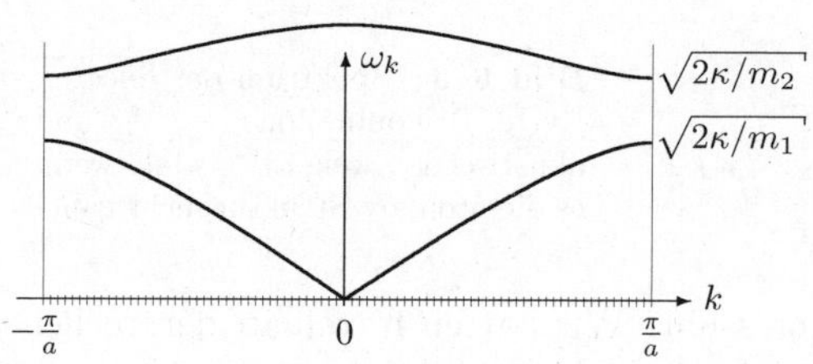

Bild 6–4: Optischer und akustischer Zweig des Spektrums der 2–atomigen linearen Kette aus Übung 6/5 zu $m_1 = 2\, m_2$, $\frac{4\mu}{m_1+m_2} = \frac{8}{9}$.

Im akustischen Bereich schwingen größere Teile des Mediums gegeneinander. Wenn die Elementarzelle zwei oder mehr Kerne enthält (Gitter mit Basis) und man mit wachsendem k den Rand der Zone erreicht, dann schwingen dort Zellen gegeneinander. Dies ist im Falle zweier Kerne in der Zelle auf zwei Weisen möglich: die beiden schwereren gegeneinander (tiefere Frequenz) oder die beiden leichteren (höhere Frequenz). Bei dieser höheren Frequenz startet, wie Bild 6–4 zeigt, ein weiterer Zweig des Spektrums, **optische Phononen** genannt. Geht k auf diesem Ast wieder gegen Null, so „schwingen" wieder nur Bereiche des Kristalls, die aus vielen Zellen bestehen. Aber innerhalb einer Zelle ist ein Gegeneinander der beiden Kerne eingetreten (ggf. belegen dies die H–Eigenvektoren im Nachgang zu Übung 6/5). — Vieles zeigt sich bereits in 1D. Nur eines fehlt dort völlig: transversale Schwingungs–Freiheitsgrade.

Phononen in 3D

Wie die Phonon–Spektren normaler dreidimensionaler Kristalle qualitativ aussehen, ist nach alledem leicht zu begreifen. Die $\vec{k}$–Werte füllen einen 3D Parameterraum. Die Brillouin–Zone sieht wie eine Kugel aus, deren Oberfläche aus eben geschliffenen Stücken besteht. Um Verläufe von ω über $\vec{k}$ sichtbar zu machen, werden gern spezielle Achsen im $\vec{k}$–Raum herausgegriffen. Die Bilder sehen dann in etwa so aus wie die rechten Hälften von Bild 6–3 und Bild 6–4. Neu hinzu kommt die Möglichkeit, daß ganze Schichten $\perp \vec{k}$ des Materials relativ zueinander in zwei Richtungen $\perp \vec{k}$ schwingen können: transversaler Schall. Entsprechend verdreifachen sich die ω_k–Kurven. Meist liegen die transversalen Frequenzen etwas tiefer als die longitudinalen.

„Wodurch unterscheiden sich Phononen von Photonen?" —

ein Phonon–Spektrum	das Photon–Spektrum	
endet (wegen atomarer Struktur)	hört nie auf: $\omega = ck$	(6.12)
hat 3 Zweige (plus ggf. optische)	hat 2 Zweige (die transversalen nur)	
und (nur quantitativ) sein c_S	ist viel kleiner als c	

Milchmädchenrechnungen sind nie zu verachten. Wenn n Kerne in der Elementarzelle sitzen, enthält der Kristall Nn Kerne, hat also $3Nn$ Freiheitsgrade. In der Brillouin–Zone gibt es N $\vec{k}$–Werte. Über jedem liegen drei akustische Frequenzen und $3\,[n-1]$ optische: $N * (3 + 3\,[n-1]) = 3Nn$ Frequenzen. Es paßt.

Phonon–Spektren kann man messen (Neutron–Streuung). Es ist auch möglich (wiewohl schwierig), sie *ab initio* näherungsweise auszurechnen. Wir stellen uns vor, das eine oder das andere sei geschehen: Das Phonon–Spektrum eines konkreten Festkörpers liege vor.

6.3 Debye–Modell

Endlich, endlich darf die Heizung aufgedreht werden; Festkörper am Wärmebad, kanonisches Ensemble. Es interessiert, wieviel Energie die Schwingungs–Freiheitsgrade aufnehmen — durchaus auch im Vergleich zum elektronischen Anteil (Kap. 7). Dieser Abschnitt wird kurz.

Jeder der $3Nn$ voneinander unabhängigen Oszillatoren setzt sich separat mit dem Wärmebad ins Benehmen, nimmt also nach (3.38) die Energie $\frac{1}{2}\hbar\omega + \frac{\hbar\omega}{e^{\beta\hbar\omega}-1}$ auf. Da jeder Oszillator bei hoher Temperatur ein T aufnimmt, können wir sofort den Hochtemperatur–Limes

$$E(T,V) \longrightarrow 3\,N\,n\,T \qquad (\,T \to \infty\,) \tag{6.13}$$

der Energie notieren, welche die Kern–Schwingungs–Freiheitsgrade aufnehmen (von Dulong und Petit um 1800 experimentell ermittelt. Kein $\hbar$, also fand sich auch alsbald eine klassische Herleitung).

Im folgenden lassen wir den $\frac{1}{2}\hbar\omega$–Term weg: So heiß solls nicht hergehen, daß das Riesenmolekül dissoziiert. Bereits die harmonische Näherung setzt ja der Temperatur Grenzen. Der Index j in (6.4) hat sich inzwischen aufgeteilt in $\vec{k} \in$ BZ und einen „Bandindex ν“ (bei Phononen nicht gerade üblich). Mit $\nu = 1, 2, 3$ seien die akustischen Phonon–Äste numeriert und mit $\nu = 4, \ldots, 3n$ die optischen. Die Energie der Phononen ist somit

$$E(T,V) = \sum_{\nu=1}^{3n} \sum_{\vec{k}\in \mathrm{BZ}} \frac{\hbar\,\omega_{\vec{k}\,\nu}}{e^{\beta\,\hbar\omega_{\vec{k}\,\nu}} - 1} \quad . \tag{6.14}$$

Für hunderte Festkörper wären nun Brillouin–Zonen und Spektren zu ermitteln und je (6.14) auszuwerten. Gute Nacht. Vielleicht waren das die Worte von Petrus Debye (1884 – 1966). Aber dann wurde er sehr mutig und entschloß sich zu den ersten zwei der folgenden drei Vereinfachungen:

Die Brillouin–Zone wird durch eine Kugel approximiert mit einem Radius k_D so, daß N Werte $\vec{k}$ darin liegen. (6.15)

Das akustische Phonon–Spektrum wird linear fortgesetzt und der transversal–longitudinal–Unterschied ignoriert: $\omega^{\text{akustisch}}_{\vec{k}\,\nu} = c_S\,k\,.$ (6.16)

Aus dem Spektrum der optischen Phononen (Fall $n = 2$) wird eine Horizontale: $\omega^{\text{optisch}}_{\vec{k}\,\nu} =: \omega_0\,.$ (6.17)

An Mut fehlte es bekanntlich auch einem gewissen Albert Einstein (1879 – 1955) nicht. Er hatte (6.17) hinzugefügt, daraufhin **Einstein–Modell** genannt. „Nun, das könnte auch von mir sein“, werden Sie sagen. Recht so.

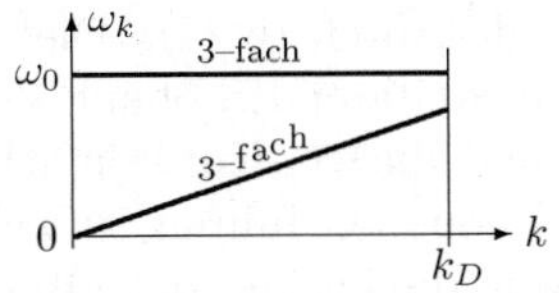

Bild 6–5 : Wie Debye und Einstein zu Gittern mit 2–atomiger Zelle ein allgemeines Phonon–Spektrum modelliert haben. k ist Kugelkoordinate im $\vec{k}$–Raum.

(6.15) erzählt auch, wie der Radius der Kugelzone zu bestimmen ist :

$$\frac{4\pi}{3}\,k_D^3 \overset{!}{=} N\cdot\frac{(2\pi)^3}{V} \quad\curvearrowright\quad k_D = \left(6\,\pi^2\,\frac{N}{V}\right)^{1/3} \quad . \tag{6.18}$$

Wir bleiben bei $n = 2$ (zu $n = 1$ entfällt einfach nur der ω_0–Term), arbeiten die Vereinfachungen in (6.14) ein und gehen mit $\sum_{\vec{k}\in\mathrm{BZ}}$ zum extensiven Anteil über :

$$E(T,V) \;=\; \underbrace{3\,\frac{V}{(2\pi)^3}\int_{k_D-\mathrm{Kugel}} d^3k\;\frac{\hbar c_S k}{\mathrm{e}^{\beta\hbar c_S k}-1}}\;+\;3\,N\,\frac{\hbar\omega_0}{\mathrm{e}^{\beta\hbar\omega_0}-1} \tag{6.19}$$

$$= \frac{3\,V}{2\pi^2}\int_0^{k_D} dk\,k^2\frac{\hbar c_S k}{\mathrm{e}^{\beta\hbar c_S k}-1} \quad , \quad \text{Substitution } \beta\hbar c_S k = x \; ,$$

$$E^{\mathrm{akustisch}} = \frac{3\,V}{2\pi^2}\,\frac{T^4}{(\hbar c_S)^3}\int_0^{x_D} dx\;\frac{x^3}{\mathrm{e}^x-1} \quad \text{mit} \quad x_D = \frac{\hbar c_S k_D}{T} =: \frac{\theta}{T} \quad . \tag{6.20}$$

Zu der Vergleichsenergie $\theta = \hbar c_S k_D$ sagt man Debye–Temperatur. An (6.20) fällt auf, daß Debyes Näherungen zu einem sehr sauberen Allerweltssystem geführt haben: Spezialitäten des Festkörpers gehen nur noch über c_S und N/V ein. Bei [*Kittel/Krömer*, Tab. 4.1] findet sich das ganze Periodensystem mit θ–Werten bestückt. Sie liegen zwischen 38 K (Cs) und 2230 K (C), d.h. 0.033 eV bis 0.2 eV .

Das x–Integral in (6.20) läßt sich zwar nicht explizit ausführen, ist aber den interessierenden Limites zugetan. Bei $T \to \infty$ geht $x_D \to 0$ und der Integrand wird x^2 . Es sei jetzt dem Leser überlassen, zur Kontrolle tatsächlich und wunschgemäß $E^{\mathrm{akustisch}} \to 3NT$ zu erhalten.

Auch im Grenzfall $T \to 0$, d.h. $x_D \to \infty$ kann das (6.20)–Integral bewältigt werden (siehe auch Übung 6/6) :

$$\int_0^{\infty} dx\;\frac{x^3}{\mathrm{e}^x-1} = \frac{\pi^4}{15} \quad\curvearrowright\quad E^{\mathrm{akustisch}}(T,V) \;\to\; V\,\frac{\pi^2}{10}\,\frac{1}{(\hbar c_S)^3}\,T^4 \quad . \tag{6.21}$$

Um Grundsätzliches nicht zu stören, wurde bisher nicht von allerlei abgeleiteten Größen gesprochen. Eine von diesen ist die **spezifische Wärme**, womit einfach die Energieaufnahme pro Temperaturerhöhung gemeint ist. Dabei festzuhaltende Größen werden als Index angehängt :

$$c_V^{\mathrm{akustisch}} \;:=\; \partial_T\,E^{\mathrm{akustisch}}(T,V) \;=\; V\,\frac{2\,\pi^2}{5}\,\frac{1}{(\hbar c_S)^3}\,T^3 \quad . \tag{6.22}$$

Bei tiefer Temperatur ist der optische Anteil in (6.19) noch exponentiell ausgefroren. Also dominiert zunächst der mit T^3 anwachsende Anteil (6.22). Dieser wird in die Horizontale $\partial_T\, 3NT = 3N$ einmünden. Bei weiterer Erhöhung der Temperatur wird das erste optische Phonon lebendig und die c_V–Kurve macht eine sanfte Stufe nach $6N$. Weitere Zweige optischer Phononen führen zu weiteren Stufen. Per definitionem ist die spezifische Wärme dimensionslos. Ob es auch das Resultat (6.22) ist ?!

Übung 6/6 Wie wird das x–Integral in (6.22) zur Summe $\sum_{n=1}^{\infty} \frac{6}{n^4}$? Welche Koeffizienten c_0, $c_{n\,(n\neq 0)}$ hat die 2π–periodische Funktion f, welche in $(0, 2\pi)$ die Werte $f(x) = \frac{\pi^2}{4}(x-\pi)^2 - \frac{1}{8}(x-\pi)^4 - \frac{7\pi^4}{120}$ annimmt ? Und inwiefern ist damit die obige Summe ausgewertet ?

Lösung Per geometr. Reihe in e^{-x}: $\sum_{n=1}^{\infty} \int_0^{\infty} dx\; x^3\, \mathrm{e}^{-nx} = \sum_{n=1}^{\infty} \frac{1}{n^4} \int_0^{\infty} dx\; x^3\, \mathrm{e}^{-x}$. $c_n = \frac{1}{2\pi} \int_0^{2\pi} dx\, f(x)\, \mathrm{e}^{-inx}$, $c_0 = \ldots = 0$, $c_n = \ldots = \frac{3}{n^4}$. $f(0) = \sum_n' c_n = 2\sum_{n=1}^{\infty} \frac{3}{n^4}$ einerseits und $f(0) = \frac{\pi^4}{15}$ andererseits. Wie man Summen mit Kontur–Integration zu Leibe rückt siehe [*Schwabl*, Anhang D] und § 16.3.

Neben der Energie (6.19) können natürlich — in gleicher Approximation — auch Freie Energie F und Entropie S als Summe über Oszillator–Beiträge aufgeschrieben werden. Zu $n = 2$ ist beispielsweise

$$F(T,V) = \frac{3V}{2\pi^2}\, T \int_0^{k_D} dk\; k^2 \ln\left(1 - \mathrm{e}^{-\beta\hbar c_S k}\right) + 3\,N\,T \ln\left(1 - \mathrm{e}^{-\beta\hbar\omega_0}\right) \quad . \tag{6.23}$$

Die hier erneut weggelassenen T–unabhängigen Terme spielen allerdings beim Druck $p = -\partial_V\, F$ eine Rolle: [*Schwabl*, § 4.6.3]. Vieles mehr gibt es über Phononen zu sagen, etwa wie Anharmonizitäten zu deren Wechselwirkung führen oder wie Elektronen an ihnen streuen. Aber solcherlei darf wohl den Lehrbüchern über Festkörperphysik überlassen bleiben. Wie sich doch die $\hbar$'s in diesem Abschnitt tummelten und Quantenmechanik somit nötig war.

Übung 6/7 Lineare Kette am Ofen. $k_D = ?$ $c_S = ?$ $E(T, L)$ in Debye–Näherung ? Bei $T \to 0$ wird das (welches) x–Integral zu einer (welcher) n–Summe und diese zu $\pi^2/6$. Welchen führenden Tief–T–Term hat folglich die spezifische Wärme c_L der Kette ? Ob obiges $\pi^2/6$ etwas mit der 2π–periodischen Funktion $f(x) = \frac{1}{2}(x-\pi)^2 - \frac{\pi^2}{6}$ [für x in $(0, 2\pi)$] zu tun hat ?

Lösung $2k_D \stackrel{!}{=} N\frac{2\pi}{L}$, $k_D = \frac{\pi}{a}$, $c_S = a\sqrt{\frac{\kappa}{m}}$. $E = \frac{L}{2\pi}\, 2 \int_0^{k_D} dk\, \frac{\hbar c_S k}{\mathrm{e}^{\beta\hbar c_S k} - 1} = \frac{L T^2}{\pi\hbar c_S} J_T$ mit $J_T = \int_0^{x_D} dx\, \frac{x}{\mathrm{e}^x - 1}$. $J_\infty = \frac{\pi^2}{6}$: $c_L \to L\,\frac{\pi}{3}\,\frac{T}{\hbar c_S}$. $J_\infty = \sum_{n=1}^{\infty} \frac{1}{n^2}$. f hat die Fourier–Koeffn. $c_0 = 0$, $c_n = \frac{1}{n^2}$ $\curvearrowright$ $\frac{\pi^2}{3} = f(0) = \sum' \frac{1}{n^2} = 2\sum_{n=1}^{\infty} \frac{1}{n^2}$, qed.

Übung 6/8 Ein *quicky*. Wenn $\omega_k \sim k^\lambda$ mit $\lambda > 0$ ein 3D Phonon–Spektrum wäre und T noch tief, mit welcher T–Potenz würde die Energie $E(T)$ anwachsen?

Lösung $E \sim \int_{(k_D)} d^3k \; k^\lambda \,/\, (\mathrm{e}^{\sim\beta k^\lambda} - 1)\,, \;\; k \to T^{1/\lambda}k \quad \curvearrowright \quad E \sim T^{\,1+3/\lambda}\,.$

7 Elektronen

Die elementaren Teilchen, aus denen alles hier um uns besteht, sind up–quark, down–quark und Elektron. Dies ist seit mehr als 30 Jahren *sicher* — experimentell wie theoretisch. Es ist inzwischen schlicht peinlich, wenn mitunter noch „Proton, Neutron, Elektron“ als Bausteine der Materie genannt werden. Bitte protestieren Sie. Unsere Aufzählung „up, down, Elektron“ war absichtsvoll ein klein wenig demagogisch, weil ein paar Teilchen ausgelassen wurden, die sich nur mit Mühe herstellen (z.B. top–quark) oder nachweisen lassen (Neutrinos, Higgs–Boson). Schon seit Jahrzehnten und noch heute (Mai 2004) besteht die vollständige Liste elementarer Fermionen aus den folgenden Leptonen (links) und quarks (rechts):

$$\begin{array}{lccc||cccl} (\text{Ladung } 0) & \nu_e & \nu_\mu & \nu_\tau & \boldsymbol{u} & c & t & (\text{Ladung } +2/3) \\ (\text{Ladung } -1) & \boldsymbol{e} & \mu & \tau & \boldsymbol{d} & s & b & (\text{Ladung } -1/3) \end{array} \tag{7.1}$$

Die Buchstaben c und s stehen für *charm* und *strange*, t und b für *top* und *bottom*. Merkvers: CDU, SPD zyklisch verschieben und dann härter bzw. weicher aussprechen (schade, wir hätten sie glatt *dop* und *pottom* genannt). Alle zwölf Teilchen haben Spin $\frac{1}{2}$. Wie sich Neutron und Proton aus drei quarks zusammensetzen, kann den Ladungen in (7.1) entnommen werden: *udd* bzw. *uud*. Die starke Wechselwirkung verhindert, daß quarks (übrigens je in drei *colors* vorkommend) frei durch die Gegend fliegen. Sie hält auch die Atomkerne zusammen — womit wir schon wieder bei Kernen und Elektronen sind.

Wie sich im Festkörper thermische Energie auch in Anregungen von Elektronen verteilt, interessiert in § 7.1 und § 7.2. Aber im § 7.3 geht es dann hinaus zu „elektronischen“ Sternen. Relativistische (§ 7.4) Unglaublichkeiten des frühen Universums folgen im § 7.5.

7.1 Metall

Die festen (kristallinen) Körper werden gern in Metalle, Halbleiter und Isolatoren unterteilt. Aber die letzteren gibt es gar nicht wirklich: sie leiten (!), selbst bei $T = 0$, wenngleich nur exponentiell schwach (Stichwort Zener–Durchbruch, s.a. Ende von § 14.1). „Isolatoren“ sind nur schlechte Halbleiter. Ein Metall liegt vor, wenn die Fermi–Kante mitten in einem Band liegt. Stop. Was ist ein Band? Die

Fermi–Kante kennen wir aus § 4.4 als $\varepsilon_F = \mu(0)$. Aber dies ist doch ein Begriff, welcher nicht–wechselwirkende Fermionen betrifft !?

Wir kehren zur Weggabelung (6.1) zurück, verfolgen jetzt aber den Elektronen–Anteil $H_0 = T_{\text{Elektronen}} + V_{\text{El-El}} + V_{\text{Kern-El}} + V_{\text{Kern-Kern}}$ weiter und haben es bitter nötig, diesen in ein Problem nicht–wechselwirkender Fermionen zu überführen — und sei es nur, um einen Ausgangspunkt, eine nullte Näherung zu gewinnen. Zuallererst sind jetzt die Kern–Koordinaten festzuhalten. Das degradiert die Kern–Kern–Wechselwirkung zu einer Konstanten. Gern würden wir nun die Elektron–Elektron–Wechselwirkung streichen, woraufhin wir am Ziel wären. Aber das ginge zu weit. Ein Elektron höherer Energie (nahe der Fermi–Kante) spürt zumindest auch die stärker gebundenen anderen Elektronen (*core electrons*). Es bleibt uns nur, effektiv die Wechselwirkung mit allen anderen Elektronen — in einem Hartree–Fock–Sinne — der Kern–Elektron–Wechselwirkung zuzuschlagen und Genaueres ggf. einer spätere Störungsrechnung (Vielteilchen–Theorie) zu überlassen. Schwierig. Ein wenig beruhigt der Gedanke, daß — aus der Ferne betrachtet — die Kerne einen Ladungsuntergrund bilden, welcher einen Großteil der Elektron–Elektron–Wechselwirkung kompensieren dürfte.

Jedes der betrachteten Elektronen spüre das gleiche effektive periodische Potential $V(\vec{r})$. Dessen Periode ist natürlich die des Gitters: $V(\vec{r}+\vec{R}) = V(\vec{r})$. Wir wollen die Funktionen $\varphi_\lambda(j)$ kennenlernen, welche die Slater–Determinanten (4.21) füllen, und deren Einteilchen–Energien ε_λ, auf welche die Fermi–Verteilung zugreift.

Bloch–Theorem

Der Hamilton–Operator vertauscht mit unendlich vielen, diskret mit $\vec{R}$ numerierten Translationen $T_{\vec{R}}$:

$$H = -\frac{\hbar^2}{2m}\Delta + V(\vec{r}) \quad , \quad V(\vec{r}+\vec{R}) = V(\vec{r}) \quad , \quad T_{\vec{R}} := \mathrm{e}^{\vec{R}\nabla}$$
$$\curvearrowright \quad [H\,,T_{\vec{R}}] = 0 \quad \text{und} \quad [T_{\vec{R}}\,,T_{\vec{R}'}] = 0 \ . \qquad (7.2)$$

Wer nun leichtfertig zu jenem Theorem greift, wonach vertauschbare Operatoren ein simultanes Eigenfunktionen–System haben, der bedenke, daß beim Beweis

$$[A\,,B] = 0 \ , \ A\varphi_{a\nu} = a\varphi_{a\nu} \quad \curvearrowright \quad A(B\varphi_{a\nu}) = a(B\varphi_{a\nu}) \ ,$$
d.h. $B\varphi_{a\nu}$ liegt im a–Entartungsunterraum (7.3)
und die $\varphi_{a\nu}$ sind als B–Eigenfunktionen wählbar,

die Hermitezität der beteiligten Operatoren benutzt wird. Die Translationen sind jedoch nicht hermitesch. Zum Glück sind es aber Linearkombinationen:

$$\frac{1}{2}\left(T_{\vec{R}} + T_{-\vec{R}}\right) =: A_{\vec{R}} \quad , \quad A_{\vec{R}}\,\mathrm{e}^{i\vec{k}\vec{r}} = \cos(\vec{k}\,\vec{R})\,\mathrm{e}^{i\vec{k}\vec{r}} \ ,$$

$$\frac{1}{2i}\left(T_{\vec{R}} - T_{-\vec{R}}\right) =: B_{\vec{R}} \quad , \quad B_{\vec{R}}\, e^{i\vec{k}\vec{r}} = \sin(\vec{k}\,\vec{R})\, e^{i\vec{k}\vec{r}} \ . \tag{7.4}$$

Alle A, B vertauschen untereinander und mit H. Die simultanen Eigenfunktionen der hermiteschen Operatoren A, B sind $e^{i\vec{k}\vec{r}}$. Überschreitet man mit $\vec{k}$ die Brillouin–Zone, so reproduzieren sich die in (7.4) angegebenen Eigenwerte. Liege ab jetzt $\vec{k}$ in der Brillouin–Zone, dann sind $e^{i\vec{k}\vec{r}+i\vec{K}\vec{r}}$ die A–B–Eigenfunktionen. Die reziproken Gittervektoren $\vec{K}$ numerieren ihren Entartungsunterraum durch. In diesem Raum wird nun H (der letzte im vorliegenden System vertauschbarer Operatoren) Ordnung schaffen. Also darf jede H–Eigenfunktion als Linearkombination im A–B–Entartungsunterraum angesetzt werden:

$$\varphi_{\vec{k}\,\nu}(\vec{r}) \;=\; \sum_{\vec{K}} c_{\vec{K}}^{(\vec{k},\nu)}\; e^{i(\vec{k}+\vec{K})\vec{r}} \;=\; \frac{1}{\sqrt{V}}\, e^{i\vec{k}\vec{r}}\; u_{\vec{k}\,\nu}(\vec{r}) \ . \tag{7.5}$$

Im Moment ist hier der Index ν nur Platzhalter für ggf. weitere Numerierungen. Der **Bloch–Faktor** $u(\vec{r})$ ist aus der $\vec{K}$–Summe hervorgegangen. Er hat also die Periodizität des Gitters: $u(\vec{r}+\vec{R}) = u(\vec{r})$. Die **Bloch–Funktion** (7.5) gibt nur die Struktur vor (Felix Bloch 1905 – 1983). Erst wenn (7.5) in der H–Eigenwertgleichung verwendet wird, ergeben sich zu jedem $\vec{k} \in BZ$ verschiedene Energien $\varepsilon_\nu(\vec{k})$, und ν heißt **Bandindex**.

Übung 7/1 Wenn bei einem 1D Metall das gitterperiodische Potential $V(x) \equiv 0$ ist, wie erheben sich dann die Bänder über der Brillouin–Zone $(-\frac{\pi}{a}, \frac{\pi}{a})$?

Lösung $(H-\varepsilon)\sum_K c_K e^{i(k+K)x} = \sum_K c_K \cdot [\frac{\hbar^2(k+K)^2}{2m} - \varepsilon]\, e^{i(k+K)x} \overset{!}{\equiv} 0 \curvearrowright c_K = 0$ oder $[\quad] = 0$, d.h. K numeriert ε's: $u \sim e^{iKx}$ zu $\varepsilon = \frac{\hbar^2}{2m}(k+K)^2$ mit $K = n\pi/a$ $(n = 0, \pm 1, \pm 2, \dots)$. Der Bandindex ν numeriert jedoch die Energien der Größe nach.

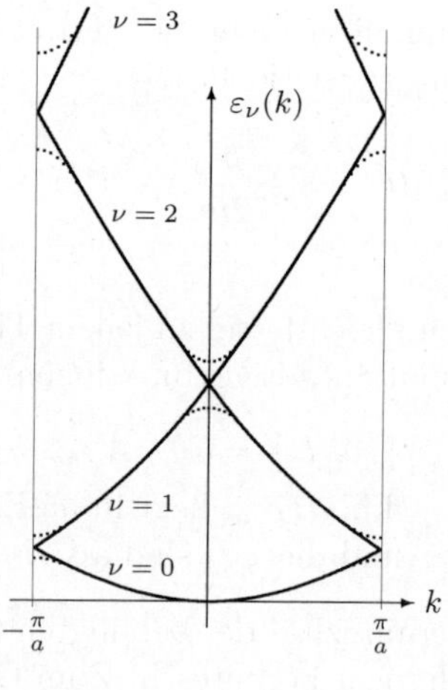

Bild 7–1 : Bänder in 1D zu verschwindendem Potential und wo bei $V \neq 0$ Bandlücken entstehen (punktiert).

Wie sich in einer Dimension Bandlücken auftun, Bild 7–1, das ist zumeist noch Gegenstand der Übungen zur Quantenmechanik, nämlich zur entarteten

Störungsrechnung und zum Dirac–Kamm (periodische Delta–Funktion nach oben oder unten). Den Blick auf Festkörper–Lehrbücher lassen wir hier jedoch enden. Bandstrukturen in 3D sind sowohl experimentell zugänglich als auch *ab initio*.

Die Bandstruktur eines konkreten Festkörpers liege vor. Wenn man $\varepsilon_\nu(k) = \varepsilon_F$ setzt, kommen eigentümliche Flächen im Raum zum Vorschein. Manchmal sieht es aus wie Kugeln mit Verbindungsröhren. Wir gehen aber sofort einen Schritt weiter und interessieren uns nur noch für die Zustandsdichte $z(\varepsilon)$. Diese Funktion kann nach § 3.6 aus der Bandstruktur ermittelt werden. Sie liege vor.

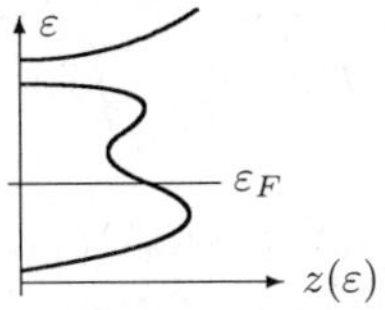

Bild 7–2 : Zustandsdichte. Die Funktion $z(\varepsilon)$ geht in 3D bei Annäherung an eine Bandlücke nach Null. Die Fermi–Energie eines Metalls liegt irgendwo im $z \neq 0$–Bereich.

Man läßt am besten die ε–Achse nach oben zeigen und trägt $z(\varepsilon)$ nach rechts auf. Bei einem Metall bleibt per definitionem auch bei $T = 0$ die Bandfüllung unvollständig. Somit kann ε_F ebensogut an einer Stelle mit negativem wie positivem $z(\varepsilon)$–Anstieg liegen: Bild 7–2. Bänder gehen aus atomaren Niveaus hervor, wenn man in Gedanken die 10^{24} Atome zusammen bringt. Ein Metall entsteht dabei, wenn bereits atomar unvollständig gefüllt war (z.B. Na). Es kann sich aber auch dadurch bilden, daß Elektronen in ein überlappendes leeres Band abfließen.

Übung 7/2 Zu $V(\vec{r}) \equiv 0$ (BZ ∞) soll die Fermi–Energie ε_F nicht–wechselwirkender Elektronen allgemein in d Dimensionen ($d > 0$) angegeben werden — und daraufhin auch konkret zu $d = 1$, 2 und 3.

Lösung $N = \int_0^{\varepsilon_F} d\varepsilon\, z(\varepsilon)$ mit $z(\varepsilon) = (3.66)$ $\curvearrowright$ $\varepsilon_F = \frac{\hbar^2}{2m} 4\pi^2 \left(\frac{d}{2} \frac{N}{\Omega_d V_d}\right)^{2/d}$.
Zu $d = 1, 2, 3$ gibt Tabelle (3.67) $\varepsilon_F = \frac{\hbar^2}{2m} \cdot [\ \left(\frac{\pi N}{2L}\right)^2\ ,\ 2\pi \frac{N}{F}\ ,\ \left(3\pi^2 \frac{N}{V}\right)^{2/3}\ ]$.

Sommerfeld–Entwicklung

Es wird warm. Wir wollen in Erfahrung bringen, wieviel Energie die elektronischen Freiheitsgrade aufnehmen — durchaus auch im Vergleich zum Phonon–Anteil im Kapitel 6. Zwar wird unser Stück Kupfer nur an den Ofen gehalten, da es aber ein großes System ist ($\sim 10^{24}$ Elektronen pro cm^3), dürfen wir uns der großkanonischen Vorteile bedienen. Wir erinnern uns der „Staubwolke" im Bild 4–8, der Fermi–Verteilung (4.40) und der Trivialformeln (4.42) bis (4.44). Den Platz der dort allgemein gebliebenen Einteilchen–Energien ε_λ nehmen jetzt die Bandenergien $\varepsilon_\nu(\vec{k})$ ein. Aus (4.43), d.h. $E^{\text{id.F.}} = \sum_\lambda p_\lambda \varepsilon_\lambda$, wird damit

$$E(T,V,\mu) = 2\sum_\nu \sum_{\vec{k}\in\mathrm{BZ}} \frac{\varepsilon_\nu(\vec{k})}{\mathrm{e}^{\beta[\varepsilon_\nu(\vec{k})-\mu]}+1} \quad . \tag{7.6}$$

Der Faktor 2 berücksichtigt den Spin $\frac{1}{2}$ der Elektronen (Gedankenstrich–Verdopplung). Unter (6.8) hatten wir erkannt, daß die Brillouin–Zone den Übergang $\vec{k}$–Summe $\to \frac{V}{(2\pi)^3}\int_{\mathrm{BZ}} d^3k$ nicht stört. Wie in (3.66) beziehen wir den Vorfaktor 2 in die Zustandsdichte ein, so daß für jedes Band separat $2\,\frac{V}{(2\pi)^3}\int_{\mathrm{BZ}} d^3k$ in $\int d\varepsilon\; z_\nu(\varepsilon)$ übergeht:

$$E(T,V,\mu) = \int d\varepsilon \sum_\nu z_\nu(\varepsilon)\,\varepsilon\, f(\beta[\varepsilon-\mu]) \quad \text{mit} \quad f(x) := \frac{1}{\mathrm{e}^x+1} \quad . \tag{7.7}$$

Zustandsdichten addieren sich also, und natürlich setzen wir $\sum_\nu z_\nu(\varepsilon) = z(\varepsilon)$. Die $f(x)$–Definition bleibe auf diesen und den nächsten Abschnitt (Halbleiter) beschränkt. Wir folgen übrigens im wesentlichen [*Ashcroft/M.*, Kap. 2].

Da die Teilchenzahl N bekannt und μ durch diese auszudrücken ist, benötigen wir neben (7.7) auch noch $N(T,V,\mu)$: Streiche ε, denn so geht (4.42) aus (4.43) hervor. Damit sind die Startlöcher gegraben:

$$N(T,V,\mu) = \int d\varepsilon\; z(\varepsilon)\; f(\beta[\varepsilon-\mu]) \quad , \tag{7.8}$$

$$E(T,V,\mu) = \int d\varepsilon\; \varepsilon\, z(\varepsilon)\, f(\beta[\varepsilon-\mu]) \quad . \tag{7.9}$$

Ziel ist die spezifische Wärme $c_V = \partial_T\, E)_{V,N} = \partial_T\, E(T,V,\,\mu(T,V,N)\,)$ des Metalls. Unbedingt soll dabei die Zustandsdichte $z(\varepsilon)$ allgemein bleiben. Ob das übles Anspruchsdenken ist?

Der Ausweg kommt in Sicht, wenn man sich typische Fermi–Energien ansieht. Sie liegen im eV–Bereich, und 1 eV entspricht nach (2.26) etwa 10 000 Grad Kelvin. Aus Sicht der Metallelektronen ist es also selbst bei Zimmertemperatur noch recht kalt. Es bietet sich an, (7.8), (7.9) nach Potenzen von T zu entwickeln.

1. Schritt: Substituion $\beta(\varepsilon-\mu) = x$:

$$\left.\begin{matrix} N \\ E \end{matrix}\right\} = T\int dx \left\{\begin{matrix} z(\mu+Tx) \\ (\mu+Tx)\,z(\mu+Tx) \end{matrix}\right\} f(x) \quad . \tag{7.10}$$

2. Schritt: partielle Integration. $z(\mu+Tx)$ nach Tx zu entwickeln ist nämlich erst vernünftig, wenn ein nachgestellter Faktor $f'(x)$ die x–Werte einschränkt:

$$f(-x) = 1 - f(x) \quad , \quad \text{aber} \quad f'(x) = \frac{-1}{(\mathrm{e}^x+1)(\mathrm{e}^{-x}+1)} = f'(-x) \quad . \tag{7.11}$$

$f'(x)$ ist ein beidseitig auf Null abfallender Buckel nach unten, $\int dx\, x\, f'(x) = 0$. Zuerst interessiere die N–μ–Beziehung. Mit Stammfunktion $\zeta(x) = \int_0^x dy\; z(\mu + Ty)$ entsteht

$$
\begin{aligned}
N &= T\,[\zeta(x)f(x)]_{-\infty}^{\infty} - T\int dx\;\zeta(x)f'(x) =: N_1 + N_2 \\
N_2 &= -T\int dx\; f'(x)\int_0^x dy\;[\,z(\mu) + Tyz'(\mu)\,] + \mathcal{O}(T^3) \\
&= T^2 z'(\mu)\int_0^\infty dx\; x^2(-\partial_x)f(x) + \mathcal{O}(T^3)\;, \quad \int_0^\infty dx\;\frac{x}{\mathrm{e}^x + 1} = \frac{\pi^2}{12} \\
&= \frac{\pi^2}{6}T^2\, z'(\mu) + \mathcal{O}(T^3)\;, \qquad (7.12) \\
N_1 &= -T\zeta(-\infty) = T\int_{-\infty}^0 dy\; z(\mu + Ty) = \int_{-\infty}^{\mu} dy\; z(y)\;, \quad \int_{-\infty}^{\varepsilon_F} dy\; z(y) = N \\
&= N + \int_0^{\mu-\varepsilon_F} dy\; z(\varepsilon_F + y) \quad \curvearrowright \\
0 &= \int_0^{\mu-\varepsilon_F} dy\; z(\varepsilon_F + y) + \frac{\pi^2}{6}T^2\, z'(\mu) + \mathcal{O}(T^3)\;. \qquad (7.13)
\end{aligned}
$$

Die Frage, wie das in (7.12) benutzte Integral zu $\pi^2/12$ wird, sei dem Leser überlassen (betrachte $f(\pi)$ statt $f(0)$ in der Lösung zu Übung 6/7). (7.13) zeigt, daß $\mu - \varepsilon_F = \mathcal{O}(T^2)$ ist. Folglich kann man in (7.13) $z'(\mu)$ durch $z'(\varepsilon_F)$ ersetzen und das Integral durch $z(\varepsilon_F)\cdot(\mu - \varepsilon_F)$. Das Resultat des zweiten Schrittes ist

$$
\mu(T, V, N) = \varepsilon_F - \frac{\pi^2}{6}\frac{z'(\varepsilon_F)}{z(\varepsilon_F)}T^2 + \mathcal{O}(T^3)\;. \qquad (7.14)
$$

Die Abhängigkeit von V und N vesteckt sich hier in ε_F und in der Zustandsdichte $z(\varepsilon)$, welche übrigens eine extensive Größe ist.

3. Schritt: Analogrechnen. Um $E(T, V, N)$ zu erhalten, sehen wir einfach $\varepsilon z(\varepsilon)$ als eine neue, andere Zustandsdichte an, zu welcher E das N ist. Die entsprechende Abwandlung von (7.12) und (7.13), $E = E_1 + E_2$, liefert

$$
\begin{aligned}
E &= \int_{-\infty}^{\varepsilon_F} d\varepsilon\,\varepsilon\, z(\varepsilon) + \int_0^{\mu-\varepsilon_F} d\varepsilon\;(\varepsilon_F + \varepsilon)\, z(\varepsilon_F + \varepsilon) + \frac{\pi^2}{6}T^2[z(\mu) + \mu z'(\mu)] + \mathcal{O}(T^3) \\
&= E_{T=0} + \varepsilon_F\, z(\varepsilon_F)\,(\mu - \varepsilon_F) + \frac{\pi^2}{6}T^2\;[\,z(\varepsilon_F) + \varepsilon_F z'(\varepsilon_F)\,] + \mathcal{O}(T^3)\;, \qquad (7.15)
\end{aligned}
$$

wobei zunächst nur $\mu - \varepsilon_F = \mathcal{O}(T^2)$ ausgenutzt wurde. Setzen wir aber konkret (7.14) in (7.15) ein, so ergibt sich

$$
E(T, V, N) = E(0, V, N) + \frac{\pi^2}{6}\, z(\varepsilon_F)\, T^2 + \mathcal{O}(T^3) \qquad (7.16)
$$

und hieraus die berühmte[1] lineare spezifische Wärme eines Metalls:

$$c_V = \partial_T E(T,V,N) = \frac{\pi^2}{3} z(\varepsilon_F) T . \tag{7.17}$$

Wo es viele Zustände pro Energieintervall gibt, $z(\varepsilon_F)$ groß ist, da „wirbelt viel Staub auf". Vom Anstieg $z'(\varepsilon_F)$ nimmt aber nur das chemische Potential Notiz. Natürlich darf speziell die Zustandsdichte $z(\varepsilon) \sim \sqrt{\varepsilon}$ freier Elektronen in 3D, s. (3.66), in (7.16) und (7.14) eingesetzt werden: $z'(\varepsilon_F) > 0$ $\curvearrowright$ μ sinkt ab. Aber auch im Falle $z'(\varepsilon) < 0$, in welchem μ zunächst anwächst, wird es später wieder absinken — wir hatten dies im Text unter Bild 4–8 verstanden.

Wer verbraucht denn nun die meiste Energie, Phononen oder Elektronen? Nach (6.22) und (7.17) dominieren bei genügend tiefer Temperatur klar die Elektronen, denn $c_V^{\text{elektronisch}} \sim T \gg T^3 \sim c_V^{\text{akustisch}}$. Aber schon bald, noch im Kelvin–Bereich, werden sie von den Phononen überholt. Die Milchmädchenrechnung zu (7.16), d.h. $\Delta E \sim T^2$, lautet übrigens $1 + 1 = 2$. Genauer: Die Anzahl angeregter Teilchen ist $\mathcal{O}(T)$, und deren Energie über Fermi–Kante ist ebenfalls $\mathcal{O}(T)$. „Nicht einmal das ...", seufzte einmal ein Prüfer.

Übung 7/3 Oberflächenzustand eines Festkörpers. Nicht–wechselwirkende Elektronen bekannter Anzahl N besiedeln eine ebene PBC–Fläche F. $V(x,y) \equiv 0$. Die 2D Zustandsdichte ist für $\varepsilon > 0$ konstant: $z(\varepsilon) = z\,\theta(\varepsilon)$.

(a) Wie hängen die Konstanten z, N, ε_F miteinander zusammen?

(b) Das Integral für N läßt sich auswerten und nach μ auflösen: $\mu(T, \varepsilon_F) = ?$ Führender Term von μ bei $T \to \infty$ bzw. bei $T \to 0$?

(c) Ist die Energie E (abgesehen von der Variablen im stehen bleibenden Intgral) ganz durch T, ε_F und N ausgedrückt, können wir nachsehen, ob sich bei $T \to \infty$ die gewünschte (welche?) Anzahl T's ergibt.

(d) Zu $T \to 0$, so sollte man meinen, kommt für $\frac{1}{zT^2}(E - E_{T=0})$ das von (7.16) verlangte $\pi^2/6$ heraus, ohne erneut in Sommerfelds Fußstapfen zu treten (partielle Integration verboten). Meinen Sie mal!

Lösung (a) $N = z\int_0^{\varepsilon_F} d\varepsilon = z\varepsilon_F$ (oder aus Vergleich (3.66), (3.67) mit Übung 7/2).

(b) (7.8), $f(x) = -\partial_x \ln(1+\mathrm{e}^{-x})$, $N = zT\ln(1+\mathrm{e}^{\beta\mu})$, $\mu = T\ln(\mathrm{e}^{\beta\varepsilon_F} - 1)$. $\mu \to -T\ln(\frac{T}{\varepsilon_F})$ bzw. $\mu \to \varepsilon_F$.

(c) (7.9): $E = z\int_0^\infty d\varepsilon\, \varepsilon\, \frac{\mathrm{e}^{\beta\varepsilon_F}-1}{\mathrm{e}^{\beta\varepsilon}+\mathrm{e}^{\beta\varepsilon_F}-1} \to z\beta\varepsilon_F \int_0^\infty d\varepsilon\, \varepsilon\, \mathrm{e}^{-\beta\varepsilon} = z\varepsilon_F T = 2N\,\frac{1}{2}T$.

[1] „Diese Berechnung ist vielleicht die eindrucksvollste Leistung der Theorie des entarteten Fermi–Gases", schreiben [*Kittel/Krömer*, Kap. 7]. Arnold Sommerfeld lebte von 1868 bis 1951.

(d) Schwierig. $e^{\beta\varepsilon_F} - 1 \to e^{\beta\varepsilon_F}$ gibt $E = z\int_0^\infty d\varepsilon\,\varepsilon\, f(\beta\,[\varepsilon - \varepsilon_F\,])$. Nun $\int_0^\infty = \int_0^{\varepsilon_F} + \int_{\varepsilon_F}^\infty$ und $f(x) = 1 - f(-x)$ im ersten Integral. Der 1–Term gibt $E_{T=0}$, $-\int_{-\beta\varepsilon_F}^0 dx\, x\, f(-x) = \int_0^{\beta\varepsilon_F} dx\, x\, f(x)$ $\curvearrowright$ $\frac{1}{zT^2}(E - E_{T=0}) = \int_0^{\beta\varepsilon_F} dx\,(x - \beta\varepsilon_F) f(x) + \int_0^\infty dx\,(x + \beta\varepsilon_F) f(x) \to 2\int_0^\infty dx\, x\, f(x) = \frac{\pi^2}{6}$.

Übung 7/4

Metall mit höheren Bändern: $\varepsilon_F = 0$, $z(\varepsilon) = z = \text{const}$ in $(-2\epsilon, \epsilon)$ und $(2\epsilon, \infty)$, aber Null sonst. Das chemische Potential μ soll als Funktion der Temperatur (bzw. von $e^{\beta\epsilon} =: a$) explizit angegeben werden. Welchen asymptotisch führenden Term hat es bei $T \to \infty$ und welchen bei $T \to 0$? Steigt/sinkt dort μ mit wachsender Temperatur?

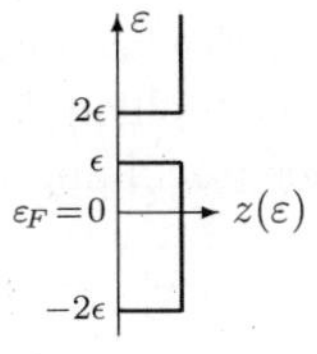

Lösung

$N = 2\epsilon z$, $N = zT\,(\int_{-2\beta\epsilon-\beta\mu}^{\beta\epsilon-\beta\mu} + \int_{2\beta\epsilon-\beta\mu}^\infty)\, dx\, f(x)$. Lösen einer quadratischen Gleichung für $x := e^{\beta\mu}$ führt auf $\mu = T\ln\left(\frac{2\,(a^2-1)}{\sqrt{(\ )^2+4(a^2-1)}+(\ )}\right)$, wobei $(\ ) = (a^2 - a + a^{-2})$. $T \to \infty$, $a \to 1+\beta\epsilon$, $\sqrt{\ \ } + (\ ) \to 2$, $\mu \to -T\ln\,[T/(2\epsilon)]$. $T \to 0$, $a \to \infty$, $\sqrt{\ \ } + (\ ) \to 2(\ ) \to 2(a^2 - a)$, $\mu \to T\,e^{-\epsilon/T}$: μ steigt!

Übung 7/5

Jemand, der notorisch *ex* im Kopf hat, nimmt — statt der kanonischen Bildung (7.17) — plötzlich $c_V = T\partial_T\, S(T,V,N)$ zur Hand. Warum darf er?

Lösung

$S^{\text{ex}}_{\text{k.}}(T,V,N) = S^{\text{ex}}_{\text{mikro.}}(\,E(T,V,N)\,,V,N)\,,\ T\partial_T S)_{V,N} = T\,\partial_E S)_{V,N}\,\partial_T E)_{V,N}$.

7.2 Halbleiter

Ein reiner, d.h. nicht–dotierter Halbleiter liegt vor, wenn die Fermi–Energie ε_F am oberen Ende eines Bandes aufsitzt und darüber eine Bandlücke beginnt. Der quantenmechanische Rohbau wurde zu Metallen bereits errichtet. Wir können unverzüglich die Heizung anwerfen.

Sogar die Gleichungen (7.8) und (7.9) bleiben gültig. Natürlich halten wir — [*Ashcroft/M.*, Kap. 28] folgend — möglichst wieder die Zustandsdichte $z(\varepsilon)$ allgemein. Aber nur zwei Bänder seien von Bedeutung — Valenzband (Index v für *valence*) und Leitungsband (Index c für *conduction*). Soweit es nur auf $z(\varepsilon)$ ankommt, können die Kurven in Bild 7–3 auch versetzt und asymmetrisch verlaufen. Vor allem soll Bild 7–3 die Bezeichnungen ε_v, ε_c (ε_v ist ε_F) für die Bandränder einführen.

Bei $T = 0$ ist das Valenzband voll gefüllt: Zu jedem diskreten $\vec{k}$–Wert sitzen dort 2 elektronische „Kugeln" im Zuständediagramm. Es gibt keine Leitungselektronen, $N_c = 0$, und keine Löcher im unteren Band, $N_h = 0$ (h für *holes*).

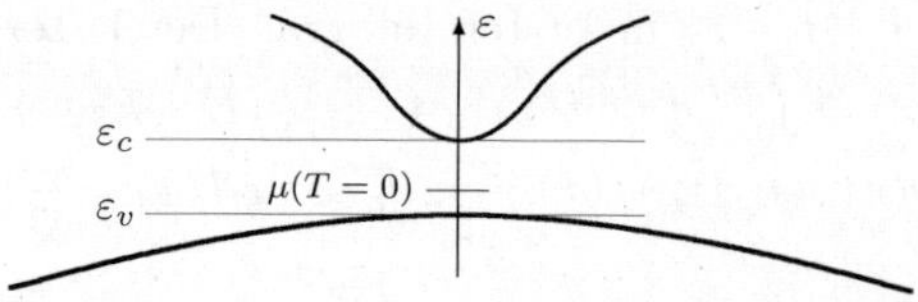

Bild 7–3: Valenz– und Leitungsband eines Halbleiters.

Bei Erwärmung wird „Staub“ ins Leitungsband wirbeln, und ebensoviele „Körnchen“ fehlen dann im Valenzband: $N_h = N_c$. Wir fragen als erstes, wie dies wohl per Rechnung herauskommt:

$$\begin{aligned} N &= \left\{ \int_{-\infty}^{\varepsilon_v} + \int_{\varepsilon_c}^{\infty} \right\} d\varepsilon\, z(\varepsilon)\, f(\beta\,[\varepsilon - \mu]) \quad , \quad f = 1 - [1 - f] \\ &= \underbrace{\int_{-\infty}^{\varepsilon_v} d\varepsilon\, z(\varepsilon)}_{\stackrel{\perp}{=} N} - \underbrace{\int_{-\infty}^{\varepsilon_v} z(\varepsilon)\,[1 - f(\ldots)]}_{\stackrel{\perp}{=} N_h} + \underbrace{\int_{\varepsilon_c}^{\infty} d\varepsilon\, z(\varepsilon) f(\ldots)}_{\stackrel{\perp}{=} N_c} \quad , \end{aligned} \tag{7.18}$$

denn $1 - f$ ist die Wahrscheinlichkeit für das Fehlen einer Besetzung, die Lochwahrscheinlichkeit also. (7.18) zeigt, daß $N_h = N_c$ ist, beschert uns für beide aber auch konkrete Ausdrücke. Wegen $1 - f(x) = f(-x)$ ist

$$N_h = \int_{-\infty}^{\varepsilon_v} d\varepsilon\, z(\varepsilon)\, \frac{1}{\mathrm{e}^{-\beta\,[\varepsilon-\mu]} + 1} \quad = \int_0^{\infty} d\varepsilon\, z(\varepsilon_v - \varepsilon)\, \frac{1}{\mathrm{e}^{\beta\,[\varepsilon+\mu-\varepsilon_v]} + 1} \quad , \tag{7.19}$$

$$\text{und } \varepsilon \to \varepsilon + \varepsilon_c \text{ gibt} \qquad N_c = \int_0^{\infty} d\varepsilon\, z(\varepsilon + \varepsilon_c)\, \frac{1}{\mathrm{e}^{\beta\,[\varepsilon+\varepsilon_c-\mu]} + 1} \quad . \tag{7.20}$$

Es folgen zwei Annahmen und daraufhin eine Näherung. Erstens, μ liegt mitten in der Bandlücke und wandert mit T nur unwesentlich darin herum (dies ist eine sogenannte Konsistenz–Annahme, deren Berechtigung sich noch zu erweisen hat). Zweitens, die Temperatur T ist klein gegenüber beiden Abständen, $\mu - \varepsilon_v$ und $\varepsilon_c - \mu$ (welche selbst bei Zehntel–eV noch 1000 K entsprechen). In den Integralen (7.19), (7.20) bleiben also selbst bei Zimmertemperaturen die e–Funktionen riesengroß, und die +1–en im Nenner können entfallen. Das vereinfacht sehr,

$$N_h = a(T)\, \mathrm{e}^{-\beta\,[\mu-\varepsilon_v]} \quad , \quad a(T) = \int_0^{\infty} d\varepsilon\, z(\varepsilon_v - \varepsilon)\, \mathrm{e}^{-\beta\varepsilon} \quad , \tag{7.21}$$

$$N_c = b(T)\, \mathrm{e}^{-\beta\,[\varepsilon_c-\mu]} \quad , \quad b(T) = \int_0^{\infty} d\varepsilon\, z(\varepsilon + \varepsilon_c)\, \mathrm{e}^{-\beta\varepsilon} \quad , \tag{7.22}$$

denn es macht die Abhängigkeit der N's von μ explizit sichtbar. Um μ zu erhalten, soll man bekanntlich die N–Gleichung auflösen. Diese hatte sich in (7.18) auf $N_h = N_c$ reduziert, und mit (7.21), (7.21) wird daraus

$$a(T)\, \mathrm{e}^{-\beta\,[\mu-\varepsilon_v]} = b(T)\, \mathrm{e}^{\beta\,[\mu-\varepsilon_c]} \quad \curvearrowright \quad \mu = \frac{\varepsilon_c + \varepsilon_v}{2} + \frac{1}{2}\, T \ln\Big[\, \frac{a(T)}{b(T)} \,\Big] \quad . \tag{7.23}$$

Konsistenz–Annahmen haben eine üble Angewohnheit. Sie schrecken einen um zwei Uhr nachts aus dem Schlaf: „Oh, ich muß doch noch nachsehen, ob wirklich ...". Tun wir dies besser gleich. Bei $T \to 0$ liegt μ sogar genau in der Mitte der Lücke, und der T–abhängige Term bleibt klein gegen den ersten. Mehr noch, im Falle perfekter Teilchen–Loch–Symmetrie — Valenzband ist Spiegelbild des Leitungsbandes an der Wasseroberfläche bei μ — sind die Funktionen a und b gleich, d.h. dann bleibt das chemische Potential μ für alle Temperaturen genau in der Mitte der Lücke liegen.

Insbesondere bei der Leitfähigkeit des Halbleiters interessiert die Frage, wie viele Elektronen sich denn nun thermisch angeregt im Leitungsband befinden. Das Eliminieren von μ geschieht am schnellsten per (7.21) mal (7.22) und liefert

$$N_c = N_h = \sqrt{a(T)\,b(T)}\;\mathrm{e}^{-\beta\,\frac{1}{2}\,(\varepsilon_c - \varepsilon_v)} \quad . \tag{7.24}$$

Übung 7/6

(a) Wie sehen $a(T)$ und $b(T)$ bei Approximation der Bandenergien durch $\varepsilon_c + \hbar^2 k^2/(2m_c)$ bzw. $\varepsilon_v - \hbar^2 k^2/(2m_v)$ aus?

(b) Wie viele Leitungselektronen N_c hat ein cm^3 InSb mit $m_c = .015\,m_e$, $m_h = .2\,m_e$ (m_e =Elektronmasse)† und $\varepsilon_c - \varepsilon_v = .16\,\mathrm{eV}$ bei $T = 300\,\mathrm{K}$?

Lösung

(a) (3.66): $z(\varepsilon) = \frac{V}{2\pi^2}(\frac{2m_c}{\hbar^2})^{3/2}\theta(\varepsilon - \varepsilon_c)\sqrt{\varepsilon - \varepsilon_c} + \ldots\ \theta(\varepsilon_v - \varepsilon)\sqrt{\varepsilon_v - \varepsilon}$,
$b = \frac{V}{2\pi^2}(\frac{2m_c}{\hbar^2})^{3/2}\int_0^\infty d\varepsilon\,\sqrt{\varepsilon}\,\mathrm{e}^{-\beta\varepsilon} = \frac{1}{4}\,V\,(\frac{2m_c}{\pi\hbar^2})^{3/2}\,T^{3/2}$, $a = b|_{m_c \to m_v}$.

(b) (7.24): $N_c = \frac{V}{1\,\mathrm{cm}^3}\,(\frac{m_c\,m_v}{m_e^2})^{3/4}\,(\frac{T}{T_0})^{3/2}\,2\,\mathrm{e}^{-\beta(\varepsilon_c - \varepsilon_v)/2}$ mit $T_0 = \frac{2\pi\hbar^2}{m_e\,1\,\mathrm{cm}^2}$,
$T_0 = \ldots = 7.67 \cdot 10^{-34}\,\mathrm{J} = 5.56 \cdot 10^{-11}\,\mathrm{K}$, $\mathrm{e}^{-3.091} = .0455$, $N_c = .0128 * .25 \cdot 10^{20} * .0455 = 1.5 \cdot 10^{15}$, metallisch: wenig, halbleiterisch: viel.

Donatoren

Das sind solche, die etwas geben. Akzeptoren sind jene, die etwas nehmen. Wir beschränken uns hier auf die ersteren. Es sind Fremdatome, welche in das Wirtskristall je ein Elektron mitbringen und in der Bandlücke dicht unter dem Leitungsband je einen einzelnen Gedankenstrich anbringen: einen lokalisierten Zustand, welcher jedoch (wegen Coulomb–Abstoßung) nur *einfach* besetzbar ist. Genau dieser Umstand macht ihn statistisch so interessant — besetzbar mit welcher Wahrscheinlichkeit?

Ein Arsen–Fremdatom im Germanium–Wirtsgitter stellt für die Elektronen (eines mehr als ohne As) einen zusätzlichen Zustand mit Energie $\varepsilon_d = \varepsilon_c - .013\,\mathrm{eV}$ bereit. Die Bandlücke $\varepsilon_c - \varepsilon_v = .67\,\mathrm{eV}$ ist groß gegenüber $\varepsilon_c - \varepsilon_d$. Es gilt $\varepsilon_F = \varepsilon_d$. Bei der gestellten Frage spielen diese Details gar keine Rolle, weil sich das Fremdatom–System separat mit dem Wärme–Teilchen–Bad arrangiert. Der großkanonisch

---

† $m_e = .911 \cdot 10^{-30}\,\mathrm{kg}$, $\hbar = 1.05 \cdot 10^{-34}\,\mathrm{Js}$, (2.26): $1\,\mathrm{J} = .724 \cdot 10^{23}\,\mathrm{K}$, $1\,\mathrm{eV} = 1.160 \cdot 10^4\,\mathrm{K}$

präparierte Fremdatom–„Kasten“ hat drei Möglichkeiten: Er enthält kein Teilchen oder er enthält ein Teilchen, welches wegen Spin–$\frac{1}{2}$–Entartung zwischen zwei Plätzen wählen kann. Es liegt an der Lokalisierung des zugehörigen Zustandes, daß die Coulomb–Wechselwirkung einer Doppelbesetzung eine Energie weit oben im Leitungsband zuordnet. Das dortige Beulchen in $z(\varepsilon)$ ist recht unwichtig. Aus der verbliebenen Großkanonik mit drei Zuständen folgt die Wahrscheinlichkeit p dafür, daß ein Elektron einen bestimmten Fremdatom–Zustand einnimmt:

$$p = \frac{\mathrm{e}^{-\beta\,(\varepsilon_d-\mu)}}{1+\mathrm{e}^{-\beta\,(\varepsilon_d-\mu)}+\mathrm{e}^{-\beta\,(\varepsilon_d-\mu)}} = \frac{1}{\mathrm{e}^{\beta\,(\varepsilon_d-\mu)}+2} \ . \tag{7.25}$$

Fertig. Die 2 im Nenner macht den Unterschied zur Fermi–Verteilung (4.40). Aber jetzt ist auch die Wahrscheinlichkeit p nicht mehr gleich der mittleren Anzahl n_d der an ein Fremdatom gebundenen Elektronen:

$$n_d = 0\cdot(1-2p)+1\cdot p+1\cdot p = 2p = \frac{1}{\frac{1}{2}\,\mathrm{e}^{\beta\,(\varepsilon_d-\mu)}+1} \ . \tag{7.26}$$

Schwupp, sitzt die 2 wieder anderswo. Akzeptoren „bringen Löcher mit“ in den Wirt. Es gilt dann für n_h eine zu (7.26) analoge Beziehung: Ersetze $\varepsilon_d-\mu$ durch $\mu-\varepsilon_a$. Es versteht sich, daß nun diverse Details dotierter Halbleiter studiert werden können.

Ein Metall hat bereits bei Temperatur Null einiges an Physik zu bieten (Fermi–Flächen beispielsweise oder Weiße Zwerge). Ein Halbleiter hingegen braucht Temperatur, sonst versteht man ihn gar nicht. Zu den irdischen festen Körpern, welche wir jetzt verlassen, war — zugegeben — einiges an normal–quantenmechanischem Rohbau erforderlich.

Übung 7/7 Drei Donator–Fremdatome sitzen so eng aneinander, daß wegen Coulomb–Abstoßung selbst dieser *cluster* keine zwei oder gar drei Elektronen binden kann. Welche mittlere Anzahl n_d beherbergt er bei Temperatur T ?

Lösung $p = \frac{\mathrm{e}^{-\beta(\varepsilon_d-\mu)}}{1+6\,\mathrm{e}^{-\beta(\varepsilon_d-\mu)}}\ ,\ n_d = 6\,p = 1\Big/\left[\frac{1}{6}\,\mathrm{e}^{\beta(\varepsilon_d-\mu)}+1\right]$.

Übung 7/8 Ein sehr grobes Modell eines Halbleiters gibt g_c Zuständen im Leitungsband die gleiche Energie ϵ und g_v Valenzband–Zuständen die Energie $-\epsilon$: $z(\varepsilon) = g_c\,\delta(\varepsilon-\epsilon)+g_v\,\delta(\varepsilon+\epsilon)$. In beide g's sei die Spin–Entartung bereits eingearbeitet. In g_c sind überdies etwaige Donator–Zustände enthalten, so daß $N = g_v + N_i$ gilt (i für *impurity*).
Die N–μ–Beziehung schreiben wir als quadratische Gleichung in $\mathrm{e}^{-\beta\mu}$ auf und vereinfachen sie zu (a) $N_i = 0$ und (b) $N_i \geqslant 1$ im Sinne tiefer Temperatur: $\mathrm{e}^{-\beta\epsilon}$ entfalle gegen 1. Beide Fälle brauchen je ihre Konsistenz–Annahme für μ, woraufhin sich sowohl μ selbst als auch N_c ergibt.

Lösung $N = g_c f(\beta[\epsilon - \mu]) + g_v f(\beta[-\epsilon - \mu])$, $N\mathrm{e}^{-2\beta\mu} + \big[(N - g_v)\mathrm{e}^{\beta\epsilon} + (N - g_c)\cdot \mathrm{e}^{-\beta\epsilon}\big]\,\mathrm{e}^{-\beta\mu} + N - g_v - g_c = 0$. (a) $N = g_v$ und $\mu \overset{?}{\approx} 0$: $N\mathrm{e}^{-2\beta\mu} = g_c$, $\mu = \frac{1}{2}T\ln(\frac{g_v}{g_c})$, $N_c = g_c\mathrm{e}^{-\beta\epsilon}\mathrm{e}^{\beta\mu} = \sqrt{g_c g_v}\,\mathrm{e}^{-\beta\epsilon}$ — (7.24)! (b) $N - g_v = N_i$ und $\mu \overset{?}{\approx} \epsilon$: $N_i\mathrm{e}^{\beta\epsilon}\mathrm{e}^{-\beta\mu} + N_i - g_c = 0$, $\mu = \epsilon - T\ln(\frac{g_c - N_i}{N_i})$, $N_c = N_i$.

7.3 Weiße Zwerge

Es ist einfach hübsch — in den Nachthimmel zu blicken und sich vorzustellen, daß einige dieser Pünktchen wunderschöne Fermi–Systeme sind, fast–ideale und (in diesem Abschnitt) elektronische.[2] Vielleicht entschuldigt bereits dies ein wenig den Umstand, daß die elektronischen Sterne mit Temperatur nicht viel zu tun haben. Weil sie „nur" etwa 10^7 K warm sind, aber eine Fermi–Energie $\varepsilon_F = 10^{9 \text{ bis } 11}$ K haben, ist $T = 0$ eine gute Näherung. Das Thema gehört also eigentlich in die Quantenmechanik (nur reicht dort bekanntlich nie die Zeit).

Wieso elektronisch? Wir legen uns einen Kubik–Dezimeter Kupfer (Massendichte $9\,\mathrm{g/cm^3}$) auf den Tisch und quetschen ihn auf einen Kubik–Zentimeter zusammen (*science fiction*). Er hat dann die Massendichte $9 \cdot 10^3\mathrm{g/cm^3}$. Die Brillouin–Zone (als Kugel gedacht) hat zehnfachen Radius bekommen. Und es gibt nur noch ein Band mit $\varepsilon(\vec{k}) \approx \hbar^2 k^2/(2m_e)$. Die Kerne haben sich mit der Rolle abgefunden, nur noch positiver Ladungshintergrund zu sein. Ein Weißer Zwerg ist hergestellt.

Die Massendichte dieser Sterne liegt bei $10^{4 \text{ bis } 7}\,\mathrm{g/cm^3}$. Laut [*Kittel/Krömer*, Kap. 7] konnte man bei Sirius B, dem Begleiter des Sirius, die Masse M aus Bahndaten abschätzen und aus Strahlungsdetails auch den Radius R, um sodann über die enorme Dichte zu staunen. Aber nein, wir wollen — weil genug zum Elektronengas wissend — den Radius R per Rechnung erhalten!

Ein erster Anlauf soll klären, ob die magere Information ausreicht. Wir „peilen über den Daumen" — wie ein Bergsteiger, der mit Fernglas in Gedanken voraus klettert. Vom Stern sei nur die Masse M bekannt und die mittlere Masse m_K pro Elektron. Damit ist auch die Anzahl der Elektronen zu $N = M/m_K$ bekannt. Bestand zum Beispiel der Stern vor Kompression aus Wasserstoff, so ist $m_K \approx m_{\text{Proton}}$. Ladungsneutralität hat übrigens Vorrang (die Coulomb–Kraft ist viel, viel stärker als Gravitation). Die Zustandsdichte (3.66) der Elektronen enthält neben m_e (kennen wir von Erden) und $\hbar$ nur $V = \frac{4\pi}{3}R^3$, d.h. R als Unbekannte. Wegen $N \sim V\int_0^{\varepsilon_F} d\varepsilon\,\sqrt{\varepsilon}$ kennen wir auch $\varepsilon_F \sim (N/V)^{2/3}$. Damit

[2] „The end product of stellar evolution is a white dwarf, a neutron star or a black hole. A white dwarf is held up against gravitational collapse by the degeneracy pressure of electrons, while the same task is accomplished by the degeneracy pressure of neutrons for a neutron star." [*Kapusta*, § 5.6]

kann „π mal Daumen" zum ersten von zwei Energie–Anteilen des Sterns folgendes aufgeschrieben werden:

$$E_{\text{Elektronen}} \sim V \int_0^{\varepsilon_F} d\varepsilon \, \sqrt{\varepsilon}\, \varepsilon \sim V \varepsilon_F^{5/2} \sim V \Big(\frac{N}{V}\Big)^{5/3} \sim \frac{1}{R^2} \quad . \tag{7.27}$$

Der andere Energie–Anteil addiert Gravitations–Potentiale. Ist die Massendichte ρ einigermaßen konstant, so hängt sie per $\rho = M/V \sim R^{-3}$ vom Radius ab:

$$E_{\text{Gravitation}} = -\frac{\gamma}{2} \int_{(R)} d^3r \int_{(R)} d^3r' \, \frac{\rho(\vec{r})\,\rho(\vec{r}\,')}{|\vec{r} - \vec{r}\,'|} \sim -\rho^2 R^5 \sim -\frac{1}{R} \quad . \tag{7.28}$$

$$\curvearrowright \quad E_{\text{gesamt}} = E_{\text{Elektronen}} + E_{\text{Gravitation}} = \frac{a}{R^2} - \frac{b}{R} \quad . \tag{7.29}$$

Es wird gehen! (7.29) verläuft nämlich wie das effektive Potential beim Kepler–Problem und wird minimal bei $R_0 = 2a/b$. Dies ist dann der Radius des Sterns.

Zweiter Anlauf: Durchführung im Detail, Stirnlampe und Eispickel, $T = 0$. In den leichteren Weißen Zwergen geht es nicht–relativistisch zu, d.h. (3.66) darf verwendet werden:

$$\frac{M}{m_K} = N = \int_0^{e_F} d\varepsilon \; z(\varepsilon) = \frac{V}{2\pi^2}\Big(\frac{2m_e}{\hbar^2}\Big)^{3/2} \int_0^{\varepsilon_F} d\varepsilon \, \sqrt{\varepsilon} = \frac{V}{3\pi^2}\Big(\frac{2m_e}{\hbar^2}\,\varepsilon_F\Big)^{3/2} \quad ,$$

$$E_{\text{El.}} = \int_0^{e_F} d\varepsilon \; z(\varepsilon)\,\varepsilon = \ldots = \frac{V}{5\pi^2}\,\frac{\hbar^2}{2m_e}\Big(\frac{2m_e}{\hbar^2}\,\varepsilon_F\Big)^{5/2} \quad \curvearrowright$$

$$= \frac{a}{R^2} \quad \text{mit} \quad a = \frac{3}{5}\Big(\frac{9\,\pi}{4}\Big)^{2/3} \frac{\hbar^2}{2m_e}\Big(\frac{M}{m_K}\Big)^{5/3} \quad . \tag{7.30}$$

Zur Gravitationsenergie gilt das Doppelintegral in (7.28) noch streng. Zu konstanter Massendichte ρ die beiden Integrationen der Reihe nach auszuführen und $E_{\text{Grav.}} = -\gamma\rho^2 \frac{(4\pi)^2}{15} R^5$ zu erhalten, sollte kein Problem sein. Wer aber einen eleganten Weg sucht, finde ihn in Übung 7/9.

Übung 7/9 Die Gravitationsenergie einer Kugel (R) homogener Massendichte ρ soll dadurch erhalten werden, daß man eine infinitesimale Massenschale dr nach der anderen aufbringt und die entstehenden E–Zuwächse addiert.

Lösung $E_{\text{Grav.}} = \int_0^R \Big[-\gamma \, \frac{(\rho\, 4\pi r^2\, dr)\cdot(\rho\, \frac{4\pi}{3} r^3)}{r} \Big] = -\gamma\rho^2 \frac{(4\pi)^2}{3} \int_0^R dr\, r^4$. Wer direkt (7.28) in $\int_0^R [\;\;]$ überführen möchte, zerlege die 6–fache Integration in die Bereiche $r' < r$ und $r' > r$ und streiche dann (erlaubt wegen $\vec{r}$–$\vec{r}\,'$–Symmetrie) den zweiten Beitrag zusammen mit dem Vorfaktor $1/2$.

Für den Energie–Anteil der Gravitation ergibt sich also

$$E_{\text{Grav.}} = -\gamma\Big(\frac{3\,M}{4\pi\,R^3}\Big)^2 \frac{(4\pi)^2}{15} R^5 = -\frac{b}{R} \quad \text{mit} \quad b = \frac{3}{5}\gamma M^2 \quad . \tag{7.31}$$

Der Stern findet seinen Radius R_0 selber, nämlich

$$R_0 = \frac{2a}{b} = \frac{\hbar^2}{2m_e}\left(\frac{9\pi}{4}\right)^{2/3}\frac{2}{\gamma\, M^{1/3}\, m_K^{5/3}} \ . \tag{7.32}$$

Sogar mit der Dimension (?!) hat er es richtig gemacht.[3] Mit der Sonnenmasse $M = 2\cdot 10^{30}\,$kg und $m_K = m_{\text{Proton}}$ gibt (7.32)[4] einen Radius von $R_0 = 2.3\cdot 10^4\,$km. Das ist ein Dreißigstel der $7\cdot 10^5\,$km Sonnenradius.

Der geneigte Leser, ausgestattet mit einigem Gespür für physikalische Zusammenhänge, kann doch so nicht sitzen gelassen werden mit seinem Magengrimmen. Daß die Massendichte eines Weißen Zwerges räumlich konstant sei, das ist mit großer Sicherheit falsch. Zu ahnen, daß die entsprechende Korrektur nicht viel ausmacht (einen Faktor 1.2, siehe unten), ist andererseits arg viel verlangt. Wir rechnen es vor. Besonders wichtig ist das folgende nicht, aber eventuell interessieren technische Details.

Wie $\rho(r)$ nach außen hin abnimmt, ergibt sich aus dem lokalen Gleichgewicht der Kräfte auf radiale Schichten. So leitet sich ja auch die barometrische Höhenformel her. Ein dünnes, horizontales Volumen $V = F\cdot dr$ des Materials — thermodynamisch groß, aber klein gegen den Stern — halten Fläche mal Druckunterschied und Anziehungskraft in der Schwebe:

$$F\,p(r) - F\,p(r+dr) = \frac{\gamma}{r^2}\,[\rho(r)F dr\,]\cdot 4\pi\int_0^r dr'\,r'^2\,\rho(r') \ . \tag{7.33}$$

Teilen durch dr läßt links $-p'(r)$ entstehen. Wir benötigen den Zusammenhang von Druck p und Massendichte ρ. Vorsicht, die Philosophie hat sich leicht verändert: Das PBC–Volumen ist jetzt (in Gedanken) mitten im Stern markiert. Es hat Abstand r vom Zentrum. Die ersten zwei Zeilen in (7.30) bleiben richtig, nur sind nun M, N, V als Masse, Teilchenzahl und Volumen des Scheibchens $F dr$ zu lesen. Eliminieren von ε_F gibt die Energie des Scheibchens:

$$\begin{aligned} E(0,V,N) &= \frac{3}{5}\,\frac{\hbar^2}{2m_e}\,(3\pi^2)^{\frac{2}{3}}\left(\frac{N}{V}\right)^{\frac{5}{3}} \qquad \curvearrowright \\ p &= -\,\partial_V\,E(0,V,N) \;=\; \frac{2}{5}\,\frac{\hbar^2}{2m_e}\,(3\pi^2)^{\frac{2}{3}}\left(\frac{\rho}{m_K}\right)^{\frac{5}{3}} \ . \end{aligned} \tag{7.34}$$

Dabei haben wir kanonisch an $p = -\partial_V F$ gedacht und daran, daß $F = E - TS$ bei $T = 0$ in E übergeht. Aber auch der Gebrauch von (2.39) zu $S = 0$ ist in Ordnung. Rechts in (7.34) wurde $N/V = \rho/m_K$ benutzt. Mit $p'(r)$ aus (7.34) wird (7.33) zu einer Gleichung für die Dichte ρ,

$$-r^2\,\frac{2}{3}\,\rho^{-1/3}\,\rho' = \kappa\int_0^r dr'\,r'^2\,\rho(r') \quad \text{mit} \quad \kappa = 4\pi\gamma\,\frac{2m_e}{\hbar^2}(3\pi^2)^{-\frac{2}{3}}\,m_k^{\frac{5}{3}} \ , \tag{7.35}$$

---

[3] „Das Plancksche Wirkungsquantum $\hbar$ bestimmt nicht nur die Struktur der Atome, sondern auch die Massenskala und den inneren Aufbau der Sterne.“ [*Sexl*, § 4.5]

[4] $m_{\text{Proton}} = 1.7\cdot 10^{-27}\,$kg , $m_e = 9\cdot 10^{-31}\,$kg , $\gamma = 6.7\cdot 10^{-11}\,$Jm/kg^2 , $\hbar = 1.05\cdot 10^{-34}\,$Js.

und diese mittels $\partial_r r^2 \partial_r = r\,\partial_r^2 r$ und $\kappa^2 r \rho^{2/3} =: u(r)$ zur Dgl

$$u'' = -\,r^{-\frac{1}{2}}\,u^{\frac{3}{2}} \quad \text{mit Randbedingungen} \quad u(0) = 0\ ,\ u(R) = 0\ . \tag{7.36}$$

Daß u im Zentrum verschwindet, folgt aus der Definition (ρ bleibt dort endlich). u hat bei wachsendem r zunächst positive Werte, dabei aber laut Dgl ständig negative Krümmung. Vermutlich wird also u wieder die r–Achse kreuzen — an einer gesuchten Stelle R, dem Radius des Sterns. Eine Gleichung fehlt noch. Sie kommt hinzu, weil wir die Gesamtmasse M kennen:

$$M = 4\pi \int_0^R dr\, r^2\, \rho(r) = -\frac{4\pi}{\kappa^3} \int_0^R dr\, r\, u''(r) = -\frac{4\pi}{\kappa^3}\, R\, u'(R)\ . \tag{7.37}$$

Statt einer M–R–Beziehung interessiert uns mehr der direkte Vergleich von R mit R_0. Die R_0–R–Beziehung ist aus (7.37) mittels (7.32) zu gewinnen:

$$R = \frac{1}{6}\,\left[-3\,R^4\,u'(R)\right]^{\frac{1}{3}}\,R_0\ . \tag{7.38}$$

Jetzt ist „nur noch" die Dgl (7.34) zu lösen. Aber sie wehrt sich vehement: Es geht nicht analytisch. Was nun? Wenigstens kann ihr eine Skalen–Eigenschaft der Lösungen abgerungen werden. Aus $u(r)$ erhält man eine weitere Lösung $v(x)$ der Dgl mit veränderter zweiter Randbedingung:

$$c^3\,u(cx) =: v(x) \quad \curvearrowright \quad v'' = -x^{-\frac{1}{2}}\,v^{\frac{3}{2}}\ ,\ v(0) = 0\ ,\ v\!\left(\frac{R}{c}\right) = 0\ . \tag{7.39}$$

Setzen wir noch $c = R$, dann ist x dimensionslos, $v(1) = 0$ und (7.39) für den Computer vorbereitet. Man lasse ihn mit einem beliebigen Anstieg (z.B. $v'(0) = 1$) ab Ursprung starten, lese die Nullstelle ($=:\ a$) ab und den dortigen Anstieg. Damit ist numerisch eine Lösung $\overline{v}(x)$ der Dgl zu $\overline{v}(0) = 0\,,\ \overline{v}(a) = 0$ gefunden — und auch jene, $v(x) = a^3\,\overline{v}(ax)$, zur $v(1) = 0$–Randbedingung mit $v'(1) = a^4\overline{v}'(a)$. Das Resultat[5] ist $v'(1) \approx -132.4$. Wir sind soweit. Aus (7.38) wird

$$R = \frac{1}{6}\,\left[-3\,v'(1)\right]^{\frac{1}{3}}\,R_0\ \approx\ 1.23\,R_0\ , \tag{7.40}$$

und das ist der angekündigte Fast–1–Faktor. Aber mit dem eingangs erwähnten Gespür lagen wir goldrichtig. Bild 7–4 zeigt eine deutliche Abnahme der Dichte, bis sich bei r nahe R eine Schicht aus normalem Material bildet.

---

[5] MAPLE: dx := .00001: yy := 0: zz := 1: for i while yy>= 0 do: y := yy + dx * zz: x := i * dx: z := zz − dx * yy$^{3/2}$ * x$^{-1/2}$: zz := z: yy := y: od: p := x^4 * z;

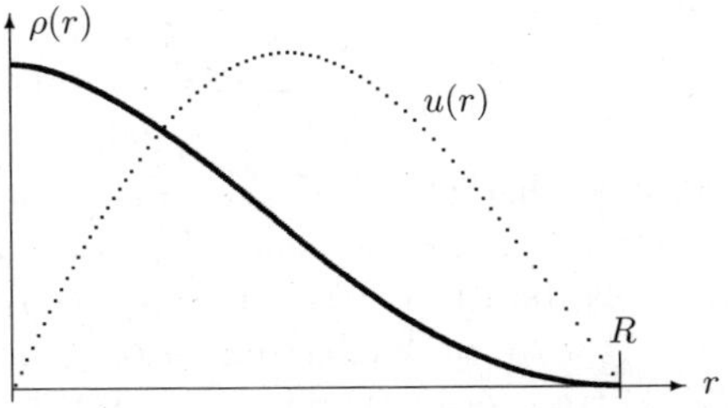

Bild 7–4 : Weißer Zwerg. Radiale Abnahme der Massendichte ρ in willkürlichen Einheiten. Die punktierte Linie zeigt den Verlauf der Lösung u der Dgl (7.36).

Packt man mehr und mehr Masse auf den Stern, so verringert sich nach (7.32) sein Radius. Der mittlere Impuls der Teilchen nimmt zu. Der Stern beginnt, von relativistischen Tatsachen Notiz zu nehmen [*Sexl*]. Bei entsprechender Behandlung des Problems zeigt sich ein Schwellenwert für M : Noch mehr Masse „geht nicht“ — ein Neutronenstern entsteht.

Zu den relativistischen Tatsachen gehört, daß kinetische Energie und Impuls klassischer Punktteilchen nicht per $T = \frac{p^2}{2m}$, sondern über $T = \sqrt{m^2c^4 + p^2c^2}$ miteinander zusammenhängen. Aber die gesamte klassische Physik ist doch nicht in Ordnung und insbesondere für Statistik untauglich — relativistische Quantentheorie bitte.

7.4 Dirac–Gleichung

Es gibt nur eine Natur, also auch nur eine Physik. Und sie erträgt es nicht gut, die Relativistik auf der einen Seite stehen zu lassen („jaja, die ist richtig“) und die Quantenmechanik auf der anderen und dann „je nach Problem“ mal zur einen oder anderen „Variante“ zu greifen. Entweder es ist eine direkte *unification* möglich oder eine der Varianten (die Quantenmechanik) ist falsch. Wir gehen jetzt über die erste der beiden Brücken — markiert mit ① im Diagramm des Vorwortes — und betreten das Gebiet der Quantenfeldtheorie (QFT). Es ist ein riesengroßes Gebiet. In diesem § 7.4 erarbeiten wir uns nur die Dirac–Gleichung ohne elektromagnetische Felder. Die Dirac–Gleichung mit Feld (so sagt man auch) folgt im § 10.1. Der Zugang ② wird im § 8.1 durchlebt.

Rückblick auf die spezielle Relativitätstheorie

Ganz kurz. Das wann–wo–Datenpaar eines Punktereignisses wird in bewegten Systemen je nach relativer Geschwindigkeit $\vec{v}$ unterschiedlich wahrgenommen. Den Zusammenhang zweier Datenpaare vermittelt die Lorentz–Transformation. Zur Standard–Situation (*boost* in x–Richtung), Labor Σ plus mit v in positiver x–Richtung fliegendes System Σ' , werden die Querkomponenten y, z in beiden

Systemen als gleich wahrgenommen, aber

$$\begin{pmatrix} ct' \\ x' \end{pmatrix} = \begin{pmatrix} \gamma & -\beta\gamma \\ -\beta\gamma & \gamma \end{pmatrix} \begin{pmatrix} ct \\ x \end{pmatrix} \quad \text{mit} \quad \beta = \frac{v}{c} \; , \; \gamma = \frac{1}{\sqrt{1-\beta^2}} \; . \qquad (7.41)$$

Wie sich (7.41) aus drei plausiblen Forderungen herleitet (eine davon ist, daß die Maxwell–Gleichungen gelten $\curvearrowright$ c ist in jedem Σ gleich), steht in [PB, Kap. 15]. Auch von jeder anderen physikalischen Größe (statt ct, x) muß sich sagen lassen, wie sie in Σ' wahrgenommen wird. Also ist sie Skalar oder Komponente eines 4–Vektors (:= einer, der sich wie (7.41) transformiert) oder 4–Tensor–Komponente. Schreibt man (7.41) — unter Hinzufügen trivialer Komponenten (zwei diagonale Einsen in der Matrix) — als $x^\mu = \Lambda^\mu{}_\nu \, x^\nu$ mit $\mu, \nu = 0, 1, 2, 3$ und Summenkonvention, so lassen sich allerlei weitere konkrete 4–Vektoren neben x^μ auflisten:

$$x^\mu = \begin{pmatrix} ct \\ \vec{r} \end{pmatrix} , \; p^\mu = \begin{pmatrix} T/c \\ \vec{p} \end{pmatrix} , \; A^\mu = \begin{pmatrix} \phi \\ c\vec{A} \end{pmatrix} , \; \partial^\mu = \begin{pmatrix} \partial_{ct} \\ -\nabla \end{pmatrix} \quad \text{usw.} \qquad (7.42)$$

Hat ein 4–Vektor Q den Index unten stehen, so ist $Q_\mu = \eta_{\mu\nu} Q^\nu$ gemeint mit $\eta_{\mu\nu} = \mathrm{diag}(1, -1, -1, -1)$. Lorentz–Skalare sind c, die Ladung q eines Teilchens und alle Skalarprodukte $P^\mu Q_\mu =: PQ$, wie z.B. auch der Box–Operator $\Box = \partial^\mu \partial_\mu = \partial^2$. Schöne Anwendung der Invarianz ist $p^2 = (T/c)^2 - \vec{p}^{\,2} \overset{!}{=} m^2 c^2 \curvearrowright T = \sqrt{m^2 c^4 + \vec{p}^{\,2} c^2}$. Weil im monentanen Ruhsystem eines Teilchens zu messen, ist auch seine Ruhmasse m ein Lorentz–Skalar.

So, wie man vektoriell formuliert, um in grundlegenden Gleichungen die Drehinvarianz der Vorgänge zu respektieren, ist nun 4–vektoriell zu formulieren, um der Raumzeit–Symmetrie der Welt gerecht zu werden. Grundlegende Gleichungen haben ihre Form zu bewahren[6], wenn man sie auf v–bewegte Natur anwendet. Oder anders gesagt: Man muß einen Zettel, auf dem sie stehen, auf eine Raketenreise mitnehmen dürfen. Im Moment reichen diese Erinnerungen bereits aus.

Die gesuchte Bewegungsgleichung einer relativistisch vernünftigen Quantentheorie hat „mitnehmbar" zu sein. Bei der Schrödinger–Gleichung zeigt schon der Blick auf ∂_t links und ∇^2 rechts, daß sie die erforderliche Formstabilität („Kovarianz") nicht hat. Vermutlich ist sie ein nicht–relativistischer Grenzfall, etwas im Sinne $c \to \infty$ asymptotisch Führendes.

Herleitung aus fünf Forderungen

Wir versuchen, uns vorzustellen, was Paul Dirac (1902 – 1984) um 1928 wohl für Selbstgespräche geführt haben mag. Die Quantenmechanik ist zumindest weitgehend richtig. Sie bedarf nur — möglichst ohne die Postulate (1.13) bis (1.19)

[6] Steht ein freier Index μ auf der linken Seite einer Gleichung oben, muß er auch zur Rechten oben erscheinen, damit sich beide Seiten gleich transformieren und die Struktur erhalten bleibt.

zu verletzen — einer Modifikation derart, daß einerseits $c \to \infty$ zur bekannten nicht–relativistischen Quantenmechanik führt und andererseits $\hbar \to 0$ zur relativistischen Mechanik. Es wird nicht daran zu rütteln sein, daß alle Information über ein Quantensystem in einer einwertigen Funktion $\psi \in \mathbb{C}$ enthalten ist. Versuchen wir doch einmal, all diesen Gedanken die Gestalt einiger Forderungen zu geben. Die gesuchte Bewegungsgleichung soll

I erster Ordnung in ∂_t sein (damit, wie bisher, der zu $t = 0$ vorliegende Informationsträger ψ alles über seine Zukunft weiß),

II linear in ψ sein (damit Superpositionen möglich sind und die ψ's Elemente eines Hilbert–Raumes bleiben),

III Formstabilität unter Lorentz–Transformation ermöglichen (wie dann die Transformation, insbesondere jene von ψ, konkret aussieht, wird besser erst im Nachhinein studiert), (7.43)

IV ebene Wellen der Form $A\,e^{\frac{i}{\hbar}(\vec{q}\,\vec{r}-E_q t)}$ unter ihren Lösungen haben, wobei $E_q := \sqrt{m^2c^4 + q^2c^2}$ (damit über Wellenpakete mit Gruppengeschwindigkeit $\langle\omega'(k)\rangle = \langle\partial_q E_q\rangle \to \partial_q\sqrt{\ldots}$ die relativistische Mechanik erreicht werden kann),

V die Norm von ψ erhalten (zeitlich unverändert lassen).

Der Katalog (7.43), sofern einmal akzeptiert, wird unweigerlich (?) zur gesuchten Gleichung führen. Im wesentlichen soll obiges Fragezeichen nur auf die generelle Ungenauigkeit von Worten verweisen. Aber der Leser möge sich im folgenden mit der Frage konfrontieren, ob nachträglich das Wort Herleitung in der Überschrift in Anführungszeichen zu setzen ist oder nicht.

Forderung I läßt uns $i\hbar\,\frac{1}{c}\,\partial_t\,\psi = \ldots$ niederschreiben. Wieso $i\hbar\frac{1}{c}$ davor? — solange rechts noch nichts steht, ist jeder Faktor erlaubt. Die rechte Seite kann generell als Operator–angewandt–auf–ψ geschrieben werden (irgendetwas, was die ψ–Information aufnimmt). Wegen II muß es jedoch ein linearer Operator sein: $i\,\hbar\,\partial_{ct}\,\psi = [\text{linearer Operator}]\,\psi$ ($[\ ]$ = linearer Operator heißt nur $[\ ]\,(\alpha\psi_1 + \beta\psi_2) = \alpha\,[\ ]\,\psi_1 + \beta\,[\ ]\,\psi_2$, ist also nicht mit „linear in …“ zu verwechseln). Daß er nach Forderung V überdies hermitesch sein muß, stellen wir noch ein Weilchen zurück.

Typisch relativistisches Element ist Forderung III. ∂_{ct} ist nullte Komponente eines 4–Vektors und sucht verzweifelt nach ihrem räumlichen Partner ∇. Er muß linear im Operator $[\quad]$ stehen und zwar (wegen Drehinvarianz beider Seiten) als Dreier–Skalarprodukt. Wir schreiben $[\quad] = -i\hbar\gamma^{0\,-1}\vec{\gamma}\cdot\nabla + \gamma^{0\,-1}\text{const}$ (was auch immer $\gamma^{0\,-1}\vec{\gamma}$ ist), multiplizieren die ganze Gleichung mit γ^0 (was immer das ist) und schaffen die rechte auf die linke Seite:

$$\left[i\hbar\left\{\gamma^0\partial_{ct} + \vec{\gamma}\cdot\nabla\right\} - \text{const}\right]\psi = \left[i\hbar\gamma^\mu\partial_\mu - mc\right]\psi = 0\ . \tag{7.44}$$

Jetzt sieht man gut, daß links schlicht die allgemeine Linearkombination der vier Differentiationen ∂_{ct}, ∂_x, ∂_y, ∂_z aufgeschrieben wurde. Da bisher keiner der vier Koeffizienten γ^0, γ^k $(k = 1,2,3)$ festgelegt wurde, durften wir im mittleren Ausdruck (7.44) über die Konstante frei verfügen.

Forderung IV bestimmt nun weitgehend die Koeffizienten. Bei Anwendung auf die in IV genannte ebene Welle ersetzt sich $i\hbar\partial_{ct}$ durch $\frac{1}{c}E_q = \sqrt{m^2c^2+q^2}$ (q für Impuls–Eigenwerte, um vom Operator p zu unterscheiden) und $i\hbar\nabla$ durch $-\vec{q}$. Beliebige $\vec{q}$ sind wählbar. Also hat

$$\left(\gamma^0\sqrt{m^2c^2+q^2} - \vec{\gamma}\vec{q} - mc\right)A = 0 \tag{7.45}$$

für alle $\vec{q}$ zu gelten. Aber das geht doch gar nicht — nicht für Zahlen–Koeffizienten γ^μ — daß die Wurzel in (7.45) gleich einem in q linearen Ausdruck wird. Der Ausweg besteht darin, den Vorfaktor A der ebenen Welle als N–komponentigen Vektor anzusehen und die „Koeffizienten" γ^μ als $N*N$–Matrizen, welche auf A wirken. Durchatmen. Das ist eine tolle Idee, weil damit (7.45) ein Gleichungssystem wird, dessen Lösbarkeitsbedingung zu studieren ist:

$$\gamma^0\sqrt{m^2c^2+q^2} - \vec{\gamma}\vec{q} =: \mathcal{M} \;\;,\;\; (\mathcal{M}-mc)\,A = 0 \;\;,\;\; \det(\mathcal{M}-mc) \overset{!}{=} 0 \;. \tag{7.46}$$

Die Determinanten–Beziehung rechts in (7.46) wird viel einfacher, wenn man sie mit $\det(\mathcal{M}+mc)$ multipliziert. Dieser Schritt braucht die Konsistenzannahme, daß entweder $\det(\mathcal{M}+mc) \neq 0$ ist oder (so wird es sein) daß beide Determinanten verschwinden. Mit dem Vorsatz, diese Annahme im rechten Moment noch zu kontrollieren, dürfen wir mit

$$\begin{aligned} 0 &\overset{!}{=} \det(\mathcal{M}-mc)\,\det(\mathcal{M}+mc) \;=\; \det(\mathcal{M}^2 - m^2c^2) \\ &= \det\left[(\gamma^0)^2(m^2c^2+q^2) + (\vec{\gamma}\vec{q})^2 - \sqrt{m^2c^2+q^2}\,\vec{q}(\gamma^0\vec{\gamma}+\vec{\gamma}\gamma^0) - m^2c^2\right] \end{aligned} \tag{7.47}$$

fortfahren. Es folgt Koeffizientenvergleich der q–Potenzen. Damit der $\vec{q}$–Term verschwindet, setzen wir $\gamma^0\vec{\gamma} + \vec{\gamma}\gamma^0 = 0$. Die m^2c^2–Terme kompensieren sich, wenn $(\gamma^0)^2 = 1$ ist. Schließlich muß $(\vec{\gamma}\vec{q})^2 = -q^2$ werden. Dies ist ein *sandwich* aus q–Scheiben und besagt, daß $q_j\frac{1}{2}(\gamma^j\gamma^k + \gamma^k\gamma^j)q_k = -q^2 = q_j\eta^{jk}q_k$ für alle $\vec{q}$ zu gelten hat. Wir sind bei der **Clifford–Algebra** angekommen, beruhend auf der folgenden Plus–Kommutator–Relation:

$$\{\gamma^\mu, \gamma^\nu\} = 2\,\eta^{\mu\nu} \;\;,\;\; \gamma^{0\,\dagger} = \gamma^0 \;\;,\;\; (\gamma^0\gamma^k)^\dagger = \gamma^0\gamma^k \;. \tag{7.48}$$

Da jedes γ eine $N*N$–Matrix ist, hat man sich an $\eta^{\mu\nu}$ eine $N*N$–Einheitsmatrix hinzu zu denken. Die obigen †–Beziehungen sind Vorgriff auf V.

Um die Forderung V zu studieren, gruppieren wir zuerst (7.44) noch einmal um und lassen (vorübergehend) die Schrödinger–Gleichung

$$i\hbar\dot{\psi} = H_D\,\psi \quad \text{mit} \quad H_D = mc^2\gamma^0 - \hbar c\gamma^0\gamma^k\, i\partial_k \tag{7.49}$$

entstehen. H_D ist der **Dirac Hamiltonian**. Der Index k läuft über $1, 2, 3$, und es ist $\partial_1 := \partial_x$ etc. (weil unten indiziert). Die $i\partial_k$ sind hermitesch. Wie aus „alter" Quantenmechanik bekannt, verlangt Normerhaltung, daß H_D hermitesch ist — und dies erzwingt, wie man sieht, die †–Beziehungen in (7.48).

Der Katalog ist abgearbeitet. Es ist *nicht* nötig, vier γ–Matrizen, welche (7.48) erfüllen, explizit anzugeben. Überhaupt existieren müssen solche Quadrupel natürlich, aber das zeigt sich weiter unten in (7.52). In der QFT werden konkrete Berechnungen (z.B. von Streuquerschnitten) meist *darstellungs–unabhängig* ausgeführt. Zu sehen, wie aus meßbaren Resultaten die γ's herausfallen, das ist dann eine willkommene Bestätigung für die Richtigkeit der Rechnung.

$(i\,\not\partial - m)\,\psi = 0$

Eigentlich steht die (Feld–freie) Dirac–Gleichung in (7.44) rechts bereits da. Sie möchte nur noch mittels *slash*–Definition den üblichen Schliff bekommen. Irgendeinen 4–Vektor Q kann man mit γ's linear kombinieren. Das Resultat ist die $N * N$–Matrix $\gamma^\mu Q_\mu =: \not Q$. Damit nimmt die Dirac–Gleichung die Gestalt

$$(i\hbar\not\partial - m\,c)\,\psi \;=\; 0 \qquad (7.50)$$

an. ψ hat N Komponenten, auf welche die $N * N$–Matrix $\not\partial$ wirkt (und welche zugleich von den in jedem Matrixelement enthaltenen ∂'s abgeleitet werden). Im Maßsystem der Feldtheoretiker ist $\hbar = c = 1$ und dann sieht (7.50) wie in der Zwischenüberschrift aus. „Notieren Sie die Dirac–Gleichung! — Keine Idee?!" — „Ach so, iiiiii deeeeee minus m ... "

Übung 7/10 Mit Hilfe der Clifford–Algebra zeigt sich, daß $\not Q^2$ proportional zur $N * N$–Einheitsmatrix ist — mit welchem Vorfaktor?

Lösung $\not Q^2 = Q_\mu\gamma^\mu\gamma^\nu Q_\nu = Q_\mu \frac{\gamma^\mu\gamma^\nu+\gamma^\mu\gamma^\nu}{2} Q_\nu = Q_\mu\eta^{\mu\nu}Q_\nu = Q_\mu Q^\mu = Q^2\,.$

Übung 7/11 Stromdichte $\vec{\jmath}$. Der Weg, auf welchem in der „alten" Quantenmechanik der Ausdruck für die Wahrscheinlichkeits–Stromdichte $\vec{\jmath}$ erhalten wird, ist perfekt auch mit (7.49) gangbar. $\vec{\jmath} = ?$ Ladungs–Stromdichte $j^\mu = ?$

Lösung $\rho = \psi^*\psi$ ist normales Skalarprodukt bezüglich der N Komponenten. $\nabla\vec{\jmath} = -\dot\rho = (\frac{i}{\hbar}H_D\psi)^*\psi + \psi^*\frac{i}{\hbar}H_D\psi = c(\gamma^0\vec\gamma\nabla\psi)^*\psi + c\psi^*\gamma^0\vec\gamma\nabla\psi\,,\ (\gamma^0\vec\gamma\chi)^*\psi = \chi^*\gamma^0\vec\gamma\psi$ (aus ähnlichem Grunde verschwand der mc^2–Term) gibt $\nabla\vec{\jmath} = \nabla\psi^* c\gamma^0\vec\gamma\psi$, somit $\vec{\jmath} = \psi^* c\gamma^0\vec\gamma\psi = \overline{\psi}c\vec\gamma\psi$ $(\overline{\psi} := \psi^*\gamma^0)$. In ED ist $c\rho$ die nullte Komponente zu $\vec{\jmath}$: $c\rho = q\psi^*\psi = q\psi^*\gamma^0\gamma^0\psi$, ergo: $j^\mu = \overline{\psi}\,qc\gamma^\mu\,\psi$.

Dirac–Basis

Mitunter ist es eben doch hilfreich, ein konkretes Quadrupel von γ's in der Speisekammer zu haben, (a) um zweifelhafte Relationen explizit nachrechnen zu können, (b) weil manche Rechnungen damit eben doch einfacher werden und (c) weil es allemal beruhigt, etwas Konkretes vor Augen zu haben. Daß ψ mindestens $N = 4$ Komponenten hat (und γ^μ mindestens $4 * 4$ ist), erschließt sich auf die folgende krumme Tour:

$$\begin{aligned} &\text{Clifford}: \gamma^k\gamma^0 = -\gamma^0\gamma^k \text{ und } (\gamma^k)^2 = -1 \quad \curvearrowright \quad \gamma^0 = \gamma^k\gamma^0\gamma^k \text{ nicht summieren!} \\ &\curvearrowright \quad \mathrm{Sp}(\gamma^0) = \mathrm{Sp}(\gamma^k\gamma^0\gamma^k) = -\mathrm{Sp}(\gamma^0) = 0 \quad ; \quad (\gamma^0)^2 = 1 \\ &\curvearrowright \quad \gamma^0\text{–Eigenwerte} = \pm 1 \quad ; \quad \text{also muß } N \text{ eine gerade Zahl sein.} \end{aligned} \tag{7.51}$$

Zu $N = 2$ wird $2 * 2$–Matrix–Raum von den drei **Pauli–Matrizen**

$$\vec{\sigma} = \left(\begin{pmatrix} 0 & 1 \\ 1 & 0 \end{pmatrix}, \begin{pmatrix} 0 & -i \\ i & 0 \end{pmatrix}, \begin{pmatrix} 1 & 0 \\ 0 & -1 \end{pmatrix} \right), \tag{7.52}$$

und der Einheitsmatrix aufgespannt. Aber die letztere würde Clifford verletzen. Also ist $N = 4$ der erste ernst zu nehmende Kandidat, und damit geht es — zum Beispiel so:

$$\gamma^0 = \begin{pmatrix} 1 & 0 \\ 0 & -1 \end{pmatrix} \quad , \quad \vec{\gamma} = \begin{pmatrix} 0 & \vec{\sigma} \\ -\vec{\sigma} & 0 \end{pmatrix} \quad , \tag{7.53}$$

wobei 1 für $\begin{pmatrix} 1 & 0 \\ 0 & 1 \end{pmatrix}$ steht und 0 für $\begin{pmatrix} 0 & 0 \\ 0 & 0 \end{pmatrix}$. Mehrere „Basen" sind im Gebrauch. Als Anwendung zu (7.53) bietet sich an, endlich die vor (7.47) riskierte Konsistenzannahme zu verifizieren. Die Matrix $\mathcal{M}$ steht in (7.46) und kann mit obigen γ's explizit aufgeschrieben werden:

$$\begin{aligned} \det(\mathcal{M} \pm mc) &= \begin{vmatrix} \sqrt{m^2c^2 + q^2} \pm mc & -\vec{q}\vec{\sigma} \\ \vec{q}\vec{\sigma} & \sqrt{m^2c^2 + q^2} \pm mc \end{vmatrix} \\ &= \det\Big(-m^2c^2 - q^2 + m^2c^2 + (\vec{q}\vec{\sigma})^2 \Big) = 0 \quad . \end{aligned} \tag{7.54}$$

Beide Determinanten sind also Null, insbesondere jene mit Minuszeichen: Konsistenzannahme bestätigt. Oh, in (7.54) wurde ja die Determinante nach Sarrus ausgeführt, was bei $4 * 4$ doch gar nicht mehr erlaubt ist. — ? — Nein, nein, wir hatten sehr vornehm nach

$$\underline{\det} \begin{pmatrix} A & B \\ C & D \end{pmatrix} = \det\Big(AD - ACA^{-1}B \Big) \tag{7.55}$$

gegriffen[7] und dann $A \sim 1$ ausgenutzt. In (7.55) sind A, B, C, D $n{*}n$–Matrizen, so daß $2n = N$. <u>det</u> verarbeitet hier $N * N$–, aber det nur $n * n$–Matrizen. Die

[7] Die Herleitung von (7.55) ist etwas biestig: $\begin{pmatrix} A & B \\ C & D \end{pmatrix} = \begin{pmatrix} A & 0 \\ 0 & D \end{pmatrix} \left[1 + \begin{pmatrix} A^{-1} & 0 \\ 0 & D^{-1} \end{pmatrix} \begin{pmatrix} 0 & B \\ C & 0 \end{pmatrix} \right]$,

Null am Ende von (7.54) ergab sich mittels $(\vec{a}\vec{\sigma})(\vec{b}\vec{\sigma}) = \vec{a}\,\vec{b} + i\,(\vec{a} \times \vec{b})\vec{\sigma}$. Daß auch dies gilt, wird Übung 10/4 zeigen.

Dirac–Spektrum

Ist die Dirac–Gleichung (7.50) etabliert, so darf ihre Herleitung weitgehend wieder vergessen werden, natürlich nicht die Bedeutung der enthaltenen Symbole. Zur Feld–freien (Potential–freien) Schrödinger–Gleichung (7.49) drängt sich die Frage auf, welche stationären Lösungen sie wohl habe: Setze die Wellenfunktion ψ als ebene Welle $A\,\mathrm{e}^{\frac{i}{\hbar}(\vec{q}\,\vec{r}-Et)}$ an. Es ist wichtig, diesen nur scheinbar schon erledigten Schritt wirklich zu gehen. Ein noch zu bestimmendes E steht jetzt im Exponenten. Aus (7.49) entsteht mit dem genannten Ansatz und mittels Dirac–Basis

$$\begin{pmatrix} E - mc^2 & -c\vec{q}\vec{\sigma} \\ -c\vec{q}\vec{\sigma} & E + mc^2 \end{pmatrix} A = 0 \quad . \tag{7.56}$$

Erneut hilft (7.55) weiter und liefert uns die Lösbarkeitsbedingung $E^2 = m^2c^4 + q^2c^2$. Diese Gleichung hat *zwei* Lösungen:

$$E \;=\; \pm\sqrt{m^2c^4 + q^2c^2} \quad . \tag{7.57}$$

Es gibt auch den negativen Ast der Wurzel — wohl oder übel? glücklicherweise! Mit ihm erklärt sich nämlich schon bei bloßer Betrachtung von Bild 7–5 eine ganze Menge Physik.

Bild 7–5 zeigt eine Halbleiter–Bandstruktur mit perfekter Teilchen–Loch–Symmetrie. Die $\vec{q}$–Achse ist eine beliebige aus dem 3D $\vec{q}$–Impulsraum. Hat eine PBC denselben diskretisiert, so gibt es an jeder Stelle $\vec{q}$ zwei Zustände im Leitungsband und zwei im Valenzband. Bei $T = 0$ ist das Valenzband voll besetzt. Aber auch im Leitungsband gibt es ein paar Teilchen: die wenigen, welche unser heutiges Universum ausmachen. In der Nähe des Bandrandes, wo $E - mc^2 = \sqrt{m^2c^4 + q^2c^2} - mc^2$ nur noch als $\frac{q^2}{2m}$ wahrnehmbar ist, treiben diese Teilchen nicht–relativistische Quantenmechanik: Der „Alltag“ ist dort angesiedelt. Wie sich bei $c \to \infty$ aus der Dirac–Gleichung u.a. sogar der Hamilton–Operator (1.20) ergibt, rekapitulieren wir allerdings erst im § 10.1.

$\underline{\det}(\ldots) = \det(D)\,\det(A)\,\underline{\det}\,[1 + \mathcal{M}\,]$ mit $\mathcal{M} = \begin{pmatrix} 0 & R \\ S & 0 \end{pmatrix}$ und $R = A^{-1}B$, $S = D^{-1}C$. $\ln(\underline{\det}\,[1 + \mathcal{M}\,]) = \underline{\mathrm{Sp}}\,(\ln\,[1 + \mathcal{M}\,]) = \underline{\mathrm{Sp}}\,(\mathcal{M} - \frac{1}{2}\mathcal{M}^2 + \frac{1}{3}\mathcal{M}^3 - \frac{1}{4}\mathcal{M}^4 + \ldots)$, $\underline{\mathrm{Sp}}\,(\mathcal{M}^{\,\mathrm{ung.}}) = 0$, $\underline{\det}\,[1 + \mathcal{M}\,] = e^{\underline{\mathrm{Sp}}} = e^{-\mathrm{Sp}(RS) - \frac{1}{2}\mathrm{Sp}(RSRS) - \frac{1}{3}\mathrm{Sp}(RSRSRS) - \ldots} = e^{\mathrm{Sp}\,[\ln(1-RS)]} = \det(1 - RS) = \det(1 - A^{-1}BD^{-1}C)$, qed. Geht es besser?

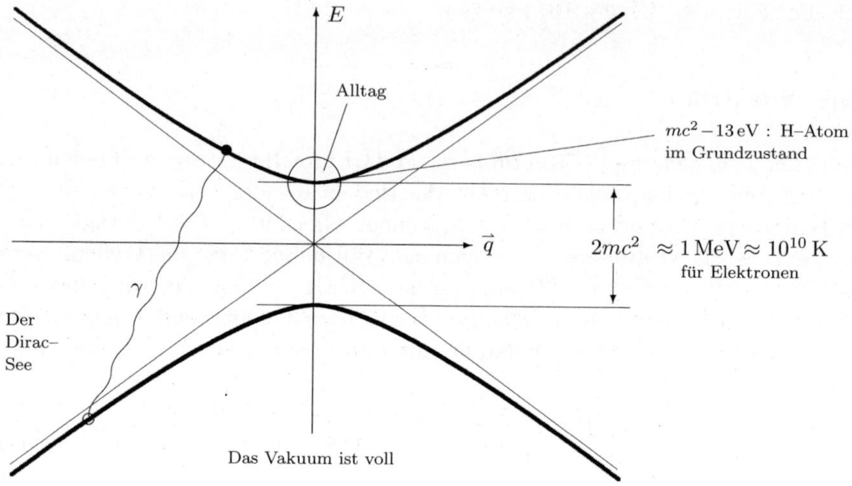

Bild 7–5 : Energie über Impuls zur Dirac–Gleichung ohne elektromagnetische Felder.

Wir leben in einem „Welthalbleiter“. Nur Mut. Das Bild 7–5 ist nämlich leider kaum noch in QFT–Lehrbüchern vorzufinden. Ein Festkörper würde doch ein Ruhsystem auszeichnen, ist zu hören — nanu, wie mit dem Bild umzugehen ist, das lernen wir doch gerade erst. Oder: Positronen (= die Löcher im Valenzband) würden doch ihre eigenen Erzeugungs–Operatoren benötigen — einverstanden: in Besetzungszahldarstellung (halbleiterisch denkend und stur nach § 4.3) kommt der Feldoperator Ψ zu Papier. Recht simpel lassen sich dann unter Vakuum–Umdefinition dessen Valenzband–Elektron–Vernichter zu Positron–Erzeugern erklären: $b_{-s,-\vec{k}} =: d^{\dagger}_{s,\vec{k}}$. Die Vertauschungsregeln (4.30) bleiben dabei richtig. Jedenfalls gelangt man *auch so* zum üblichen fermionischen Feldoperator der QFT. Wie man auch nachdenkt, es ist alles in Ordnung mit den obigen Kommentaren zu Bild 7–5. Und es induziert noch einige weitere gute Gedanken:

- Daß ein γ–Quant aus dem Valenzband ein Elektron herausschlägt, ist zumindest in der Energiebilanz denkbar: Ein Elektron–Positron–Paar entsteht.
- Wegen des mit Teilchen angefüllten Valenzbandes haben wir es in der QFT unausweichlich mit Systemen vieler (wechselwirkender) Teilchen zu tun — und folglich auch mit den entsprechenden Rechentechniken.
- Wir können den Welthalbleiter nicht verlassen oder mal flugs ein Elektron herausnehmen, um seine Masse zu ermitteln. Schlimm. Der Gedanke macht die Notwendigkeit des Renormierungs–Programms der QFT verständlich und die zughörige Quälerei etwas erträglicher.

- Wir haben ständig an Elektronen gedacht, aber alles in diesem § 7.4 gilt ebensogut für jedes andere elementare Teilchen in der Tabelle (7.1). Somit hat jedes der dort genannten Teilchen sein Antiteilchen.[8]
- Der böse Einwand, dem Welthalbleiter fehle ja der positive Ladungshintergrund, ein gefüllter elektronischer Dirac–See brächte also unendliche negative Ladung in die Welt (*... an infinitely charged unobservable sea looks rather queer*, heißt es bei [*Itzykson/Zuber*, § 2–4–1]), hat zumindest zur Zeit eine befriedigende (vielleicht etwas süffisante) Antwort: Addition der Ladungen aller Teilchen in (7.1), somit aller Dirac–Seen, gibt Null. Der *color* wegen zählt jedes quark dreifach.
- Jene 13 eV, um welche der Grundzustand des H–Atoms unter dem Leitungsband liegt, lassen sich im Bild 7–5 nicht mehr auflösen. Beim Blick auf die Natur (der Elektronen) hat sich dank Dirac–Gleichung unser Horizont um einen Faktor 100 000 erweitert!
- Mitunter, nicht wahr, verlangen unsere „normaleren“ Mitbürger nach Erklärungen zur modernen Physik. Dazu sind Bilder besonders gut geeignet — der Wahrheit entsprechende natürlich. 7–5 ist eins.
- Werden Elektronen in das Leitungsband thermisch angeregt, so geht es zu wie beim Halbleiter — aber das ist Gegenstand des nächsten Abschnittes.

Abgesehen vom Felder–Einbau in die Dirac–Gleichung (§ 10.1) wären jetzt wohl noch zwei Dinge sofort zu tun (jedoch wohl kaum noch in dieses Buch passend). Die 4–komponentigen Lösungen A von (7.56) sind zu ermitteln — das geht natürlich: [*Itzykson/Zuber*, § 2–1–2]. Zum anderen fehlt noch, wie sich die Dirac–Gleichung unter Lorentz–Transformation verhält. Wenigstens sei noch angemerkt, wo vor einer Raketenreise Striche anzubringen sind: $(i\gamma^\mu \partial'_\mu - m)\, \psi'(ct', \vec{r}\,') = 0$ — nicht also an den Gamma–Matrizen (das sind numerisch invariante Tensoren), aber sehr wohl an ψ, weil dessen Komponenten–Verhältnisse verändert erscheinen könnten. Tatsächlich passiert das auch.

Übung 7/12 Außerirdische, auf ihrem heißen Stern an die Zustandsdichte $z_{\text{rel.}}(\varepsilon) = ?$ gewöhnt, staunen darüber, daß die Terraner mit einem $z(\varepsilon)$ ihre Metallphysik betreiben, welches gar kein c enthält. Wie folgt z aus $z_{\text{rel.}}$?

Lösung $\varepsilon_k = \pm\sqrt{m^2c^4 + c^2\hbar^2k^2}$, $2\frac{V}{(2\pi)^3}\, 4\pi \int_0^\infty dk\, k^2\, F(\varepsilon_k) = \frac{V}{\pi^2}\frac{1}{(\hbar c)^3}\Big(\int_{mc^2}^\infty d\varepsilon\, \varepsilon - \int_{-\infty}^{-mc^2} d\varepsilon\, \varepsilon\Big)\sqrt{\varepsilon^2 - m^2c^4}\; F(\varepsilon) \overset{!}{=} \int d\varepsilon\, z_{\text{rel.}}(\varepsilon) F(\varepsilon) \curvearrowright z_{\text{rel.}}(\varepsilon) = \frac{V}{\pi^2(\hbar c)^3}\,\varepsilon \cdot \sqrt{\varepsilon^2 - m^2c^4}\,\left[\theta(\varepsilon - mc^2) - \theta(-\varepsilon - mc^2)\right]$. Alltag: $z(\varepsilon') = z_{\text{rel.}}(mc^2 + \varepsilon')$ mit $\varepsilon' \ll mc^2$, $\sqrt{\quad} \to \sqrt{\varepsilon'\, 2mc^2}$, $z(\varepsilon') \to \frac{V}{2\pi^2}\left(\frac{2m}{\hbar^2}\right)\sqrt{\varepsilon'}\;\theta(\varepsilon') = (3.66)$.

[8] Über Bosonen läßt sich grundsätzlich alles in Erfahrung bringen — wie schwierig die Details auch sein mögen — indem man sie sich aus Fermionen zusammengesetzt denkt.

7.5 Paarerzeugung

Jene im Bild 7–5 genannten 10^{10} K werden leicht erreicht und überschritten, wenn wir in frühe Zeiten des Universums zurückgehen. Die Statistik des Gleichgewichts interessiert sich nicht dafür, welche Prozesse zum Gleichgewicht führen — hier zum großkanonischen. Sie will wissen, welche Theorie „eingefüllt" ist, und zu dieser benötigt sie das Spektrum stationärer Energien. Wir kennen beides. Zur Theorie auf den *Dirac Hamiltonian* (7.49) zu verweisen, klingt nicht gut (weil relativistisch nur Teilstück). Wir sagen besser (ohne uns hier von Erklärungen ablenken zu lassen), der Kasten werde von der zugehörigen Lagrange–Dichte $\mathcal{L} = \overline{\psi}(i\partial\!\!\!/ - m)\psi$ regiert, deren Variation die feldfreie Dirac–Gleichung liefert.

Es wird ein kurzer und einfacher Abschnitt. Nur etwas Courage wird erwartet[9]. Im gegenwärtigen Universum sind Elektronen und ihre Ladungshintergründe außerordentlich inhomogen verteilt. Würden sie ein homogenes Medium bilden, dann hätte der Welthalbleiter sein chemisches Potential μ mitten im Leitungsband liegen. (7.18) träfe noch zu. Nur die Unterklammerungen wären falsch, weil wegen des Überschusses im Leitungsband $N_c > N_h$ und die erste Unterklammerung $< N$ wäre. Dort stünde eine Zahl kleiner als N. Sagen Sie nicht „N ist ohnehin unendlich", denn man könnte mit einem *cutoff* tief im Valenzband arbeiten. Um solche Fragen auszuklammern, vernachlässigen wir kurzerhand die paar Teilchen des Universums und betrachten reines Vakuum.

Vakuum heißt, daß bei $T = 0$ das chemische Potential in der Bandlücke liegt, und zwar genau in der Mitte. Wegen der Teilchen–Loch–Symmetrie bleibt es bei beliebiger Erwärmung streng dort liegen: $\mu(T) \equiv 0$. Wir hatten dies im Text unter (7.23) angemerkt und auch schon in Übung 4/12 notiert. Jetzt trifft (7.18) samt Unterklammerung doch wieder zu, und die Zahl der Positronen ist gleich der Zahl der Elektronen. Nur eine der beiden braucht ausgerechnet zu werden.

Statt mit der Zustandsdichte aus Übung 7/12 zu arbeiten, gehen wir besser auf deren Vorgeschichte zurück. Wir denken uns ein Volumen V, gefüllt mit Vakuum (und Dirac–Theorie), und versehen es mit PBC. Auch $\sum \to \int$ geht uns (noch?!) von der Hand. Fermi–Verteilung (hier zu $\mu = 0$) und Trivialformeln können wir im Schlafe. Also erscheint folgendes auf dem Papier:

$$N_{\text{Elektronen}} = 2\,\frac{V}{(2\pi)^3}\,4\pi \int_0^\infty dk\, k^2\, \frac{1}{\mathrm{e}^{\beta\sqrt{m^2c^4+\hbar^2c^2k^2}}+1}\,. \tag{7.58}$$

[9] „. . . Jede der oben erwähnten Schwierigkeiten hätte mit geringer Anstrengung überwunden werden können. Die ersten drei Minuten sind uns jedoch zeitlich so fern, und die Temperatur- und Dichteverhältnisse sind so ungewöhnlich, daß es uns ein wenig widerstrebt, unsere gewöhnlichen Theorien der statistischen Mechanik und der Kernphysik darauf anzuwenden. . . .
So etwas geschieht oft in der Physik: unser Fehler ist nicht, daß wir unsere Theorien zu ernst nehmen, sondern daß wir sie nicht ernst genug nehmen. Man kann sich stets nur schwerlich vorstellen, daß die Zahlen und Gleichungen, mit denen wir an unseren Schreibtischen spielen, etwas mit der wirklichen Welt zu tun haben. . . ." [*Weinberg*, Kap. VI–Ende]

Das Integral ist (einmal mehr) nicht elementar ausführbar, aber (einmal mehr) seinen Grenzfällen nicht abgeneigt.

Bei $T \to 0$ ($\beta \to \infty$) erwarten wir gemäß Bild 7–5, daß die Anzahl der Elektronen $\sim \mathrm{e}^{-\beta mc^2}$ ausfriert. Die technischen Details können getrost der Übung 7/13 überlassen werden.

Übung 7/13 Ausfrieren der Elektron–Positron–Paare. Welche T–Potenz und welchen Vorfaktor (führender Term) bekommt die Elektronen–Anzahl bei $T \to 0$?

Lösung (7.58): $N \to \frac{V}{\pi^2}\,\mathrm{e}^{-\beta mc^2}\int_0^\infty dk\,k^2\,\mathrm{e}^{-\beta\left[\sqrt{\ldots}-mc^2\right]}$, $[\quad] = \frac{\hbar^2k^2}{2m} + \mathcal{O}(k^4)$, $\int dk\,\ldots \to \left(T\,\frac{2m}{\hbar^2}\right)^{3/2}\frac{1}{4}\sqrt{\pi}$, $N \to V\,\frac{1}{4}\left(\frac{2m}{\pi\hbar^2}\,T\right)^{3/2}\mathrm{e}^{-\beta mc^2}$ = dimensionslos.

Im Grenzfall hoher Temperatur ($\beta \to 0$) wird das Integral in (7.58) von großen k's dominiert. Die Wurzel reduziert sich auf $\hbar ck$, und wir erhalten im ultrarelativistischen Grenzfall

$$N^{\text{ultrarel.}}_{\text{Elektronen}} = \frac{V}{\pi^2}\int_0^\infty dk\,k^2\,\frac{1}{\mathrm{e}^{\beta\hbar ck}+1} = \frac{V}{\pi^2}\left(\frac{T}{\hbar c}\right)^3\int_0^\infty dx\,\frac{x^2}{\mathrm{e}^x+1}\;. \tag{7.59}$$

Das x–Integral ist $2\sum_{n=1}^\infty(-1)^{n+1}/n^3$ und hat ungefähr den Wert 1.8. Auch die Energie im elektronischen Sektor kann als Integral aufgeschrieben werden: der Zähler 1 in (7.59) Mitte ist dann durch $\hbar ck$ zu ersetzen:

$$E^{\text{ultrarel.}}_{\text{Elektronen}} = \frac{V}{\pi^2}\frac{T^4}{(\hbar c)^3}\int_0^\infty dx\,\frac{x^3}{\mathrm{e}^x+1} = \frac{V}{\pi^2}\frac{T^4}{(\hbar c)^3}\frac{7\,\pi^4}{120}\;. \tag{7.60}$$

Die Positronen verdoppeln natürlich die obige Energie. Das x–Integral wurde à la Übung 6/6 zu einer Summe, und diese steht als (7.55) in Bronstein u.a. „Taschenbuch der Mathematik“ (H. Deutsch 2000). Eine $\sim T^4$ anwachsende Energie ist für ultrarelativistische Materie typisch. Drei T–Potenzen rühren daher, daß die Teilchenzahl (7.59) thermisch generiert ist. Wenn uns dieses T^4 alsbald beim Photonen–Gas erneut zu Gesicht kommt, dann ist es bereits ein alter Bekannter.

Schließlich interessiert der Druck des Systems. Er setzt sich ebenfalls aus zwei gleichen Teilen zusammen, einer positronisch und einer elektronisch. Generell ist laut (4.16) $p = -\Omega/V$, und laut (4.46) hat das großkanonische Potential Ω für ideale Fermionen die Gestalt $\Omega = -T\sum_\lambda \ln(1+\mathrm{e}^{-\beta\varepsilon_\lambda})$:

$$\begin{aligned} p^{\text{ultrarel.}}_{\text{Elektronen}} &= \frac{T}{V}\,2\sum_{\vec{k}}\ln\left(1+\mathrm{e}^{-\beta\hbar ck}\right) = \frac{T}{\pi^2}\int_0^\infty dk\,k^2\ln\left(1+\mathrm{e}^{-\beta\hbar ck}\right) \\ &= \frac{T^4}{\pi^2(\hbar c)^3}\int_0^\infty dx\,x^2\ln\left(1+\mathrm{e}^{-x}\right) \quad ; \quad \text{partielle Integration:} \\ &= \frac{1}{3}\,\frac{1}{\pi^2}\,\frac{T^4}{(\hbar c)^3}\int_0^\infty dx\,\frac{x^3}{\mathrm{e}^x+1} = \frac{1}{3}\,\frac{E^{\text{ultrarel.}}_{\text{Elektronen}}}{V}\;. \end{aligned} \tag{7.61}$$

Typisch ultrarelativistisch (und auf $\varepsilon \sim k$ statt $\varepsilon \sim k^2$ beruhend) ist der Faktor 1/3 rechts in (7.61). Er war uns in Übung 3/8 (b) schon einmal begegnet. Ersetzen Sie e^{-x} in der zweiten Zeile von (7.61) durch e^{-x^2} und integrieren partiell im Kopf: Schon erscheint jenes 2/3, welches zum Idealgas–Konstrukt ($pV = NT$, $E = 3NT/2$) zwischen p und E/V steht — auch „Spinnen" will geübt sein.

Übung 7/14 Der Faktor $\frac{1}{3}$ in (7.61) kam heraus, ohne daß Integrale auszuwerten waren. Ob da „mehr drin" ist ? — Wir drehen jetzt den Spieß um und *verlangen*, daß $p = \zeta\, E/V$ gelte, und zwar für alle β, μ eines idealen Spin–$\frac{1}{2}$–Fermi–Systems mit einer Zustandsdichte $\sim \theta(\varepsilon)$.
(a) Welche Dgl für $z(\varepsilon)$ ist die Folge? Welche Lösung hat sie?
(b) Kommt das ultra–relativistische $\zeta = \frac{1}{3}$ wieder heraus ? Und welche ζ–Werte ergeben sich nicht–relativistisch in 1D, in 2D und in 3D?

Lösung (a) $p = \frac{T}{V}\int_0^\infty d\varepsilon\, z(\varepsilon) \ln\left(1 + \mathrm{e}^{-\beta(\varepsilon-\mu)}\right)$, $\frac{E}{V} = \frac{1}{V}\int_0^\infty d\varepsilon\, z(\varepsilon)\, \varepsilon\, \frac{1}{\mathrm{e}^{\beta(\varepsilon-\mu)}+1}$, p. Int.:
$\frac{E}{V} = \frac{T}{V}\int_0^\infty d\varepsilon \left[z(\varepsilon) + \varepsilon z'(\varepsilon)\right] \ln\left(1+\mathrm{e}^{-\beta(\varepsilon-\mu)}\right)$, $z \overset{!}{=} \zeta\,(z + \varepsilon z')$, $z(\varepsilon) = A\,\varepsilon^{\frac{1}{\zeta}-1}$.
(b) Ü. 7/12: $z^{\text{ultrarel.}} \sim \varepsilon^2$, $\frac{1}{\zeta} - 1 \overset{!}{=} 2$, $\zeta = \frac{1}{3}$; $\frac{1}{\zeta} - 1 \overset{!}{=} -\frac{1}{2}, 0, \frac{1}{2}$, $\zeta = 2, 1, \frac{2}{3}$.

Übung 7/15 Paarerzeugung in 2D aus Vakuum ($\mu \equiv 0$, PBC–Fläche F). In der Anzahl N der thermisch angeregten Elektronen bleibe die volle relativistische Wurzel stehen. Wir setzen $\boxed{\hbar = c = 1}$ und substituieren $\beta\sqrt{m^2 + k^2} = x$. In „Halbleiter–Näherung" (T tief: +1 streichen) „geht" das Integral. — Und nun füllen wir $\hbar$'s und c's wieder so ein, daß N dimensionslos wird.

Lösung $N = \frac{2F}{(2\pi)^2}\, 2\pi \int_0^\infty dk\, k \frac{1}{\mathrm{e}^{\beta\sqrt{m^2+k^2}}+1} \to \frac{F}{\pi}\, T^2 \int_{\beta m}^\infty dx\, x\, \mathrm{e}^{-x} = \frac{FT^2}{\pi}\,(\beta m + 1)\,\mathrm{e}^{-\beta m}$.
$m \overset{!}{\to}$ Energie und FT^2 braucht (Länge$*$Energie)$^{-2}$: $N = \frac{F\,T^2}{\pi(\hbar c)^2}(\beta mc^2 + 1)\,\mathrm{e}^{-\beta mc^2}$.

Am Beginn dieses Abschnittes wurde eine starke Vereinfachung dadurch erreicht, daß wir uns kurzerhand auf einen Kubikmeter Vakuum zurückgezogen hatten. Aber auch ein Kubikmeter „Alltag" füllt sich oberhalb 10^{10} K (zurück in der Zeit bis Urknall) alsbald unter anderem mit thermisch angeregten Elektronen und Positronen — viel, viel mehr Teilchen als diese wenigen, welche zuvor den Kubikmeter füllten und welche unsere kalte und hochkomplizierte Welt bei $T \ll mc^2$ ausmachen. Ein fast–ideales Gasgemisch aus Wasserstoff und Sauerstoff ist einfach, Eisblumen sind kompliziert. Wir leben in einem Kondensat.

Auf der Temperaturskala sind wir in diesem Kapitel 7 ganz hübsch nach oben gekommen — am Beispiel der Elektronen. Diese Beschränkung ist gar nicht nötig, und wir nehmen jetzt (Vorgriff) auch das Licht hinzu, welches Ladungen aussenden, wenn sie wackeln. Ich sitze im Lehnstuhl und gehe (ohne besondere Sorgfalt) einer Gedankenkette nach. Was passiert wohl der Reihe nach, wenn ich mir hier aus diesem Tisch mit Papierkram und Lampe einen Kubikmeter herausdenke, ihn kanonisch abschließe und dann immer wärmer mache, immer heißer, immer heißer.

Das Licht geht sofort aus (Zuleitung gekappt), aber es wird ja bald wieder hell: rot glühend, weiß glühend. Zuerst kommen allerlei chemische Reaktionen in Gang, mit dem Luftsauerstoff zum Beispiel (Papier futsch). Dann schmilzt das Zeug und bildet eine heiße Suppe am Boden des Kubikmeters mit zugehörigem Dampf darüber. Es ist jetzt schon hübsch hell darin. Heißer bitte. Die Molekülbindungen brechen auf. Jetzt haben wir das reine Periodensystem im Kasten (das ist einfacher als auch nur das Holz der Tischplatte!). Die Suppe am Boden verdampft restlos. Und nun ionisieren sich auch die Atome. Ein Plasma aus Kernen und Elektronen ist entstanden plus viel, viel Licht.

Wir kommen sodann mit der Temperatur in den $m_e c^2$–Bereich. Paarerzeugung erhöht die Anzahl der Teilchen gewaltig. Auch die leptonischen Verwandten des Elektrons, μ und τ, besiedeln nun den Kasten (Neutrinos ohnehin). Heißer bitte. Protonen, Antiprotonen, Neutronen kommen auch thermisch hinzu. Hach, da gibt es ja noch etwas zu dissoziieren, die Nukleonen selber. Sie werden größer und überlappen sich schließlich. Ein quark–gluon–Plasma entsteht. Gluonen, das ist das Licht, welches die drittel–geladenen quarks aussenden, wenn sie wackeln. Genauer: Sie senden Photonen wegen ihrer elektrischen Ladung aus *und* Gluonen wegen ihrer Farbladung (*color*). Inzwischen hat auch das Standardmodell der Elementarteilchentheorie seinen Kondensat–artigen Symmetriebruch überwunden und liegt in Reinkultur vor. Der Kasten enthält die Teilchen der Tabelle (7.1) plus deren Licht. Die starke Wechselwirkung zwischen den Genannten wird schwach. Der Kasteninhalt ist einfach geworden.

Zur Zeit wird übrigens sehr ernsthaft versucht, ein kleines Klümpchen frühes Universum auf Erden experimentell zu realisieren. Dazu werden Schwerionen mit hoher Energie aufeinander geschossen. Gold auf Gold gibt $2*79$ Protonen plus $2*118$ Neutronen, also immerhin 1182 quarks. Wenn sie ein Weilchen beieinander bleiben könnten (wofür man Gründe hat), um in thermisches Gleichgewicht zu gelangen, dann wäre das quark–gluon–Plasma hergestellt, und der *bag* könnte weiter statistisch–physikalisch studiert werden, experimentell wie theoretisch.

8 Photonen

Es gibt Licht. Zum zweiten Male denken wir uns ein Volumen V, in welchem *nichts* ist, jedenfalls noch nicht bei $T = 0$. Auch bei Dirac war ja V schließlich ganz hübsch voll. Diesmal wurde allerdings eine andere Theorie eingefüllt, nämlich die Elektrodynamik im Vakuum. Es mögen also die Maxwell–Gleichungen zu $\rho = 0\,,\ \vec{\jmath} = \vec{0}$ die Regie führen. Die Alarmglocke schlägt an: Statistik mit klassischer Physik, das wird nicht gehen. Es ging natürlich schon damals um 1915 nicht, und dieser Umstand hatte ganz wesentlich zur Entstehung der Quantentheorie beigetragen.

Eine sehr übliche Bezeichnung für Strahlung im thermischen Gleichgewicht ist **Hohlraumstrahlung**. Darüber, daß dies etwas „hohl" klingt, darf gelächelt werden. Das Wort hat historische Gründe. Haben Sie die Tür geschlossen nach Verlassen der Küche, so ist sie ein Hohlraum. Nicht wahr. Wurde das Licht ausgeschaltet, so ist (was Photonen betrifft) der Hohlraum halbwegs gut kanonisch präpariert. Haben Sie die Herdplatte vergessen auszuschalten, oh, dann erhöht sich die Temperatur des Wärmebades. Tritt dabei auch noch Gleichgewicht ein, so ist das Rotlicht–Milieu perfekt. Nicht hineingehen.

Der Strahlungs–Hohlraum ist das wohl sauberste System der Statistischen Physik. Neben T und V gibt es nur $\hbar$ und c. Und er ist in Strenge behandelbar. Max Planck (1858 – 1947) hatte übrigens zunächst falsch gedacht, als er Oszillatoren in den Wänden für das quantenhafte Licht verantwortlich machte. Nein, das Licht selbst folgt der Quantentheorie. Wir gehen jetzt über die zweite der beiden Brücken — markiert mit ② im Diagramm des Vorwortes.

8.1 Strahlungsfeld–Quantisierung

Licht besteht aus Portionen $\hbar\omega$. So so. Hoffentlich kommt es nur selten vor, daß dies zwar zu Beginn einer Statistik–Vorlesung jeder weiß — aber keiner vorrechnen kann, wie das herauskommt. Abgelehnt. Wieder andere „wissen", daß Lichtquanten Bosonen sind und folgen dann den Lehrbüchern der QFT. Woher wissen sie? Wir wissen nichts. Es muß herauskommen. Wir stehen etwas völlig Neuem gegenüber.

Aus den Maxwell–Gleichungen — noch ganz in klassischer Physik befangen — folgt z.B. à la [*PB*, § 11.2] säuberlich die Energiedichte U elektromagnetischer

Felder:

$$U = \frac{\varepsilon_0}{2}\left(\vec{E}^2 + c^2\vec{B}^2\right) \quad , \quad \vec{E} = -\dot{\vec{A}} - \nabla\phi \ , \ \ \vec{B} = \nabla \times \vec{A} \ . \tag{8.1}$$

Unverkennbar arbeiten wir hier im SI–System. Gauß–ianer setzen bitte $\varepsilon_0 = 1/(4\pi)$ und lassen c im Feld $\vec{B}$ verschwinden (das Gauß–System ist grausam, weil man nie weiß, welche 4π's gleich $(1/\varepsilon_0)$ (SI) bzw. gleich 1 (QFT) zu setzen sind und welche nicht). Rechts in (8.1) haben wir den bekannten Zusammenhang der Felder mit den vier Potentialen hinzugefügt. Wir müssen nachdenken. Wie war denn die Mechanik (mit Feldern, d.h. mit Lorentz–Kraft) zur Quantenmechanik geworden: § 1.2, (1.20) und Text darunter. Die klassische Energie ist aufzuschreiben, um darin Impulse zu Operatoren werden zu lassen. Tun!

Das PBC–Volumen V (mit zunächst nichts drin) kann ebensogut ein Kubikmeter wie ein Kubikzentimeter sein, den wir uns aus der Rotlicht–Küche heraus–denken. Die klassische Felder–Energie in V (falls Felder bald drin sind) ist jedenfalls ein Volumenintegral über (8.1):

$$E_{\text{in } V} = \int_V d^3r \ \frac{\varepsilon_0}{2}\left(\left[-\dot{\vec{A}} - \nabla\phi\right]^2 + c^2\left[\nabla \times \vec{A}\,\right]^2\right) \ . \tag{8.2}$$

Es wäre ein fataler Fehler, aus den vier Feldvariablen $\phi, \vec{A}$ unverzüglich eine Quantenmechanik stricken zu wollen. Sie sind umeichbar. Nur zwei (oder zwei Kombinationen) der vier dürfen als „physikalische Freiheitsgrade" angesehen werden, entsprechend den beiden Polarisationen ebener elektromagnetischer Wellen. Die zwei anderen Freiheiten haben Opfer einer Eichfixierung zu werden. Mit allerlei hiermit verbundenen Schwierigkeiten wissen die QFT–Lehrbücher zu schrecken. Für die momentanen Zwecke genügt es völlig, Bjorken und Drell „Relativistische Quantenfeldtheorie" (1967, Neudr. 1990 Spektrum Akad. Verlag) zu folgen und in der **Strahlungseichung**

$$\phi \equiv 0 \quad , \quad \nabla\vec{A} \equiv 0 \tag{8.3}$$

zu arbeiten. Um einzusehen, daß mit (8.3) weder zu wenig noch zu viel verlangt wird, sehen wir uns eine ebene elektromagnetische Welle ($\vec{k}$, j) an ($j = 1, 2$ verweise auf zwei orthogonale Polarisations–Einheitsvektoren $\vec{e}_{\vec{k}j}$). Erstens steht $\vec{A}_{\vec{k}j} = \frac{1}{ck}E_0\vec{e}_{\vec{k}j}\sin(\vec{k}\,\vec{r} - \omega t)$ im Einklang mit (8.3). Zweitens gibt es (zusammen mit $\phi \equiv 0$) die Felder $\vec{E} = E_0\vec{e}_{\vec{k}j}\cos(\vec{k}\,\vec{r} - \omega t)$ und $\vec{B} = \frac{\vec{k}}{ck} \times \vec{E}$ der Welle richtig. Und drittens kann man nach Fourier ein beliebiges $\vec{A}(\vec{r}, t)$ bezüglich der $\vec{r}$–Abhängigkeit nach solchen elektromagnetischen Wellen entwickeln. (8.3) ist erlaubt und schränkt hinreichend ein.

Die genannte Entwicklung ist erforderlich, weil die zweite eckige Klammer nach Diagonalisierung ruft, welche Fourier bekanntlich zu leisten vermag. Wir bestehen allerdings darauf — um nicht nachher den Übergang zur Quantenmechanik mit unangenehmen i–Fragen zu belasten — daß die Koeffizienten der Entwicklung reell sind: $\vec{A}$ ist reell und die Felder, nach denen entwickelt wird, seien es ebenfalls. Für den nächsten Schritt genügen vielleicht Worte. Wir stellen uns vor, $\vec{A}$ sei als allgemeine Linearkombination von $\vec{A}_{\vec{k}j}$'s aufgeschrieben. Nach der Zerlegung $\sin(\vec{k}\,\vec{r} - \omega t) = \sin(\vec{k}\,\vec{r})\cos(\omega t) - \cos(\vec{k}\,\vec{r})\sin(\omega t)$ können die zeitabhängigen Faktoren den Koeffizienten zugeschlagen werden. Kehrt man das $\vec{k}$–Vorzeichen um, gehen trigonometrische Funktionen abgesehen vom Vorzeichen in sich über. Um die resultierende Überzählung von Termen zu vermeiden, halbieren wir den $\vec{k}$–Raum: Die rechte Hälfte zähle Kosinus–Funktionen und die linke Sinüsse. Der $\vec{k}$–Raum sei inzwischen PBC–diskretisiert. Mit $\operatorname{trig}(\vec{k}\,\vec{r}) = \cos(\vec{k}\,\vec{r})$, wenn $\vec{k}$ rechts, und $\operatorname{trig}(\vec{k}\,\vec{r}) = \sin(\vec{k}\,\vec{r})$, wenn $\vec{k}$ links, können wir nun schreiben:

$$\vec{A}(\vec{r},t) = \sqrt{\frac{2}{V}}\,\sum_{\vec{k},\,j}{}' Q_{\vec{k}j}(t)\ \vec{e}_{\vec{k}j}\ \operatorname{trig}(\vec{k}\,\vec{r}) \ . \tag{8.4}$$

Der Vorfaktor ist willkürlich aus den unbekannten Q's abgespalten, und der Strich an der Summe schließt $\vec{k} = \vec{0}$ aus (ein solcher Term wäre eine *pure gauge*, d.h. ohne Einfluß auf $\vec{E}$, $\vec{B}$). Die zeitabhängigen Koeffizienten Q sind reell. Falls jemand die rechts–links–Zerlegung ganz genau durchführen will, dann wird er sich wohl in das Zahlenspiel

$$\begin{aligned} \operatorname{trig}(\vec{k}\,\vec{r}) \quad &:= \quad \sin\Big(\vec{k}\,\vec{r} + \frac{\pi}{4}\,[1+\zeta]\Big) \quad \text{mit} \quad \vec{k} = \frac{2\pi}{L}\,\vec{n} \\ \text{und} \quad \zeta \quad &= \quad \operatorname{sign}(n_1) + \delta_{n_1,0}\,\operatorname{sign}(n_2) + \delta_{n_1,0}\,\delta_{n_2,0}\,\operatorname{sign}(n_3) \end{aligned} \tag{8.5}$$

vertiefen müssen, wobei $\operatorname{sign}(0) := 0$ und $\operatorname{sign}\big({}^{\text{positiv}}_{\text{negativ}}\big) = \pm 1$.

Das Ziel war und ist, die klassische Energie (8.2) klüger aufzuschreiben. Wir setzen (8.4) dort ein, nutzen

$$\begin{aligned} \int_V d^3r\ \operatorname{trig}(\vec{k}\,\vec{r})\,\operatorname{trig}(\vec{k}'\vec{r}) \quad &= \quad \frac{1}{2}\,V\,\delta_{\vec{k}\,\vec{k}'} \quad , \\ \Big(\vec{k}\times\vec{e}_{\vec{k}j}\Big)\cdot\Big(\vec{k}'\times\vec{e}_{\vec{k}\ell}\Big) \quad &= \quad k^2\,\delta_{j\ell} \end{aligned} \tag{8.6}$$

aus, erhalten

$$E_{\text{in }V} = \sum_{\vec{k},\,j}{}' \left(\frac{\varepsilon_0}{2}\,\dot{Q}^{\,2}_{\vec{k}j} + \frac{\varepsilon_0\,(ck)^2}{2}\,Q^{\,2}_{\vec{k}j}\right) \tag{8.7}$$

und lehnen uns erst einmal zurück.

Das „Aufwachen" aus einer anstrengenden Rechnung braucht etwas Zeit. Nach all der Mühe hat sich mit (8.7) ein wunderbar einfaches Resultat herausdestilliert. Die klassische Energie des Strahlungs–Hohlraumes ist zu einer Summe über Oszillator–Energien geworden: $\frac{m}{2}\dot{x}^2+\frac{m\omega^2}{2}x^2$. Also ist ε_0 deren Masse und ck ihre Frequenz — wie sich doch ε_0 auf einmal nützlich macht! Die letzten zwei Seiten lassen sich in einem Satz zusammenfassen. Die klassische Energie der elektromagnetischen Felder in einem PBC–Volumen, ausgedrückt durch die Koeffizienten der Entwicklung nach stehenden Wellen, ist eine Summe über Oszillatoren $(\varepsilon_0,\, ck)$, zwei an jeder Stelle des $\vec{k}$–Raumes.

Über die Brücke ②

Wie ein Oszillator quantenmechanisch zu behandeln ist, wissen wir. Es liegt jetzt sehr nahe, (8.7) als Summe über Hamilton–Funktionen zu schreiben und diese durch Operatoren zu ersetzen. Bitte nicht lächeln. Niemals ist der Schritt in Neuland eine reine Selbstverständlichkeit. Mit weichen Knien wagen wir beim kinetischen Term in (8.7) den Schritt

$$\frac{\varepsilon_0}{2}\dot{Q}^2 = \frac{p^2_{\text{verallg.}}}{2\,\varepsilon_0} \qquad \longrightarrow \qquad -\frac{\hbar^2}{2\,\varepsilon_0}\,\partial_Q^2 \; . \tag{8.8}$$

Der verallgemeinerte Impuls geht per $\partial_{\dot{Q}}L$ aus der Lagrange–Funktion eines (8.7)–Oszillators hervor (L wie H, nur Minuszeichen in der Mitte). Der Hamilton–Operator des Strahlungs–Hohlraumes ist also insgesamt

$$H = \sum_{\vec{k},j}{}' \left(-\frac{\hbar^2}{2\,\varepsilon_0}\,\partial^2_{Q_{\vec{k}j}} + \frac{\varepsilon_0}{2}\,(ck)^2\,Q^2_{\vec{k}j} \right) \; . \tag{8.9}$$

Die Energie–Eigenwerte des Strahlungs–Hohlraumes sind

$$E_{\{n\}} = \sum_{\vec{k},j} \hbar\, c\, k \left(\frac{1}{2} + n_{\vec{k},j} \right) \; . \tag{8.10}$$

Die Energie einer stehenden ebenen elektromagnetischen Welle (ω) kommt nur in Portionen $\hbar ck = \hbar\omega$ vor — der Satz, mit dem dieser § 8.1 begann, ist jetzt glaubwürdig.

Der Strich an der Summe konnte entfallen, weil $\vec{k} = 0$ wegen $\hbar ck = 0$ keinen Beitrag gibt. Die Oszillator–Quantenzahlen $n_{\vec{k},j}$ können unabhängig voneinander die Werte $0, 1, 2, 3 \ldots \infty$ annehmen. Der Index $\{n\}$ an E steht für den gesamten Satz dieser Zahlen. Der erste Term in (8.10), eine divergente Summe, sollte nicht weiter beunruhigen. Man kann ihn nicht messen. Nur relative Änderungen gibt es in unserer Natur (im Unterschied zu Phononen, deren Träger sich dissoziieren läßt). Man streiche das $\frac{1}{2}$ einfach weg. (8.10) ohne $\frac{1}{2}$ ist alles, was eine kanonische Thermodynamik braucht.

Bitte klagen Sie nicht über fehlende Übungen in diesem § 8.1. Er besteht nämlich quasi (bis hierher und auch nachfolgend) aus Übungen mit Lösung. Das Nachvollziehen ist die Arbeit: „Zeige, daß alles stimmt“.

Laufende Photonen

Der Leser kann unverzüglich zum § 8.2 springen. Es fällt uns hier nur das Aufhören schwer, wo doch gerade erst ein Brückenkopf erobert ist und ein weites (Q)Feld(T) noch davor liegt. Der Schritt ① lag ganz innerhalb der Quantentheorie. Zum fermionischen Feldoperator ließ sich dort leicht wenigstens noch eine Idee andeuten. Nach dem (größeren) Schritt ② fühlen wir uns hingegen noch sehr hilflos.

Der Hamilton–Operator (8.9) hat nicht nur Eigenwerte, sondern auch zugehörige Eigenfunktionen. Sie bilden ein Produkt von Oszillator–Eigenfunktionen (je abhängig von der entsprechenden Variablen Q). Solche Produkte sind Basis des Hilbert–Raumes von H. Allgemein hängt also die Wellenfunktion von $2 \cdot \infty$ vielen Q–Variablen ab:

$$\psi\left(\ldots, Q_{\vec{k}j}, \ldots\right) \qquad \text{oder auch} \qquad \psi\left[\vec{A}(\vec{r})\right] , \tag{8.11}$$

denn die Angabe aller Koeffizienten Q ist via (8.4) der Kenntnis von $\vec{A}$ äquivalent. (8.11) ist als **Wellenfunktional** oder auch Schrödinger–Funktional bekannt und wird heute bei speziellen Fragen (z.B. nach *confinement*, dem mit Entfernung zweier quarks anwachsenden Potential) durchaus verwendet. An jeder Stelle des $\vec{k}$–Raumes denke man sich zwei Q–Achsen angebracht (oder auch $\vec{A}$–Achsen an jedem Punkt des Ortsraumes in V). Über diesen Achsen nimmt ψ seine komplexen Werte an.

Unruhige Geister hätten wohl $\hat{H}$ sofort mit Erzeugern und Vernichtern aufgeschrieben — und das Wellenfunktional verpaßt. Nein, der Übergang zur Besetzungszahl–Darstellung ist ein technischer Schritt. Er bietet besonderen Vorteil bei Störungsrechnung. Die letztere ist nicht alles. Aber wir gehen in „nicht alles“ trotzdem noch den ersten Schritt.

Wie der harmonische Oszillator auch in rein algebraischer Quantenmechanik lösbar ist, sei bekannt. Jedem der ∞ vielen Oszillator–Hamilton–Operatoren in (8.9) und den zugehörigen Eigenzuständen kann auch die Gestalt

$$\hat{H} = \hbar c k \left(\frac{1}{2} + c^\dagger c\right) \quad , \quad |n\rangle = \sqrt{\frac{1}{n!}}\;(c^\dagger)^n\;|0\rangle \qquad \text{mit}$$

$$\text{Bose–Algebra} \quad \left[\,c\,,\,c^\dagger\,\right] = 1\,,\ \left[\,c\,,\,c\,\right] = 0\,,\ \left[\,c^\dagger\,,\,c^\dagger\,\right] = 0 \ ,$$

$$\left.\begin{matrix} c \\ c^\dagger \end{matrix}\right\} = \frac{1}{\sqrt{2}}\Big(z \pm \partial_z\Big) \quad , \quad Q = \sqrt{\frac{\hbar}{\varepsilon_0\, ck}}\; z = \sqrt{\frac{\hbar}{\varepsilon_0\, ck}}\; \frac{1}{\sqrt{2}}\left(c + c^\dagger\right) \tag{8.12}$$

gegeben werden, wobei man sich an $\hat{H}$, n, $c^\dagger$, c, Q, z je das Indexpaar $\vec{k}\, j$ hinzu denke. Natürlich kann der $\frac{1}{2}$–Term in obiger erster Zeile mit bekannter Begründung sofort entfallen. „c" ist nötig, damit sie noch zu „a" kombinieren können.

Wenn man dem Pauli–Prinzip (1.19) im Bose–Fall folgt und den Darstellungswechsel § 4.3 mit voll symmetrisierten Wellenfunktionen durchführt, dann ergibt sich ebenfalls die Bose–Algebra in der zweiten Zeile von (8.12). Erst diese Gedanken berechtigen uns zu der Aussage, daß Photonen Bosonen seien. Licht ist ein Bose–Feld. Vielleicht ist es trivial: Die Erzeuger und Vernichter des normal–quantenmechanischen Oszillators sind die gleichen wie jene der QFT für masselose Bose–Felder.

In der dritten Zeile von (8.12) stehen die Details, mit welchen sich die erste (8.12)–Zeile aus (8.9) herleitet. Viel interessanter ist es, den Q–c–Zusammenhang in (8.4) einzusetzen und damit das Vektorfeld $\vec{A}$ zu einem Quantenfeld werden zu lassen:

$$\vec{A}(\vec{r}) = \sum_{\vec{k},j} \sqrt{\frac{2}{V}\,\frac{\hbar}{2\varepsilon_0 ck}}\; \left(c_{\vec{k}j} + c^\dagger_{\vec{k}j}\right)\; \vec{e}_{\vec{k}j}\; \mathrm{trig}(\vec{k}\,\vec{r}) \ . \tag{8.13}$$

Hierin stören die stehenden Wellen $\mathrm{trig}(\vec{k}\,\vec{r})$ und hindern am direkten Vergleich mit QFT–Lehrbüchern. (8.13) ist nichtsdestotrotz ganz in Ordnung — wie der Übergang zu laufenden Wellen zeigt. Dieser gelingt (letztmalig den $\vec{k}$–Raum in rechte und linke Hälfte unterteilend) mit der Transformation

$$\begin{aligned} \vec{k}\ \text{rechts}\ &:\ \frac{1}{\sqrt{2}}\left(c_{\vec{k}j} - ic^\dagger_{-\vec{k}j}\right) \ =:\ a_{\vec{k}j}\ , \\ \vec{k}\ \text{links}\ &:\ \frac{1}{\sqrt{2}}\left(c_{\vec{k}j} + ic^\dagger_{-\vec{k}j}\right) \ =:\ a_{-\vec{k}j}\ , \end{aligned} \tag{8.14}$$

welche (Übung) die Bose–Algebra $[\, a_{\vec{k}j}\, ,\, a^\dagger_{\vec{q}\ell}\,] = \delta_{\vec{k},\vec{q}}\,\delta_{j\ell}$ erhält, auch den Hamilton–Operator nicht verändert (Übung: er wird $\hat{H} = \sum \hbar ck\, a^\dagger a$) und schließlich (Übung) aus (8.13) den Feldoperator

$$\vec{A}(x) = \sum_{\vec{k},j} \sqrt{\frac{\hbar}{\varepsilon_0 V 2ck}}\; \vec{e}_{\vec{k}j}\left(\mathrm{e}^{-iKx} a_{\vec{k}j} + \mathrm{e}^{iKx} a^\dagger_{\vec{k}j}\right) \tag{8.15}$$

entstehen läßt. In (8.15) wurde $\vec{A}(\vec{r})$ auch gleich noch mit seiner Heisenberg–Zeitabhängigkeit $\mathrm{e}^{i\hat{H}t/\hbar}\vec{A}(\vec{r})\mathrm{e}^{-i\hat{H}t/\hbar} =: \vec{A}(x)$ versehen,

$$x := (ct, \vec{r}) \ , \ K := (k, \vec{k}) \ , \ Kx = ckt - \vec{k}\,\vec{r} \ , \ \mathrm{e}^{-iKx} = \mathrm{e}^{i(\vec{k}\,\vec{r} - ckt)} \ , \tag{8.16}$$

damit $\vec{A}$ als Entwicklung wirklich nach laufenden Wellen zu sehen ist. Aber erst nach $\varepsilon_0 = \hbar = c = 1$ kann (8.15) die Feldleute restlos erfreuen.

Wir haben uns etwas weit vom Brückenkopf entfernt, nicht wahr. Allerdings ist „weit" recht relativ. Für einen Fußgänger, aus heimischer Elektrodynamik bzw. Quantenmechanik kommend, ist Weg ② zur Quantentheorie der Eichbosonen vom Weg ① zur QFT der $\frac{1}{2}$–Spin–Teilchen sehr, sehr verschieden.

8.2 Photonen bei Temperatur T

Was jetzt folgt, nämlich das Spektrum (8.10) dem warmen Ofen auszusetzen, ist beinahe langweilig. Es geht zu wie bei Phononen — bitte schauen Sie die Tabelle (6.12) noch einmal kurz an — aber es gibt die „longitudinalen Photonen" nicht und Debyes k_D ist unendlich. Der anderen Kommentare und des gewaltigen „philosophischen" Unterschiedes wegen wollen wir das Hohlraum–Aufwärmen aber ruhig noch einmal durchdenken.

Das System, das elektrodynamisch gefüllte PBC–Volumen, steht nur in energetischem Kontakt zum Wärmebad (T): kanonisches Ensemble. Wir betonen das, weil mitunter zu lesen ist, Strahlung hätte $\mu = 0$. Oh nein, bitte nicht. Im kanonischen Ensemble, welches keine Erhaltungsgröße N hat, gibt es kein μ! Die Anzahl N thermisch angeregter Photonen ist eine mittlere Größe und alsbald rein kanonisch erhältlich.

Jeder Oszillator setzt sich separat mit dem Ofen ins Benehmen. Der $\vec{k}$–j–te Oszillator enthält n Portionen $\hbar\omega$ $(\omega := ck)$ mit der Wahrscheinlichkeit

$$p_n^{\vec{k}j} = \frac{1}{Z_{\vec{k}j}}\,\mathrm{e}^{-\beta n\hbar\omega} \quad , \quad Z_{\vec{k}j} = \sum_{n=0}^{\infty} \mathrm{e}^{-\beta n\hbar\omega} = \frac{1}{1-\mathrm{e}^{-\beta\hbar\omega}} \ . \tag{8.17}$$

Zwischen den Worten Portionen und Photonen machen wir keinen Unterschied (und sehen auch keinen). Die mittlere Anzahl von Photonen, welche der $\vec{k}$–j–te Oszillator beiträgt, ist

$$N_{\vec{k}j} = \sum_{n=0}^{\infty} n\, p_n^{\vec{k}j} = \frac{1}{Z_{\vec{k}j}}(-\partial_{\beta\hbar\omega})Z_{\vec{k}j} = -\partial_{\beta\hbar\omega}\ln\left(Z_{\vec{k}j}\right) = \frac{1}{\mathrm{e}^{\beta\hbar\omega}-1} \ . \tag{8.18}$$

Dieser Bruch rechts kam schon öfter vor, z.B. beim einzelnen Oszillator in (3.38). Aber jetzt, wo er das Geheimnis des Strahlungs–Gleichgewichtes lüftet, heißt er **Planck–Verteilung**. $\omega = ck$ ist nur eine Abkürzung darin.

Das Gesamtsystem entsteht, wenn wir alle $\vec{k}$–j–„Kästen" ineinander setzen. Dabei addieren sich die N's aus (8.18) zu

$$N = 2\sum_{\vec{k}} N_{\vec{k}j} = 2\,\frac{V}{(2\pi)^3}\,4\pi \int_0^\infty dk\,\frac{k^2}{e^{\beta\hbar ck}-1}$$
$$= \frac{V}{\pi^2}\left(\frac{T}{\hbar c}\right)^3 \int_0^\infty dx\,\frac{x^2}{e^x-1} \quad . \tag{8.19}$$

Das x–Integral in (8.19) ist gleich $2\sum_{n=1}^\infty 1/n^3$ und hat ungefähr den Wert 2.4. Es war einmal ein Häuflein Seminarteilnehmer und staunte ungläubig darüber, daß sich die Anzahl der Photonen in der Küche angeben lasse. Nanu. Wie wichtig doch die [*Weinberg*]–Fußnote zu § 7.5 ist! Sehen wir uns also (8.19) noch etwas genauer an ($V = L^3$):

$$N = \left(\frac{T}{T_0}\right)^3 \quad \text{mit} \quad T_0 = \frac{\hbar c \pi^{2/3}}{L(2.4)^{1/3}} \approx .37\,\text{K}\cdot\frac{1\,\text{cm}}{L} \quad \text{gibt}$$

	$L = 1\,\text{cm}$	$L = 4\,\text{m}$ (Küche)
273 K	$N = 4\cdot 10^8$	$N = 2.6\cdot 10^{16}$
293 K	$N = 5\cdot 10^8$	$N = 3\cdot 10^{16}$

(8.20)

Verglichen mit der Anzahl der Luftmoleküle (ca. 10^{19} pro cm^3) ist das zwar noch recht wenig — aber man kann ja mal die vergessene Herdplatte wirken lassen. Es wurde eingangs angekündigt, daß der Hohlraum ein überaus sauberes System sei. (8.19) enthält in der Tat nur $\hbar$, c und V, T.

Ein $N \sim T^3$ kennen wir bereits von der Paarerzeugung, siehe (7.59). Ultrarelativistisch sind Photonen von vornherein. Unter (7.60) war auch bereits von $E \sim T^4$ des Photonen–Gases die Rede. Mal sehen:

$$E(T,V) = \sum_{\vec{k},j} \hbar c k\, N_{\vec{k}j} = \frac{V}{\pi^2}\int_0^\infty dk\,\frac{\hbar c k^3}{e^{\beta\hbar ck}-1}$$
$$= \frac{V}{\pi^2}\,\frac{T^4}{(\hbar c)^3}\int_0^\infty dx\,\frac{x^3}{e^x-1} = V\,\frac{\pi^2}{15}\,\frac{T^4}{(\hbar c)^3} \quad , \tag{8.21}$$

denn in Übung 6/6 hatten wir für das x–Integral $\pi^4/15$ erhalten. Die spezifische Wärme der Photonen ist also

$$c_V = \partial_T E(T,V) = 4V\,\frac{\pi^2}{15}\,\frac{T^3}{(\hbar c)^3} \quad . \tag{8.22}$$

Der Strahlungs–Hohlraum als sauberes und rundum gesundes System hat natürlich auch seine Freie Energie

$$F(T,V) = -T\ln\Big(\prod_{\vec{k},j} Z_{\vec{k}j}\Big) = T\sum_{\vec{k},j}\ln\left(1-e^{-\beta\hbar\omega}\right)$$

$$\stackrel{|}{=} \frac{V}{\pi^2}\frac{T^4}{(\hbar c)^3}\int_0^\infty dx\, x^2 \ln\left(1-\mathrm{e}^{-x}\right)$$

$$\stackrel{|}{=} -\frac{V}{3\pi^2}\frac{T^4}{(\hbar c)^3}\int_0^\infty dx\, \frac{x^3}{\mathrm{e}^x-1} = -\frac{V}{3}\frac{\pi^2}{15}\frac{T^4}{(\hbar c)^3} \tag{8.23}$$

und seine zwei (!) Gradient–Relationen (3.36):

$$S(T,V) = -\partial_T F(T,V) = \frac{4V}{3}\frac{\pi^2}{15}\frac{T^3}{(\hbar c)^3} \tag{8.24}$$

$$p(T,V) = -\partial_V F(T,V) = \frac{1}{3}\frac{\pi^2}{15}\frac{T^4}{(\hbar c)^3} = \frac{1}{3}\frac{E}{V}\ . \tag{8.25}$$

Die Unordnung (8.24) ist positiv für alle T und wächst mit T an. $S=\beta(E-F)$ ist erfüllt. Die Zustandsgleichung (8.25) zeigt ihr ultrarelativistisches 1/3. Alle Wünsche gehen in Erfüllung. (8.25) ist — Genaueres in Übung 8/1 — der Strahlungsdruck der quantisierten elektromagnetischen Wellen.

Übung 8/1 Der Druck (8.25) des Hohlraumes müßte doch auch herauskommen, wenn man in $p=\sum_{\vec{k},j}\frac{1}{\mathrm{e}^{\beta\hbar ck}-1}\,p_{\vec{k}j}$ für $p_{\vec{k}j}$ den klassisch bekannten Strahlungsdruck einer ebenen Welle $\vec{k},j$ mit Energie $\hbar\omega$ einsetzt. Ob es so ist? (Erinnerung: der Impuls eines Feld–Volumens V ist $\int_V d^3r\,\varepsilon_0\vec{E}\times\vec{B} =: \vec{q}$.)

Lösung Senkrecht zur rechten Wand fliegt der $\vec{k}$–j–Klumpen mit $v_1 = c\,q_1/q$. Er wird dort alle $\Delta t = 2L/v_1$ reflektiert. Also ist $p_{\vec{k}j} = \frac{1}{L^2}\frac{2q_1}{\Delta t} = \frac{c\,q_1^2}{L^3\,q}$ sein Druck. $\vec{E}\times\vec{B} = \frac{\vec{k}}{k}E_0^2\,\frac{1}{c}\cos^2(\vec{k}\,\vec{r}-\omega t) = \frac{\vec{k}}{2ck}E_0^2$ im Mittel $\curvearrowright$ $\vec{q} = \frac{\varepsilon_0\,\vec{k}}{2ck}V E_0^2$. Dies und $\hbar\omega = \hbar ck \stackrel{!}{=} \int_V d^3r\,\frac{\varepsilon_0}{2}(\vec{E}^2 + c^2\vec{B}^2) = \frac{\varepsilon_0}{2}V E_0^2$ geben $\underline{\vec{q} = \hbar\,\vec{k}}$ und somit $p_{\vec{k}j} = \frac{c\hbar k_1^2}{Vk}$. In $p = 2\,\frac{V}{(2\pi)^3}\int d^3k\,\frac{1}{\mathrm{e}^{\beta\hbar ck}-1}\,\frac{c\hbar k_1^2}{Vk}$ ist $k_1^2 \to \frac{1}{3}k^2$ erlaubt, so daß $p = \frac{c\hbar}{\pi^2}\frac{1}{3}\int_0^\infty dk\,\frac{k^3}{\mathrm{e}^{\beta\hbar ck}-1}$, $\int_0 dk\ldots = \left(\frac{1}{\beta\hbar c}\right)^4\frac{\pi^4}{15}$ $\curvearrowright$ $p = (8.25)$. Es ist so.

Übung 8/2 Mit welcher T–Potenz wächst die spezifische Wärme c_V eines Strahlungs–Hohlraums in d räumlichen Dimensionen an?

Lösung $E \sim \int_0^\infty dk\,k^{d-1}\,\frac{k}{\mathrm{e}^{\beta\hbar ck}-1}$, $k \to Tk$ $\curvearrowright$ $E \sim T^{d+1}$, $c_V \sim T^d$.

Aus Sicht der Statistischen Physik nimmt der Schritt ② dramatische Gestalt an. Er führt von „nichts geht" in ein Land, in dem „alles geht" und alles sauber, einfach und gesund ist. Schauen wir noch einmal auf die Energie (8.21) der Küche und gehen auf der Brücke zum klassischen Ufer zurück: $\hbar \to 0$. E divergiert $\sim \hbar^{-3}$. Eine von klassischer Elektrodynamik regierte Küche wird alsbald ganz kalt. Der Hohlraum schluckt alle Energie der Herdplatte, der Stromerzeuger, des Hauses, der Stadt, der Erde, des Universums in sich hinein. Wie gut, daß es nicht so ist: Klassische Physik ist eben ganz, ganz falsch — nicht nur an dieser Stelle. Aber eine Stelle genügt, um sie generell falsch zu nennen. Daß man am rettenden Quanten–Ufer gleich mit der Quantentheorie elektromagnetischer Felder konfrontiert wird, das ist auch nicht übel.

8.3 Spektrale Dichte

Wir wollen noch verstehen, warum und bei welcher Temperatur die vergessene Herdplatte erst rot und später gelb wird. Dazu fragen wir, wieviel Energie ΔE das Licht in einem Frequenz–Intervall $\Delta\omega$ enthält. Die Antwort verbirgt sich in der ersten Zeile von (8.21). Dort beziehen wir einfach nur jene Oszillatoren ein, deren $\omega = ck$ im vorgegebenen $\Delta\omega$–Intervall liegt:

$$\Delta E = \frac{V}{\pi^2}\frac{1}{c^3}\int_\omega^{\omega+\Delta\omega} d\omega' \, \frac{\hbar\,\omega'^3}{\mathrm{e}^{\beta\hbar\omega'}-1} \qquad \text{geht mit } \Delta\omega \to 0 \text{ über in}$$

$$\Delta E = V\,\Delta\omega\, u(\omega) \qquad \text{mit} \qquad u(\omega) = \frac{\hbar}{\pi^2 c^3}\,\frac{\omega^3}{\mathrm{e}^{\beta\hbar\omega}-1} \ . \tag{8.26}$$

$u(\omega)$ gibt also die Energie pro Volumen und pro $\Delta\omega$ an und heißt sinnigerweise spektrale Dichte oder auch spektrale Verteilung. Im vorliegenden Falle hätten wir $u(\omega)$ auch sofort aus (8.21),

$$\frac{E}{V} = \int_0^\infty d\omega\, \frac{\hbar}{\pi^2 c^3}\,\frac{\omega^3}{\mathrm{e}^{\beta\hbar\omega}-1} \stackrel{!}{=} \int_0^\infty d\omega\ u(\omega) \ , \tag{8.27}$$

ablesen können — aber das heißt bitte nicht etwa, daß man ab heute Integranden identifizieren dürfe (viele u's geben das gleiche E/V).

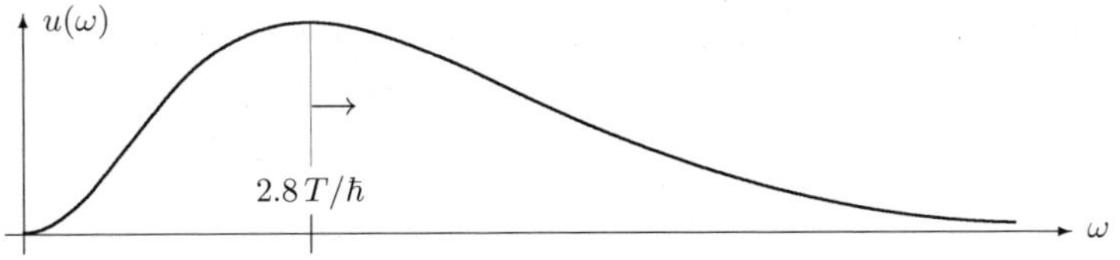

Bild 8–1: Spektrale Verteilung $u(\omega)$ der Hohlraumstrahlung: der ω^2–Beginn nach Rayleigh–Jeans und Wiens Verschiebungssatz.

Wie die spektrale Dichte $u(\omega)$ verläuft, macht (8.26) klar und ist im Bild 8–1 zu sehen. An dem Umstand, daß selbst Teile der Kurve Namen bekamen, läßt sich erahnen, wie groß das Geheimnis um 1910 noch war. Nach (8.26) wächst u erst einmal quadratisch an, erreicht ein Maximum und klingt dann exponentiell ab. Das Maximum erfordert leider numerische Lösung der Gleichung $3 - x = 3\,\mathrm{e}^{-x}$. Sie gibt $x \approx 2.8$ und die im Bild 8–1 angegebene Frequenz $\omega_{\mathrm{max}} = 2.8\,T/\hbar$. Mit wachsender Temperatur verschiebt sich also das Maximum linear in T nach höheren Frequenzen: Wiens Verschiebungssatz. Übrigens enthält die Klein–ω–Asymptotik im führenden Term $u(\omega) = \omega^2 T/(\pi^2 c^3)$ noch kein $\hbar$. Rayleigh und Jeans kannten sie aus klassischen Überlegungen schon früher.

Die vergessene Herdplatte erreicht leicht 227 Grad Celsius, d.h. 500 Kelvin. Sie hat dann die Temperatur $T = 7{\cdot}10^{-21}$ Joule und dürfte hübsch dunkelrot aussehen (Licht ausschalten). Das ω–Maximum liegt dann bei etwa $2 \cdot 10^{14}\,\mathrm{s}^{-1}$. Rotes Licht hat aber Frequenzen bei $5 \cdot 10^{15}\,\mathrm{s}^{-1}$. Das infrarot unempfindliche Auge beginnt also, bereits den exponentiellen Schwanz von Bild 8–1 wahrzunehmen.

Als vor ungefähr 10^{10} Jahren die Elektronen mit den Positronen rekombinierten (ausfroren) und sich die restlichen wenigen Elektronen mit Kernen zu Atomen banden, war das Universum durchsichtig geworden. Das Licht begann, sein Eigenleben zu führen, und kühlte sich mit Expansion des Universums ab. Und so hängt denn noch heute die **Hintergrundstrahlung** im Raum herum und ist der Experimentierkunst zugänglich. Ihre Frequenzen sind perfekt nach (8.26) verteilt, und zwar zu einer Temperatur von 3 oder 4 Kelvin.

Falls die Herdplatte alle einfallende Strahlung absorbiert (und nicht etwa manche Frequenzbereiche wie ein Spiegel zurückwirft), dann muß sie — weil im Gleichgewicht mit dem Hohlraum über ihr — auch genau nach Verteilung (8.26) emittieren. Zu einer solchen Herdplatte sagt man, sie sei ein **Schwarzer Körper**. Die Hohlraumstrahlung wird darum mitunter auch Schwarzkörper–Strahlung genannt.

Übung 8/3 Eine $\Delta\omega$–Auswahl von Photonen hat auch ihren eigenen Beitrag ΔN zur Anzahl und Δp zum Druck. $\Delta p = (?) \cdot \Delta E/V$ und $\Delta p \cdot V = \Delta N \cdot (??)$. Aber zum vollen System ist $p \cdot V = [?] \cdot N T$ und $E = [??]\, N T$ (sie ist eben auch diesmal falsch, diese Idealgas–Konstruktion).

Lösung $(\Delta N\,,\, \Delta p) = (\,V\,,\, \frac{1}{3}\hbar\omega\,)\, \Delta\omega\, \frac{1}{\pi^2 c^3} \frac{\omega^2}{\mathrm{e}^{\beta\hbar\omega}-1}$: $(?) = 1/3$ wie in (8.25); $\Delta p \cdot V = \frac{1}{3}\Delta N \cdot \hbar\omega$. (8.25) bzw. (8.21) mit (8.19): $[?] = \frac{\pi^4}{45 \cdot 2.4} \approx .9$ und $[??] = 3\,[?]$.

9 Massive Bosonen

Es wird nicht langweilig, wenn wir hier — vorübergehend — zu irdischer nicht–relativistischer Physik zurückkehren, und zwar zu Temperaturen im Kelvin–Bereich. Wasserdampf ist einfach, Eisblumen sind kompliziert. Aber es gibt ein paar wunderschöne Exemplare unter diesen Blumen.

Die Überschrift des Kapitels ist nicht üblich. Aber sie ist notwendig, weil auch die masselosen Photonen zu den Bosonen gehören und weil Masse–Null–Teilchen relativistische wären. Das Nachdenken über Masse gegen Null gestaltet sich übrigens so schwierig, daß wir es besser an das Ende dieses Kapitels verbannen. Bei einem massiven Boson denken wir zum Beispiel an Alphateilchen oder besser gleich an fertige neutrale He^4–Atome. Sie bilden ein Gas, welches bei Abkühlung auf wenige Kelvins flüssig wird und bei höherem Druck sogar fest.

9.1 Bose–Verteilung

Ein System aus identischen Bosonen der Masse m werde großkanonisch präpariert $(T,\ \mu)$. Die Abschnitte § 4.1 und § 4.2 kommen erneut zu Geltung. Erst in § 4.3 hatten wir die armen Bosonen beiseite gelassen. Die Zustände des Systems sind jetzt nach Pauli–Prinzip (1.19) voll symmetrisch (gegenüber Variablensatz–Vertauschungen) aufzuschreiben: nur Pluszeichen in (4.17). Die Bose–Teilchen nicht wechselwirken zu lassen, geht zwar ein Stück weit an der Realität vorbei, erlaubt aber im § 9.2 wenigstens einen qualitativen Blick und ist natürlich brauchbare nullte Näherung:

$$\begin{aligned} \psi_{\lambda_1,\lambda_2,\dots,\lambda_N}(1,2,\dots,N) &= \frac{1}{\sqrt{N!}}\sum_P \varphi_{\lambda_1}(P1)\varphi_{\lambda_2}(P2)\dots\varphi_{\lambda_N}(PN) \\ &= \langle r|\mathcal{K}_N\rangle \end{aligned} \tag{9.1}$$

mit Notation wie vor (4.24) erklärt. Ganz anders als bei der Slater–Determinante ist jetzt Gleichheit zweier oder mehrerer λ's durch nichts verboten. Auf jedem Gedankenstrich im Zuständediagramm dürfen 0 bis N Punkte angebracht werden: Bild 9–1. Genau jeder solchen Konfiguration $\mathcal{K}_N$ entspricht ein Zustand (9.1). Der zugehörige H_0–Eigenwert ist $E_{\mathcal{K}} = \sum_{\lambda\in\mathcal{K}} \varepsilon_\lambda$ — wie bei Fermionen.

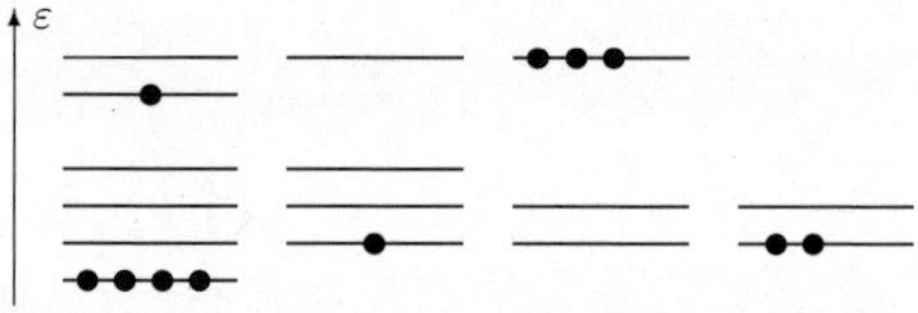

Bild 9–1 : Zuständediagramm mit einer aus den bosonischen Konfigurationen $\mathcal{K}_{11}$.

Weitgehend analog zu § 4.3 kann auch bei Bosonen, d.h. mit (9.1) statt Slater, zur Besetzungszahl–Darstellung übergegangen werden. Statt der Fermi–Operator–Algebra (4.30) ergibt sich die der Bose–Operatoren (8.12). Die Details werden im folgenden nicht benötigt. Also versuchen wir uns unverzüglich an der „eleganten" Herleitung der Bose–Verteilung und lassen uns dabei vom § 4.4 leiten.

Der separat ans Wärme–Teilchen–Bad gekoppelte „λ–Kasten" enthält zwar nur einen Gedankenstrich, aber wegen Mehrfach–Erlaubnis unendlich viele Zustände. Die Wahrscheinlichkeit $p_n^{(\lambda)}$ dafür, daß genau n Kullerchen auf dem λ–ten Gedankenstrich sitzen, ist (gemäß (4.3) mit $E = \varepsilon_\lambda \cdot n$ und $N = n$)

$$p_n^{(\lambda)} = \frac{e^{-\beta(\varepsilon_\lambda - \mu)\, n}}{Z_{\text{gr}}^{(\lambda)}} \quad \text{mit} \quad Z_{\text{gr}}^{(\lambda)} = \sum_{n=0}^{\infty} \left(e^{-\beta(\varepsilon_\lambda-\mu)}\right)^n = \frac{1}{1 - e^{-\beta(\varepsilon_\lambda - \mu)}} \ . \tag{9.2}$$

Die Frage nach der mittleren Anzahl n_λ von Kugeln auf λ–Strich ist (jetzt) eine ganz andere:

$$\begin{aligned} n_\lambda = \sum_{n=0}^{\infty} n\, p_n^{(\lambda)} &= \frac{1}{Z_{\text{gr}}^{(\lambda)}} \sum_{n=0}^{\infty} n\, e^{-\beta(\varepsilon_\lambda-\mu)\, n} = -\partial_{\beta(\,)} \ln\left(Z_{\text{gr}}^{(\lambda)}\right) \\ &= \partial_{\beta(\,)} \ln\left(1 - e^{-\beta(\varepsilon_\lambda - \mu)}\right) = \frac{1}{e^{\beta(\varepsilon_\lambda-\mu)} - 1} \ . \end{aligned} \tag{9.3}$$

(9.3) ist die **Bose–Verteilung** — „wie Fermi, nur mit Minus" — „wie Planck, nur mit μ". Falls Sie die Vorgriff–Übung 4/13 ausgelassen hatten, jetzt paßt sie gut herein und sichert (9.3) mit einer zweiten Herleitung ab.

Der λ–Kasten hat die mittlere Energie $E^{(\lambda)} = n_\lambda\, \varepsilon_\lambda$, und seine Entropie ist

$$S^{(\lambda)} = -\sum_{n=0}^{\infty} p_n^{(\lambda)} \ln\left(p_n^{(\lambda)}\right) = \frac{\beta(\varepsilon_\lambda - \mu)}{e^{\beta(\varepsilon_\lambda-\mu)} - 1} - \ln\left(1 - e^{-\beta(\varepsilon_\lambda-\mu)}\right) \ . \tag{9.4}$$

Die Leitlinie § 4.4 kann noch weiter verfolgt werden. So sollten sich mittels (9.3) „Trivialformeln" zur

Großkanonik des idealen Bose–Systems

ergeben, nämlich durch Ineinandersetzen der λ–Kästen. Die ersten zwei der folgenden drei Weisheiten sind in der Tat evident. Aber die dritte, das Analogon zu (4.44), ist erstaunlich:

$$N^{\,\mathrm{id.B.}} = \sum_\lambda n_\lambda \quad , \tag{9.5}$$

$$E^{\,\mathrm{id.B.}} = \sum_\lambda n_\lambda\,\varepsilon_\lambda \quad , \tag{9.6}$$

$$S^{\,\mathrm{id.B.}} = \sum_\lambda \Big[(1+n_\lambda)\ln(1+n_\lambda) \;-\; n_\lambda \ln(n_\lambda) \Big] \;. \tag{9.7}$$

An (9.7) verblüfft die Ähnlichkeit der Struktur im Vergleich mit der fermionischen Trivialformel. (9.7) folgt per $S^{\,\mathrm{id.B.}} = \sum_\lambda S^{(\lambda)}$, indem man alle $\beta(\;)$ in (9.4) durch n_λ ausdrückt.

Die Zustandssumme nimmt $Z_{\mathrm{gr}}^{(\lambda)}$, (9.2), im Produkt und bestückt das thermodynamische Potential Ω der idealen Bosonen:

$$Z_{\mathrm{gr}}^{\mathrm{id.B.}} = \prod_\lambda \frac{1}{1-\mathrm{e}^{-\beta(\varepsilon_\lambda-\mu)}} \quad , \quad \Omega^{\mathrm{id.B.}} = -T\ln\left(Z_{\mathrm{gr}}^{\mathrm{id.B.}}\right) \quad : \tag{9.8}$$

$$\Omega^{\mathrm{id.B.}} = T\sum_\lambda \ln\left(1-\mathrm{e}^{-\beta(\varepsilon_\lambda-\mu)}\right) = -T\sum_\lambda \ln\left(1+n_\lambda\right) \;. \tag{9.9}$$

Damit ist die Thermodynamik des idealen Bose–Gases erreicht. Wir hatten Gleichgewicht unterstellt. Vorerst gelten also die Gleichungen (9.2) bis (9.9) nur unter dieser Voraussetzung.

Ideale Bosonen im Nicht–Gleichgewicht

Dieser anstrengende Unterabschnitt schweift etwas ab. Wer ihn nicht mag, der springe zu Übung 9/2. Zu einer beliebigen Nicht–Gleichgewichts–Statistik des idealen Bose–Gases gibt es jedenfalls eines noch, nämlich eine mittlere Anzahl n_λ von Besetzungen des λ–ten Einteilchen–Zustandes. Allerdings weicht nun n_λ von der Bose–Verteilung (9.2) ab. Sind alle diese Zahlen n_λ gegeben, so liefert (9.5) weiterhin die Gesamt–Teilchenzahl und (9.6) die Energie des Systems. Schwierigkeiten bereitet erst die Frage, ob auch (9.7) noch gelten könne. Der Eindruck, es sei so, kann bei [*Landau*, Bd. 5, § 5.5] leicht entstehen. Jedoch wird sogleich die Art des Nicht–Gleichgewichtes einzuschränken sein.

Bei Fermionen gibt es kein Problem, weil ein einzelner λ–Kasten nur „die beiden Seiten der Münze“ (besetzt oder leer) zeigen kann. Für beliebige Wahrscheinlichkeit p ist also $-p\ln(p) - q\ln(q)$ mit $q = 1-p$ (und mit Erinnerung an Bild 1–2) die Entropie des Kastens und somit (4.44) der richtige Nicht–Gleichgewichts–Ausdruck zum idealen Fermi–System. Zur Übung 5/3 war dies übrigens bereits im Aufgabentext unterstellt worden.

Bei Bosonen ist über Nicht–Gleichgewicht etwas genauer nachzudenken. Nach Kapitel 5 beruht auch dieses auf einem Satz von Wahrscheinlichkeiten p_j und diese wiederum auf einem Ensemble. Erst wenn dessen Präparierung plötzlich geändert wird, kann man davon sprechen, es liege — bezüglich der neuen Präparierung — kein Gleichgewicht mehr vor. In jedem Falle, vorher wie nachher, ist $S = -\sum_j p_j \ln(p_j)$ die Entropie. Natürlich denken wir dabei an die vielen Würfel in einer Turnhalle, deren Eins überall nach oben zeigt. Dafür kann zum Beispiel ein Magnetfeld gesorgt haben. Wird es plötzlich abgeschaltet, oh, dann haben wir den Salat von Übung 1/6.

Nun kann ein bestimmter Einteilchen–Zustand λ des Bose–Systems recht beliebig präpariert werden — wenigstens im Prinzip. In einer Atom–Falle mögen sich z.B. 7 Bosonen befinden (kanonische Präparierung). Bei tiefer Temperatur wird der Grundzustand erreicht (mit φ_0 für alle φ's in (9.1) und $n_0 = 7$). Die Entropie wird Null. Aber zu $n_0 = 7$ führt (9.7) auf $S = 8\ln(8) - 7\ln(7) > 0$ und ist folglich falsch. Dies gilt für alle jene Präparierungen, bei denen die Wahrscheinlichkeiten p_ν, ν Teilchen auf einem λ–Zustand sitzen zu haben, brutal von außen manipuliert werden (im Beispiel war $p_7 = 1$ und alle anderen $p_\nu = 0$). (9.7) gilt also *nicht* generell.

Ein ideales Bose–System kann aber auch rein energetisch aus dem Gleichgewicht gebracht werden, nämlich durch Verschiebung der Einteilchen–Niveaus (H–Abwandlung) und ohne die großkanonische Präparierung anzutasten. Wird nun die H–Abwandlung adiabatisch à la (1.21) aufgehoben, so daß die Zustände ihre Wahrscheinlichkeiten „mitnehmen", dann wird das Nicht–Gleichgewicht allein durch die „falschen" Zahlen n_λ charakterisiert. Ein bestimmter λ–Kasten hat also sein n_λ. Zu den für seine Entropie $-\sum_\nu p_\nu \ln(p_\nu)$ benötigten p_ν wissen wir, daß sie $\sum_\nu p_\nu = 1$ und $\sum_\nu \nu\, p_\nu = n_\lambda$ zu erfüllen haben. Das reicht nicht aus. Aber tatsächlich wissen wir mehr.

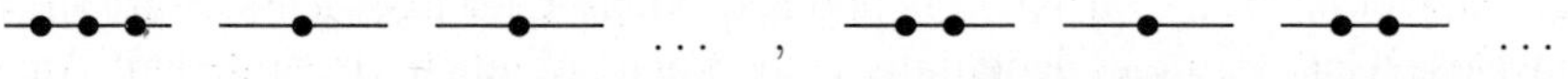

Bild 9–2 : Zur Rechtfertigung der Entropie (9.7) bei speziellem Nicht–Gleichgewicht.

Aus M Mitgliedern des Nicht–Gleichgewichts–Ensembles werde je der λ–Kasten entnommen. $N = M n_\lambda$ ist dann die mittlere Teilchenzahl des M–Topf–Systems. In diesem kann gemäß Bild 9–2 ohne Energie–Verlust oder –Gewinn ein Teilchen in einen anderen Kasten versetzt werden. Alle Verteilungen von Teilchen (oder Kugeln) auf M mehrfach–besetzbare Kästen (oder Töpfe) sind also gleichberechtigt. Das kommt bekannt vor. Die Zahl der Möglichkeiten steht in (2.20): Ersetze $3N$ durch M und n durch N. Aus dieser Zahl g kann direkt die gesuchte Wahrscheinlichkeit p_ν gebildet werden,

$$g_{N,M} = \binom{N+M-1}{N} \quad \curvearrowright \quad p_\nu = \frac{g_{N-\nu,M-1}}{g_{N,M}} , \tag{9.10}$$

denn zu definitiver Kugelzahl ν in einem der Töpfe gibt es nur noch die im Zähler stehende Anzahl von Verteilungsmöglichkeiten der restlichen $N - \nu$ Kugeln auf die anderen $M-1$ Töpfe (bzw. von Teilchen auf die anderen Kästen). Beim weiteren Auswerten von (9.10) denken wir im rechten Moment daran, daß ein Ensemble ∞ viele Mitglieder hat. Mit $M, N \to \infty$, und zwar so, daß $N/M = n_\lambda$ bleibt, gehen Terme vom Typ ν/M gegen Null:

$$\begin{aligned} p_\nu &= \frac{(N+M-\nu-2)!}{(N-\nu)!\,(M-2)!}\cdot\frac{N!\,(M-1)!}{(N+M-1)!} \\ &= \frac{M-1}{N+M-1}\cdot\frac{N \qquad (N-1) \quad \ldots \quad (N-\nu-1)}{(N+M-1)\,(N+M-2)\ldots(N+M-\nu-1)} \\ &= \frac{1}{n_\lambda+1}\left(\frac{n_\lambda}{n_\lambda+1}\right)^\nu \qquad (\,\nu = 0,1,2,\ldots\,)\ . \end{aligned} \tag{9.11}$$

Das sieht gut aus. Es ist nur mehr eine Fingerübung (nämlich Übung 9/1), mit (9.11) die Entropie $-\sum_{\nu=0}^\infty p_\nu \ln(p_\nu)$ des λ–Kastens zu bestücken und die Summe auszuwerten. Nicht so ganz unerwartet ergibt sich der λ–te Summand von (9.7). Unter den genannten Einschränkungen kommt also [*Landau*, Bd. 5, § 5.5] noch einmal mit einem blauen Auge davon.

Der (9.7)–Summand $(1+n)\ln(1+n) - n\ln(n)$ kam schon einmal ganz woanders vor, nämlich als zweiter Term in (2.22) zur Gittergas–Entropie. Wenn wir dort per $S_1^{\rm ex}/(3N)$ die Entropie eines Topfes bilden und per $E = 3N\hbar\omega\, n$ die mittlere $\hbar\omega$–Anzahl n eines Topfes einführen, dann wird sogar $\epsilon = n$. Es war das gleiche Problem. Offenbar haben wir hier einen anderen Weg zu (2.22) entdeckt — nein, bitte nicht ärgern, denn erstens passiert das öfter (manchmal ohne es zu bemerken), zweitens haben beide Wege ihren eigenen Reiz (hier: wie es ohne Stirling oder *mapping* geht), und drittens gefällt es uns, die p_ν einmal explizit zu sehen zu bekommen.

Übung 9/1

(a) Genügt (9.11) den beiden Erfordernissen $\sum_\nu p_\nu = 1$ und $\sum_\nu \nu\, p_\nu = n_\lambda$?
(b) Welche Entropie $S^{(\lambda)}$ hat der λ–Kasten aufgrund von (9.11)?

Lösung

(a) Mit $\frac{n_\lambda}{n_\lambda+1} =: r$ folgt $p_\nu = (1-r)r^\nu$ und $\sum_{\nu=0}^\infty p_\nu = (1-r)\sum_{\nu=0}^\infty r^\nu = 1$, sowie $\sum_{\nu=0}^\infty \nu\, p_\nu = (1-r)\, r\partial_r \sum_{\nu=0}^\infty r^\nu = \frac{r}{1-r} = n_\lambda$.
(b) $S^{(\lambda)} = -\sum_{\nu=0}^\infty p_\nu\, [\ln(1-r) + \nu\ln(r)\,] = (1+n_\lambda)\ln(1+n_\lambda) - n_\lambda\ln(n_\lambda)$.

Übung 9/2

In voller Analogie zu Übung 5/3 (a) sollte Minimierung des großkanonischen Potentials Ω — nun aber bestückt mit (9.5) bis (9.7) und unter Variation der Zahlenfolge n_λ — auf die Bose–Verteilung führen.

Lösung

$\mathcal{U} = \sum_\lambda [\,\varepsilon n - T(1+n)\ln(1+n) + Tn\ln(n) - \mu n\,]$, $\delta\mathcal{U} = \sum_\lambda \delta n\, [\varepsilon - T\ln(1+n) - T + T\ln(n) + T - \mu] \stackrel{!}{=} 0 \curvearrowright \ln\left(\frac{1+n}{n}\right) = \beta(\varepsilon-\mu)$, qed.

$\mu(T)$ idealer Bosonen

Nach den obigen Anstrengungen kehren wir reuig zurück zum großkanonischen Gleichgewicht des idealen Bose–Gases. Ohne die Einteilchen–Energien ε_λ zu spezifizieren, kann — ähnlich wie schon im § 4.4 — einiges zum Verhalten des chemischen Potentials μ als Funktion der Temperatur gesagt werden. Zu gegebener mittlerer Teilchenzahl N ist es bekanntlich durch Auflösen von $N = \sum_\lambda n_\lambda$ zu erhalten.

Zuerst schauen wir uns die Bose–Verteilung $n_\lambda = 1 \,/\, \left(\mathrm{e}^{\beta(\varepsilon_\lambda - \mu)} - 1\right)$ noch einmal genau an. Nanu, der Nenner kann ja Null werden. „Was ist μ (bei idealen Bosonen)?" — die Polstelle der (als Funktion von ε gelesenen) Bose–Verteilung. Nun darf die mittlere Anzahl n_λ als solche nicht negativ werden — für kein λ. Folglich muß μ kleiner sein als die tiefste Einteilchen–Energie $=: \varepsilon_0$ des Systems. Und es muß ein tiefstes ε_λ geben, d.h. das Einteilchen–Spektrum muß *bounded from below* sein, bevor ihm Bosonen anvertraut werden können. Weil mit Ungleichungen nur selten umzugehen ist, rechnen wir einmal ausführlich mit einer solchen:

$$\infty > n_\lambda = \frac{1}{\mathrm{e}^{\beta(\varepsilon_\lambda - \mu)} - 1} \geqslant 0 \quad , \quad 0 < \mathrm{e}^{\beta(\varepsilon_\lambda - \mu)} - 1 \leqslant \infty \quad , \quad 1 < \mathrm{e}^{\beta(\varepsilon_\lambda - \mu)} \leqslant \infty \quad ,$$

$$0 < \beta(\varepsilon_\lambda - \mu) \leqslant \infty \quad , \quad 0 < \varepsilon_\lambda - \mu \leqslant \infty \quad \curvearrowright \quad \mu < \varepsilon_\lambda \quad \forall \lambda \,. \tag{9.12}$$

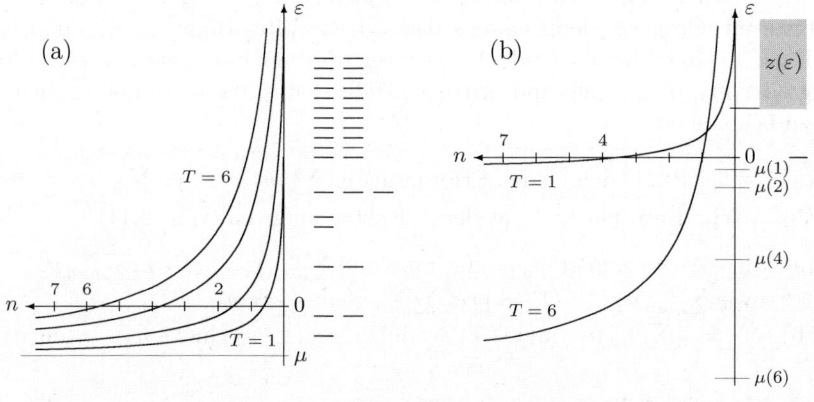

Bild 9–3 : Bose–Verteilung (a) bei festem μ und vier verschiedenen dimensionslosen Temperaturen $T = 1, 2, 4, 6$ — und (b) zu vorgegebener Teilchenzahl N (hier $N = 4$) mit Grundzustand bei $\varepsilon = 0$ und ansonsten konstanter Zustandsdichte.

Denkt man großkanonisch, dann ist μ ein fest vorgegebener Parameter des Reservoirs, und das linke Bild 9–3 zeigt, wie dann alle Teilchenzahlen mit wachsender Temperatur zunehmen. Nach links sind jetzt mittlere Teilchenzahlen aufgetragen und nicht mehr Wahrscheinlichkeiten wie in den Bildern 4–8 und 3–2. Im rechten Teil von Bild 9–3 wird dagegen die Teilchenzahl N festgehalten. Mit wachsender Temperatur muß sich daraufhin μ ins Negative entfernen: $T \to \infty \curvearrowright \mu \to -\infty$. So war es auch beim idealen Fermi–Gas.

Bei Abkühlung darf μ wieder an das Spektrum heranrücken. Aber bei $T \to 0$ geschehen laut Bild 9–3 (b) seltsame Dinge. Der $n(\varepsilon)$–Verlauf wird sehr steil. Und da N als endliche Zahl vorgegeben ist, müssen sich wohl oder übel alle Bosonen im tiefsten Zustand bei ε_0 versammeln: Die Bose–Einstein–Kondensation *gibt* es. Nur noch, wie es dabei zugeht, wird im § 9.2 zu klären sein.

Übung 9/3 Einem Einteilchen–Spektrum mit Zustandsdichte $z(\varepsilon) = g\delta(\varepsilon) + \gamma\theta(\varepsilon - \varepsilon_0)$ (der wir in Übung 3/13 schon begegneten) werden N nicht–wechselwirkende Bosonen anvertraut. $e^{-\beta\mu} =: x$. Welche N–x–Beziehung resultiert? Aus dieser wurden übrigens zu $N = 4$, $g = \gamma = \varepsilon_0 = 1$ die vier μ–Werte im Bild 9–3 (b) numerisch ermittelt. Zu $T \to \infty$ und zu $T \to 0$ werde (per Konsistenzannahme?) der asymptotisch führende Term von $\mu(T)$ ermittelt.

Lösung $N = \int d\varepsilon\, z(\varepsilon) \frac{1}{e^{\beta\varepsilon} x - 1} = \frac{g}{x-1} - \gamma T \ln\left(1 - \frac{1}{x} e^{-\beta\varepsilon_0}\right)$. Trotz $\beta \to 0$ dürfte x groß werden: $N \to \frac{g}{x} + \gamma T \frac{1}{x}$ und $\mu \to -T \ln\left(\frac{\gamma}{N} T\right)$ (beide, N und γ, sind ggf. extensiv). $\beta \to \infty$ ($T \to 0$) gibt $N \to \frac{g}{x-1}$ (alle im Grundzustand) und $\mu \to -T \ln(1 + g/N)$. Zu großem N ist $\mu = -Tg/N$ und damit ex^{-1} — seltsam! Daß aber $\mu < 0$ bleibt, geht in Ordnung. S. auch Übung 9/5.

9.2 Bose–Einstein–Kondensation

Es klingt zunächst sehr real, wenn wir makroskopisch viele He^4–Atome in einem Volumen V behandeln wollen. Ohne deren Wechselwirkung zu beachten, weiß das Material allerdings nicht einmal, wie es flüssig werden soll. Immerhin wird sich anhand idealer Bosonen in 3D (dies ist jetzt wesentlich) die Grobstruktur eines Phasenüberganges zum Kondensat zeigen.

N ideale Bose–Teilchen der Masse m befinden sich in einem PBC–Volumen $V = L^3$. Die Einteilchen–Energie ist $\frac{\hbar^2 k^2}{2m} =: \varepsilon_k$. Der Index $\lambda = \vec{k}$ ist ein dreifacher. Wenn man (noch) keine Ahnung hat (daß etwas passiert), dann kann ja ein

blinder erster Versuch

durchaus hilfreich sein. Eine etwaige Katastrophe wird sich dabei wohl zeigen und wo der Fehler lag ebenfalls. Wir wollen das chemische Potential $\mu(T)$ ermitteln. Weil N extensiv groß ist, haben wir zum $\sum \to \int$–Rezept (3.62) blindes Vertrauen:

$$N = \sum_{\vec{k}} \frac{1}{e^{\beta(\varepsilon_k-\mu)}-1} = \frac{V}{(2\pi)^3}\,4\pi\int_0^\infty dk\, k^2 \frac{1}{e^{\beta\frac{\hbar^2k^2}{2m}}\,e^{-\beta\mu}-1}$$
$$= \frac{V}{4\pi^2}\left(\frac{2m}{\hbar^2}\right)^{3/2} T^{3/2}\,\Im(\beta\mu) \quad , \quad \Im(\beta\mu) = \int_0^\infty dx\, \frac{\sqrt{x}}{e^x\,e^{-\beta\mu}-1} \ . \tag{9.13}$$

Wenn wir die Temperatur sinken lassen ($T^{3/2}$ also auch), dann muß, um ständig N auf der linken Seite konstant zu halten, das Integral $\Im$ entsprechend größer werden. Also muß sich sein Nenner verkleinern. Wegen $\mu < 0$ ist $-\beta\mu$ positiv und muß kleiner werden. Der tiefstmögliche $-\beta\mu$–Wert ist 0. Und schon naht die Katastrophe. $\Im$ hat seinen größten Wert bei

$$\Im(0) = \int_0^\infty dx\, \frac{\sqrt{x}}{e^x-1} = \left(\int_0^\infty dx\, \sqrt{x}\, e^{-x}\right)\sum_{n=1}^\infty \frac{1}{n^{3/2}} \approx 1.3\cdot\sqrt{\pi} \ . \tag{9.14}$$

Die n–Summe gibt nämlich ≈ 2.6 und das geklammerte Integral ist $\Gamma(3/2) = \sqrt{\pi}/2$ (wie auch zu Fuß per $x = t^2$ erhältlich ist). In 2D würde übrigens der $\sqrt{x}$–Zähler in (9.13) entfallen und $\Im$ beliebig anwachsen können. In d Dimensionen steht x hoch $(d-2)/2$ im Zähler. Die Katastrophe ist ein >2 D–Phänomen.

(9.13) läßt sich also nur bis herunter zu einer „Katastrophen–Temperatur" T_E (Einstein 1924) aufrecht erhalten, bei welcher $\Im(0)$ erreicht ist:

$$T_E = \frac{\hbar^2}{2m}\left(\frac{4\pi^2 N}{V\,\Im(0)}\right)^{2/3} = \frac{2\hbar^2\pi^2}{mL^2}\,\frac{1}{\pi}\left(\frac{N}{2.6}\right)^{2/3} \ . \tag{9.15}$$

Der erste Faktor rechts wurde so geschrieben, daß er aus (3.49) zu $2\cdot10^{-14}$ K abgelesen werden kann (m ist hier die $\approx$ vierfache Protonmasse). Zu $N = 2.6\cdot10^{22}$ Teilchen im cm^3 folgt $T_E \approx 3$ K, und dies paßt in etwa zu jenen 2.2 K, unterhalb welcher He^4 eine supraflüssige Phase entwickelt.

Übung 9/4 Würden wir in 4 räumlichen Dimensionen leben (hätten eine „kompaktifizierte" Dimension wieder aufrollen können), dann hätte $\vec{k}$ 4 Komponenten und die Einstein–Temperatur läge bei $T_E = ?$ — für $N = 1.5\cdot10^{32}$ H–Atome im cm^4 also bei etwa wieviel Kelvin? (Bei gleichem mittleren Abstand werden 10^8 Teilchen in 1D zu 10^{16} in 2, 10^{24} in 3 und 10^{32} in 4D .)

Lösung (3.67): $\Omega_4 = 2\pi^2$, $N = (\frac{L}{2\pi})^4\, 2\pi^2 \int_0^\infty dk\, \frac{k^3}{e^{\beta_E\varepsilon_k}-1} = T_E^2\, \frac{L^4}{16\pi^2}\, (\frac{2m}{\hbar^2})^2 J_\infty$ mit $J_\infty = \int_0^\infty dx\, \frac{x}{e^x-1} = \frac{\pi^2}{6}$ aus Ü. 6/7. $T_E = \frac{\hbar^2\pi^2}{2mL^2}\,\frac{4}{\pi^2}\sqrt{6N}$. (3.49) und $\pi^2 \approx 10$ geben $T_E = 240$ K , d.h. $-33°$ C — Sibirien meiden: Dort friert man aus.

In einem μ–über–T–Diagramm läuft bei abnehmender Temperatur μ von unten her im sanften Bogen auf die T–Achse zu und endet auf dieser bei T_E . Nanu, $\mu = 0$ steht doch im Widerspruch zu (9.12). Und was passiert links von T_E ?? Es ist etwas faul im Staate Dänemark. Wo ist der Fehler? (9.13) war per

$\sum \to \int$ entstanden. Und daß diese Zustandsdichte–Verhackstückung auch des Grundzustandes gefährlich ist, stand schon in der Lösung zur Übung 3/13.

Zweiter Versuch

Wir behandeln jetzt den Grundzustand bei $\varepsilon_0 = 0$ separat (Index 0) und beschränken die $\sum \to \int$–Näherung auf die energetischen Teilchen (Index e):

$$N \;=\; \frac{1}{\mathrm{e}^{-\beta\mu}-1} + \sum_{\vec{k}}{}' \frac{1}{\mathrm{e}^{\beta(\varepsilon_k-\mu)}-1} \;=:\; N_0 + N_\mathrm{e}$$

$$N_\mathrm{e} \;\to\; \frac{V}{(2\pi)^3}\,4\pi\int_0^\infty dk\,k^2 \frac{1}{\mathrm{e}^{\beta\frac{\hbar^2k^2}{2m}}\,\mathrm{e}^{-\beta\mu}-1} \;=\; N\left(\frac{T}{T_E}\right)^{3/2}\frac{\Im(\beta\mu)}{\Im(0)}\;. \tag{9.16}$$

Solange μ eine intensive Größe ist, ist auch $N_0 = 1/(\mathrm{e}^{-\beta\mu}-1)$ intensiv und kann gegenüber N_e entfallen. Dann bestimmt sich μ aus (9.13). So „blind" war er gar nicht, der erste Versuch. Gelangt aber μ unterhalb der Einstein–Temperatur in ex^{-1}–Größenordnung, dann wird N_0 extensiv: $\mu = \mathrm{ex}^{-1} \hookrightarrow N_0 = -1/(\beta\mu) = \mathrm{ex}$. Der Grundzustand besiedelt sich makroskopisch, das $\Im$–Verhältnis in (9.16) wird Eins[1] und wir erhalten

$$N_0 = N\left[1-\left(\frac{T}{T_E}\right)^{3/2}\right] \qquad (0 < T < T_E)\;. \tag{9.17}$$

In der Sprache der Phasenübergänge ist laut [*Schwabl*] $\sqrt{N_0/N}$ der **Ordnungsparameter**: $\neq 0$ in der Kondensatphase und Null sonst.

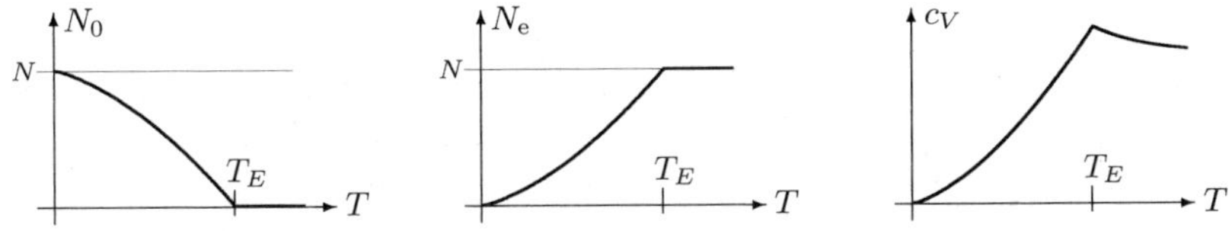

Bild 9–4: Ideales Bose–Einstein–Kondensat. Anzahl N_0 der Teilchen im Grundzustand, Anzahl $N_\mathrm{e} = N - N_0$ energetischer Teilchen und spezifische Wärme c_V.

Problemlos — aber etwas mühsam — läßt sich auch die rechts im Bild 9–3 dargestellte spezifische Wärme $c_V = \partial_T E)_{V,N}$ ausrechnen. In der Energie $E = \sum_\lambda \varepsilon_\lambda n_\lambda$ ist kein Term abzuspalten (er wäre Null). Sie ergibt sich also als (9.16) mit einem zusätzlichen Tx im Zähler. In der Kondensatphase ist wegen $\beta\mu \approx 0$ und nach Substitution $\beta\frac{\hbar^2k^2}{2m} = x$ das x–Integral konstant und dort folglich $E \sim$

[1] In diesem Term läßt sich $\mu = \mathrm{ex}^{-1} < 0$ lediglich nicht mehr von $\mu = 0$ unterscheiden. Als hier brauchbare Näherung steht $\mu = 0$ also zu (9.12), $\mu < 0$, keineswegs im Widerspruch.

$T^{5/2}$. Wie N_e wächst also auch $c_V \sim T^{3/2}$ an. Oberhalb T_E wird beim Ableiten nach T das N–Festhalten wichtig. Wie sich die Fugazität $z := e^{\beta\mu}$ mit T ändert, folgt dann aus (9.13) per $\partial_T N = 0$. Die Details dieser Rechnung (Übung?) sind nicht besonders aufregend. Man erhält

$$c_V^{T<T_E} = N \frac{5}{2} \frac{\mathcal{J}(0)}{\Im(0)} \left(\frac{T}{T_E}\right)^{3/2} \text{ und } c_V^{T_E<T} = N \left[\frac{5}{2} \frac{\mathcal{J}(\beta\mu)}{\Im(\beta\mu)} - \frac{9}{2} \frac{\Im(\beta\mu)}{\mathcal{H}(\beta\mu)} \right] , \qquad (9.18)$$

wobei $\mathcal{H}$, $\Im$, $\mathcal{J}$ x–Integrale sind, nämlich (9.13) mit $x^{-1/2}$, $x^{1/2}$, $x^{3/2}$ im Zähler. Bei [*Greiner*] und [*Schwabl*] heißen sie $\Gamma(\frac{1}{2}) \cdot g_{\frac{1}{2}}(z)$, $\Gamma(\frac{3}{2}) \cdot g_{\frac{3}{2}}(z)$ und $\Gamma(\frac{5}{2}) \cdot g_{\frac{5}{2}}(z)$.

Ein weiterer Versuch wird nun wohl erwartet, welcher die nächst–höheren ε_λ von der Zustandsdichte–Näherung befreit. Daß dies aber zu keinen wesentlichen Änderungen mehr führt, läßt sich per Argument begreifen. Die tiefste über $\varepsilon_0 = 0$ liegende Energie ε_1 ist $\hbar^2 k^2/(2m)$ mit $k = 2\pi/L$, kurz: $\varepsilon_1 \sim 1/L^2$. Wenn ex^{-1} geworden, verhält sich μ hingegen wie $1/L^3$. Bei der makroskopischen Besetzung des Grundzustandes geht es folglich zu, als wäre ε_1 energetisch weit, weit entfernt.

Nein, der würdige dritte Versuch besteht vielmehr darin, die Kondensation in der Natur nachzuweisen. Alles obige hatten Einstein und Bose schon um 1925 vorhergesagt. Aber es vergingen Jahrzehnte, bis es endlich gelang, das Phänomen im Experiment dingfest zu machen — nämlich laut [*Kittel/Krömer*] ca. 1950 bei He^4 und laut [*Schwabl*] 1995 bei Rb und Li (in Atomfallen bei Milli–Kelvins) sowie 1998 bei Wasserstoff. Angaben von Originalliteratur in diesen Lehrbüchern helfen gegebenenfalls weiter.

Die Wechselwirkung läßt He^4 unter Normaldruck bei 4.2 K normal–flüssig werden und erst bei 2.17 K supraflüssig. Die spezifische Wärme entwickelt bei T_E eine Singularität, die wie ein seitenverkehrtes Lambda aussieht, weshalb gern von „λ–Punkt“ und „λ–Übergang“ die Rede ist. Und die makroskopische Grundzustands–Besetzung bleibt laut [*Schwabl*] unvollständig. Daß es sie aber gibt, das entdeckt sich zu idealen Bosonen schon richtig. Generell pflegen sich Phasenübergänge, wenn weit genug von der Übergangstemperatur entfernt, schon bei gröberen (leichter machbaren) Näherungen anzudeuten.

Übung 9/5

Ein 2D Bose-Gas kann vermutlich experimentell präpariert und studiert werden. Es sollte einen „gerade nicht mehr“–Bose–Einstein–Effekt zeigen. N nicht–wechselwirkende Bosonen (m) leben auf einer PBC–Fläche F. Wie schon bei Übung 9/3 ist die Zustandsdichte konstant. Jedoch liegt jetzt der Grundzustand unmittelbar an deren unterem Ende.

(a) In $\mu(T)$, wenn „blind“ erhalten, gibt es keine Schwelle. ($N\frac{2\pi\hbar^2}{mF} =: T_0$)

(b) Nach Abspalten von N_0 kann nicht mehr nach μ, wohl aber nach T aufgelöst werden: $T(N_0, N, T_0) = ?$ Zu welcher Geraden wird $N_0(T)$, solange N_0 noch makroskopisch ist? Bei welcher Temperatur T_1 erreicht diese Gerade die Achse? (Der Computer erledige den Rest. Das Argument, die Energie ε_1 liege weit weg, trifft nicht mehr zu. Ihr Einfluß bleibt dennoch gering.)

Lösung (a) $N = \frac{F}{(2\pi)^2}\, 2\pi \int_0^\infty dk\, \frac{k}{e^{\beta\varepsilon_k}\, e^{-\beta\mu}-1} = -\frac{TN}{T_0}\ln(1-e^{\beta\mu})$, $\mu = T\ln(1-e^{-\beta T_0})$.

(b) $N = N_0 - \frac{TN}{T_0}\ln(1-e^{-\beta\mu}) = N_0 + \frac{TN}{T_0}\ln(N_0+1)$,

$T = T_0\, \frac{1-N_0/N}{\ln(N_0+1)}$. $\ln(N\cdot\frac{N_0}{N}) \approx \ln(N)$,

$N_0 = N - T\frac{N}{T_0}\ln(N)$, $T_1 = T_0/\ln(N)$.

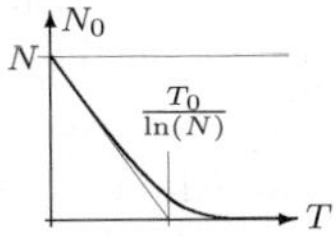

9.3 Supraflüssigkeit

Bei genügend tiefer Temperatur gibt es auch noch andere schöne „Eisblumen“. So kann bei Milli–Kelvin sogar das Fermi–System aus He^3 Bose–Einstein–kondensieren, und zwar weil sich dann bosonische Paare von Fermionen bilden. Ganz ähnlich geht es im Metall zu, wenn Elektronen Cooper–Paare bilden: Supraleitung. Irgendwann (ist es schon so weit?) werden Materialien gefunden sein, welche schon bei Zimmertemperatur supraleitend werden. Der Titel dieses Abschnittes verspricht zu viel. Es soll nämlich nur eine einzige Frage beantwortet werden — wie es sein kann, daß es Null–Widerstand überhaupt gibt.

Landau–Argument

Die supraleitende Phase der Elektronen eines Metalls fließt durch den Wirtskristall hindurch, als würde sie Fremdatome und Phononen gar nicht bemerken. Sie ist blind. Suprafluides Helium bemerkt nichts von den Unebenheiten der Wand des Rohres, von Gegenständen, die man ihr in den Weg legt, und auch nichts von den Atomen der Normalphase. Es denkt sich besser, wenn wir, wie Bild 9–5 zeigt, diese Situationen einer Galilei–Transformation unterwerfen. Das Kondensat ruht und die Widerstands–Ursachen bewegen sich.[2]

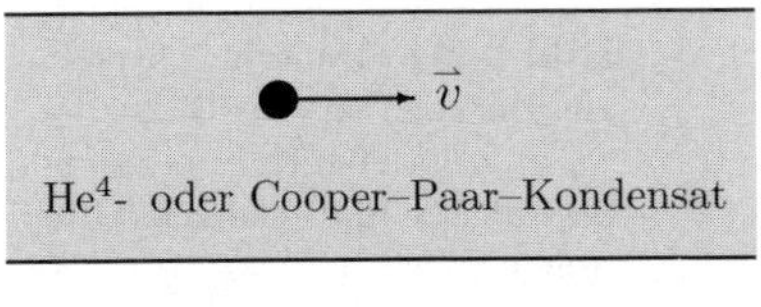

Bild 9–5 : Eine ruhende Supraflüssigkeit, durch die sich ein Objekt mit $\vec{v}$ bewegt, ist Galilei–äquvalent zu einer mit $-\vec{v}$ strömenden Flüssigkeit bei ruhendem Objekt.

Die Ursache der Blindheit ist, daß es keine Streuprozesse gibt, für welche Energie– und Impulssatz zugleich erfüllt wären. Um gebremst zu werden, muß die Kugel

[2] Die im Text folgende Argumentation geht vermutlich direkt auf Landau (1908 – 1968) zurück. In [*Landau*, Bd. 9, § 23] wird Bild 9–6 mit Worten beschrieben. Allerdings ist das dortige Pendeln zwischen Galilei–verbundenen Inertialsystemen recht anstrengend und zumindest vorerst nicht nötig, soweit wir hier [*Kittel/Krömer*] folgen. Nichtsdestotrotz ist Landaus Band 9 eine Fundgrube für tiefer an Supraleitung und Superfluidität Interessierte.

im Bild 9–5 Energie abgeben. Nach einem elementaren Stoß muß diese Energie in Form von Anregungen des Mediums vorzufinden sein. Auf die Art der Anregungen kommt es nicht an. Bei He^4 sind longitudinale Phononen die energetisch tiefsten Anregungen. Zum Cooper–Paar–Kondensat sind es ungepaarte Quasi–Elektronen. Anregungen haben in der Regel eine Dispersion, d.h. eine Energie–Wellenvektor–Kurve. So ein wechselwirkendes Medium ist wie ein Stück Sülze oder ein Teller Suppe — alle Teilchen bemerken von allen anderen. Wenn sich eine Anregung einem bestimmten Teilchen noch wenigstens zuordnen läßt, spricht man gern von einem **Quasiteilchen**.

Ob Supraflüssigkeit eintritt, hängt von der Form der ε_k–$\vec{k}$–Dispersionskurve ab. Wir lassen hier beiseite, wie die Energie ε_k der Anregungen zu Wellenvektor $\vec{k}$ gemessen (Neutron–Streuung) oder ausgerechnet wurde (Vielteilchen–Theorie). ε_k möge nur von $|\vec{k}|$ abhängen. Die bekannten Erhaltungssätze werden auch von quantenmechanischer Streutheorie respektiert. Wir betrachten den Stoß eines vorher mit $\vec{v}$ und nachher mit $\vec{u}$ fliegenden Objektes M und eliminieren $\vec{u}$:

$$\frac{1}{2}Mv^2 = \frac{1}{2}Mu^2 + \varepsilon_k \quad , \quad M\vec{v} = M\vec{u} + \hbar\vec{k} \quad : \quad \vec{u} = \vec{v} - \frac{\hbar\vec{k}}{M}$$

$$\curvearrowright \quad 0 = \varepsilon_k - \vec{v}\cdot\hbar\vec{k} + \frac{\hbar^2 k^2}{2M} \quad . \tag{9.19}$$

Der dritte Term rechts in (9.19) hat eine andere Signatur. Der Einfachheit halber denken wir an eine große Masse M (jene der Kugel im Bild 9–5) und lassen den dritten Term weg. Die verbliebene Gleichung $\varepsilon_k = \hbar\vec{v}\,\vec{k}$ will grafisch gelöst werden.

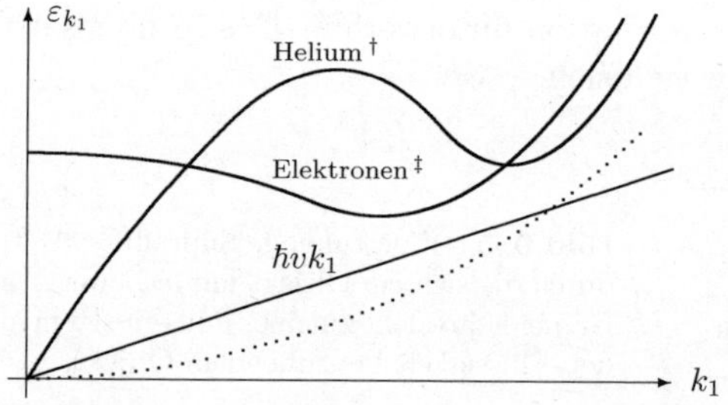

Bild 9–6 : Grafische Lösung zur Energie–Impuls–Bilanz $\varepsilon_k = \hbar\vec{v}\,\vec{k}$ bei He^4, bei einem Supraleiter und (punktiert) bei freien Teilchen.

Wir legen $\vec{v}$ in x–Richtung und tragen beide Seiten, ε_k und $\hbar\vec{v}\,\vec{k}$, über der k_1–Achse auf. Bild 9–6 zeigt, daß es erst Schnittpunkte gibt (vom Spektrum freier Teilchen abgesehen), wenn die $\hbar v k_1$–Gerade steil genug ansteigt. Um zu verstehen, daß unsere Auftragung die günstigste war, denke man sich eine k_2–Achse

† Kurvenform freihand nach [*Kittel/Krömer*, Bild 7.17]
‡ Kurvenform freihand nach [*Brenig*, Fig. 41.3]

hinzu: ε_k liegt rotationssymmetrisch um die ε–Achse, aber $\hbar\vec{v}\,\vec{k}$ bildet nur eine schiefe Ebene. Der Anstieg der Geraden ist $\hbar v$. Erst wenn also die Geschwindigkeit v des Widerstands–Objektes (respektive der Flüssigkeit) einen kritischen Wert übersteigt, dann — erst dann — werden die Widerstands–Verursacher „sichtbar", ermöglichen Streuprozesse, wirken bremsend und produzieren Normalflüssigkeit. Das ist es. Und es stimmt mit den experimentellen Befunden überein.

9.4 Masse gegen Null

Offene grundsätzliche Fragen erinnern sich hartnäckig — beispielsweise die im zweiten Absatz des Kapitels angedeutete. Masselose Bosonen wie z.B. Photonen regen sich thermisch an, haben keine erhaltene Teilchenzahl N und folglich kein μ. Massive neutrale Bosonen bei Temperatur $T \ll mc^2$ werden hingegen artig großkanonisch mit chemischem Potential μ und Erhaltungsgröße N behandelt. Wenn man von Modell zu Modell die Boson–Masse m immer kleiner werden läßt, so muß wohl oder übel unterwegs etwas Eigenartiges passieren.

Halten wir die Temperatur fest, dann werden viele Bosonen thermisch angeregt sein, noch bevor m ganz Null geworden ist. Das Spektrum ist dann relativistisch $\varepsilon_k = \sqrt{m^2c^4 + \hbar^2k^2c^2}$ und m ist unter die festgehaltene Temperatur gesunken. In einem vorbereitenden ersten Schritt (dem schwierigen) versuchen wir, die Gleichung zu notieren, welche das chemische Potential μ für relativistische neutrale Bosonen festlegt. Erst im zweiten Schritt wandert dann die Masse m gegen Null.

Erster Schritt. Wir halten zunächst die Masse m fest und erhöhen die Temperatur, bis Relativistik wichtig wird. Die neutralen Bosonen mögen nicht dissoziieren können — ein Denkweg ist gesucht. Bei $T \ll mc^2$ sei die Anzahl $N_{\text{n.th.}}$ vorgegeben worden (n.th. für „nicht–thermisch"). $\mu(T)$ entfernt sich ins Negative. Allmählich beginnt sich nun N wegen thermischer Anregung über $N_{\text{n.th.}}$ zu erhöhen. Was treibt $\mu(T)$ dabei? Wir können es doch nicht einfach klammheimlich aus dem Verkehr ziehen. Auch Nullsetzen geht nicht, weil ja die Teilchen $N_{\text{n.th.}}$ auch noch da sind.

Nicht wahr, das hört sich schlimm an.[3] Eine Idee, wie die $\mu(T)$–Bestimmung fortgesetzt werden sollte, ergibt sich beim Blick in [*Kapusta*, § 2.4], wo ein verwandtes System behandelt wird, nämlich geladene Bosonen. Deren Antiteilchen haben entgegengesetzte Ladung. Wir denken dabei z.B. an einen *bound state* von up–quark mit anti–down (Ladung +1) und sein Antiteilchen anti–up mit down (Ladung −1). Dieses System h a t die gesuchte Erhaltungsgröße, nämlich die Gesamtladung $Q = N_+ - N_-$ mit $N_\pm$ = Anzahl positiver bzw. negativer

[3] In der Literatur war keine Antwort auf unsere Frage zu finden. Nun, dann sind wir hier eben die ersten. Es wäre nett, wenn sich per E–Mail meldet, wer Besseres weiß oder findet.

Ladungen. In der großkanonischen Wahrscheinlichkeit (4.3) steht nun Q an der Stelle von N und der Q–Vorfaktor ist ein „Ladungs–μ“. Bei Abwesenheit von Wechselwirkung haben positive Teilchen ihr eigenes Bild 9–1 und negative ebenfalls. Die Herleitung der beiden Bose–Verteilungen folgt (9.2) und (9.3), wobei negative Teilchen das andere μ–Vorzeichen haben. Die Gleichung, aus welcher zu gegebener Ladung Q das Ladungs–μ zu bestimmen ist, lautet folglich

$$Q = \sum_{\vec{k}} \left(\frac{1}{e^{\beta(\varepsilon_k - \mu)} - 1} - \frac{1}{e^{\beta(\varepsilon_k + \mu)} - 1} \right) \quad \text{mit} \quad \varepsilon_k = \sqrt{m^2c^4 + \hbar^2c^2k^2}\ . \tag{9.20}$$

Sollen bei Abkühlung ein paar positive Ladungen übrig bleiben, dann muß μ an $+mc^2$ heranrücken. Sollen es negative sein, dann rückt μ von oben her an $-mc^2$ heran. Mittels (9.20) findet [*Kapusta*] die Einstein–Temperatur des Systems und gibt sie in den Grenzfällen großer und kleiner Masse an.

Nach diesem Blick auf das verwandte geladene Bose–System kehren wir zu neutralen Bosonen zurück und lassen — mit weichen Knien — in (9.20) die Ladung verblassen. Neutrale Bosonen sind ihre eigenen Antiteilchen. Mit dem zweiten Term in (9.20) wird der Anteil thermisch angeregter Teilchen subtrahiert. Also bekommt Q die Bedeutung des vorgegebenen Teilchenrestes $N_{\text{n.th.}}$. Und μ, aus

$$N_{\text{n.th.}} = \sum_{\vec{k}} \left(\frac{1}{e^{\beta(\varepsilon_k - \mu)} - 1} - \frac{1}{e^{\beta(\varepsilon_k + \mu)} - 1} \right) \tag{9.21}$$

zu bestimmen, wird zu einem „Teilchenrest–μ“. Bei tiefer Temperatur verschwindet der zweite Term $\sim e^{-\beta 2mc^2}$, und schließlich Bose–Einstein–kondensieren die $N_{\text{n.th.}}$ Teilchen wie im § 9.2. μ im § 9.2 ist das obige Teilchenrest–μ minus mc^2.

Mit (9.21) steht die relativistische Verallgemeinerung der N–μ–Beziehung auf dem Papier. Mit dieser können wir jetzt erneut die Einstein–Temperatur T_E ermitteln, indem wir $\mu = mc^2$ setzen. Im Abschnitt § 9.2 hatten wir mit (9.15) nur die nicht–relativistische Version von T_E aufgeschrieben. Wir hatten die Energie–Wurzel von vornherein nach kleinen k^2 entwickelt, d.h. $(mc/\hbar)^2 \gg k^2$ angenommen. Typische k^2 lagen gemäß (9.13) bei $T\,m/\hbar^2$. Mit T_E, (9.15), für T führt uns dies auf die Bedingung

$$\frac{N_{\text{n.th.}}}{V} \ll \left(\frac{mc}{\hbar}\right)^3 \quad \text{für (9.15)–Gültigkeit}\ . \tag{9.22}$$

Zweiter Schritt. Masse gegen Null. Wie die rechte Seite von (9.22) zeigt, wird sich die Ungleichung bei $m \to 0$ in ihr Gegenteil verkehren. Also suchen wir jetzt nach dem ultra–relativistischen Grenzwert von T_E. Er läßt sich ausrechnen. Wir setzen $\beta mc^2 =: \varepsilon$ und betrachten $\varepsilon \to 0$. In (9.21), genommen bei $\mu = mc^2$, substituieren wir $x = \beta\sqrt{m^2c^4 + \hbar^2c^2k^2} - \varepsilon$ im ersten Integral sowie $x = \beta\sqrt{m^2c^4 + \hbar^2c^2k^2} + \varepsilon$ im zweiten und erhalten

$$\frac{N_{\text{n.th.}}}{V} = \frac{T_E^3}{2\pi^2(\hbar c)^3}\left[\int_0^\infty dx\,(x+\varepsilon)\sqrt{x^2+2x\varepsilon}\,\frac{1}{\mathrm{e}^x-1} - \int_{2\varepsilon}^\infty dx\,(x-\varepsilon)\sqrt{x^2-2x\varepsilon}\,\frac{1}{\mathrm{e}^x-1}\right] \qquad (9.23)$$

noch in Strenge. Bei $\varepsilon = 0$ kompensieren sich die beiden Terme in der eckigen Klammer, und der führende Term $\mathcal{O}(\varepsilon)$ folgt per Wurzel–Entwicklung:

$$\frac{N_{\text{n.th.}}}{V} \;\overset{\top}{=}\; \frac{T_E^3}{2\pi^2(\hbar c)^3}\,4\,\varepsilon\int_0^\infty dx\,\frac{x}{\mathrm{e}^x-1} = \frac{T_E^3}{2\pi^2(\hbar c)^3}\,4\,\beta_E mc^2\,\frac{\pi^2}{6}$$

$$\;\underset{\perp}{=}\; \frac{T_E^2\,m}{3\,\hbar^3\,c} \quad\curvearrowright\quad T_E^{\text{ultra-relativistisch}} = \sqrt{\frac{3\,\hbar^3\,c}{m}\,\frac{N_{\text{n.th.}}}{V}}\,, \qquad (9.24)$$

gültig für $N_{\text{n.th.}}/V \gg (mc/\hbar)^3$.

Die Angelegenheit wird jetzt recht hübsch. Natürlich schielen wir auf jenes m im Wurzel–Nenner von (9.24). Bei $m \to 0$ wächst T_E beliebig an. Jede normale Temperatur T liegt somit unter T_E, und folglich kondensieren die $N_{\text{n.th.}}$ Vorgabe–Teilchen bei $\mu = mc^2$. Aber auch diese Energie gleitet mit $m \to 0$ nach Null. Bei $m = 0$ ist die Kondensation vollständig. Das Kondensat hat keine Masse, keine Energie, keinen Druck. Es ist nicht mehr nachweisbar. Weg sind sie, die $N_{\text{n.th.}}$ Vorgabe–Teilchen. Übrig bleiben nur die thermisch angeregten Teilchen. Das eingangs angekündigte „Eigenartige" ist eine Bose–Einstein–Kondensation.

Bei Photonen hatten wir den Leser beschworen — im zweiten Absatz des § 8.2 — er möge doch bitte von einem μ gar nicht reden. Es gibt keins. Die Freie Energie (8.23) enthält die Variable N nicht. Der Widerspruch zu Obigem ist nur ein scheinbarer. Hier im § 9.4 war m ständig noch nicht ganz Null (von den Sätzen unter (9.24) abgesehen). Bei genau $m = 0$ empfehlen wir sehr, weiterhin auf der Aussage „es gibt kein μ" zu bestehen.

Angenommen, jemand bleibt trotzig dabei, dem Photonen–System ein chemisches Potential zuordnen zu wollen. Dann hätte er zu erklären, wie es denn zu definieren sei und — noch eindringlicher gefordert — in welchem Raum von $\mu \neq 0$–Situationen es denn die Null–Besonderheit wäre.[4] Also gut, wenn er daraufhin die Vorgabe–Teilchen einführt, (9.21) herleitet und so weiter und so weiter, dann mag er mit einem Freispruch davonkommen.

[4] Die Argumentation, bei variabler Teilchenzahl stelle sich generell das F–Minimum ein und somit sei $\mu = \partial_N F = 0$, halten wir für nicht schlüssig — zumindest nicht bei massiven neutralen Bosonen. Sie verpaßt die Möglichkeit eines Vorgabe–Teilchen–Überschusses und findet keinen Anschluß an die nicht–relativistische Situation.

10 Spins

Spin ist ein relativistischer Effekt. Wir wissen bereits aus § 7.4, daß bei relativistischer Korrektur der Quantenmechanik die Postulate der Quantentheorie nicht verletzt werden. Allein die Tabelle (1.14) der Operatoren bot Möglichkeiten der Erweiterung. Nach Durcharbeiten der Drehimpuls–Operator–Algebra (mit dem Resultat, daß auch Halbzahligkeit möglich sei) kann man zwar Pauli–Matrizen in der Tabelle eintragen. Aber wie sie Physik machen (in H einzubauen sind), bleibt unbekannt. Nein, einem konsequenten Studium, welches die Einheit der Physik nie verletzt, steht wohl bezüglich Spin nur ein einziger Weg zur Verfügung: zuerst Dirac–Gleichung, dann Felder–Einbau in diese und (wenn man noch will) die Suche nach Resteffekt bei $c \to \infty$. Gegenüber der genannten Konsequenz hatten wir schon mehrfach mit allerlei elektronischer Gedankenstrich–Verdopplung gesündigt. Aber jetzt wenigstens werde es richtig gemacht.

10.1 Dirac–Gleichung mit Feld

„Idee minus m". Die bisherige Version (7.50) der Dirac–Gleichung enthält keine Potentiale. Ihre Schrödinger–Form (7.49) zeigt es noch deutlicher. Wir könnten jetzt anfangen zu basteln. Es muß ja wohl zum Dirac–Hamiltonian ein $q\phi$ addiert werden, $i\hbar\dot{\psi} = [\,H_D + q\phi\,]\,\psi$, und zugleich dürfte $\vec{p}$ im H_D auf $\vec{p} - q\vec{A}$ zu erweitern sein (*minimal substitution*). Schließlich soll ja (1.20) eine Chance haben, bei $c \to \infty$ wieder herauszukommen. Überdies zeigt uns (7.42), daß diese Ersetzungen den Pepp der Vierer–Formulierung haben:

$$\left.\begin{array}{ccc} \vec{p} & \to & \vec{p} - q\vec{A} \\ i\hbar\partial_t & \to & i\hbar\partial_t - q\phi \end{array}\right\} \quad \partial^\mu \;\to\; \partial^\mu + \frac{iq}{\hbar c}A^\mu \;. \tag{10.1}$$

Daß dies sogar tatsächlich richtig ist, wissen wir aufgrund eines Standpunktes, der sich schon zur nicht–relativistischen Quantenmechanik einnehmen läßt. Man weiß dort nur nicht (wußte lange Zeit nicht), daß er ganz oben anzusiedeln ist — ein Prinzip der Natur.

Das Prinzip der lokalen Eichinvarianz

Das Wort Quanten*mechanik* haben wir bekanntlich für (1.13) bis (1.19) zuzüglich $H = \frac{1}{2m}(\vec{p} - q\vec{A})^2 + q\phi$ reserviert. Nichts Meßbares in dieser Struktur ist betroffen, wenn man aus ψ einen konstanten Phasenfaktor $e^{i\chi}$ abspaltet. Ein Zustand sei darum, wie mitunter zu lesen steht, ein *ray*, d.h. die Gesamtheit aller sich um konstante Phase unterscheidenden Funktionen ψ. Etwas altmodisch dürfen wir aber wohl auch sagen: Zustände, welche sich nur in konstanter Phase unterscheiden, sind per definitionem *gleich*.

Wir Erdenmenschen schreiben gern (soweit möglich) reelle Funktionen auf. Die Marsianer haben vielleicht gern ein i davor. Keine Physik sollte betroffen sein, wenn wir (während wir dorthin fliegen) die Phase anpassen: Sie sollte orts– und zeitabhängig sein dürfen. Dies ist, zugegeben, kein überzeugendes Argument. Aber wir können ja einmal nachsehen, was der Schrödinger–Gleichung bei Abspalten einer $\vec{r}$–t–abhängigen Phase widerfährt. Also ersetzen wir ψ durch $e^{i\frac{q}{\hbar}\chi}\psi$ — gleich wird der Sinn hinter der $q/\hbar$–Abspaltung aus χ sichtbar werden — und beide, ψ und χ, hängen von $\vec{r}$ und t ab:

$$\begin{aligned} i\hbar\,\partial_t\, e^{i\frac{q}{\hbar}\chi}\psi &= \frac{1}{2m}(\vec{p}-q\vec{A}\,)^2\, e^{i\frac{q}{\hbar}\chi}\psi + q\phi\, e^{i\frac{q}{\hbar}\chi}\psi \qquad \curvearrowright \\ i\hbar\dot{\psi} &= \frac{1}{2m}\Big(\vec{p}-q\{\vec{A}-\nabla\chi\}\Big)^2\psi + q\{\phi+\dot{\chi}\}\psi \end{aligned} \tag{10.2}$$

Im Schritt zur zweiten Zeile hatten wir mit $e^{-i\frac{q}{\hbar}\chi}$ multipliziert, und zuvor war die Operator–Identität $(\vec{p}-q\vec{A})e^{i\frac{q}{\hbar}\chi} = e^{i\frac{q}{\hbar}\chi}(\vec{p}+q\nabla\chi-q\vec{A})$ von Nutzen.

(10.2) ist wieder die Schrödinger–Gleichung, nur erscheinen die Potentiale ϕ, $\vec{A}$ in anderer Eichung, welche bekanntlich die Felder $\vec{E}$, $\vec{B}$ nicht verändert. Offenbar geht die Schrödinger–Gleichung in sich über, wenn man unter einer Eichtransformation versteht, zugleich beide Ersetzungen,

$$\psi \to e^{i\frac{q}{\hbar}\chi}\psi \quad \text{und} \quad \vec{A} \to \vec{A}+\nabla\chi \;,\quad \phi \to \phi-\dot{\chi}\;, \tag{10.3}$$

vorzunehmen. Quantenmechanik ist lokal eichinvariant.

Wie eine neckische kleine Nebensache mag Obiges erscheinen. Aber jetzt erheben wir sie zum Prinzip: Quantentheorie *hat* lokal eichinvariant zu sein.

> Der physikalische Gehalt einer Theorie von geladenen
> Teilchen–Feldern $\psi(\vec{r},t)$ darf sich unter der (10.4)
> Transformation $\psi \;\to\; e^{i\frac{q}{\hbar}\chi(\vec{r},t)}\,\psi$ nicht ändern.

Aufgrund dieses Prinzips der lokalen Eichinvarianz kann man Kräfte herleiten. Vielleicht gehört noch ein Gefahrenzeichen hinter diesen Satz, oder es wird erlaubt, noch etwas „Prinzip der Einfachheit" hinzuzunehmen. Das Kräfte–Herleiten geschieht folgendermaßen (aber bitte nicht übel nehmen, falls sich dabei ein paar Unverständlichkeiten einschleichen sollten). Stellen Sie sich vor, nie jemals etwas von elektromagnetischen Feldern gehört zu haben, Maxwell–Gleichungen vergessen, kein Licht, wir sind blind (blind gegenüber dem Gluonen–Licht der quarks sind wir sogar tatsächlich). Aber irgendwie in unserem unterirdischen Dasein hätten wir die Quantenmechanik eines freien (= nicht mit Feld wechselwirkenden) Teilchens dingfest machen können: $i\hbar\,\partial_t\,\psi = \frac{1}{2m}\vec{p}^{\,2}\,\psi$. Jetzt tritt (10.4) in Aktion und zwingt uns,

$$i\hbar\dot{\psi} = \frac{1}{2m}\Big(\vec{p} - q\Big\{\quad - \nabla\chi\Big\}\Big)^2\psi + q\Big\{\quad + \dot{\chi}\Big\}\psi \tag{10.5}$$

aufzuschreiben. Damit dies eine in sich übergehende Gleichung wird, sind wir genötigt, in die Freiräume Hilfsfelder einzutragen, ein vektorielles und ein skalares, welche (unter gleichzeitiger Transformation) die Phaseneffekte auffangen können. Nennen wir sie $\vec{A}$ und ϕ. Teilchen haben ihre Eichbosonen. Alsbald haben wir auch eichunabhängige „Ober–Felder“ auf dem Papier, nennen sie $\vec{E}$, $\vec{B}$ und bringen sie in einem Vierer–Tensor unter: $F^{\mu\nu} = \partial^\mu A^\nu - \partial^\nu A^\mu$. Es wäre doch erstaunlich, wenn die Natur diese Felder nicht auch durch die Gegend fliegen ließe. Sie sollten eine Eigendynamik haben. Die einfachste Lorentz–invariante Lagrange–Dichte [1] ist $\mathcal{L}_{\text{eigen}} \sim F_{\mu\nu}F^{\mu\nu}$. Der Proportionalitätsfaktor legt nur ein Maßsystem fest. Schließlich sehen wir nach, welche Felder–Bewegungsgleichungen folgen (unter Variation der Wirkung, auch einen Term $-\int d^4x\, j^\mu A_\mu$ aus (10.7) enthaltend, nach den A^μ). — Es kommen die Maxwell–Gleichungen heraus!

Nach dieser Abschweifung kehren wir zum eigentlichen Anliegen zurück, dem Einbau elektromagnetischer Felder in die freie Dirac–Gleichung. Das Prinzip (10.4) verlangt, Hilfsfelder zu ∂^μ zu addieren

$$\partial^\mu + i\,\frac{q}{\hbar c}\,A^\mu =: D^\mu \qquad (\text{„kovariante Ableitung“})\ . \tag{10.6}$$

Das i vor A^μ ist nötig, damit alle Terme antihermitesch sind. Und den restlichen Vorfaktor haben wir $q/(\hbar c)$ genannt, denn von Ladung war bisher keine Rede: Die Kopplungsstärke q ist zu messen. Die Dirac–Gleichung mit Feld lautet somit

$$\gamma^\mu D_\mu =: \not{D} \quad : \qquad \Big(i\hbar\not{D} - mc\Big)\psi = 0\ . \tag{10.7}$$

„IDee minus m“ bleibt uns erhalten — mit großem D.

Dirac im Limes $c \to \infty$

Natürlich ist mit (10.7) ein weiterer wichtiger Schritt in die QFT hinein getan. Aber mit Blick auf die Rolle des Spins bei allerlei Magnetismus–Phänomenen der

[1] Die QFT vermag noch weitergehende Forderungen zu stellen, wie etwa, daß die Theorie renormierbar zu sein habe. Daß schließlich somit die Maxwell–Gleichungen hergeleitet seien, sagen [*Peskin/S.*] am Ende ihres § 15.1 .

Festkörperphysik schwenken wir unverzüglich zu der Frage über, wie wohl (10.7) im nicht–relativistischen Grenzfall aussehen mag. Dazu holen wir uns erst einmal per $c\partial_0 = \partial_t$ und $\gamma^k(\partial_k + i\frac{q}{\hbar c}A_k) = \vec{\gamma}(\nabla - i\frac{q}{\hbar}\vec{A})$ „normale" Größen zurück. (10.7) mal c lautet nun

$$\left[i\hbar\gamma^0\Big(\partial_t + i\frac{q}{\hbar}\phi\Big) - c\vec{\gamma}\Big(\vec{p} - q\vec{A}\Big) - mc^2\right]\psi = 0 \ . \tag{10.8}$$

Mit den γ–Matrizen der Dirac–Basis (7.53) und unter Aufspalten der vier ψ–Komponenten in obere zwei ($:= \varphi$) und untere zwei ($:= \chi$) entsteht das Gleichungspaar

$$\Big(i\hbar\partial_t - q\phi - mc^2\Big)\varphi = c\Big(\vec{p} - q\vec{A}\Big)\cdot\vec{\sigma}\,\chi \tag{10.9}$$

$$\Big(i\hbar\partial_t - q\phi + mc^2\Big)\chi = c\Big(\vec{p} - q\vec{A}\Big)\cdot\vec{\sigma}\,\varphi \ . \tag{10.10}$$

Es folgt ein schöner Gedanke. Wer sagt denn, der Limes $c \to \infty$ funktioniere automatisch, zumal sich das Spektrum Bild 7–5 nach oben und unten weit auseinander zieht. *Welche Physik* soll bei $c \to \infty$ studiert werden?! — jene im Alltag. Und dieser hat Energien, die in einem eV–Bereich um $E = mc^2$ herum liegen:

$$\psi \sim \mathrm{e}^{-\frac{i}{\hbar}(E\approx mc^2)t} \quad \curvearrowright \quad \Big[i\hbar\,\partial_t\Big]_{\text{Alltag}} = mc^2 + \mathcal{O}(\text{eV}) \ . \tag{10.11}$$

Für (10.9), wo sich mc^2 subtrahiert, besagt dies nur, daß $-q\phi$ ein wichtiger Term ist. Aber in (10.10) kann $-q\phi$ getrost gegen $2mc^2$ vernachlässigt werden, so daß $\chi = \frac{1}{2mc}(\vec{p} - q\vec{A})\cdot\vec{\sigma}\,\varphi$ wird, womit sich (10.9) als Gleichung für φ allein schreiben läßt. Sogleich kann diese mittels $(\vec{a}\vec{\sigma})(\vec{b}\,\vec{\sigma}) = \vec{a}\,\vec{b} + i\,(\vec{a}\times\vec{b}\,)\cdot\vec{\sigma}$ weiter verarztet werden — aber Vorsicht: $\vec{a}$ und $\vec{b}$ enthalten Operatoren im Ortsraum:

$$\begin{aligned}
\Big(i\hbar\partial_t - q\phi - mc^2\Big)\varphi &= \frac{1}{2m}\Big[(\vec{p} - q\vec{A}\,)\cdot\vec{\sigma}\Big]\Big[(\vec{p} - q\vec{A}\,)\cdot\vec{\sigma}\Big]\varphi \\
&= \frac{1}{2m}\Big\{(\vec{p} - q\vec{A}\,)^2 + i\Big[(\vec{p} - q\vec{A}\,)\times(\vec{p} - q\vec{A}\,)\Big]\cdot\vec{\sigma}\Big\}\varphi \\
&= \frac{1}{2m}\Big\{(\vec{p} - q\vec{A}\,)^2 - \hbar q\Big[\nabla\times\vec{A} + \vec{A}\times\nabla\Big]\cdot\vec{\sigma}\Big\}\varphi \\
&= \frac{1}{2m}\Big\{(\vec{p} - q\vec{A}\,)^2 - \hbar q\,\vec{B}\cdot\vec{\sigma}\Big\}\varphi \ .
\end{aligned} \tag{10.12}$$

Wir verschieben noch per $\varphi = \mathrm{e}^{-\frac{i}{\hbar}mc^2t}\psi$ den Ursprung der Energieskala an das untere Ende des Leitungsbandes und kommen an bei der **Pauli–Gleichung**

$$i\hbar\,\dot{\psi} = \left[\frac{1}{2m}(\vec{p} - q\vec{A}\,)^2 + q\phi - \frac{q}{m}\vec{B}\,\vec{S}\right]\psi \qquad \text{mit } \vec{S} = \frac{\hbar}{2}\vec{\sigma} \ . \tag{10.13}$$

Das Versprechen, (1.20) zurückzugewinnen, ist eingelöst. Da er die ganze Quantenmechanik im Grenzfall enthält, steht Dirac höher auf der Stufenleiter der Erkenntnis. Aber es hat sich auch ein relativistischer Rest ergeben: der dritte Term. So und mit diesem Vorfaktor steht der Spin im Hamilton–Operator. Natürlich entstehen weitere relativistische Zusätze, wenn die obige Rechnung bis $\mathcal{O}(1/c^2)$ getrieben wird — oder wenn man per QED–Störungsrechnung (nach q^2) Korrekturen zum magnetischen Moment des Elektrons ausrechnet.

Der Spin ist zwar formal ein „Drehimpuls", indem $\vec{S}$ die Algebra $[\,S_1, S_2\,] = i\hbar S_3$ (u. zyklisch) befolgt. Man sage aber nicht, es rotiere da etwas. Würde es das, könnte man die Rotation verfolgen (Fähnchen hineinstecken) und schon gäbe es einen Bahndrehimpuls $\vec{L}$, welcher mit H–Anteil $-\frac{q}{2m}\vec{B}\,\vec{L}$ an $\vec{B}$ koppeln würde.[2] Oh, wie gut, daß es meist auch falsch wird, wenn man falsch denkt.

Die Logik, mit welcher über die Abschnitte 7.4 und 10.1 der Spin $\frac{1}{2}$ herausgekommen ist, halten wir für zwingend — zumindest in einem menschlichen Sinne. Nur Spin $\frac{1}{2}$ kam heraus. Alle elementaren Teilchen der Tabelle (7.1) haben ihn. Es steht auf einem anderen Blatt, daß sich über Zusammensetzung von Teilchen höhere Spins herstellen lassen. Unter „Spin eines Teilchens" wird übrigens der Wert von j im Eigenwert $\hbar^2 j(j+1)$ des quadrierten Drehimpuls–Operators $\vec{S}^{\,2}$ verstanden. Bei einem elementaren Teilchen vermag kein Experiment der Welt diesen Wert zu verändern. Ein Elektron hat Spin $\frac{1}{2}$, weil $\vec{S}^{\,2} = \hbar^2\frac{1}{4}\sigma^2 = \hbar^2\frac{3}{4} = \hbar^2\frac{1}{2}(\frac{1}{2}+1)$ ist. Nur Spin $\frac{1}{2}$ kommt im folgenden vor.

Zur Notation. Die Pauli–Matrizen stehen in (7.52). Ihr Anwendungsraum sind komplexwertig–zweikomponentige Gebilde: **Spinoren**. Eine Zustandsfunktion im Hilbert–Raum des Hamilton–Operators in (10.13) hängt von $\vec{r}$ und einer diskreten Variablen σ ab: $\psi(\vec{r},\sigma)$. $\sigma = +$ spezifiziert die obere Komponente $\psi(\vec{r},+)$ des Spinors und $\sigma = -$ die untere. Zur Dirac–Notation führt $\psi(\vec{r},\sigma) = \langle \vec{r},\sigma|$ Spezifizierungen des Zustandes $\rangle$. Wir empfehlen sehr, zwischen Variabler (σ) und Quantenzahl (z.B. s, oft als Spezifizierung vorkommend) zu unterscheiden. Die Eigenzustände $\binom{1}{0}$ und $\binom{0}{1}$ von σ^z können also als $\delta_{\sigma,s} = \langle\sigma|s\rangle$ mit $s = \pm$ notiert werden: s ist entweder $+$ oder $-$, aber σ läuft die diskretisierte σ–Achse entlang.

Übung 10/1 Zeige, daß das Quadrat jeder Pauli–Matrix $\begin{pmatrix}1&0\\0&1\end{pmatrix}$ ist; daß $[\,\sigma^x,\sigma^y\,] = 2i\sigma^z$ gilt; daß $\{\sigma^x,\sigma^y\} = 0$ ist; und schließlich, daß der Operator $\langle\vec{\sigma}\rangle_\chi\cdot\vec{\sigma}$ den Spinor χ, mit welchem der Erwartungswert gebildet wurde, als Eigenvektor zum Eigenwert $+1$ hat.

---

[2] $\vec{B} = \text{const}$, $\vec{A} = \frac{1}{2}\vec{B}\times\vec{r}$, $\nabla\times\vec{r} = \vec{0}$ $\curvearrowright$ $\vec{p}\,\vec{A} + \vec{A}\,\vec{p} = 2\vec{A}\,\vec{p} = (\vec{B}\times\vec{r})\vec{p}$ $= \vec{B}(\vec{r}\times\vec{p}) = \vec{B}\,\vec{L}$ und $\frac{1}{2m}(\vec{p}-q\vec{A})^2 = \frac{1}{2m}\vec{p}^{\,2} - \frac{q}{2m}\vec{B}\,\vec{L} + \mathcal{O}(B^2)$.

Lösung — ; — ; — ; z.B. zu Fuß: $\chi = \binom{a}{b}$ mit $a^*a + b^*b = 1 \curvearrowright \langle\vec{\sigma}\rangle_\chi \cdot \vec{\sigma} = \begin{pmatrix} 1-2b^*b & 2b^*a \\ 2a^*b & 1-2a^*a \end{pmatrix}$, was auf $\binom{a}{b}$ angewandt $\binom{a}{b}$ gibt. Mit diesem Resultat ist eine Eins–zu–Eins–Zuordnung Spinor $\hookrightarrow$ Einheitsvektor etabliert, denn aus $\langle\vec{\sigma}\rangle_\chi \vec{\sigma}\,\chi = \chi$ folgt, daß $\langle\vec{\sigma}\rangle_\chi^2 = 1$ ist.

Übung 10/2 Spinor $\rightarrow$ Pfeil: bilde $\vec{e} = \langle\vec{\sigma}\rangle_\chi$. (a) $\chi \sim \binom{3}{4i}$, $\vec{e} = ?$

(b) Spin–Präzession: $H = \hbar\omega\sigma^z$, $\chi(t{=}0) = \frac{1}{5}\binom{3}{4i}$, $\chi(t) = ?$ $\vec{e}(t) = ?$

Lösung (a) $\vec{e} = \left(\frac{1}{25}\binom{3}{-4i}\begin{pmatrix} 0 & 1 \\ 1 & 0 \end{pmatrix}\binom{3}{-4i}, \ldots, \ldots\right) = \left(0, \frac{24}{25}, \frac{-7}{25}\right)$, $|\vec{e}| = \ldots = 1$.

(b) $\chi(t) = \mathrm{e}^{-i\omega t\sigma^z}\left[\frac{3}{5}\binom{1}{0} + \frac{4i}{5}\binom{0}{1}\right] = \frac{1}{5}\binom{3\,\mathrm{e}^{-i\omega t}}{4i\,\mathrm{e}^{i\omega t}}$ und der Pfeil kreist mit $2\,\omega$ um die z–Achse: $\vec{e}(t) = \ldots = \left(\frac{-24}{25}\sin(2\omega t), \frac{24}{25}\cos(2\omega t), \frac{-7}{25}\right)$.

Übung 10/3 Pfeil $\rightarrow$ Spinor: löse $\vec{e}\vec{\sigma}\chi = \chi$. Wir nehmen gleich den allgemeinen Einheitsvektor in Kugelkoordinaten: $\vec{e} = (Sc, Ss, C)$ mit $S := \sin(\vartheta)$, $s := \sin(\varphi)$ etc.: $\chi = ?$ Welche Änderung erfährt χ unter $\varphi \rightarrow \varphi + 2\pi$?

Lösung $\begin{pmatrix} C & Sc - iSs \\ Sc + iSs & -C \end{pmatrix}\binom{a}{b} \stackrel{!}{=} \binom{a}{b}$, $S\mathrm{e}^{-i\varphi}b = (1-C)a$, $\chi = \frac{1}{\sqrt{2}}\binom{\sqrt{1+C}\,\mathrm{e}^{-i\varphi/2}}{\sqrt{1-C}\,\mathrm{e}^{i\varphi/2}}$.
Volle Umdrehung überführt χ in $-\chi$ (heißt ja auch Spinor und nicht Vektor).

Übung 10/4 Seien $|1\rangle$ und $|2\rangle$ Basiszustände eines 2–fach entarteten Unterraumes. Wie sehen dann die in (2.2) genannten Zustände $\psi_{E,\vartheta}$ aus? Mit welcher Wahrscheinlichkeitsdichte P liegen sie vor? Sei B ein Operator im $|1\rangle$–$|2\rangle$–Raum und $B\,|b\rangle = b\,|b\rangle$. Bei einer B–Messung sollte jeder der zwei b–Eigenwerte mit Wahrscheinlichkeit $p_b = 1/2$ erhalten werden. Wie kommt dies via (2.2) heraus?

Lösung Nach Lösung 10/3: $|\vartheta,\varphi\rangle = \frac{1}{\sqrt{2}}\sqrt{1+C}\;\mathrm{e}^{-i\varphi/2}|1\rangle + \frac{1}{\sqrt{2}}\sqrt{1-C}\;\mathrm{e}^{i\varphi/2}|2\rangle$,
$P = \frac{1}{4\pi}$, $(2.2) = \frac{1}{4\pi}\int d\Omega\,\left|\,\frac{1}{\sqrt{2}}\sqrt{1+C}\;\mathrm{e}^{-i\varphi/2}\langle b|1\rangle + \frac{1}{\sqrt{2}}\sqrt{1-C}\;\mathrm{e}^{i\varphi/2}\langle b|2\rangle\,\right|^2$.
$\int d\varphi\;\mathrm{e}^{\pm i\varphi} = 0 \curvearrowright$ keine Mischterme, …, $(2.2) = \frac{1}{2}\left(|\langle b|1\rangle|^2 + |\langle b|2\rangle|^2\right) = \frac{1}{2}$.

Übung 10/5 $(\vec{a}\vec{\sigma})(\vec{b}\vec{\sigma}) = \vec{a}\,\vec{b} + i\,(\vec{a}\times\vec{b})\vec{\sigma}$ — in (7.53) und (10.12) schon zweimal verwendet — wie könnte man diese Identität verifizieren?

Lösung Zu Fuß per $\vec{a}\vec{\sigma} = \begin{pmatrix} a_3 & a_1 - ia_2 \\ a_1 + ia_2 & -a_3 \end{pmatrix}$ usw. Da aber vektoriell formuliert, genügt auch das Nachrechnen mit speziell $\vec{a} = \vec{e}_1$ und $\vec{b} = \vec{e}_2 + \alpha\vec{e}_1$.

Übung 10/6 Der Zustand eines Quantensystems kann aus Messungen (Plural!) rekonstruiert werden. Spin $\frac{1}{2}$ bietet das wohl einfachste Beispiel. Der unbekannte Zustand χ eines Spin–$\frac{1}{2}$–Systems könne beliebig oft identisch hergestellt werden. Mit drei Stern–Gerlach–Apparaturen werden die Wahrscheinlichkeiten P_1 für Eigenwert $+1$ der Observablen σ^x, P_2 für $+1$ von σ^y und P_3 für $+1$ von σ^z ermittelt.
Welche Beziehung erfüllen die drei P's? Mit dem allgemeinen Spinor χ in Kugelkoordinaten aus Übung 10/3 erhalten wir P_1, P_2, P_3 als Funktionen von ϑ, φ. Wie drückt sich also der Spinor χ durch P_1, P_2, P_3 aus?

Lösung $P_1 = |\frac{1}{\sqrt{2}}\binom{1}{1}\chi|^2 = \frac{1}{4}|\sqrt{1+C}\,\mathrm{e}^{-i\varphi/2} + \sqrt{1-C}\,\mathrm{e}^{i\varphi/2}|^2 = \frac{1}{2}(1+Sc)$, $P_2 = |\frac{1}{\sqrt{2}}\binom{1}{-i}\chi|^2 = \frac{1}{2}(1+Ss)$, $P_3 = |\binom{1}{0}\chi|^2 = \frac{1}{2}(1+C)$. $1 = C^2+S^2s^2+S^2c^2 = (2P_3-1)^2 + (2P_2-1)^2 + (2P_1-1)^2$. Eine der drei Messungen braucht also nur über $P <> \frac{1}{2}$ zu entscheiden. $c = \frac{2P_1-1}{2\sqrt{P_3(1-P_3)}}$, $s = \frac{2P_2-1}{2\sqrt{P_3(1-P_3)}}$, $\tan(\frac{\varphi}{2}) = \frac{1-c}{s} = \frac{s}{1+c}$. Also (Phasenvorfaktor irrelevant): $\chi = \begin{pmatrix} \sqrt{P_3}\,\mathrm{e}^{-i\alpha} \\ \sqrt{1-P_3}\,\mathrm{e}^{i\alpha} \end{pmatrix}$ mit $\alpha = \frac{\varphi}{2} = \arctan\left(\frac{2\sqrt{P_3(1-P_3)}-(2P_1-1)}{2P_2-1}\right) = \arctan\left(\frac{2P_2-1}{2\sqrt{P_3(1-P_3)}+(2P_1-1)}\right)$.
Die zweite Version vermeidet im Falle $P_1 = 1$, $P_2 = P_3 = \frac{1}{2}$ ein „0/0“.

10.2 1/2–Spins auf Gitterplätzen

Der $\vec{B}\,\vec{S}$–Term in (10.13) ist beteiligt an quasi allen magnetischen Phänomenen der Festkörper und oft direkt für sie verantwortlich. Zum Teil ist es schlicht noch Forschungsgegenstand, den Magnetismus verschiedenster Materialien (mit oder ohne Fremdatome, legiert oder nicht ...) zu verstehen. Sollte den Schulen einmal jenes pure Phänomene–Aufzählen verboten werden, dann gehört er dort nicht mehr hin. Sobald ein Magnetfeld anliegt, bekommen die kinetischen Terme T_{Kerne}, $T_{\text{Elektronen}}$ im Hamilton–Operator (6.1) ihre $-q\vec{A}$–Zusätze zu $\vec{p}$. Für jedes Teilchen entsteht ein $\vec{B}\,\vec{S}$–Term. Und dann werden die Wechselwirkungen V in (6.1) sehr lebendig. Je komplexer die Dinge, um so wertvoller werden vereinfachende Modelle aller Art. Sie fördern mögliche Mechanismen zutage.

Eine spezielle Klasse solcher Modelle enthält nur noch Spin–Operatoren. Alles elektronisch–Räumliche habe sich effektiv abseparieren lassen. Im Restproblem sitzen N Spins an den Plätzen eines Gitters und spüren dort (jeder an seinem Ort) ein Magnetfeld $\vec{B}$. Die Wechselwirkung (z.B. über Elektronen vermittelt) zwischen zwei Spins an Platz j und Platz ℓ habe sich auf $\vec{S}_j \cdot \vec{S}_\ell$ reduzieren lassen mit Entfernungs–abhängigem Vorfaktor C. Das Restproblem lautet dann

$$H = -\frac{q}{m}\sum_{j=1}^{N} \vec{B}\cdot\vec{S} + \frac{1}{2}\sum_{j,\ell=1}^{N}{}' C_{j\ell}\,\vec{S}_j\cdot\vec{S}_\ell \ . \tag{10.14}$$

Es muss sich übrigens nicht um einen „Isolator" handeln, denn $\vec{S}$ kann auch von den stark lokalisierten Elektronen unvollständig gefüllter innerer Schalen herrühren (so ist es bei Eisen). Auch der Vorfaktor des ersten Terms kann irgendein effektiver sein.

Es hat seinen Grund, den ersten Term in (10.14) so stehen zu lassen, wie er aus Dirac folgt. Nicht selten wird ihm nämlich in der Literatur flugs das Vorzeichen verdreht. Die Ladung des Elektrons ist $q = -|e|$ (so steht sie in der Lorentz–Kraft und in $(\vec{p} - q\vec{A})^2$). Bezüglich Spin hat also ein einzelnes Elektron den Hamilton–Operator

$$H = +\frac{|e|}{m_e}\vec{S}\cdot\vec{B} =: -\vec{\mu}\cdot\vec{B} \quad \curvearrowright \quad \vec{\mu} = -\frac{|e|}{m_e}\vec{S} = -\frac{\hbar|e|}{2m_e}\vec{\sigma} \ . \tag{10.15}$$

Der Operator $\vec{\mu}$ des magnetischen Moments (Magnetnadel in Feldrichtung senkt Energie) und der Spin $\vec{\sigma}$ unterscheiden sich im Vorzeichen. Zeigt $\vec{B}$ nach oben, so ist $H = -\mu_3 B_3 = +\frac{\hbar|e|}{2m_e}\sigma^z B_3$, und der *down*–Spin–Zustand $\binom{0}{1}$ hat die tiefste Energie.[3] Aber seine „Magnetnadel" zeigt nach oben: $\binom{0}{1}\vec{\mu}\binom{0}{1} = \frac{\hbar|e|}{2m_e}\vec{e}_3$. Wird hingegen mit $H = -\mu B\sigma^z$ und positivem $\mu = \frac{\hbar|e|}{2m_e}$ gearbeitet, so ist das (a) falsch oder (b) es werden Positronen o.ä. behandelt oder (c) das Magnetfeld $\vec{B}$ mit Betrag B zeigt nach unten. Dafür, die Fallgrube zu erkennen (endlich einmal) und die Möglichkeit (c) zu nennen, sind wir [*Schwabl*, § 6.1.1, Abb. 6.3, § 6.5.2] dankbar. „Oben" ist die $(-\vec{B})$–Richtung. Nach oben zeigen die den Spins zugeordneten Einheitsvektoren $\vec{e}$ im Grundzustand (bei Abwesenheit der J–Wechselwirkung jedenfalls). Mittels

$$q = -|e| \ , \quad \vec{S}_j = \frac{\hbar}{2}\vec{\sigma}_j \ , \quad \vec{B} = (0\,,\,0\,,\,-B) \ , \quad \frac{\hbar|e|}{2m_e} =: \mu > 0 \tag{10.16}$$

kann nun (unter C–Umdefinition) (10.14) in

$$H = -\mu B\sum_{j=1}^{N}\sigma_j^z - \frac{1}{2}\sum_{j,\ell=1}^{N}{}' J_{j\ell}\,\vec{\sigma}_j\cdot\vec{\sigma}_\ell \tag{10.17}$$

überführt werden.

Für kubisches Gitter und wenn in der Doppelsumme nur nächste Nachbarn bedacht werden (meist per $\langle j\,\ell\rangle$ notiert), entsteht das **Heisenberg–Modell**

$$H = -\mu B\sum_{j=1}^{N}\sigma_j^z - J\sum_{\langle j\,\ell\rangle}\vec{\sigma}_j\cdot\vec{\sigma}_\ell \ . \tag{10.18}$$

[3] Es liegt nur am Maßsystem, wenn bei Gauß–ianern $m_e c$ statt m_e im Nenner steht.

Es enthält nur noch die zwei Parameter μB und J. Sowohl μ als auch B sind positiv (wieder ganz im Sinne der Vorzeichen–Verwirrer). Positives J begünstigt Parallelstellung der Spins, d.h. Ferromagnetismus. Da ihn höhere Temperatur zerstören sollte, wird mit wachsender Temperatur ein Phasenübergang Ferromagnet $\rightarrow$ Paramagnet erwartet.

Wieviel Lebenszeit mag wohl schon vergangen sein bei den Versuchen, das Modell (10.18) exakt zu lösen. Es ist bislang (soweit dem Autor bekannt) auch nicht in 2D gelungen (ebenes Gitter). Aber in 1D (lineare Anordnung) führte um 1970 der sogenannte Bethe–Ansatz zum Erfolg. Leider pflegt aber die Dimension stark den Phasenübergangs–Typ zu beeinflussen. In 1D gibt es keinen mehr, [*Landau*, Bd. 5, letzte Seite].

Die Frage nach Ferromagnet oder nicht mehr — wir sind wieder beim „vollen" System (10.17) — entscheidet sich am Mittelwert des Operators der **Magnetisierung**

$$\hat{M} := \mu \sum_{j=1}^{N} \sigma_j^z \ . \tag{10.19}$$

Er ist sozusagen ein „Gesamt–$(-\mu_3)$". Mittelbildung braucht ein Ensemble, hier: das kanonische. Werden weder dem Volumen noch der Anzahl N der Plätze Änderungen erlaubt, so hängt die Freie Energie F nur von T ab, sowie von Parametern in H. Unter diesen ist B ein von außen regulierbarer intensiver Parameter: $F(T,B) = -T\ln(Z)$ mit $Z = \mathrm{Sp}(\,\mathrm{e}^{-\beta H})$. Der Magnetisierungs–Mittelwert ist also

$$\begin{aligned} M &= \mathrm{Sp}(\hat{M}\rho_{\mathrm{k.}}) = \frac{1}{Z}\,\mathrm{Sp}\left(\hat{M}\,\mathrm{e}^{-\beta\left[-B\underbrace{\mu\sum_j \sigma_j^z}_{=\hat{M}} - \frac{1}{2}\sum'_{j,\ell} J_{j\ell}\,\vec{\sigma}_j\vec{\sigma}_\ell\right]}\right) \\ &= \frac{1}{Z}\,T\partial_B Z = \partial_B\, T\ln(Z) = -\partial_B\, F(T,B) \ . \end{aligned} \tag{10.20}$$

Wenn ein Magnetfeld an den Spins „zieht", ist $M \neq 0$ kein Wunder. Bleibt aber bei $B \rightarrow 0$ ein $M \neq 0$ übrig, dann sagen wir **Ferromagnet**. An (10.20) gefällt, daß sich F erneut als Potential erweist.

Neben unserer kanonischen Freien Energie F macht sich noch ein anderes Potential nützlich, die Helmholtzsche Freie Energie $\overline{F}(T,M)$, welche mit F über eine Legendre–Transformation (zu dieser bald mehr im § 11.1) hervorgeht:

$$\overline{F} := F + MB \quad \curvearrowright \quad \partial_M \overline{F} = [\partial_B F]\,\partial_M B + B + M\partial_B M = B \ . \tag{10.21}$$

$\overline{F}$ heißt A bei [*Schwabl*], F_L bei [*Kittel/Krömer*] und $\widetilde{\phi}$ bei [*Landau*, Bd. 8]. Analogien sind oft nützlich, aber verwirren mögen sie nie:

$$\begin{array}{llllll} \text{Größe bei Teilchensystem} & V\ , & \mu\ , & N = -\partial_\mu \Omega\ , & F = \Omega + \mu N\ , & \mu = \partial_N F \\ \text{entspricht bei Spinsystem} & N\ , & B\ , & M = -\partial_B F\ , & \overline{F} = F + MB\ , & B = \partial_M \overline{F}\ . \end{array} \tag{10.22}$$

Übung 10/7 Vertauscht der Magnetisierungs–Operator $\hat{M}$ auch mit dem vollen Hamilton–Operator H aus (10.17)?

Lösung $\left[\sigma_1^z\,,\,\vec{\sigma}_1\vec{\sigma}_2\right] = 2i\,(\sigma_1^y\sigma_2^x - \sigma_1^x\sigma_2^y) \neq 0$, aber $\left[\sigma_1^z + \sigma_2^z\,,\,\vec{\sigma}_1\vec{\sigma}_2\right] = 0$: Ja.

Curie–Paramagnetismus

In Dimension Null[4] besteht das Gitter aus nur einem Platz und es gibt folglich keine J–Wechselwirkung: $H = -\mu B \sigma^z$. Wenn N solche Systeme unabhängig voneinander am Wärmebad hängen, enspricht das (10.17) mit Näherung $J_{j\ell} \approx 0$. Die Ein–Platz–Zustandssumme

$$Z_{\text{ein}} = \mathrm{Sp}(\,\mathrm{e}^{\beta\mu B\sigma^z}) = \sum_{s=\pm} \mathrm{e}^{\beta\mu B s} = 2\,\mathrm{ch}(\beta\mu B) \tag{10.23}$$

erhebt sich dann zur N–ten Potenz,

$$Z = \left[\,Z_{\text{ein}}\,\right]^N \quad \curvearrowright \quad F(T,B) = -T\,N\ln\left[\,2\,\mathrm{ch}(\beta\mu B)\,\right] \quad , \tag{10.24}$$

und für die Magnetisierung folgt

$$M = -\partial_B\,F(T,B) = \frac{T\,N}{\mathrm{ch}(\beta\mu B)}\,\partial_B \mathrm{ch}(\beta\mu B) \;=\; N\mu\,\tanh\,(\beta\mu B) \;\; . \tag{10.25}$$

Es bietet sich an, die Magnetisierung auf ihren Maximalwert $M_{\text{max}} = N\mu$ zu beziehen:

$$m := \frac{M}{M_{\text{max}}} = \frac{1}{N\mu}\left\langle \mu \sum_{j=1}^{N} \sigma^z \right\rangle = \langle \sigma^z_{\text{irgendein}\,j} \rangle \;=\; \tanh\,(\beta\mu B) \;\; . \tag{10.26}$$

Wie Bild 10–1 zeigt, werden die Kurven m über B mit sinkender Temperatur immer steiler bis bei $T = 0$ eine Signum–Funktion erreicht ist. Schaltet man jetzt das Magnetfeld ab, so sitzt das System noch bei $m = 1$ (oder bei $m = -1$).

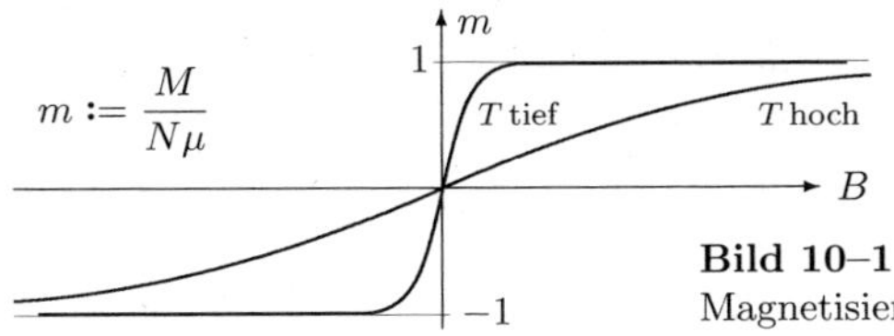

Bild 10–1 : Curie–Paramagnet. Magnetisierung als Funktion des Magnetfeldes.

[4] Lächeln verboten. Quantenchromodynamik ist in 0 D lösbar, und zwar hübsch nicht–trivial.

Wie stark das System mit M–Erhöhung auf B–Zunahme reagiert, bringt die Suszeptibilität zum Ausdruck (*susceptible*: anfällig, empfänglich):

$$\chi(B) := \partial_B M = \frac{\beta N \mu^2}{\mathrm{ch}^2(\beta\mu B)} \quad , \quad \chi(B{=}0) = \frac{N\mu^2}{T} \ . \tag{10.27}$$

Das typische an der **Curie–Suszeptibilität**[5] $\chi(B = 0)$ ist ihr Anwachsen mit $\sim 1/T$ bei sinkender Temperatur.

Natürlich weiß man auch alles sonstige über dieses einfache System. Die Energie

$$E = -\partial_\beta \ln(Z) = -N\,\mu\,B\,\tanh(\beta\mu B) \tag{10.28}$$

stand für einen einzelnen Spin bereits in (3.42). Also war dort nur mit N zu multiplizieren (die Entropie ebenfalls) und $\epsilon = \mu B$ zu setzen — aber damals kannten wir ja Dirac noch nicht. Da nirgends etwas über die Konstellation der Plätze benutzt wurde, hat auch ein System aus N irgendwie verstreuten Spin–$\frac{1}{2}$–Fremdatomen die Curie–Suszeptibilität (10.27).

10.3 Curie–Weiß–Übergang

Der Effekt der J–Wechselwirkung im vollen Problem (10.17) sollte sich doch wenigstens näherungsweise dingfest machen lassen. Die sogenannte ***mean field approximation*** hat hinsichtlich Vereinfachung meist durchschlagenden Erfolg und erfaßt Phasenübergänge mitunter qualitativ recht gut. Manchmal wird sie auch Molekularfeld–Näherung genannt. Wir gehen in diesem Abschnitt den heuristischen und brutalen Weg. Aber die vornehme Variante (Variationsverfahren) wird im Kapitel 13 zum gleichen Resultat führen.

Wechselwirkungen sind von höherer Potenz in den Feldern, denn sonst könnte man sie „H_0“ zuschlagen und dort vermutlich hinsichtlich Lösbarkeit gut ertragen. In (10.17) gibt es drei „Felder“, nämlich σ^x, σ^y, σ^z, und Variable (wovon ein Feld abhängt) sind die diskreten Indizes j oder ℓ. Die J–Wechselwirkung ist quadratisch in den Feldern: $-\frac{1}{2}\sum_{j,\ell=1}^{N\prime} J_{j\ell}\left[\sigma_j^x\sigma_\ell^x + \sigma_j^y\sigma_\ell^y + \sigma_j^z\sigma_\ell^z\right]$. Man nehme — so besagt das Verfahren frech — in jedem Felderpaar mal das eine, mal das andere Feld und ersetze es durch seinen Mittelwert. Die folgende erste Zeile ist noch streng und gibt dem Verfahren eine gewisse Ratio:

$$\begin{aligned} \sigma_j^z\sigma_\ell^z &= \sigma_j^z m + m\sigma_\ell^z + (\sigma_j^z - m)(\sigma_\ell^z - m) - m^2 \\ &\longrightarrow \sigma_j^z m + m\sigma_\ell^z - m^2 \ , \end{aligned} \tag{10.29}$$

[5] Etwas ganz anderes ist die Pauli–Suszeptibilität eines Metalls, welche vom Verschieben um $\pm\mu B$ aller Leitungsband–Energien herrührt und bei kleineren B weder von T noch B abhängt.

denn das weggelassene $(\sigma_j^z - m)(\sigma_\ell^z - m)$ ist, wenn man mitteln dürfte, „nur" ein Schwankungsquadrat. Mit $\sigma_j^x\sigma_\ell^x$ und $\sigma_j^y\sigma_\ell^y$ verfahren wir ebenso. Weil aber $\langle\sigma_j^x\rangle = \langle\sigma_j^y\rangle = 0$ ist, entfallen diese Terme völlig. Der Hamilton–Operator (10.17) hat damit die Gestalt

$$H_{\text{mean field}} = -\mu B \sum_{j=1}^{N} \sigma_j^z - m \sum_{j=1}^{N} \sigma_j^z \underbrace{\sum_{\ell=1}^{N}{}' J_{j\ell}}_{=\,\theta} + \frac{1}{2} m^2 \sum_{j=1}^{N} \underbrace{\sum_{\ell=1}^{N}{}' J_{j\ell}}_{=\,\theta}$$

$$= -\mu\left(B + \frac{\theta}{\mu} m\right) \sum_{j=1}^{N} \sigma_j^z + \frac{1}{2} N \theta m^2 \tag{10.30}$$

angenommen. Ist das Material homogen und periodisch geschlossen, so daß die $J_{j\ell}$ nur von Index–Abständen abhängen, dann ist θ eine j–unabhängige bekannte Konstante. Mit (10.30) liegt ein lösbares Problem vor, aber es enthält den zusätzlichen Parameter m. Laut Verfahren ist m der Mittelwert von σ^z. Gut, dann rechnen wir mittels (10.30) diesen Mittelwert aus — und erwarten eine Gleichung, aus der sich m bestimmen läßt.

Gegenüber $H = -\mu B \sum \sigma^z$ hat B in (10.30) einen Zusatz $\theta m/\mu$ bekommen, das **Weißsche Feld**. Um $m = \langle\sigma^z\rangle$ zu erhalten, brauchen wir nur die auf (10.26) führende Rechnung zu wiederholen — mit $B + \theta m/\mu$ statt B, denn die Konstante in (10.30) bleibt dabei ohne Einfluß. Resultat:

$$m = \tanh\left(\beta\mu\left[B + \frac{\theta}{\mu} m\right]\right) = \tanh\left(\frac{\mu B}{T} + \frac{\theta}{T} m\right) . \tag{10.31}$$

Dies nach m auflösen zu wollen (transzendente Gleichung), verleitet dazu, es grafisch zu versuchen (linke und rechte Seite über m auftragen und Schnittpunkte suchen). Aber nein, (10.31) läßt sich doch nach B auflösen:

$$B = \frac{\theta}{\mu}\left(\frac{T}{\theta}\,\text{artanh(m)} - m\right) = \frac{\theta}{\mu}\left(\frac{T}{\theta}\,\frac{1}{2}\ln\left[\frac{1+m}{1-m}\right] - m\right) . \tag{10.32}$$

$m(B)$ ist lediglich die Umkehrfunktion von $B(m)$. Das Spiegeln an der Diagonalen ist im Bild 10–2 bereits geschehen. (10.32) zeigt schön, daß θ die Schwellentemperatur ist, unterhalb welcher Seltsames geschieht. Da $\text{artanh}(x)$ mit Anstieg 1 durch $x = 0$ geht, kippt der $B(m)$–Anstieg am Ursprung ins Negative, sobald T unter θ sinkt. Gemäß Bild 10–2 gibt es dann bei $B = 0$ drei m–Werte — welcher trifft zu?

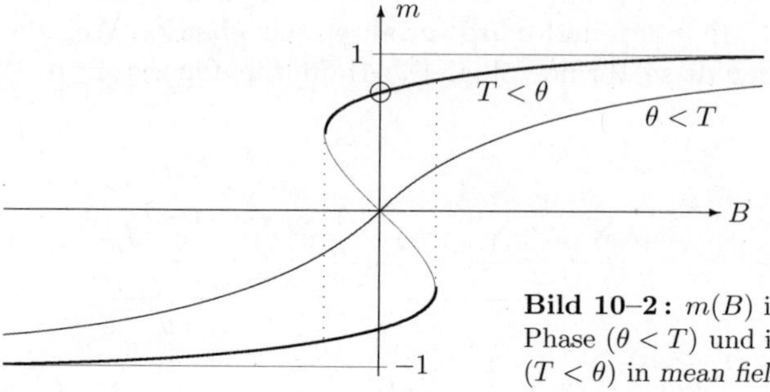

Bild 10–2 : $m(B)$ in der paramagnetischen Phase ($\theta < T$) und in der ferromagnetischen ($T < \theta$) in *mean field approximation.*

Bei starkem Magnetfeld und $T < \theta$ befinden wir uns rechts auf der oberen dicken Kurve im Bild 10–2. Mit abnehmendem Feld B kommen wir beim eingekreisten Punkt an. Trotz $B = 0$ zeigt das Modellsystem eine **spontane Magnetisierung** m_0 . Kaum ist B infinitesimal negativ geworden, schnappt die Magnetisierung auf ihren negativen Wert um — sofern sich Gleichgewicht einstellt. In realitas kann sich dieses Umkippen der mittleren Richtung der Spins verzögern (etwa weil sie ein wenig an Gitterfehlern festhängen: Hysterese, Unterkühlung). Aber spätestens bei Erreichen der linken punktierten Linie „fällt“ das System auf selbiger herunter. Auf der dünnen Linie durch Ursprung wäre es gänzlich instabil.

Übung 10/8 $\theta < T$, paramagnetische Phase. Aus der Gleichung (10.31) für m erhält man m'^B . Welche Suszeptiblität $\chi(B{=}0)$ folgt also oberhalb von θ ?

Lösung $m'^B = (\beta\mu + \beta\theta m'^B)/\mathrm{ch}^2(\beta\mu B + \beta\theta m)$, $m'^B = \beta\mu/\left[\mathrm{ch}^2(\ldots) - \beta\theta\right]$, $\chi = \partial_B M = N\mu\, m'^B = N\mu^2/\left[T\mathrm{ch}^2(\ldots) - \theta\right]$, $\chi(B{=}0) = N\mu^2/(T-\theta)$. Wie Curie–Suszeptibilität, nur tritt das Divergieren schon bei $T = \theta$ ein.

Ordnungsparameter m_0

Für die ferromagnetische Phase bei $T < \theta$ ist chakteristisch, daß es die spontane Magnetisierung $m_0 =: m(T, B = 0)$ gibt — den eingekreisten Punkt auf der m–Achse im Bild 10–2. Um m_0 als Funktion der Temperatur zu studieren, ist $m_0 = \tanh(\beta\theta m_0)$ zu lösen. Erneut erübrigt sich Grafisches, indem wir nach der Umkehrfunktion $T(m_0)$ fragen :

$$T = \theta\,\frac{m_0}{\mathrm{artanh}(m_0)} \;\rightarrow\; \begin{cases} 0 & (m_0 \rightarrow 1) \\ \theta\,(1 - \frac{1}{3}m_0^2\,) & (m_0 \rightarrow 0) \end{cases} \quad . \tag{10.33}$$

An der Diagonalen gespiegelt ist diese Funktion im Bild 10–3 zu sehen. Nach oberer Zeile (10.33) geht m_0 bei $T \rightarrow 0$ gegen Eins, d.h. $M \rightarrow N\mu = M_{\max}$, und alle Spins zeigen nach oben. Bei $T \rightarrow \theta$ geht m_0 gegen Null. In der zweiten

Zeile (10.33) ist die erste Korrektur einbezogen, weil auch interessant ist, wie das geschieht, nämlich proportional zu $\sqrt{\theta - T}$. Ungeachtet dessen, daß der Exponent 1/2 *mean field* spezifisch ist, haben wir hier mit dem Potenzverhalten des Ordnungsparameters nahe Übergangspunkt etwas entdeckt, was für eine ganze Reihe von Phasenübergängen typisch ist.

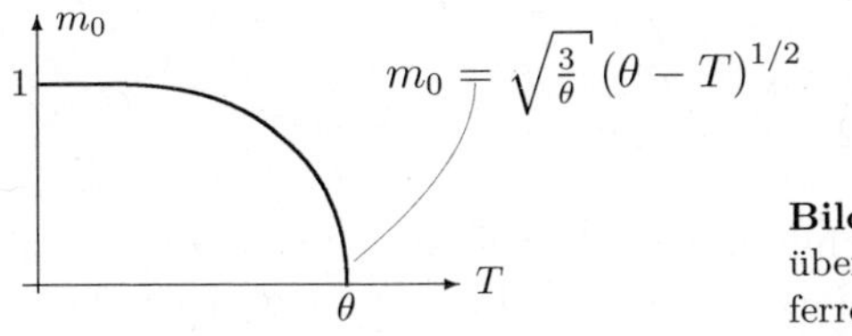

Bild 10–3 : Ordnungsparameter über Temperatur in der Curie–Weiß ferromagnetischen Phase.

Übung 10/9 — $T < \theta$, ferromagnetische Phase. Die Suszeptibilität $\chi(B)$ ist jetzt $N\mu$ mal der Anstieg der oberen Kurve in Bild 10–2. Wie verhält sich $\chi(0)$, wenn man sich von tieferer Temperatur her dem Übergangspunkt θ nähert?

Lösung — Wie in Übung 10/8, aber bei $B \to 0$ bleibt das ch–Argument bei $\beta\theta m_0$ hängen: $\text{ch}^2(\beta\theta m_0) \to 1 + (\beta\theta m_0)^2 \to 1 + 3(\theta - T)/\theta$, $\chi(0) \to \frac{1}{2}\frac{N\mu^2}{T-\theta}$.

Übung 10/10 — Welche Energie $E(m, B)$ hat das Curie–Weiß–System? (Egal welche Phase, aber eliminiere T zugunsten von m.) Wie hängt die spezifische Wärme bei $T < \theta$ und $B \to 0$ mit m_0 zusammen und wogegen geht sie bei $T \to \theta - 0$?

Lösung — $E = (10.28)|_{B \to B+\theta m/\mu} + N\theta m^2/2 = -N\mu B\, m - \frac{1}{2}N\theta\, m^2$ mittels (10.31).
$c = \partial_T E = -N(\,\mu B + \theta m\,)\,\partial_T m\,,\ B \to 0:\ c^{B=0} = -N\theta\frac{1}{2}\,\partial_T\, m_0^2\,.$
$c^{B=0} \to\ -N\theta\frac{1}{2}\,\partial_T\,\frac{3}{\theta}(\theta - T) = \frac{3}{2}N$, von wo sie auf Null bei $\theta < T$ springt.

Das Curie–Weiß–System findet seine spontane Magnetisierung von selbst. Vermutlich gibt es ein Thermodynamisches Potential, welches bei m_0 sein Minimum annimmt. $F(T, B)$ hängt nicht von M ab, aber $\overline{F}(T, M) = F + MB$ aus (10.21) könnte es sein. Wir rechnen es aus. Die kanonische Freie Energie F nimmt gegenüber jener im Curie–Falle von der Konstanten in (10.30) Notiz, während ansonsten nur — wie schon in Übung 10/10 — für B das effektive Feld einzusetzen ist:

$$\overline{F}(T, M) = \left\{ (10.24)\Big|_{B \to B+\theta m/\mu} + \frac{1}{2}N\theta m^2 + M\,B \right\}_{B=(10.32)}$$

$$= \left\{ -NT\ln\Big[\,2\text{ch}(\beta\mu B + \beta\theta m)\Big] + Nm\mu B \right\}_{\mu B\,=\,T\text{artanh}(m)-\theta m} + \frac{1}{2}N\theta m^2$$

$$= \; -NT\ln\Big[\,2\mathrm{ch}\,(\,\mathrm{artanh}(m)\,)\,\Big] + NmT\,\mathrm{artanh}(m) \;-\; \frac{1}{2}N\theta m^2$$

$$= \; \frac{1}{2}NT\left(-2\ln(2) + \ln(1-m^2) + m\ln\Big(\frac{1+m}{1-m}\Big) - \frac{\theta}{T}m^2\right) \; . \qquad (10.34)$$

Zur Probe sehen wir nach, ob die Ableitung nach M auch wirklich B ergibt:

$$\partial_M\,\overline{F} \;=\; \frac{1}{N\mu}\,\partial_m\overline{F} \;=\; \frac{T}{\mu}\frac{1}{2}\ln\Big(\frac{1+m}{1-m}\Big) - \frac{\theta}{\mu}m \;=\; B \;, \qquad (10.35)$$

tatsächlich. Auch liegt das Minimum von $\overline{F}$ bei $m = m_0$, denn Nullsetzen von $\partial_m\overline{F}$, von (10.35) also, führt auf die m_0–Bestimmungsgleichung $m_0 = \tanh(\beta\theta m_0)$. Schließlich würden wir gern sehen, daß das System bei $m = 0$ instabil wird, sobald θ unterschritten wird. Auch dies ist der Fall, denn

$$\overline{F} \;=\; -NT\ln(2) \;+\; \frac{1}{2}N\,(T-\theta)\,m^2 \;+\; \mathcal{O}(m^4) \;. \qquad (10.36)$$

Eigentlich brauchen wir nun gar nicht mehr hinzusehen, wie der Computer (10.34) zu Bild 10–4 verarbeitet hat. Ganz andere Fragen sind jedoch unangenehm offen geblieben, nämlich warum sich denn $\overline{F}$ minimieren wolle und zu welchem Ensemble denn $\overline{F}$ das Thermodynamische Potential sei. Um die Antwort auf solche Fragen wird sich die Übung 10/11 bemühen.

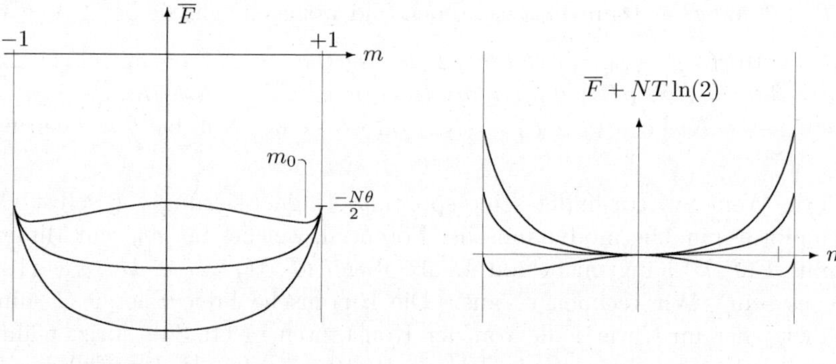

Bild 10–4: Helmholtzsche Freie Energie $\overline{F}$ des Curie–Weiß–Systems als Funktion der Magnetisierung für $T = 1.3\,\theta$, $T = \theta$ und $T = 0.7\,\theta$.

Übung 10/11 Extremaleigenschaft von $\overline{F}$ und sein Ensemble

(a) Vorübung und Erinnerung an § 3.3: Kenntnis von $\rho_{\mathrm{k.}}$ ↷ $F = E - TS$ $(\,S = -\mathrm{Sp}(\rho\ln(\rho) = -\mathrm{Sp}(\rho\,[\,-\beta H - \ln(Z)\,]) = \beta E - \beta F\,)$.
Wie verläuft der Umkehrschluß mit ↶ statt ↷ ?

(b) In analoger Weise ermitteln wir aus $\overline{F} = E - TS + MB$ und mit $\mathrm{e}^{-\beta\overline{F}} =: \overline{Z}$ den Statistischen Operator $\overline{\rho}$ des gesuchten Gleichgewichts–Ensembles. Mittels $\overline{\rho}$ können wir in bekannter Weise (Kapitel 5) die Extremaleigenschaft von $\overline{F}$ ergründen: Wird $\overline{F}$ max. oder min.?

(c) Das $\overline{F}$–Ensemble. Sei $[\hat{M}, H] = 0$. Zu festen Eigenwerten E, M (jetzt Eigen–, nicht Mittelwerte) kann also die mikrokanonische Klappe verschlossen werden. Definition welcher zwei intensiven Reservoir–Parameter liegt nun nahe? Unter Austausch welcher Portionen leitet sich sich daraufhin (nämlich wie?) erneut der Statistische Operator $\overline{\rho}$ her?

Lösung (a) $0 = E - F - TS = \mathrm{Sp}\Big(\rho\big[H + T\ln(Z) + T\ln(\rho)\big]\Big)$, $[\;] \stackrel{!}{=} 0$, $\rho = \frac{\mathrm{e}^{-\beta H}}{Z}$.

(b) $0 = E + MB - \overline{F} - TS = \mathrm{Sp}\Big(\overline{\rho}\big[H + \hat{M}B + T\ln(\overline{Z}) + T\ln(\overline{\rho})\big]\Big)$,
$\overline{\rho} = \mathrm{e}^{-\beta(H+\hat{M}B)}/\overline{Z}$. Dies für $\rho_{\mathrm{Gl.}}$ in (5.4) gibt $(E+MB-TS)_{\text{Nicht-Gl.}} \geqslant -T\ln(\overline{Z})$, d.h. $\overline{F}_{\text{Nicht-Gleichgewicht}} \geqslant \overline{F}_{\text{Gleichgewicht}}$ — $\overline{F}$ wird min.

(c) $S(E, M)$, $\beta := \partial_E S)_M$ und $\beta B := \partial_M S)_E$. E– und M–Portionen. Wir fragen nach $p_{E,M}$ des Systems:

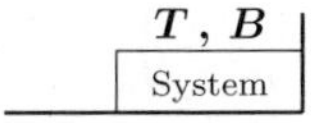

$\ln(p_{E,M}) = \ln(g_{E,M}/g_{\text{gesamt}}) = S_{\text{Bad}}(E_{\text{gesamt}} - E, M_{\text{gesamt}} - M) - S_{\text{gesamt}}$
$= \text{const} - \beta E - \beta BM$, $p_{E,M} = \mathrm{e}^{\cdots}$ — und $\overline{\rho}$ steht da.

Es ist ein eigenartiges Ensemble. Zuerst hatte ein Feld B für die gewünschte Magnetisierung M_{gesamt} gesorgt. Danach wurde das Gesamtsystem isoliert. Weil $\sim$ Gesamt–Drehimpuls, bleibt nun M_{gesamt} erhalten. Aber der „neue intensive Parameter B" weiß noch von der Vorgeschichte und teilt sie auch dem kleineren interessierenden System mit.

10.4 Eindimensionales Ising–Modell

Das *mean field* Verfahren hatte den Spin–Hamiltonian (10.17) oder auch das Heisenberg–Modell (10.18) recht gewaltsam in ein lösbares Modell verwandelt. Wenn man es jedoch in zwei Schritten liest — erstens Weglassen von $\sigma_j^x\sigma_\ell^x + \sigma_j^y\sigma_\ell^y$ und zweitens die Linearisierung (10.29) — und nur den ersten Schritt schweren Herzens akzeptiert, dann entsteht ein jedenfalls etwas intelligenteres Modell:

$$H_{\text{Ising}} = -b\sum_{j=1}^{N}\sigma_j^z \; - \; I\sum_j \sigma_j^z\sigma_{j+1}^z \;, \tag{10.37}$$

wobei $b = \mu B$ und $I = 2J$ ist, wenn (10.37) aus (10.18) hervorging. Das Modell geht auf E. Ising zurück (1900 – 1998, fast noch Zeitgenosse). Als vereinfachtes Heisenberg–Modell ist es natürlich in 1D exakt lösbar, aber auch in 2D gelingt das noch (Onsager 1944). Die Details beider Lösungen finden sich in [*Huang*, § 16.5 und Chap. XVII]. Wir beschränken uns hier auf eine Dimension, lesen also

(10.37) als lineare Kette. Dazu bietet [*Greiner*, § 18.1] allerlei historische Bezüge (zu vielen anderen Themen übrigens auch). Und [*Schwabl*, Anhang F] zeigt, wie man zu Ising in Strenge auch Korrelationsfunktionen erhält.

Es geht so. Zuerst sei die Gerade, auf der die N Plätze sitzen, zu einem Kreis geschlossen, PBC: Platz $N+1$ ist Platz 1. Jetzt kann H_{Ising} die Gestalt

$$H_{\text{Ising}} = \sum_{j=1}^{N} H_{j,j+1} \quad \text{mit} \quad H_{j,j+1} = -\frac{1}{2} b\,(\sigma_j^z + \sigma_{j+1}^z) - I\,\sigma_j^z \sigma_{j+1}^z \tag{10.38}$$

gegeben werden. Alle σ–Operatoren in (10.37) oder (10.38) vertauschen miteinander. Das simultane Eigenfunktionen–System läßt sich erraten. Im Hilbert–Raum der Funktionen $\psi(\sigma_1, \sigma_2, \ldots, \sigma_N)$ ist es das Produkt $\prod_{j=1}^N \delta_{\sigma_j, s_j} = \langle \sigma_1 | s_1 \rangle \langle \sigma_2 | s_2 \rangle \ldots \langle \sigma_N | s_N \rangle$ mit Numerierung durch $s_j = \pm$, und im abstrakten Hilbert–Raum einfach $|s_1\rangle |s_2\rangle \ldots |s_N\rangle =: |\{s\}\rangle$. Wendet man eines der $H_{j,j+1}$ an, so reproduziert sich jeder der Zustände $|\{s\}\rangle$:

$$\begin{aligned} H_{3,4}\,|\{s\}\rangle &= \left[-\frac{b}{2}(s_3 + s_4) - I\, s_3 s_4 \right] |\{s\}\rangle =: [s_3\, s_4]\; |\{s\}\rangle \\ &\curvearrowright\; \mathrm{e}^{-\beta H_{3,4}}\,|\{s\}\rangle = \mathrm{e}^{-\beta [s_3\, s_4]}\;|\{s\}\rangle\ . \end{aligned} \tag{10.39}$$

Dies hilft nun direkt weiter beim Ausrechnen der kanonischen Zustandssumme

$$Z = \mathrm{Sp}\left(\mathrm{e}^{-\beta H_{\text{Ising}}}\right) = \sum_{s_1=\pm, \ldots, s_N=\pm} \langle \{s\}|\prod_{j=1}^{N} \mathrm{e}^{-\beta H_{j,j+1}}\,|\{s\}\rangle\ , \tag{10.40}$$

denn der rechts stehende *ket*–Vektor läßt sich mittels (10.39) an jedem Faktor des Produktes vorbei nach links schieben, so daß sich schließlich aus

$$Z = \sum_{s_1=\pm} \sum_{s_2=\pm} \cdots \sum_{s_N=\pm} \mathrm{e}^{-\beta \sum_{j=1}^N (-b\, s_j - I\, s_j\, s_{j+1})} \tag{10.41}$$

$$= \sum_{s_1=\pm} \sum_{s_2=\pm} \cdots \sum_{s_N=\pm} \mathrm{e}^{-\beta [s_1\, s_2]}\,\mathrm{e}^{-\beta [s_2\, s_3]} \ldots \mathrm{e}^{-\beta [s_N\, s_1]} \tag{10.42}$$

jegliche Quantenmechanik davongemacht hat. Ab der zweiten Summe zeigt (10.42) ein Produkt von N Matrizen in Indexsprache, während die erste Summe die Spur der Resultatmatrix bildet. Es handelt sich um N gleiche $2{*}2$–Matrizen,

$$\mathrm{e}^{-\beta [s_1\, s_2]} = \mathrm{e}^{\beta \frac{b}{2}(s_1+s_2) + \beta I\, s_1 s_2} =: P_{s_1\, s_2} \;:\; P = \begin{pmatrix} \mathrm{e}^{\beta b + \beta I} & \mathrm{e}^{-\beta I} \\ \mathrm{e}^{-\beta I} & \mathrm{e}^{-\beta b + \beta I} \end{pmatrix}\ . \tag{10.43}$$

Mit P, vermittelnd von Platz zu Platz, ist die **Transfermatrix** des Ising–Modells entdeckt. Weil symmetrisch und reell, hat P reelle Eigenwerte λ_1, λ_2. Damit kommen wir an bei

$$Z = \mathrm{Sp}(P^N) = \lambda_1^N + \lambda_2^N \quad , \quad F = -T \ln(\lambda_1^N + \lambda_2^N) \to -TN \ln(\lambda_2)\ , \tag{10.44}$$

denn die Matrix–Spur konnte mit den normierten Eigenvektoren von P ausgeführt werden. Im Thermodynamischen Limes überlebt nur der größere der beiden Eigenwerte, wie wir aus Übung 2/10 wissen. Sei also $\lambda_2 > \lambda_1$, dann will nun noch λ_2 ausgerechnet werden:

$$\begin{aligned} 0 &= (\mathrm{e}^{\beta b+\beta I} - \lambda)\,(\mathrm{e}^{-\beta b+\beta I} - \lambda) - \mathrm{e}^{-2\beta I} \\ &\curvearrowright \quad \lambda_2 = \mathrm{e}^{\beta I}\mathrm{ch}(\beta b) + \sqrt{\mathrm{e}^{2\beta I}\mathrm{sh}^2(\beta b) + \mathrm{e}^{-2\beta I}} \quad . \end{aligned} \tag{10.45}$$

Der kleinere Eigenwert hat ein Minus vor der Wurzel. Aus (10.44) mit (10.45) und mit $b = \mu B$ erhalten wir schließlich die Magnetisierung des Systems zu

$$M = -\partial_B F = -\mu\partial_b F = N\mu\frac{\partial_{(\beta b)}\lambda_2}{\lambda_2} = N\mu\,\frac{\mathrm{sh}(\beta\mu B)}{\sqrt{\mathrm{sh}^2(\beta\mu B) + \mathrm{e}^{-4\beta I}}} \quad . \tag{10.46}$$

Wie zu erwarten geht (10.46) mit $I \to 0$ in die Curie–Magnetisierung (10.25) über. Auch werden natürlich mit $B \to \infty$ alle Spins aufgerichtet: $M \to N\mu$. Aber wie man auch (10.46) anblickt, das Ising–Modell kann keine spontane Magnetisierung produzieren. Mit $B \to 0$ geht stattdessen

$$M \underset{B\to 0}{\longrightarrow} \frac{N\mu^2}{T} B\,\mathrm{e}^{2\beta I} = M_{\mathrm{Curie}}(B\to 0)\cdot \mathrm{e}^{2\beta I} \quad . \tag{10.47}$$

Positive Wechselwirkung $I > 0$ vergrößert zwar die Suszeptibilität, aber ein Phasenübergang wird nicht erreicht. Er setzt sozusagen erst bei $T = 0$ ein.[6] Der Fehler liegt nicht bei Ising, sondern bei Curie–Weiß. Die *mean field approximation* — wir hatten sie am Beginn des § 10.4 bereits als weniger gut qualifiziert — behandelt alle Dimensionen gleich und liegt damit in einer Dimension besonders schief. In 1D mangelt es an Nachbarn.

Mit dem 1D Ising–Modell ist nur ein erster Schritt getan in die Vielfalt der exakt lösbaren Modelle der Statistischen Physik. Daß sich zum Beispiel die Physik im größten Eigenwert einer Transfermatrix verbirgt, das trägt weiter. Wer hier etwa „Blut geleckt" hat, findet so einiges mehr in Baxter „Exactly Solved Models in Statistical Mechanics" (Academic Press 1982) oder auch in Essler, Frahm, Göhmann, Klümper, Korepin „Exact solution of the Hubbard model in one dimension" (Cambridge University Press 2004).

[6] Wenigstens bei hoher Temperatur gleichen sich die Modelle an: $m_{\mathrm{Ising}} = \beta\mu B(1 + 2\beta I)$, $m_{\mathrm{C-W}} = \beta\mu B(1 + \beta\theta)$, und man überlegt sich (mühsam), daß neben $I = 2J$ auch $\theta = 4J$ gilt.

Übung 10/12

Ein Gittermodell mit Wechselwirkung. Auf jedem der M Plätze auf einer zum Kreis geschlossenen Kette kann sich ein ($n_j = 1$) oder kein Proton aufhalten ($n_j = 0$). Ist ein Platz besetzt, so habe das Proton dort die Grundzustandsenergie ϵ_0. Geraten aber zwei Protonen direkt nebeneinander, so komme die Energie ϵ_1 hinzu.

(a) Wie drücken sich Teilchenzahl N und Energie E des Systems durch die n_j aus? Welche großkanonische Zustandssumme $Z_{\text{gr.}}(T, M, \mu - \epsilon_0, \epsilon_1)$ hat das System?

(b) *Mapping.* Welche Funktion $f(I, b)$ und welche Übersetzungsregeln für M, $\mu - \epsilon_0$ und ϵ_1 lassen $Z_{\text{gr.}}$ zu $\mathrm{e}^{-\beta N f(I,b)} Z(T, N, I, b)$ werden, wobei Z die kanonische Zustandssumme des Ising–Modells ist?

Lösung

(a) $N = \sum_{j=1}^{M} n_j$ und $E = \epsilon_0 \sum_{j=1}^{M} n_j + \epsilon_1 \sum_{j=1}^{M} n_j\, n_{j+1}$, $Z_{\text{gr.}} = \sum_{n_1=0}^{1} \sum_{n_2=0}^{1} \cdots \sum_{n_M=0}^{1} \exp\{ -\beta \, [(\epsilon_0 - \mu) \sum_{j=1}^{M} n_j + \epsilon_1 \sum_{j=1}^{M} n_j\, n_{j+1}] \}$.

(b) $n_j = \frac{1}{2}(s_j + 1)$ (so daß $s_j = \pm 1$) gibt $Z_{\text{gr.}} = \sum_{s_1=\pm} \cdots \sum_{s_M=\pm} \exp\{-\beta \, [\frac{\epsilon_0-\mu}{2} \sum_{j=1}^{M} (s_j + 1) + \frac{\epsilon_1}{4} \sum_{j=1}^{M} (s_j s_{j+1} + 2 s_j + 1)] \}$. Hiermit wird (10.41) erreicht durch $f(I, b) = I - b$ und $M \to N$, $\mu - \epsilon_0 \to 2b - 4I$, $\epsilon_1 \to -4I$.

11 Thermodynamik

Es scheint, daß sich die Fachwelt in zwei Lager teilt. Die überzeugten Thermodynamiker sind vermutlich empört, ihr Metier hier durch ein zu spätes und zu kurzes Kapitel an den Rand gedrängt zu sehen. In ihren Standardwerken, wie zum Beispiel [*Callen*], pflegt dagegen eine quantentheoretisch–statistische Begründung gern erst weiter hinten nachgereicht zu werden: zu spät und zu kurz.

Wenn die Statistische Physik als Anwendungsbereich der Quantentheorie gesehen und behandelt wird, dann ist — weil dies leicht ein Semester füllt — kaum noch Raum für alle „die anderen" schönen Anwendungen der Thermik beispielsweise bei Phasenübergängen oder in der Chemie, Biologie und Technik. Auch diese füllen leicht ein Semester. Vielleicht wird das Material einmal — irgendwann — zwei verschiedenen Gebieten zugeordnet werden, je mit einer eigenen Vorlesung. Die genannte Empörung verlöre dann ihren Gegenstand.

Was mit dem Wort Thermodynamik gemeint sei, haben wir einmal im § 2.4 zu umschreiben versucht, im Absatz vor Gleichung (2.36). Sie behandelt ausschließlich extensive Anteile bzw. die führenden Anteile intensiver Größen und nutzt aus, daß die Werte derselben ihre Ensemble–Spezifik verlieren. Die Folge ist eine Kette von erstaunlichen Zusammenhängen, auch Ungleichungen, welche sogar unabhängig vom konkreten System gelten, sofern es denn im Sinne von (2.29) „gesund" ist. Die Thermodynamik verzichtet also (zumindest in einigen ihrer Teile) auf die konkreten mikroskopischen Details eines Systems und drängt den Anspruch der *ab initio* Berechenbarkeit zur Seite — kein Wunder, daß es sie großteils schon vor Entstehen der Quantentheorie gab. Zu sagen, es handle sich (bei diesen Teilen) um „reine Phänomenologie", sollte einem heutigen Mikroskopiker nicht verwehrt werden. Es wird ihm aber wohl im Gegenzug auch etwas Ehrfurcht abzugewinnen sein.

Die folgenden fünf Abschnitte sollen nur die vergangenen 10 Kapitel abrunden, ohne allzusehr „der anderen Vorlesung" vorzugreifen. Wir wollen verstehen, in welchem Sinne die Ensembles gleich werden. Eine *unification* steht an. Bisher drei mal, nämlich zum mikrokanonischen, kanonischen und großkanonischen Ensemble, hatten wir eine „Gradient–Relation" erhalten und dabei vom Thermodynamischen Potential gesprochen sowie von natürlichen Variablen. Was diese aber auszeichnet, war offen geblieben. Die Erklärung hat damit zu tun, wie man Information aufrecht erhält, deren Verlust also vermeidet, und das ist Gegenstand des nächsten Abschnittes.

11.1 Legendre–Transformation

Um zu sehen, wie Information verlorengehen kann, stellen wir uns vor, jemand habe die mikrokanonische Entropie $S(E,V,N)$ ausgerechnet. Er bildet nun $1/T = \partial_E S(E,V,N)$, löst dies nach E auf und kennt $E(T,V,N)$. Oh fein, sagt er nun, daß dies (wegen Gleichheit extensiver Anteile) auch im kanonischen Ensemble die dortige Energie ist. Richtig. Am nächsten Tag findet er nur noch $E(T,V,N)$ vor — andere Blätter sind schon im Container für Altpapier entschwunden. Er möchte nun die Zustandsgleichung $p = -\partial_V F(T,V,N)$ kennenlernen, wühlt darob im § 3.3 herum, findet dort $F = E - TS$ sowie $S = -\partial_T F$ und beginnt zu rechnen:

$$S = -\partial_T E + S + T\partial_T S \quad , \quad \partial_T S = \frac{1}{T}\,\partial_T E \qquad \curvearrowright$$

$$S(T,V,N) = S_0(T_0,V,N) + \int_{T_0}^{T} dT'\,\frac{1}{T'}\,\partial_{T'} E(T',V,N) \quad . \tag{11.1}$$

Das Integral ist kein Problem: alles bekannt. Aber die Integrations–Konstante S_0 mit ihrer V–N–Abhängigkeit bleibt ein Geheimnis, $F(T,V,N) = E - TS$ also ebenfalls. Zustandsgleichung im Container. Er hätte folgendermaßen denken müssen.

Berührungs–Transformation

Vielleicht ist es Ihnen (auch) so ergangen. Man erfährt von der Legendre–Transformation bei Hamiltonscher Mechanik, benutzt sie und alles funktioniert. Aber warum es „Berührungs–Transformation" heißen mag, das weiß der Himmel. Es weiß auch [*Callen*, § 5.2]. Wir zerlegen in fünf Denkschritte und lassen die Variablen V und N der Übersichtlichkeit halber weg. Ohnehin ist sogleich mit $E(S)$ irgendeine Funktion gemeint, und S ist nur die Variable, von der sie abhängt.

1. Gegeben $E(S)$. Der Anstieg $\partial_S E(S) =: T$ soll als neue Variable eingeführt werden. Ist $\partial_S E(S)$ monoton (notfalls unter S–Intervall–Einschränkung), so kann aufgelöst werden: $S = S(T)$. Gibt man sich T vor, so folgt S, und S gibt E. Alles ist noch in Ordnung.

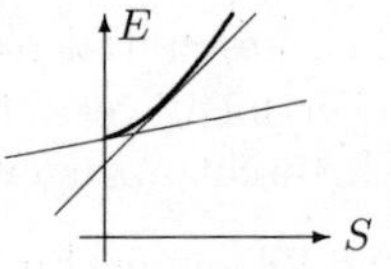

2. Wird nun — blind, aber lehrreich — $S = S(T)$ in $E(S)$ eingesetzt, so entsteht eine gewisse neue Funktion $E\,[S(T)] =: \widetilde{E}(T)$. Kennt man nur noch diese, bzw. die Umkehrung $T = T(\widetilde{E})$, und will zu $E(S)$ zurückkehren, so würde man auf vielen $\widetilde{E}$–Horizontalen Strichlein mit dem dortigen Anstieg T eintragen und dann, den Strichen folgend, $E(S)$ grafisch konstruieren. Aber oh, es gibt mehrere.

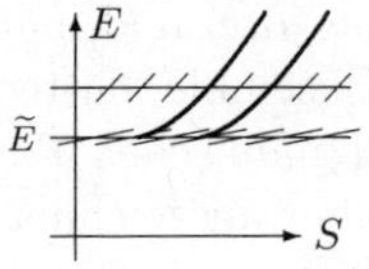

3. Wäre zu wenigstens einem Anstieg T (zu einer Sorte Strichlein) auch noch bekannt, wo die zugehörige Gerade die E–Achse schneidet, dann läge die $E(S)$–Kurve fest. Der Schnittpunkt werde mit $F(T)$ bezeichnet.

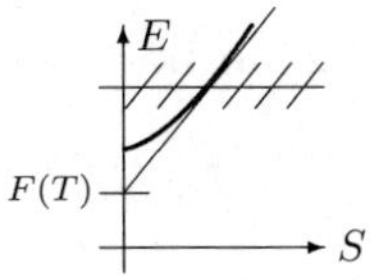

4. Angenommen, es ist sogar der F–Wert zu jedem Anstieg T bekannt, d.h. $F(T)$ und die Umkehrung $T = T(F)$. Dann reicht diese Information zur $E(S)$–Rekonstruktion aus: wähle F–Wert, male Gerade mit Anstieg T und so weiter. $E(S)$ erscheint jetzt als Einhüllende, ist sozusagen in einer Geraden–Schar–Darstellung gegeben.

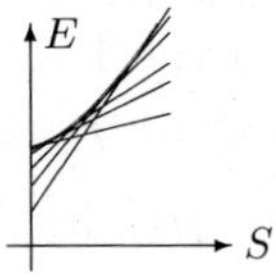

5. Woher $F(T)$? — aus der Gleichung der Anstieg–T–Geraden durch den Punkt $(0, F)$: $E = TS + F$. Genauer: $F(T) = E\,[\,S(T)\,] - T\,S(T)$. Hieran zeigt sich, wie die „vergessene" ursprüngliche Information natürlich schließlich doch noch benötigt wird.

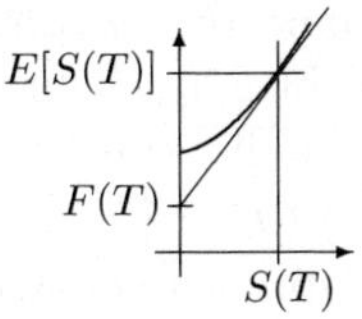

Fazit: Die volle Information über eine Funktion $E(S)$ läßt sich bei Übergang zur Anstiegs–Variablen $\partial_S E =: T$ dadurch bewahren, daß man sie als Geraden–Schar darstellt, wobei die Schnittpunkte $F(T)$ der E–Achse mit den *berührenden* Geraden gegeben sind durch

$$F(T) = \Big[\, E(S) - T\,S \,\Big]_{\substack{\text{eliminiere } S \text{, d.h. setze für } S \text{ die aus der} \\ T\text{–Definition folgende Funktion } S(T) \text{ ein!}}} \quad . \tag{11.2}$$

Sogleich sehen wir nach, ob aus gegebenem $F(T)$ auch wieder $E(S)$ gewonnen werden kann. Mit (11.2) folgt zunächst

$$\partial_T\, F(T) = [\, \partial_S\, E(S)\,]\; \partial_T\, S(T) - S(T) - T\,\partial_T\, S(T) = -S(T) \quad . \tag{11.3}$$

Aber dies ist nur der erste Schritt. Der zweite besteht im Übergang zur Anstieg–Variablen $\partial_T F$, ist also eine Legendre–Transformation „rückwärts", nämlich $E(S) = [\, F(T) + TS\,]_{\text{eliminiere } T \text{ mittels } \partial_T F(T) = -S}$.

Übung 11/1 Ausgehend von $f(x) = \frac{1}{4}x^2$ soll zur Variablen $a = f'(x)$ übergegangen werden. Wo liegen die y–Achsen–Schnittpunkte $h(a)$ der Geraden–Schar? Eine Skizze („wähle h–Wert, male mit Anstieg a") zeige, wie sich f einhüllt. — Ob dies mit $f(x) = \ln(x)$ ebenso schön funktioniert?

Lösung $h(a) = [\,\frac{1}{4}x^2 - a\,x\,]_{\text{elim. } x \text{ mittels } a = f'(x) = \frac{1}{2}x} = -a^2$. Zu $h = 0, -1, -2, -4$ mit Anstieg $a = 0, 1, \sqrt{2}\,, 2$ sieht man die Hülle schon recht gut. — Gewiß! $h(a) = [\ln(x) - a\,x]_{x=1/a} = -\ln(a) - 1$. Und $h = 0, -1, -2$ mit $a = 1/\mathrm{e}, 1, \mathrm{e}$ zeigt, wie sich der Logarithmus von links oben her verpackt.

Mechanik

In (11.2) war die eckige Klammer mit einem auffällig langen Index versehen worden. Er kann natürlich kürzer ausfallen, etwa als „elim. S via $T = \partial_S E(S)$" oder wenigstens „elim. S". Aber *daß* die rechte Seite eine solche *prescription* braucht, ist unabweisbar. Wie nötig der Index ist, zeigt sich gut beim Umsteigen von Lagrange– auf Hamilton–Funktion. Gegeben $-L(\dot q, q)$. Die Ableitung $\partial_{\dot q}(-L) = -p$ soll statt $\dot q$ als Variable eingeführt werden:

$$H(p,q) = \Big[-L(\dot q, q) - (-p)\dot q \Big]_{\text{eliminiere } \dot q \text{ mittels } p = \partial_{\dot q} L(\dot q, q)} \,. \tag{11.4}$$

Ohne *prescription* ist nun mal die eckige Klammer abhängig von den drei Variablen p, $\dot q$ und q, nicht wahr, und das Gleichheitszeichen gäbe keinen Sinn. Um die Hamiltonsche Bewegungsgleichung für q zu erhalten — $\partial_p H\,)_q = -(\partial_{\dot q} L)\,\partial_p \dot q + \dot q + p\,\partial_p \dot q = \dot q$ — wird von den Details im Index ersichtlich Gebrauch gemacht: $\dot q$ war als Funktion von p und q zu lesen.[1]

In der Statistik verhilft die Legendre–Transformation dazu, von einem zum anderen Ensemble zu wechseln. Den Übergang von Mikrokanonik zu Kanonik behandelte bereits (11.2). Der Übergang von Kanonik zu Großkanonik startet bei $F(T,V,N)$ und will statt N die Ableitung $\mu = \partial_N F$ als Variable einführen. Die Geraden–Schar–Schnittpunkte liegen bei

$$\Omega(T,V,\mu) = \Big[F(T,V,N) - \mu N \Big]_{\text{eliminiere } N \text{ mittels } \mu = \partial_N F(T,V,N)} \,. \tag{11.5}$$

Um sich davon zu überzeugen, daß mit (11.5) wirklich das großkanonische Potential erhalten wurde, wären nun die drei Ableitungen nach T, V und μ auszurechnen (tun?). Es wird erwartungsgemäß (4.14) herauskommen. Aber sogleich wird sich eine elegante Abkürzung dieser Differenzierarbeit einfinden.

unification der Gradienten

Wir beginnen bei der Freien Energie und sehen uns die Änderung von $F(T,V,N)$ aufgrund kleiner Veränderungen der drei Variablen an:

$$\begin{aligned} dF &= dT\cdot\partial_T F(T,V,N) + dV\cdot\partial_V F(T,V,N) + dN\cdot\partial_N F(T,V,N) \\ &= -S\,dT - p\,dV + \mu\,dN \,. \end{aligned} \tag{11.6}$$

Beim Schritt zur zweiten Zeile haben wir die Gradient–Relationen (3.36) benutzt. Dieser Schritt ist umkehrbar. Aus allein dF = *zweite Zeile* folgt $S = -\partial_T F$,

[1] Mitten in einer längeren Rechnung und in einem komplizierten Ausdruck (in einer Abhandlung über Funktionalintegrale) war einmal die Bildung $\dot q\,p - H(p,q)$ entstanden. Hier sei die Lagrange–Funktion zu sehen, stand im Text. Oh, ein Fehler! Erst nachfolgende Manipulationen eliminierten p und ließen schließlich $L(\dot q, q)$ entstehen.

$p = -\partial_V F$ und $\mu = \partial_N F$ — weil wir wissen, daß dF die kleine Änderung einer T, V, N–abhängigen Funktion ist. Man sagt gern **totales Differential** zu einer solchen Änderung. Um z.B. p aus $dF = -SdT - pdV + \mu dN$ abzulesen, denken wir am besten so: „Um p zu isolieren, setze ich $dT = dN = 0$. Dann teile ich durch dV und erhalte $-p = dF/dV$ bei festgehaltenen T und N."

Wir werden neugierig, wie wohl diese neuartige schlanke Formulierung zum großkanonischen Gradienten (4.14) aussieht:

$$\begin{aligned} d\Omega &= -S\,dT - p\,dV - N d\mu \\ &= -S\,dT - p\,dV + \mu\,dN - d\,(N\mu) = d\,(\,F - N\mu\,)\ . \end{aligned} \tag{11.7}$$

In der zweiten Zeile hatten wir lediglich $\mu\,dN$ addiert, wieder subtrahiert und dann (11.6) benutzt. Mit dem Resultat (11.7) bekommen wir ein einfaches Rezept an die Hand, aus der Gradienten–Relation in einem Ensemble jene eines benachbarten anderen zu erhalten. Man greife sich einen der drei Terme $a\,db$, dessen Vorfaktor a neue Variable werden soll, schreibe ihn als $d\,(ab) - b\,da$ und schaffe $d\,(ab)$ auf die linke Seite:

$$dX = a\,db + \ldots + \ldots \quad , \quad d\,(\,X - a\,b\,) = -\,b\,da + \ldots + \ldots\ . \tag{11.8}$$

Die linke Seite zeigt dann, mit welcher Legendre–Transformation das neue Potential aus dem alten hervorgeht. Kaum steht ein d davor, darf der Eliminierungs–Index entfallen (entfällt aber d, ist er wieder anzubringen).

Die Kurbel (11.8) will gedreht werden. Also greifen wir uns einmal den ersten Term von (11.6), d.h. von $dF = -S\,dT - p\,dV + \mu\,dN$, dann entsteht

$$d\,(F + T\,S\,) = T\,dS - p\,dV + \mu\,dN\ . \tag{11.9}$$

Nun will das Neugeborene $F + TS$ noch einen Namen bekommen. „Was es ist", muß (wenn auf diesem Wege zur Welt gekommen) erst aus seinen Eigenschaften erschlossen werden. Die Vorfaktoren stimmen mit den Gradient–Komponenten (2.39) überein, also handelt es sich bei der linken Seite von (11.9) um dE. Bald sind im § 11.2 mehr als nur diese zwei Übergänge zu sehen. Weil man es so leicht vergißt: Das Verbinden der Ensembles mittels Legendre–Transformation funktioniert nur für große Systeme. Der Grundlagen–Teil I hatte etwas mehr im Sinne.

Zurück zu (11.7). Sind ausgehend von Kanonik die Ω–Ableitungen erhalten worden, so hat man noch nicht $\Omega(T, V, \mu)$ selbst. Es ist richtig, daß man es sich aus den Ableitungen verschaffen kann, nämlich genauso wie in der Mechanik. Ist eine Kraft $= -\text{grad}V$ bekannt und man weiß sogar schon, daß sie ein Potential hat, dann läßt sich V bis auf Konstante ermitteln (per Ansatz, per Aufleiten komponentenweise und nur notfalls über Kurvenintegral). Wer will, kann hier also Ω aus seinen Ableitungen erhalten. Aber nach Blick auf (11.5) wird er wohl davon Abstand nehmen. Mit Legendre geht es doch direkt.

Wir hatten uns in den Kopf gesetzt, eindeutig festzulegen, was ein **Thermodynamisches Potential** sei. Dies sei *per definitionem* die kanonische Freie Energie $F(T, V, N)$ selbst und alle Potentiale, welche mittels Legendre–Transformationen aus F hervorgehen. **Natürliche Variable** sind jene, von denen ein Thermodynamisches Potential abhängt. Potentiale gibt es nämlich viele. Neben $E(S, V, N)$ ist auch $S(E, V, N)$ eines. Seine Gradienten–Komponenten (2.31) bis (2.33) ergeben sich durch bloßes Umstellen von dE:

$$dE = T\,dS - p\,dV + \mu\,dN \quad \curvearrowright \quad dS = \frac{1}{T}\,dE + \frac{p}{T}\,dV - \frac{\mu}{T}\,dN \ . \tag{11.10}$$

Unsere Definition enthält also E und schließt S aus. Wer will, kann (11.10) weiter umformen und $N(E, S, V)$ als Potential auf den Markt bringen. Aber ein „Thermodynamisches" ist es nicht. Weitere Variable dürfen hingegen ins Spiel kommen, wofür $\overline{F}(T, M)$ in (10.21) ein Beispiel ist. Alle Thermodynamischen Potentiale haben Dimension Energie.

11.2 Duhem–Gibbs

Um zu ergründen, wie viele Thermodynamische Potentiale es gibt, beschränken wir uns auf solche, die aus den drei Paaren $\left\{ {S \atop T} \right\}$, $\left\{ {V \atop p} \right\}$, $\left\{ {N \atop \mu} \right\}$ je einen Partner als Variable haben und den anderen als Vorfaktor. Es gibt $2 \cdot 2 \cdot 2 = 8$ Möglichkeiten der Auswahl — so viele, wie ein Würfel Ecken hat. Steht ein $dX = \ldots$ auf dem Papier, so kann die Kurbel (11.8) bei drei Termen angesetzt werden — so viele, wie Kanten von einer Würfelecke ausgehen:

$N \to \mu$ auf jedem Weg von vorn nach hinten

$V \to p$ auf jedem Weg von unten nach oben

$S \to T$ auf jedem Weg von links nach rechts

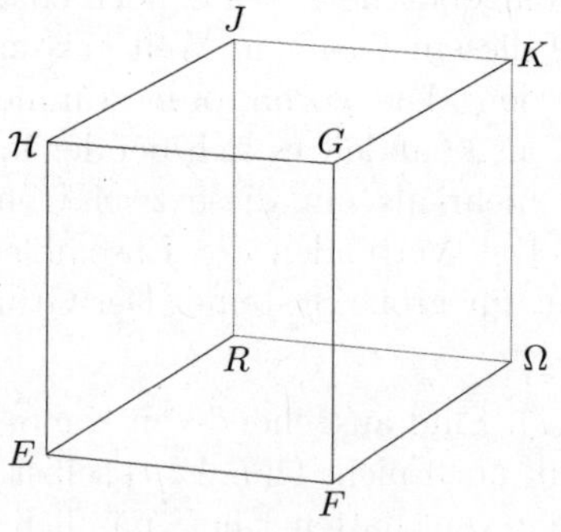

(11.11)

Von $E(S, V, N)$ nach $K(T, p, \mu)$ führen also sechs direkte Wege und auf jedem Drittel des Weges wird von einer extensiven Variablen zur einer intensiven übergegangen. Natürlich entspricht jedem der acht Potentiale ein Ensemble, eine

Präparierung. Aber nur fünf davon haben mit interessierender Physik zu tun. Es sind jene, die in der folgenden Tabelle einen Namen tragen:

	Variable	# ex	Name	d von u.a.	gibt
E	S,V,N	3	Energie		$dE = T\,dS - p\,dV + \mu\,dN$
F	T,V,N	2	Freie Energie	$F = E - TS$	$dF = -S\,dT - p\,dV + \mu\,dN$
$\mathcal{H}$	S,p,N	2	Enthalpie	$\mathcal{H} = E + pV$	$d\mathcal{H} = T\,dS + V\,dp + \mu\,dN$
R	S,V,μ	2		$R = E - \mu N$	$dR = T\,dS - p\,dV - N\,d\mu$
Ω	T,V,μ	1	Großkan. Potential	$\Omega = F - \mu N$	$d\Omega = -S\,dT - p\,dV - N\,d\mu$
G	T,p,N	1	Freie Enthalpie	$G = F + pV$	$dG = -S\,dT + V\,dp + \mu\,dN$
J	S,p,μ	1		$J = R + pV$	$dJ = T\,dS + V\,dp - N\,d\mu$
K	T,p,μ	0		$K = G - \mu N$	$dK = -S\,dT + V\,dp - N\,d\mu$

(11.12)

Natürlich macht sich bei Anwendungen mal das eine, mal das andere Detail aus dieser Tabelle nützlich. Aber das Nachrechnen kann getrost auf den nächsten Feiertag verschoben werden. In der dritten Spalte steht die Anzahl der extensiven Variablen. Jede intensive Variable ist ein Reservoir–Parameter. Bei T und μ verstehen wir das sofort. Inwiefern auch der Druck p von außen reguliert werden kann, zeigt Bild 11–1.

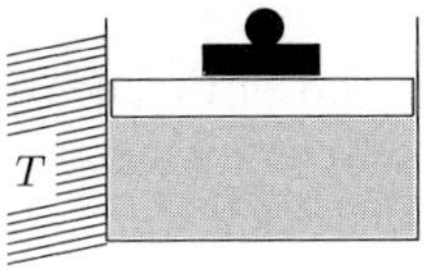

Bild 11–1: Eine typische Situation, in welcher Druck p und Temperatur T von außen festliegen und sich auch N nicht ändern kann. Das Thermodynamische Potential zu dieser Präparierung ist die Freie Enthalpie $G(T,p,N)$.

Viel interessanter sind die extensiven Variablen. Alle acht Potentiale in (11.12) sind extensiv. Sie können also, wie wir aus (2.15) und (4.16) wissen, eine extensive Variable als Vorfaktor abspalten:

$$\begin{aligned} E(S,V,N) &= N \cdot e(s,v) \quad \text{mit} \quad s := \frac{S}{N} \ \text{ und } \ v := \frac{V}{N} \\ F(T,V,N) &= N \cdot f(v,T) \ , \ \mathcal{H}(S,p,N) = N \cdot h(s,p) \ , \ R\ldots \\ \Omega(T,V,\mu) &= V \cdot \omega(T,\mu) \ , \ G(T,p,N) = N \cdot g(T,p) \ , \ J\ldots \ . \end{aligned} \tag{11.13}$$

Auch bei R und J gibt es kein Problem. Aber bei $K(T,p,\mu)$ können wir partout keine extensive Variable voranstellen. Es gibt keine. Nanu. Ist etwa $K \equiv 0$? Um ganz sicher zu gehen, führen wir die Legendre–Transformation $N \to \mu$ von G nach K aus:

$$K(T,p,\mu) = \Big[N\,g(T,p) - \mu\,N \Big]_{\text{elim. } N \text{ mittels } \mu = \partial_N G = g(T,p)} = 0 \ . \tag{11.14}$$

Tatsächlich. Weil $d\,0 = 0$ ist, nimmt die letzte Zeile von (11.12) die Gestalt

$$0 = -S\,dT + V\,dp - N\,d\mu \quad \text{oder} \quad 0 = -s\,dT + v\,dp - d\mu \tag{11.15}$$

an. Dies ist die **Duhem–Gibbs–Relation** in differentieller Form. So wie rechts in (11.15) zu Dichten übergegangen wurde, darf übrigens auch in der Tabelle rechts mit allen anderen d–Relationen verfahren werden: Teile durch irgendeine extensive Größe.

Das $K \equiv 0$–Resultat ist aus mehreren Gründen aufregend. Wir erkennen als erstes, daß die Thermodynamik in der Tat allgemeine, nicht vom Material abhängende Zusammenhänge herzustellen vermag. Gemäß (11.15) können sich die drei intensiven Größen T, p, μ nicht unabhängig voneinander verändern. Wird der Reihe nach eines der drei d's Null gesetzt, so ensteht

$$\left.\frac{d\mu}{dp}\right)_T = v \quad , \quad \left.\frac{d\mu}{dT}\right)_p = -s \quad , \quad \left.\frac{dp}{dT}\right)_\mu = \frac{s}{v} \quad . \tag{11.16}$$

Als nächstes interessiert uns, ob $d\,(G - \mu N) = 0$ auch in aufgeleiteter Form, d.h. ohne vorangestelltes d aufgeschrieben werden darf. Die Zeilen

$$\begin{aligned} \mu(T,p) \;&=\; \partial_N G\Big)_{T,p} \;=\; \partial_N N\,g(T,p)\Big)_{T,p} \;&=\;& g(T,p) \\ \curvearrowright \qquad & G(T,p,N) \;=\; N\,g(T,\mu) &=\;& N\,\mu(T,p) \end{aligned} \tag{11.17}$$

antworten mit einem klaren *Ja*. Dies wirft die Frage auf, ob etwa auch alle anderen Einträge in der vorletzten Spalte der Tabelle d–frei gelten und ineinander eingesetzt werden dürfen, so daß sich Duhem–Gibbs schließlich auch als

$$E = T\,S - p\,V + \mu\,N \tag{11.18}$$

schreiben läßt. Die Antwort ist ein *Ja* und ein *Nein*.

Zuerst das *Ja*. (11.18) und alle Beziehungen der vorletzten Tabellenspalte gelten für die Werte der enthaltenen Zustandsgrößen. Man darf die Beziehungen ineinander einsetzen. Und aus ihrer d–Version läßt sich insbesondere ablesen, welche natürlichen Variablen das vorliegende Thermodynamische Potential hat.

Und jetzt das *Nein*. Thermodynamische Potentiale als Funktionen ihrer natürlichen Variablen ergeben sich mit solchen Einsetzungen im allgemeinen nicht. Schon $G \to F$, ein nächster Schritt „weiter weg von K“, macht dies klar:

$$F(T,V,N) \stackrel{??}{=} N\,\mu(T,p) - p\,V \quad . \tag{11.19}$$

Auf der rechten Seite ist p fehl am Platze. Es ist aus $V = N\,\partial_p\,\mu(T,p)$ zu gewinnen und dann in (11.19) zu eliminieren — Legendre–Transformation!

Übung 11/2 Wie gewinnt man aus dem mikrokanonischen Gradienten von E die zwei Komponenten des Gradienten von $e(s,v)$? Wie linear–kombiniert sich also de aus ds und dv? Scheinbar ist μ abhanden gekommen — wie verwandelt sich $\mu = \partial_N E$ in eine μ–e–Beziehung, in welche nämlich?

Lösung Bei Erweitern des Differentialquotienten mit $1/N$ wird $T = \partial_S E)_{V,N}$ zu $T = \partial_s e)_v$ und $p = -\partial_V E)_{T,N}$ zu $p = -\partial_v e)_s$. Folglich: $de = T\,ds - p\,dv$. $\mu = \partial_N \, N\, e(S/N, V/N) = e - \frac{S}{N}\,\partial_s e)_v - \frac{V}{N}\,\partial_v e)_s$. Also gilt $\mu = e - s\,T + v\,p$, und das ist die durch N geteilte Duhem–Gibbs–Relation (11.18).

Die Hauptsätze

Das klingt gewichtig und macht verdächtig. Hatte sich doch einmal ein anderer „Hauptsatz", nämlich $\int_a^b dx\ \partial_x F(x) = F(b) - F(a)$, mit vier Worten erledigt: Leite nach b ab. Damals, vor und um 1900, mag viel Arbeit und viel Mut dazu gehört haben, quasi axiomatisch mit drei Behauptungen einen Einstieg in die Thermodynamik zu wagen. Aber für heutige Quantenstatistiker (mit Kapitel 1 bis 10 im Bauch) handelt es sich rückblickend nur um die drei Aussagen

* Energie ist erhalten (1. Hauptsatz).
* Die Entropie eines abgeschlossenen Systems nimmt nicht ab (2. Hauptsatz).
* Bei $T \to 0$ verschwindet die spezifische Wärme (3. Hauptsatz).

Wie man sich mit so wenigen Vorgaben an den Haaren aus dem Sumpf ziehen kann, steht in Satz–Beweis–Form bei [*Huang*, Kap. 1].

Wie weit die 1900–er Historie vom heutigen Wissen um die Quantennatur der Welt entfernt war, zeigt insbesondere der 3. Hauptsatz. Daß jedes Quantensystem bei $T \to 0$ ausfriert, sich auf den Grundzustand E_0 zurückzieht, gehörte zu unseren Anfangsgründen. Mikrokanonisch gedacht, geht

$$S(E,V,N) \longrightarrow S(E_0,V,N) =: S_0 \qquad (T \to 0)\ . \tag{11.20}$$

Aber wie sollte Nernst (1864 – 1941) davon noch vor seinem Chemie–Nobelpreis 1920 gewußt haben, geschweige denn von $-\sum p \ln(p) \geqslant 0$. Im Extremfall (bei sogenannten Gläsern) kann der Grundzustand so hoch entartet sein, daß die Konstante S_0 extensiv wird (nur dann würde sie ja von der Thermodynamik beachtet werden). Da aber die Thermiker die Entropie nur differentiell definieren (per $đQ = T\,dS$, siehe unten), dürfen sie eine Konstante subtrahieren.

Beim 2. Hauptsatz ist die Situation der Mikroskopiker nicht sehr viel besser als die der Thermiker. Natürlich haben wir das Münze–Beispiel aus § 1.2 mit Bild 1–2 vor Augen (und sehen auch bald, im Kapitel 14, wie Streuprozesse via Boltzmann–Gleichung zum Gleichgewicht treiben). Solange es aber am durchschlagenden quantentheoretischen Beweis mangelt, sollte wohl von einer Erfahrungstatsache gesprochen werden.[2]

Der 1. Hauptsatz wird erst interessant, wenn Energieportionen verschiedener Art zu unterscheiden sind. Dann werden nämlich — dem Mikroskopiker widerstrebend, aber unerbittlich von der Realität eingefordert — einzelne Beiträge zu dE mit Namen belegt

$$dE = \underbrace{T\,dS}_{=:\, đQ} - \underbrace{p\,dV}_{=:\, đW} \qquad (dN = 0) \quad : \tag{11.21}$$

Wärme (vom System aufgenommene) und **Arbeit** (vom System verrichtete). $đQ$ ändert die Wahrscheinlichkeiten der Zustände, ohne deren Energien zu verschieben. $đW$ verschiebt die Energien, ohne ihre Wahrscheinlichkeiten zu verändern (falls sich V unendlich langsam vergrößerte). Der Querstrich soll daran hindern, das d als Differential einer Funktion zu lesen. Ein System hat Energieinhalt, aber einen „Wärmeinhalt" oder einen „Arbeitsinhalt" hat es nicht:

$$\int_1^2 d\vec{r}\cdot\nabla\phi = \phi_{\text{bei }2} - \phi_{\text{bei }1} \quad , \text{ aber } \int_1^2 dx\;\partial_x\phi \text{ hängt vom Weg ab} \ . \tag{11.22}$$

Wenn im Bild 11–1 die Temperatur erhöht wird, $T \to T + dT$, so fließt Wärme $đQ$ in das System. Da sich aber zugleich der Kolben um dV anhebt (das System Arbeit leistet), erhöht sich die Energie E nicht so stark: $dE = đQ - đW$.

Von spezifischer Wärme war bisher nur bei festem Volumen V (und festem N) die Rede. Es war also $đW = 0$, $dE = đQ$ und $c_V = dE/dT)_{V,N} = đQ/dT)_{V,N} = T dS/dT)_{V,N}$. Die Verallgemeinerung auf beliebige Festhaltungen lautet

$$c_{\ldots} := \frac{đQ}{dT}\Big)_{\ldots} = T\,\frac{dS}{dT}\Big)_{\ldots} \ . \tag{11.23}$$

Bei der soeben betrachteten Temperaturerhöhung zu Bild 11–1 bleibt der Druck konstant. Also beantwortet

$$c_p := T\,\frac{dS}{dT}\Big)_{p,N} = \partial_T\mathcal{H}\Big)_{p,N} = \frac{dE + p\,dV}{dT}\Big)_{p,N} \tag{11.24}$$

die Frage nach der Wärmeenergie, welche bei $p = \text{const}$ pro dT zugeführt wird. Beim mittleren Schritt in (11.24) hatten wir rechts in der Tabelle (11.12) nach den beiden Zeilen mit dp und dN gesucht. Um ein bestimmtes dT zu erreichen, muß wegen der Portion Arbeit etwas mehr Wärme in das System hinein als bei festgeklemmtem Kolben. Also ist uns $c_p > c_V$ anschaulich bereits klar.

[2] In [*Kittel/Krömer*, Kap. 2] wird sehr vorsichtig formuliert: Befindet sich ein abgeschlossenes System nicht in der Gleichgewichtskonfiguration, so ist die wahrscheinlichste Konsequenz, daß die Entropie des Systems in aufeinanderfolgenden Zeitabschnitten monoton zunimmt.

Übung 11/3 Ein Modell–$\mathcal{H}$. Aus $\mathcal{H} = a\frac{S^2}{N}\ln(\frac{p}{p_0})$ (a, p_0 seien positive Konstante) soll die spezifische Wärme c_V als Funktion von T und p erhalten werden.

Lösung Sicherlich gibt es mehrere Wege, z.B. diesen: brauche $S(T,V,N)$, kann es aus $T = \partial_S E(S,V,N)$ erhalten und $E(S,V,N)$ per Legendre aus $\mathcal{H}(S,p,N)$, $E = [\,\mathcal{H} - pV\,]_{\text{elim.}\,p}$, $V = \partial_p \mathcal{H})_{S,N} = a\frac{S^2}{N}\frac{1}{p}$, $E = a\frac{S^2}{N}\ln(\frac{aS^2}{p_0 NV}) - a\frac{S^2}{N}$ $\curvearrowright$ $N\,T = 2aS\ln(\frac{aS^2}{p_0 NV})$ und ∂_T beider Seiten gibt $c_V = T\,\partial_T S = \frac{N\,T}{2a\,[\,2+\ln(p/p_0)\,]}$.

11.3 Irreversibilität — eine Fallstudie

Von einem „Prozeß" sei die Rede, wenn ein System d–Schritt für d–Schritt in einen schließlich ganz anderen Zustand überführt wird. Unterwegs werden dabei die Präparierungen des Ensembles verändert. Schlägt jemand mit der Faust (er darf) auf das Gewicht im Bild 11–1, hält dann den Kolben bei halbem Volumen fest und wartet nun, bis Gleichgewicht eingetreten ist, so hat er einen Weg gewählt, der über Nicht–Gleichgewichts–Ensembles führt. Während die Schockwellen abklingen, welche zunächst durch das System laufen, nimmt die Entropie zu. Die menschlichen Unzulänglichkeiten, den Vorgang im Detail über einer Zeitachse aufzulösen, wurden schon zum 2. Hauptsatz kommentiert. Aber wenigstens „global" können die Entropien der am Anfang und am Ende vorliegenden Gleichgewichts–Zustände verglichen werden. Übung 2/1 war hierfür ein Beispiel.

Ein Prozeß wird **irreversibel** genannt genau dann, wenn er Gänge *ins* Gleichgewicht enthält, und zwar des Gesamtsystems (System plus seine Umgebung). Nimmt die Entropie des Gesamtsystems auf *diese* Weise zu, so ist ein irreversibler Weg (salopp gesagt) nicht umkehrbar. Mit dem Wort **reversibel** wird nur eine Grenzsituation der irreversiblen Prozesse bezeichnet, nämlich jene, in der die Ins–Gleichgewicht–Gänge vernachlässigt oder unterdrückt werden können — so gut es eben geht.

In der Literatur gesellen sich alsbald weitere Prozeß–Attribute zu den obigen beiden. Will der Leser diese Begriffe präzise fassen und gegeneinander abgrenzen, kann er leicht einer gewissen Verzweiflung anheim fallen. Dagegen ist anzukämpfen. Die Feinheiten beginnen schon, wenn wir bei „System" zu fragen beginnen. Wird durch Kolbenzug ein thermisch nach außen isoliertes Gas expandiert, 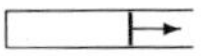 , so sind System und Gesamtsystem identisch. Wirklich? Gehört nicht zum letzteren alles, was den Kolben zieht, hinzu? Wir können uns hier damit herausreden, daß sich die Kolbenbewegung rein mechanisch bewerkstelligen lasse und somit thermodynamisch irrelevant sei. Der Vorgang ist natürlich irreversibel — es sei denn, man zieht extrem langsam. Und dafür gibt es das nächste Attribut.

Wir konzentrieren uns jetzt auf *das* betrachtete System (egal ob mit Gesamtsystem identisch oder Teil desselben). Werden die Zustandsvariablen (T, V, N oder alternativ S, T, N oder p, V, N) des Systems so langsam verändert, daß ständig (in guter Näherung) nur Gleichgewichts–Zustände durchlaufen werden, so werde das Prozeß–Wegstück **quasistatisch** genannt. Wir vermeiden hier das Wort „adiabatisch“ (was einem Quantiker wegen (1.26) nahe läge), weil sich „∞ langsam“ nicht nur V ändert, sondern auch z.B. der Parameter T eines Wärmebades. Es ist ein Begriff der Statistik. Kurz: quasistatisch = ∞ langsam.

Im ersten Moment erscheint es absurd, eine alte puff–puff–Dampflok quasistatisch erklären zu wollen, oder darob ein Tempo–Limit von 0,130 km/h zu verfügen. Typische Relaxationszeiten sind jedoch so unglaublich kurz ($10^{-10 \text{ bis } -9}$s laut [*Schwabl*, § 3.5.1]), daß derartige nullte Näherungen so übel nicht sein müssen. Sie funktionieren jedenfalls erstaunlich gut.

Bei einem quasistatischen Prozeß mit fester Teilchenzahl N sind die durchlaufenen Zustände Punkte in einem X–Y–Diagramm, wobei X, Y zwei aus den Variablen T, V, p, S, E sind, denn die je anderen Variablen liegen dann fest über bekannte Thermodynamik des Systems. Aus solchen Punkten besteht das Wegstück des Prozesses. Obwohl quasistatisch (das System betreffend), kann ein solcher Weg sowohl irreversibel als auch reversibel verlaufen — einfach, weil im X–Y–Diagramm nicht erkennbar ist, was das Gesamtsystem derweil treibt. Ist jedoch speziell System = Gesamtsystem, dann allerdings gilt quasistatisch = reversibel.

Wir wollen diese eigenartigen Unterscheidungen explizit vorgeführt bekommen. Ein Mikroskopiker ist vielleicht zu gewinnen, dabei ein Kunst–System und phänomenologische Größen (wie etwa eine Wärmeleitfähigkeit κ) zu akzeptieren, aber er will einen Modellvorgang wenigstens doch bitte in zeitaufgelöster Form verfolgen können.

Das Modell

Die zwei hellgrau gehaltenen Volumina im Bild 11–2 sind durch eine wärmeleitende Schicht (κ) der Dicke d und Querschnittfläche F getrennt. System 2 hat festes Volumen V_1 (im folgenden nicht vorkommend) und feste Teilchenzahl N_2. System 1 ist das betrachtete System und hat feste Teilchenzahl N_1. Der Kolben wird computergesteuert so nach rechts bewegt, daß das Volumen $V(t)$ in einer vorgegebenen Weise zunimmt, $V(0) =: V_0$. Am Anfang haben beide Systeme die gleiche Temperatur $T_1(0) = T_2(0) =: T_0$. In der Schicht (dunkelgrau) erfüllen Energiestromdichte $\vec{\jmath}$ und Energiedichte ε die Kontinuitätsgleichung $\dot{\varepsilon} + \operatorname{div} \vec{\jmath} = 0$ und die linearisierte Ursache–Antwort–Beziehung $\vec{\jmath} = -\kappa \operatorname{grad} T$ mit Wärmeleitfähigkeit κ. Mit $\alpha\dot{\varepsilon} = \dot{T}$ (linearisierte ε–T–Beziehung des Schichtmediums) folgt die Diffusionsgleichung $\dot{T} = \alpha\,\kappa\,\Delta T$. In der 1D Situation des Modells, $\dot{T} = \alpha\,\kappa\,T''$, können wir ihre stationäre Lösung leicht erraten,

$$T = T_2 - \frac{x}{d}\Big(T_2 - T_1\Big) \quad \text{, so daß} \quad -j\,F = \frac{\kappa\,F}{d}\Big(T_2 - T_1\Big) = \frac{đQ}{dt} \tag{11.25}$$

die pro Zeit nach rechts fließende Energie ist.

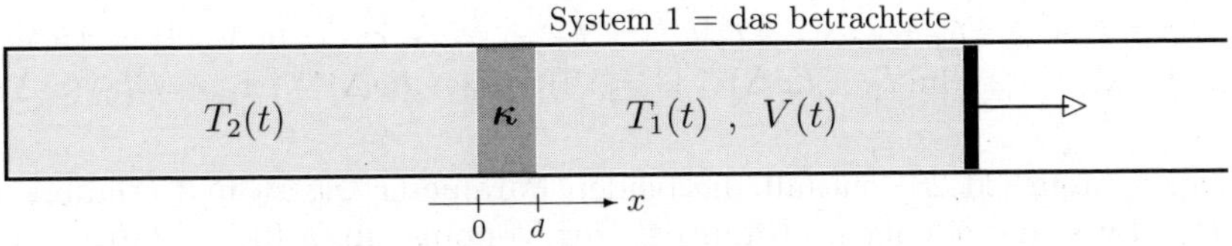

Bild 11–2 : Ein quasistatisch–irreversibler Prozeß.

Im System 1 soll es quasistatisch zugehen. Wir könnten ihm ja andernfalls gar keine Temperatur $T_1(t)$ zuordnen. Die Quasistatik läßt sich dadurch erzwingen, daß im System 1 (und auch in 2) die im Gleichgewicht geltenden Zusammenhänge von E, p, S mit T und V unterstellt werden. Ist dieserart für Langsamkeit gesorgt, von Hand sozusagen, brauchen für $\dot{V}$ keine Einschränkungen mehr bedacht zu werden. Wandert eine Energieportion $đQ$ durch die Schicht, so gilt folglich $dE_1 = đQ - p\,dV$ im rechten System 1 und $dE_2 = -đQ$ im linken, denn System 2 hat konstantes Volumen. Durch dt geteilt und mit (11.25) werden diese beiden Energiebilanzen zu den Bewegungsgleichungen des Vorgangs :

$$\dot{E}_1 = \frac{\kappa\,F}{d}\Big(T_2 - T_1\Big) - p\,\dot{V} \quad , \quad \dot{E}_2 = -\frac{\kappa\,F}{d}\Big(T_2 - T_1\Big) \ . \tag{11.26}$$

Für die zu klärenden qualitativen Fragen wird es keine große Rolle spielen, um welche Substanzen es sich bei den hellgrauen Blöcken handelt. Ersichtlich benötigen wir deren Zustandsgleichung $p(T, V)$ und Energie $E(T, V)$. Weil sich damit gut rechnen läßt (nur darum), füllen wir beide Volumina mit dem gleichen Kunst–Gas („ideales Gas“), dessen Eigenschaften

$$E = \frac{3}{2}\,N\,T \quad , \quad p = \frac{N}{V}\,T \quad , \quad S = \frac{3}{2}\,N\,\ln{(T)} + N\,\ln{(V)} \tag{11.27}$$

schon aus den Übungen 2/9, 3/9 und 4/4 bekannt sind (weil sich damit gut rechnen ließ). In S wurde eine N–abhängige Konstante weggelassen, weil sie im folgenden keine Rolle spielt — *quicky*: Zeige, daß (11.27) $dE = T\,dS - p\,dV$ erfüllt. Die vollständige „Idealgas“–Entropie steht in (12.10). Mittels (11.27) wird aus (11.26) das Dgl–System

$$\begin{aligned} \dot{T}_1 &= \omega_1\,(T_2 - T_1) - \frac{2}{3}\,T_1\,\frac{\dot{V}}{V} \quad , \\ \dot{T}_2 &= -\omega_2\,(T_2 - T_1) \qquad \text{mit} \quad \omega_1 := \frac{2\,F\,\kappa}{3\,N_1\,d} \ , \ \omega_2 := \frac{2\,F\,\kappa}{3\,N_2\,d} \ . \end{aligned} \tag{11.28}$$

Sieht es nicht hübsch einfach aus ?! Aber bald wird das Modell seine Haken und Ösen zeigen.

Übung 11/4 Wie lange ($t_{\text{end}} = ?$) kann im Modell (11.28) zu $\omega_1 = \omega_2 =: \omega$ eine konstante Temperaturdifferenz Δ aufrechterhalten werden? Anfangsbedingungen sind hier $T_1(0) = T_0$, $T_2(0) = T_0 + \Delta$, und als erstes interessiert $V(t) = ?$

Lösung $T_2 \equiv T_1 + \Delta$, $\dot{T}_1 = \omega\Delta - \frac{2}{3}T_1\dot{V}/V$, $\dot{T}_1 = -\omega\Delta \curvearrowright \partial_t \ln(V^{2/3}) = 2\omega\Delta/(T_0 - t\omega\Delta) = -2\partial_t \ln(T_0 - t\omega\Delta)$. $V = V(0)\,(T_0 - t\omega\Delta)^{-3}$, $t_{\text{end}} = T_0/(\omega\Delta)$.

Das Dgl–System (11.28) enthält die beiden Parameter ω_1, ω_2 und erlaubt, sich zu $V(t)$ etwas auszudenken. Kaum ist der Vorgang ab $T_1(0) = T_2(0) =: T_0$ und $V(0) =: V_0$ mit V–Vergrößerung in Gang gesetzt, erwarten wir, daß ständig $T_2(t) > T_1(t)$ gilt. Nur wenn wir dem Gesamtsystem am Ende viel Zeit lassen, etwa weil V erst mit $t \to \infty$ seinen Wert $V(\infty) > V_0$ erreicht, wird es seine beiden Temperaturen wieder angleichen können. Uns interessiert unter anderem, wie stark dabei die Entropie angewachsen ist, nämlich von $S(0) = \frac{3}{2}(N_1+N_2)\ln(T_0) + N_1\ln(V_0)$ auf $S(\infty) = \frac{3}{2}(N_1 + N_2)\ln[T(\infty)] + N_1\ln[V(\infty)]$. Zu irgend einer Zeit $t > 0$ ist

$$\Delta S(t) = \frac{3}{2}N_1 \ln\Big(\frac{T_1(t)}{T_0}\Big) + \frac{3}{2}N_2 \ln\Big(\frac{T_2(t)}{T_0}\Big) + N_1 \ln\Big(\frac{V(t)}{V_0}\Big) . \tag{11.29}$$

Ein spezieller Grenzfall läßt sich sofort studieren, nämlich der einer wärme*un*durchlässigen Schicht. Wie gefährlich $\kappa \to 0$ ist, sehen wir bald (nicht mit Limes $t \to \infty$ vertauschbar). Die Undurchlässigkeit wird besser mit $N_2 \to 0$ erzwungen. Dies eliminiert das System 2. Was nun das isolierte System 1 treibt, dieser Vorgang wird

adiabatisch

genannt. Ist System 1 abgekoppelt, so ist es mit dem Gesamtsystem identisch, und es trifft quasistatisch = reversibel zu. Dies allein besagt aber nicht, daß sich etwa seine Entropie S_1 nicht ändern dürfe (ein schönes Beispiel für $dS > 0$ wird Übung 11/11 bieten, und wie S_1 mit V bei konstantem T_1 anwachsen kann, zeigt (11.27)). Erst wenn wir eine Volumenänderung dV vorgeben (!), zwingen wir das abgeschlossene System 1, die Arbeit $p\,dV$ zu verrichten, so daß $-p\,dV = dE_1 = T\,dS_1 - p\,dV$ gilt und folglich $dS_1 = 0$. System 1 expandiert adiabatisch. Nachzusehen, ob sich auch unser Dgl–System richtig verhält, ist jetzt ein guter Test. Bei $N_2 \to 0$, d.h. $\omega_2 \to \infty$, gleicht sich $T_2(t)$ stets quasi instantan an $T_1(t)$ an (Übung ?). Zu $T_1 \equiv T_2$ besagt aber die erste Dgl, daß

$$\frac{\dot{T}_1}{T_1} = -\frac{2}{3}\frac{\dot{V}}{V} \quad \curvearrowright \quad \partial_t\,\Delta S = \partial_t\,(11.29)\Big|_{N_2=0} = N_1\Big[\frac{3}{2}\frac{\dot{T}_1}{T_1} + \frac{\dot{V}}{V}\Big] \equiv 0 \tag{11.30}$$

ist — einmal Null, immer Null. Im übrigen sind adiabatisch und **isentrop** austauschbare Worte und Attribute des betrachteten Systems.

Lösung des Dgl–Systems

In Vektorform $\vec{\psi} = \binom{T_1}{T_2}$ nimmt das Dgl–System (11.28) die Gestalt $\dot{\vec{\psi}} = H(t)\,\vec{\psi}$ an. Bei der Schrödinger–Gleichung — auch wenn ihr hier das $i\hbar$ fehlt und H nicht symmetrisch ist — mit zeitabhängigem Hamilton–Operator hört bekanntlich der Spaß auf. In der Tat wird es beliebig schwierig, unter $V(t)$–Vorgabe (11.28) lösen zu wollen. Der Ausweg liegt im „rückwärts rechnen". Wir geben uns ein Wunschresultat für die Temperatur $T_1(t)$ des Systems vor und sehen dann nach, welche Volumenänderung dafür verantwortlich war. T_1 soll mit der Zeit abnehmen und nach langer Zeit sanft ein n–tel von T_0 erreichen:

$$T_1(t) \;=\; T_0\,\frac{1}{n}\Big(1+(n-1)\,\mathrm{e}^{-\gamma t}\Big)\;. \tag{11.31}$$

Mit den vier Parametern ω_1, ω_2, $\gamma > 0$, $n > 1$, die das Modell jetzt hat, wird sich trefflich spielen lassen. Mit Eingabe (11.31) und zu $T_2(0) = 0$ ergibt sich (Übung: selber!) die Lösung der zweiten Dgl (11.28) zu

$$T_2(t) \;=\; T_0\,\frac{1}{n}\Big(1+(n-1)\,\mathrm{e}^{-\gamma t}+\frac{(n-1)\,\gamma}{\omega_2-\gamma}\;\big[\mathrm{e}^{-\gamma t}-\mathrm{e}^{-\omega_2 t}\big]\Big)\;. \tag{11.32}$$

Ständig sollte T_2 größer als T_1 bleiben, und zwar unabhängig davon, ob ω_2 größer, gleich oder kleiner als γ ist. Für $0 < t < \infty$ zeigt die Zeile

$$T_2(t)-T_1(t) \;=\; T_0\,\frac{(n-1)\,\gamma}{n}\;\mathrm{e}^{-\gamma t}\;\frac{1-\mathrm{e}^{-(\omega_2-\gamma)\,t}}{\omega_2-\gamma}\;>\;0\;, \tag{11.33}$$

daß alles gut geht und sich auch die Temperaturen bei $t \to \infty$ angleichen.

Um schließlich den Verursacher $V(t)$ kennenzulernen, lesen wir die erste Zeile von (11.28) als Dgl für V,

$$\partial_t \ln(\,V^{2/3}\,T_1\,) \;=\; \omega_1\,\frac{T_2-T_1}{T_1} \;=\; (n-1)\,\frac{\gamma\,\omega_1}{\omega_2-\gamma}\;\frac{\mathrm{e}^{-\gamma t}-\mathrm{e}^{-\omega_2 t}}{1+(n-1)\,\mathrm{e}^{-\gamma t}}\;, \tag{11.34}$$

und lösen sie zu $V(0) = V_0$:

$$V(t) = V_0\left(\frac{n}{1+(n-1)\,\mathrm{e}^{-\gamma t}}\;\;\mathrm{e}^{\,\frac{(n-1)\,\gamma\,\omega_1}{\omega_2-\gamma}\int_0^t dt'\;\frac{\mathrm{e}^{-\gamma t'}-\mathrm{e}^{-\omega_2 t'}}{1+(n-1)\,\mathrm{e}^{-\gamma t'}}}\right)^{3/2}. \tag{11.35}$$

Wer hätte solch ein Schreckgespenst hinter Bild 11–2 vermutet. Es ist jedoch gutmütig. Der Exponent ist positiv und wächst mit t an, und der Bruch vor e ebenfalls: $V(t)$ nimmt zu. Bei $t \to \infty$ existiert das Integral: $V_0 < V(\infty) < \infty$. Im adiabatischen Grenzfall $N_2 \to 0$, d.h. $\omega_2 \to \infty$, verschwindet der Exponent, und aus $V(t)$ wird $V_0\, n^{3/2}\,[1+(n-1)\,\mathrm{e}^{-\gamma t}]^{-3/2}$ mit $V(\infty) = V_0\, n^{3/2}$. Wir können uns unverzüglich für die

Zunahme der Entropie

interessieren. Dazu ist (11.29) mit den inzwischen bekannten Funktionen T_1, T_2, V zu bestücken oder auch gleich mit deren Grenzwerten T_0/n, T_0/n, $V(\infty)$:

$$\Delta S(\infty) = \frac{3}{2}\, N_2 \left\{ -\ln(n) + \frac{(n-1)\gamma\omega_2}{\omega_2 - \gamma} \int_0^\infty dt'\, \frac{\mathrm{e}^{-\gamma t'} - \mathrm{e}^{-\omega_2 t'}}{1+(n-1)\,\mathrm{e}^{-\gamma t'}} \right\} \;, \qquad (11.36)$$

wobei wir $N_1\omega_1 = N_2\omega_2$ benutzt haben, um N_2 auszuklammern und uns an $\Delta S(\infty) \to 0$ bei $N_2 \to 0$ zu erfreuen.

(11.36) konfrontiert uns mit einem weiteren Schreckgespenst, dem negativen Anteil in der geschwungenen Klammer. Selbige muß aber unbedingt positiv sein, und zwar für alle Werte der vier Parameter. Man zeige. Wir substituieren $\mathrm{e}^{-\gamma t'} = x$ und versuchen dann, einen $+\ln(n)$ aus dem Integral abzuspalten:

$$\begin{aligned} \{\;\} &= -\ln(n) + \frac{(n-1)\gamma}{\omega_2-\gamma}\int_0^1 dx\; \frac{\frac{\omega_2}{\gamma} - 1 + 1 - \frac{\omega_2}{\gamma}\, x^{\frac{\omega_2}{\gamma}-1}}{1+(n-1)\,x} \\ &= \frac{(n-1)\gamma}{\omega_2-\gamma}\int_0^1 dx\; \frac{1}{1+(n-1)\,x}\; \partial_x\left(x - x^{\frac{\omega_2}{\gamma}}\right) \\ &= (n-1)^2 \int_0^1 dx\; \frac{1-x^{\frac{\omega_2}{\gamma}-1}}{\frac{\omega_2}{\gamma}-1}\; \frac{x}{[1+(n-1)\,x]^2} \;>\; 0 \;, \end{aligned} \qquad (11.37)$$

wie auch immer man $\frac{\omega_2}{\gamma}$ positiv wählt, qed.

Die Entropie hat also bei der betrachteten Volumenvergrößerung zugenommen. Der Vorgang war irreversibel. Schon stellt sich die nächste Frage ein: „Woran hat es denn gelegen?" — sicherlich an der κ–Schicht. Wird sie per $\kappa \to 0$ undurchlässig gemacht, dann wird doch wohl $\Delta S(\infty)$ verschwinden:

$$\begin{aligned} \Delta S(\infty)^{\omega_1=\omega_2=0} &= \frac{3}{2}\, N_2\, (n-1)^2 \int_0^1 dx\; \frac{1-x}{[1+(n-1)\,x]^2} \\ &= \frac{3}{2}\, N_2 \Big[n - 1 - \ln(n) \Big] \;>\; 0 \;. \end{aligned} \qquad (11.38)$$

Nanu. Gespenst Nummer 3. Es beruht darauf, daß es in z.B. $\omega \int_0^t dt'\, \mathrm{e}^{-\omega t'}$ auf die Reihenfolge der Limites $t \to \infty$ und $\omega \to 0$ ankommt: zuerst $t \to \infty$ gibt Eins, zuerst $\omega \to 0$ gibt Null. Es ist nicht weiter verwunderlich, daß sich nach unendlich langer Wartezeit (bei noch $\kappa \gtrsim 0$) der Effekt des Schichtverschließens nachträglich nicht mehr erzielen läßt. Zu jeder endlichen Zeit führt $\omega_1 = \omega_2 = 0$ auf $\Delta S = 0$.

$\kappa \longrightarrow \infty$

Der entgegengesetzte Limes ist viel interessanter. Die Antwort auf obige Frage, woran $\Delta S > 0$ gelegen habe, hätte ja lauten können, „weil Strom geflossen ist“. Aber das ist falsch, wie sich gleich zeigen wird. Es fließt jedenfalls Strom — besonders auch dann, wenn die Schicht beliebig gut Wärme leitet. Die Schicht begrenzt sozusagen nur noch das Gas–2–Volumen. Auf der Suche nach etwaigen Gespenstern sehen wir uns zuerst an, welches Endvolumen $V(\infty)$ bei $\kappa \to \infty$ (respektive $d \to 0$) erreicht wird. (11.35) führt auf

$$V(\infty)^{d=0} = V_0 \left(n\, \mathrm{e}^{\frac{N_2}{N_1}\gamma\,(n-1)\int_0^\infty dt' \frac{\mathrm{e}^{-\gamma t'}}{1+(n-1)\,\mathrm{e}^{-\gamma t'}}} \right)^{3/2} = V_0\, n^{\frac{3}{2}\left(1+\frac{N_2}{N_1}\right)} \quad , \qquad (11.39)$$

und das sieht sehr gesund aus. Wie es um die Entropie bestellt ist, zeigt (11.36) im Limes $\omega_2 \to \infty$:

$$\Delta S(\infty)^{d=0} = \frac{3N_2}{2} \left\{ -\ln(n) + (n-1)\gamma \int_0^\infty dt' \frac{\mathrm{e}^{-\gamma t'}}{1+(n-1)\,\mathrm{e}^{-\gamma t'}} \right\} = 0 \ . \qquad (11.40)$$

Keine Zunahme der Entropie. Bei $d = 0$ ist der Vorgang reversibel — obwohl Strom fließt. Es ist übrigens weder adiabatisch noch isotherm zugegangen — die etwaige Behauptung, nur so sei Reversibilität möglich, ist falsch. Es darf Strom fließen. Erst wenn der Strom einen Widerstand vorfindet, wenn Reibung vorliegt, gibt es Entropiezunahme. Mit etwas Wagemut: Irreversibel ist ein Vorgang genau dann, wenn er Reibung enthält.[3]

Übung 11/5 Das Wort „adiabatisch“ bezieht sich auf das betrachtete System 1. Obige Behauptung, es sei zu $d = 0$ *nicht* adiabatisch zugegangen, bedarf also noch der Kontrolle: Wie steht es um $\Delta S_1(\infty)$ und $\Delta S_2(\infty)$ der Teilsysteme?

Lösung $\Delta S_2(.) = -\frac{3}{2} N_2 \ln(n)\,,\ \Delta S_1(.) = -\frac{3}{2} N_1 \ln(n) + N_1 \ln[n^{\frac{3}{2}(1+\frac{N_2}{N_1})}] = \frac{3}{2} N_2 \ln(n)\,.$

Unser Modell kann noch mehr. Es enthält auch den Fall eines

---

[3] Schon zu Bild 2–5 und in Übung 2/7 hatten wir bei $\boxed{T_2 \twoheadrightarrow T_1}$ das Zunehmen der Entropie verstanden. Inzwischen kann $dS = đQ\left(\frac{1}{T_1} - \frac{1}{T_2}\right)$ zum Herüberschieben einer dE–Portion notiert werden ($dE = đQ$, weil beide dV's Null sind). Nichts ist dagegen einzuwenden. Hier wollten wir allerdings jene unliebsamen Fragen danach, *wie* das passiert und inwiefern $dS = 0$ möglich ist, von vornherein vermeiden.

isotherm

ablaufenden Prozesses. Erneut bezieht sich „isotherm“ nur auf das betrachtete System: Es wird auf konstanter Temperatur gehalten, während sich V verändert. Wir setzen einfach $T_1(t) \equiv T_0$, ändern aber die System–2–Anfangsbedingung auf $T_2(0) = T_0\,(1-\Delta)$ ab. Es fällt leicht, hierzu das Dgl–System (11.28) zu lösen:

$$T_2(t) = T_0\left[1+(1+\Delta)\,\mathrm{e}^{-\omega_2 t}\right] \quad , \quad V(t)^{\text{iso}} = V_0\,\mathrm{e}^{\frac{3N_2}{2N_1}\Delta\left[1-\mathrm{e}^{-\omega_2 t}\right]} \quad . \tag{11.41}$$

Soll sich das Volumen verdoppeln, $V(\infty) \stackrel{!}{=} 2\,V_0$, so ist $N_2\Delta = \frac{2}{3}N_1\ln(2)$ zu wählen. Die Entropie des Gesamtsystems nimmt dann zu um

$$\Delta S(\infty)^{\text{iso}} = \frac{1}{\Delta}N_1\ln(2)\,\{\Delta - \ln(1+\Delta)\} > 0 \quad . \tag{11.42}$$

Irreversibel–isotherm läuft also der Vorgang ab. Auch hierzu gibt es den Grenzfall, in welchem er reversibel–isotherm abläuft. Ersichtlich beseitigt $\Delta \to 0$ die Unordnung wie $\Delta S(\infty) \sim \Delta$. Obiges läßt sich übrigens sogar aus den Resultaten (11.35) bis (11.37) herauskitzeln, nämlich per $n = 1-\varepsilon$ und $\varepsilon \to 0$. Aber so groß wird der Hunger nach Übungen wohl nicht sein.

Rückweg

Schließlich wollen wir noch den Rückwärtsgang einlegen und den Kolben ab $V(\infty)$ so lange zurückschieben, bis die Starttemperatur T_0 wieder erreicht ist. Wie die Herleitung zeigt, wird beim Rückweg erneut das Dgl–System (11.28) befolgt. Wir stellen die Uhr auf Null und lassen dem Gesamtsystem wieder unendlich viel Zeit, am Ende seine Temperaturen anzugleichen. Index R für Rückweg und H wie Hinweg:

$$T_{1R}(t) = \frac{T_0}{n}\Big(n-(n-1)\,\mathrm{e}^{-\gamma t}\Big) = \frac{1}{n}\Big[T_{1H}(t)\Big]_{n\to\frac{1}{n}} \quad . \tag{11.43}$$

Es ist kein erneutes Rechnen nötig, denn die Ersetzung rechts in (11.43) (*mapping*!) gilt auch mit Index 2 — multipliziere beide Dgln (11.28) mit $1/n$. Also ergibt sich $V_R(t)$ per $n \to \frac{1}{n}$ (jetzt ohne zusätzlichen Vorfaktor) aus $V(t)$, (11.35):

$$V_R(t) = V(\infty)\left(\frac{1}{n-(n-1)\,\mathrm{e}^{-\gamma t}}\;\mathrm{e}^{-\frac{(n-1)\,\gamma\,\omega_1}{\omega_2-\gamma}\int_0^t dt'\,\frac{\mathrm{e}^{-\gamma t'}-\mathrm{e}^{-\omega_2 t'}}{n-(n-1)\,\mathrm{e}^{-\gamma t'}}}\right)^{3/2} \quad . \tag{11.44}$$

$V_R(t)$ verkleinert sich im Laufe der Zeit. Aber selbst mit $t \to \infty$ kehren wir nicht mehr ganz zum Startvolumen V_0 zurück (Übung 11/6). Schon vorher wird T_0 erreicht. Und die Entropie des Gesamtsystems nimmt während der Rückkehr ein weiteres Mal zu. Um einen Kreisprozeß entstehen zu lassen, können wir das Gas 1 noch isotherm komprimieren, d.h. den Kolben unter T_0–Aufrechterhaltung von $V_R(\infty)$ nach V_0 zurückschieben. Die Details sind der Übung 11/7 überlassen, und deren Resultate sind in Bild 11–3 zu sehen. Wir wollten es wissen.

Übung 11/6 $V_R(\infty) > V_0$ zu zeigen, erweist sich als schwierig. Weil noch von grundsätzlichem Interesse, soll es ohne Parameter–Einschränkungen gelingen.

Lösung $(V_R(\infty)/V_0)^{3/2} =: \mathrm{e}^{\frac{(n-1)\omega_1}{\gamma}X}$, $X \overset{?}{>} 0$. $X = \frac{\gamma^2}{\omega_2-\gamma}\int_0^\infty dt\,(\mathrm{e}^{-\gamma t} - \mathrm{e}^{-\omega_2 t}) \cdot \Big(\frac{1}{1+(n-1)\mathrm{e}^{-\gamma t}} - \frac{1}{n-(n-1)\mathrm{e}^{-\gamma t}}\Big) = \frac{1}{\sigma}\int_0^1 dx\,(1-x^\sigma)\Big[\frac{1}{1+(n-1)x} - \frac{1}{n-(n-1)x}\Big]$, $\sigma := \frac{\omega_2-\gamma}{\gamma}$. Die eckige Klammer ist antisymmetrisch um $x = \frac{1}{2}$, darum $\int_0^1 = \int_0^{1/2} + \int_{1/2}^1$ und Subst. $x = 1 - x'$ in $\int_{1/2}^1 \curvearrowright X = \int_0^{1/2} dx\,[\ldots] \cdot \frac{(1-x)^\sigma - x^\sigma}{\sigma} > 0$, qed.

Übung 11/7 Im Falle $\omega_1 = \omega_2 = 2\gamma$ und $n = 2$ lassen sich die Integrale $\int_0^t$ auswerten, und der Parameter t kann eliminiert werden. $T_1/T_0 =: \tau$. Welche Funktionen $v_{H,R}(\tau) := V_{H,R}/V_0$ ergeben sich für Hinweg bzw. für Rückweg?

Lösung $v_H(\tau) = (\frac{1}{\tau}\,\mathrm{e}^{J_H})^{3/2}$, $J_H = -4(1-\tau) - 4\ln(\tau)$, wobei τ von 1 nach $\frac{1}{2}$ läuft. $v_R(\tau) = v_H(\frac{1}{2})\,(\frac{1}{2\tau}\,\mathrm{e}^{J_R})^{3/2}$, $J_R = 2\ln(2\tau) - 2(2\tau - 1)$ wobei τ von $\frac{1}{2}$ nach 1 läuft. $\curvearrowright v_H = \tau^{-15/2}\mathrm{e}^{-6(1-\tau)}$ und $v_R = 2^9\tau^{3/2}\mathrm{e}^{-6\tau}$. Die Entropie des betrachteten Systems 1 variiert unterdessen gemäß $\frac{2}{3N_1}[S_1 - S_1(T_0, V_0)] =: s$ mit $s_H = -4\ln(\tau) - 4(1-\tau)$ und $s_R = 2\ln(\tau) - 4\tau + 6\ln(2)$: Bild 11–3.

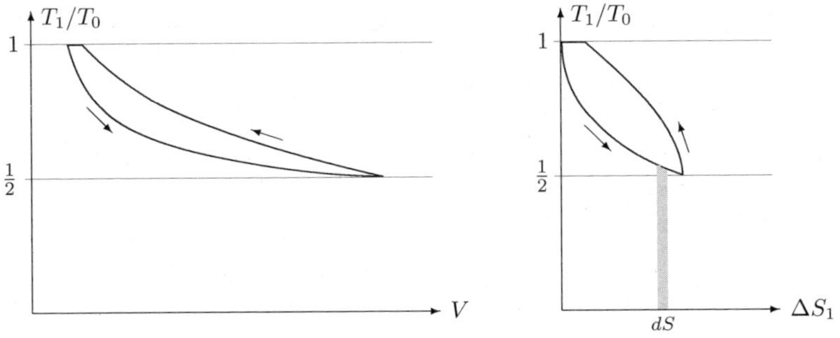

Bild 11–3: Das Modell (11.28), (11.31), (11.43) im Kreisprozeß. Die Parameter $\omega_1 = \omega_2 = 2\,\gamma$ und $n = 2$ sind jene der Übung 11/7. Die graue Fläche TdS rechts im Bild ist eine Portion Wärmeenergie $đQ$, die das System an dieser Stelle aufnimmt.

11.4 Wirkungsgrad

Im Bild 11–3 deutet sich an, daß Flächen unter einer Kurve im T–S–Diagramm eine Bedeutung haben. Aus vielen grauen Streifen aneinander bildet sich die Fläche unter der unteren Kurve. Das Resultat $\int_{\text{links}}^{\text{rechts}} dS\, T_{\text{unten}}$ ist folglich die insgesamt vom System aufgenommene Wärmeenergie. Geht man weiter „im Kreise" die obere Kurve entlang ($dS < 0$), so bildet sich die größere, negativ zu zählende Fläche unter der oberen Kurve. Die Wärmeenergie des Systems hat also nach einem Umlauf abgenommen. Aber die Energie des Systems ist wieder gleich jener bei Start: ΔWärme negativ — (vom System verrichtete) Arbeit negativ. Es wurde also Arbeit *am* System verrichtet. Und zum Dank dafür hat es Wärme abgegeben: Arbeit in Wärme.

Häufig interessiert das Umgekehrte: Wärme in Arbeit. Also lassen wir ab sofort Kreisprozesse im Uhrzeigersinn ablaufen. Sie sind „nützliche" Prozesse im Sinne von „Wärme reichlich vorhanden, aber Arbeit teuer". Wofür oben noch vage Worte gebraucht wurden, das lautet jetzt präzise

$$0 = \oint dE = \oint dS\, T - \oint dV\, p = \begin{array}{l}\text{netto in das System}\\ \text{verfrachtete}\\ \text{Wärmeenergie}\end{array} - \begin{array}{l}\text{vom System}\\ \text{verrichtete}\\ \text{Arbeit}\end{array} , \tag{11.45}$$

wobei wir auf (11.21) und (11.22) geblickt hatten. Etwas aufregend ist die Allgemeinheit dieser Aussage: beliebiges Arbeitsmaterial (nur groß genug, um Thermodynamik zu erlauben) und beliebiger Verlauf der Kurve (nur geschlossen muß sie sein und quasistatisch durchlaufen werden).

Mit der zu definierenden Nützlichkeit einer Wärmekraftmaschine wird die vom Sytem verrichtete Arbeit direkt zu tun haben:

$$W_{\text{gesamt}} := \oint dV\, p = \oint dS\, T \ . \tag{11.46}$$

Sie ist also gleich der von der Kurve umschlossenen Fläche, und zwar sowohl im T–S–Diagramm als auch im p–V–Diagramm: Bild 11–4. Nun sollte der Nutzen in das Verhältnis zu den Kosten gesetzt werden. Den Kessel auf den Temperaturen im oberen Teil der Kurve zu halten, das kostet. Aber die Wärmeenergie, welche das System im unteren Teil verliert, läßt sich nicht mehr verwerten. In den heißen Kessel will sie nicht fließen. Nur die bereitzustellende, große, positiv vom System aufgenommene Wärmeenergie

$$Q_{\text{positiv}} := \int_{\text{oberer Teil der Kurve}} dS\, T \tag{11.47}$$

ist nutzbar, und die kostet. Der Wirkungsgrad (der Nutzen) eines Kreisprozesses wird darum definiert als

$$\eta := \frac{W_{\text{gesamt}}}{Q_{\text{positiv}}} \ . \tag{11.48}$$

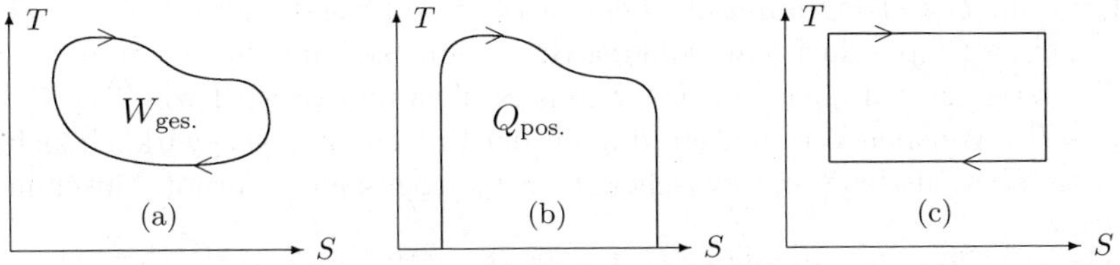

Bild 11–4 : Kreisprozeß im T–S–Diagramm. Fläche (a) ist die vom System verrichtete Arbeit, (b) die dem System zugeführte Wärme, und (c) zeigt den Carnot–Prozeß.

Unter den Wärmekraftmaschinen gibt es weniger gute, gute und eine beste. Der bestmögliche Zyklus heißt

Carnot–Prozeß

Das Gütekriterium ist allerdings nicht besonders fair, weil es sich eine maximale Temperatur T_2 und eine minimale T_1 vorgibt und nur nach der optimalen Nutzung dieser beiden verfügbaren Temperaturen urteilt. Arbeit und positiv aufgenommene Wärme können im Bild 11–4 (c) als Rechteckflächen abgelesen werden: $W_{\text{gesamt}} = (S_2 - S_1)\,(T_2 - T_1)$ und $Q_{\text{positiv}} = (S_2 - S_1)\,T_2$. Also folgt für den Wirkungsgrad dieser Maschine

$$\eta_{\text{Carnot}} \;=\; 1 - \frac{T_1}{T_2} \;. \tag{11.49}$$

Der Beweis dafür, daß keine Maschine — kein anderer „Kreis“ als das T–S–Rechteck — besser ist als Carnot, beruht auf der Ungleichung

$$0 = \oint dS \;=\; \int_{\text{oberer Teil}} \frac{đQ}{T} - \int_{\text{unterer Teil}} \frac{|đQ|}{T} \;\geqslant\; \frac{Q_{\text{positiv}}}{T_2} - \frac{|Q_{\text{negativ}}|}{T_1} \;. \tag{11.50}$$

Das $\geqslant$–Zeichen ist gut verständlich. Kaum sinkt nämlich die obere Kurve irgendwo unter die T_2–Horzontale, schon gibt es $1/T$'s $> 1/T_2$ und machen das erste Integral größer als Q_{positiv}/T_2. Weicht auch die untere Kurve nach oben ab, verstärkt sich die Ungleichheit noch. Mit S war in diesem § 11.4 die Entropie des betrachteten Systems gemeint. Quasistatik war erforderlich — sonst hätten sich in Bild 11–4 gar keine Linien malen lassen. Aber es war keine Rede von reversibel, denn dies verwiese auf Gesamtsysteme. Jede der Linien in Bild 11–4 kann hübsch irreversibel durchlaufen werden, selbst die Carnot–Geraden.

Mittels (11.50) in der Gestalt $|Q_{\text{negativ}}|/Q_{\text{positiv}} \geqslant T_1/T_2$ und wegen $W_{\text{gesamt}} = Q_{\text{positiv}} - |Q_{\text{negativ}}|$ ergibt sich für den allgemeinen Wirkungsgrad (11.48) die Zeile

$$\eta \;=\; 1 - \frac{|Q_{\text{negativ}}|}{Q_{\text{positiv}}} \;\leqslant\; 1 - \frac{T_1}{T_2} \;=\; \eta_{\text{Carnot}} \;, \quad \text{qed.} \tag{11.51}$$

Übung 11/8 Wegen der Dimensionsverschiedenheit von T und S ist ein richtiger runder Kreis im T–S–Diagramm nur bei spezieller Auftragung zu sehen — aber von einer Ellipse darf sehr wohl die Rede sein. Sie habe ihr Zentrum bei S_c, T_c, erstrecke sich quer von $S_c - S_0$ bis $S_c + S_0$ und vertikal von $T_c - T_0$ bis $T_c + T_0$. Welchen Wirkungsgrad η hat der Prozeß, und ist η wirklich kleiner ausgefallen als jenes der zwischen $T_c \pm T_0$ arbeitenden Carnot–Maschine?

Lösung $\eta = \frac{\pi S_0 T_0}{2S_0\, T_c + \pi S_0 T_0/2} = \frac{2\pi T_0}{4T_c + \pi T_0} \overset{?}{<} 1 - \frac{T_c - T_0}{T_c + T_0}$, $\quad 2\pi T_0\,(T_c + T_0) \overset{?}{<} 2T_0\,(4T_c + \pi T_0)$, $\quad \pi \overset{?}{<} 4$, jawohl.

11.5 Identitäten

Von jenen erstaunlichen Zusammenhängen, gültig unabgängig von der Substanz, gibt es noch einige weitere — insbesondere wenn man mehr abgeleitete Größen einbezieht. Von den letzteren kennen wir zwei spezifische Wärmen (s. (11.24), unten erneut angefügt). Bedeutung und offensichtliche experimentelle Relevanz der drei neuartigen Größen gehen aus Definition und Bezeichnung hervor:

spezifische Wärme bei konstantem Volumen:
$$c_V \;:=\; \partial_T\, E)_{V,N} = T\,\partial_T\, S)_{V,N} \quad , \tag{11.52}$$

spezifische Wärme bei konstantem Druck:
$$c_p \;:=\; T\,\partial_T\, S)_{p,N} = \partial_T\, \mathcal{H})_{p,N} \quad , \tag{11.53}$$

isotherme Kompressibiltät:
$$\kappa_T \;:=\; -\frac{1}{V}\,\partial_p\, V)_{T,N} = \frac{1}{V\,p}\,\partial_p\, F)_{T,N} \quad , \tag{11.54}$$

adiabatische Kompressibiltät:
$$\kappa_S \;:=\; -\frac{1}{V}\,\partial_p\, V)_{S,N} = -\frac{1}{V\,p}\,\partial_p\, E)_{S,N} \quad , \tag{11.55}$$

thermischer Ausdehnungskoeffizient:
$$\alpha \;:=\; \frac{1}{V}\,\partial_T\, V)_{p,N} = -\frac{1}{V}\,\partial_p\, S)_{T,N} \quad . \tag{11.56}$$

Beunruhigend ist das jeweils zweite Gleichheitszeichen in jeder dieser Zeilen. Zu (11.52) sehen wir in der Tabelle (11.12) nach, ob rechts dE, dV, dN miteinander vorkommen (die letzteren zwei, um sie dort Null setzen zu können). Genau bei der ersten Zeile der Tabelle werden wir fündig, und sie erklärt (11.52). Zu (11.53) suchen wir nach dS, dp, dN und finden die dritte Zeile. Zu (11.54) führt die Suche nach dV, dT, dN zur zweiten Zeile, und zu (11.55) finden wir dV, dS, dN in der ersten Zeile. Aber zu (11.56) können wir nach dV, dp, dN suchen bis morgen früh, denn dieses Tripel kommt in der Tabelle nicht vor. Es handelt sich um die Maxwell–Relation (11.60), siehe unten.

Ungleichungen

folgen beispielsweise aus dem Umstand, daß Schwankungsquadrate nicht negativ sind. Die kanonische Energie–Schwankung hatten wir (auch für kleine Systeme) in (3.30) erhalten:

$$(\Delta E)^2 = T^2\,\partial_T\,E)_{V,N} = T^2\,c_V \quad \curvearrowright \quad c_V \geqslant 0\ . \tag{11.57}$$

Die großkanonisch schwankende Teilchenzahl N (V fest, Reservoir: T, μ) war in Übung 4/5 unter der Lupe:

$$(\Delta N)^2 = T\,\partial_\mu\,N)_{T,V} = T\,\frac{N^2}{V}\,\kappa_T \quad \curvearrowright \quad \kappa_T \geqslant 0\ . \tag{11.58}$$

Das zweite Gleichheitszeichen zu erklären, ist schwierig und wird der Übung 11/10 aufgebürdet.

Maxwell–Relationen

Bei den thermodynamischen Relationen mit Gleichheitszeichen handelt es sich um Differenzier–Übungen. Es gibt triviale wie etwa $\partial_V\,N)_{T,p} = 1\big/\partial_N\,V)_{T,p}$, oder solche vom Typ Kettenregel wie $\partial_T\,S)_{p,N} = \partial_T\,S(\,T\,,\,V(T,p,N)\,,\,N\,) = \partial_T\,S)_{V,N} + \partial_V\,S)_{T,N}\cdot\partial_T\,V)_{p,N}$, oder intelligentere wie die folgenden.

Wenn ein Kraftfeld $\vec{K}$ ein Potential hat, $\vec{K} = -\nabla V$, dann läßt $\nabla\times\nabla = \vec{0}$ bekanntlich seine Rotation verschwinden. Für die $\vec{K}$–Komponenten gibt das die drei Relationen $\partial_y\,K_3 = \partial_z\,K_2$, $\partial_z\,K_1 = \partial_x\,K_3$ und $\partial_x\,K_2 = \partial_y\,K_1$. Sie sind Folge der Potential–Existenz, dessen Differential per $-dV = K_1\,dx{+}K_2\,dy{+}K_3\,dz$ die Kraftkomponenten definiert. Vielleicht hatte Maxwell so gedacht. Es wird nichts Neues daraus, wenn wir ein wenig abstrahieren:

$$d\phi = A\,dX + B\,dY + C\,dZ \quad \curvearrowright \quad \begin{aligned} \partial_Y\,A\,)_{X,Z} &= \partial_X\,B\,)_{Y,Z} \\ \partial_Z\,B\,)_{X,Y} &= \partial_Y\,C\,)_{X,Z} \\ \partial_Z\,A\,)_{X,Y} &= \partial_X\,C\,)_{Y,Z} \end{aligned} \ . \tag{11.59}$$

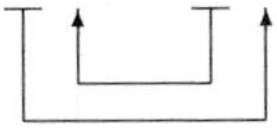

Die Pfeile unter der linken Gleichung sollen ein Rezept etablieren. Leite B nach seiner per Pfeil zugeordneten Variablen ab und setze gleich C, abgeleitet nach dessen zugeordneter Variablen. Festzuhaltende Indizes sind die jeweils nicht an ∂ stehenden Variablen. Wovon das ganz links stehende Differential gebildet ist, spielt dabei keine Rolle. Neben der betrachteten gab es zwei weitere Möglichkeiten, ein Paar aus den drei Termen herauszugreifen.

In der Tabelle (11.12) gibt es acht d–Relationen. Jede enthält drei Paarungen. Also gibt es 24 Maxwell–Relationen. Das Interessante ist, wie man je nach Problem die richtige findet. Beispiel hierfür ist (11.56). Es *soll* eine Maxwell–Relation gefunden werden, welche $\partial_T\,V)_{p,N}$ umformt. Also suchen wir die Tabelle danach ab, ob das Tripel dT, V, dN vorkommt, und zwar in drei verschiedenen Termen (was die etwaige Suche nach dT, V, dp verhindert). Die dG–Zeile findet sich als einzige und liefert laut Rezept, daß

$$\partial_T\,V)_{p,N} = -\partial_p\,S)_{T,N} \tag{11.60}$$

gilt. (11.56) war also korrekt. Gewiß, auch ohne das obige Theater kann (11.60) erhalten werden. Allerdings muß zugeflüstert werden, daß die dG–Zeile der Tabelle anzusehen ist:

$$V = \partial_p G(T,p,N) \quad , \quad \partial_T V)_{p,N} = \partial_p \partial_T G(T,p,N) = -\partial_p S(T,p,N) \ . \qquad (11.61)$$

Jacobi–Identitäten

Gegeben seien zwei Funktionen $f(x,y)$, $g(x,y)$ über der x–y–Ebene. Wir denken an krummlinige Koordinaten in 2D und schreiben die zugehörige Jacobi–Determinante auf:

$$\begin{vmatrix} \partial_x f & \partial_y f \\ \partial_x g & \partial_y g \end{vmatrix} =: \frac{\partial\,(f,g)}{\partial\,(x,y)} \ . \qquad (11.62)$$

Sie hat die folgenden drei Eigenschaften:

$$\frac{\partial\,(f,y)}{\partial\,(x,y)} = \begin{vmatrix} \partial_x f & \partial_y f \\ 0 & 1 \end{vmatrix} = \partial_x f\,)_y \ , \qquad (11.63)$$

$$\frac{\partial\,(f,g)}{\partial\,(y,x)} = -\frac{\partial\,(f,g)}{\partial\,(x,y)} \ , \qquad (11.64)$$

$$\frac{\partial\,(f,g)}{\partial\,(x,y)} = \frac{\partial\,(f,g)}{\partial\,(u,v)}\,\frac{\partial\,(u,v)}{\partial\,(x,y)} \ . \qquad (11.65)$$

(11.64) beruht auf Vertauschung zweier Zeilen der Determinante und besagt, daß generell $\partial\,(B,A) = -\partial\,(A,B)$ ist. (11.65) läßt sich verifizieren, indem man rechts $\det(A)\,\det(B) = \det(AB)$ ausnutzt und erkennt, daß jedes AB–Matrixelement die Kettenregel für das Element der links stehenden Matrix darstellt. Offenbar dürfen solche Elemente $\partial\,(A,B)$ gekürzt werden, als wären sie Zahlen. Man darf sie auch vertauschen und auf die andere Seite schaffen.

In den folgenden Beispielen ist N festgehalten. Der Index N wird daraufhin eingespart. Weil nach (11.46) Flächen im T–S– und p–V–Diagramm gleich sind, muß die zugehörige Funktional–Determinante Eins sein. Auch mit der aus $dF = -S\,dT - p\,dV$ folgenden Maxwell–Relation $\partial_V S)_T = \partial_T p)_V$ kommt es heraus:

$$\frac{\partial\,(T,S)}{\partial\,(p,V)} = \frac{\partial\,(S,T)}{\partial\,(V,T)}\,\frac{\partial\,(T,V)}{\partial\,(p,V)} = \partial_V S)_T\,\partial_p T)_V = \partial_T p)_V\,\partial_p T)_V = 1 \ . \qquad (11.66)$$

Als nächstes interessieren wir uns für das Verhältnis α/κ_T. Mit (11.56) und (11.54) folgt

$$\frac{\alpha}{\kappa_T} = -\frac{\partial_T V)_p}{\partial_p V)_T} = -\frac{\partial\,(V,p)}{\partial\,(T,p)}\,\frac{\partial\,(p,T)}{\partial\,(V,T)} = \frac{\partial\,(V,p)}{\partial\,(V,T)} = \partial_T p)_V \ . \qquad (11.67)$$

Auch das Verhältnis der spezifischen Wärmen könnte sich „harmonisieren" lassen:

$$\frac{c_p}{c_V} = \frac{\partial_T S)_p}{\partial_T S)_V} \overline{\underline{\quad}} \frac{\partial(S,p)}{\partial(T,p)}\frac{\partial(T,V)}{\partial(S,V)} = \frac{\partial(p,S)}{\partial(V,S)}\frac{\partial(V,T)}{\partial(p,T)}$$
$$\overline{\underline{\quad}} \frac{1}{-V\kappa_S}\cdot(-V\kappa_T) \quad \curvearrowright \quad \frac{c_p}{c_V} = \frac{\kappa_T}{\kappa_S} \; . \tag{11.68}$$

Nicht schlecht. Irgendwo — im Text unter (11.24) — hatten wir begriffen, daß stets $c_p > c_V$ sein müsse. Aber wie rechnet sich das? Der Reihe nach (11.53), (11.52), (11.67), (11.56) und (11.66) verwendend, geht es wie folgt:

$$c_p - c_V \; \overline{\underline{\quad}} \; T\left(\frac{\partial(S,p)}{\partial(T,p)} - \frac{\partial(S,V)}{\partial(T,V)}\right)$$
$$\overline{\underline{\quad}} \; T\frac{\alpha}{\kappa_T}\left(\frac{\partial(V,T)}{\partial(V,p)}\frac{\partial(S,p)}{\partial(T,p)} - \frac{\partial(S,V)}{\partial(p,V)}\right)$$
$$\overline{\underline{\quad}} \; T\frac{\alpha}{\kappa_T}V\alpha\left(\frac{\partial(T,p)}{\partial(V,p)}\frac{\partial(V,T)}{\partial(V,p)}\frac{\partial(S,p)}{\partial(T,p)} - \frac{\partial(T,p)}{\partial(V,p)}\frac{\partial(S,V)}{\partial(p,V)}\right)$$
$$\overline{\underline{\quad}} \; TV\frac{\alpha^2}{\kappa_T}\left(\partial_p T)_V\,\partial_V S)_p - \partial_V T)_p\,\partial_p S)_V\right) = TV\frac{\alpha^2}{\kappa_T} \; . \tag{11.69}$$

Bei Rechnungen wie der obigen befindet man sich in einem Dschungel von Möglichkeiten für den jeweils geeigneten nächsten Schritt. Hingegen wird der Leser mit Leichtigkeit die Beziehung

$$c_V = VT\,\frac{\alpha^2\,\kappa_S}{\kappa_T\,(\kappa_T - \kappa_S)} \tag{11.70}$$

aus den bisherigen Relationen zu kombinieren wissen. Genug.

So geht es also zu, wenn man sich an den Haaren aus dem Sumpf zieht. Nie wird man das Gefühl ganz los, daß Thermodynamik in irgendeiner Weise trivial sei. Zur Thermodynamik des Gleichgewichts mag es weitgehend so sein — bei aller Schwierigkeit in konkreten Fällen. Immerhin liegen solche Themen wie Osmose, die Massenwirkungs–Regel der Chemie, Phasengleichgewichte, verdünnte Lösungen usw. ganz innerhalb der Thermik des Gleichgewichtes.

Bei Phasenübergängen hört es allerdings auf mit der Trivialität. Daß deren Behandlung hier fehlt,[4] hat sehr mit „wennschon, dennschon" zu tun, oder umgekehrt: ohne „dennschon" besser auch kein „wenn". Das Thema ist zu umfangreich. Auch wäre erst einmal Kapitel 15 voranzustellen. Mit ihren nach ∞ gehenden Korrelationslängen gehören Phasenübergänge durchaus zur Thermodynamik. Systeme endlicher Größe haben keine. Recht ausführlich werden Phasenübergänge bei [*Schwabl*] und [*Nolting 6*] behandelt.

---

[4] was ja nicht verbietet, hier und da einem solchen unbeschwert zu begegnen: Bose–Einstein–Kondensation im § 9.2, Curie–Weiß–Übergang im § 10.3 und Gas–Flüssigkeit im § 12.3.

Übung 11/9

(a) Welche drei thermodynamischen Relationen folgen aus Duhem–Gibbs, d.h. $dK = 0$ in Tabelle (11.12), durch Division von d's?

(b) Welche drei Maxwell–Relationen halten sich dort bereit?

(c) „Die soeben erhaltene Beziehung zwischen $\partial_{...}S$ und $\partial_{...}V$ gewinne ich ja auch aus dG: Es sind gar nicht 24 Maxwell–Relationen!" Antwort?!

Lösung

(a) $\frac{S}{V} = \partial_T\, p)_\mu$, $\frac{S}{N} = -\partial_T\, \mu)_p$, $\frac{N}{V} = -\partial_\mu\, p)_T$.

(b) $-\partial_p\, S)_T = \partial_T\, V)_p$, $\partial_\mu\, S)_T = \partial_T\, N)_\mu$, $\partial_\mu\, V)_p = -\partial_p\, N)_\mu$.

(c) dG gibt $-\partial_p\, S)_{T,N} = \partial_T\, V)_{p,N}$. Aber das ist n i c h t die erste Gleichung bei (b), denn dort ist μ der zweite Index („Oh, den hatten wir vergessen").

Übung 11/10

Im Zwischenschritt in (11.58) war $\partial_\mu\, N)_{T,V} = \frac{N^2}{V}\,\kappa_T$ behauptet worden. Wie könnte dies herauskommen?

Lösung

Schwer. In der fraglichen Beziehung bleibt T fest, so daß 2∗2–Jacobi ausreicht: $\frac{\partial(N,V)}{\partial(\mu,V)} \overset{?}{=} \frac{N^2}{V^2}\frac{\partial(N,V)}{\partial(p,N)}$, oder $1 \overset{?}{=} \frac{N^2}{V^2}\frac{\partial(\mu,V)}{\partial(p,N)}$. Wo mögen diese blanken N und V herkommen? Aha, aus Übung 11/9 (a), dritte Relation. Aber hier ist der Index T trivial. Zweiter Index?! Sowohl N als auch V kann man dort festhalten: $1 \overset{?}{=} \frac{\partial(p,N)}{\partial(\mu,N)}\frac{\partial(p,V)}{\partial(\mu,V)}\frac{\partial(\mu,V)}{\partial(p,N)} = \frac{\partial(p,N)}{\partial(\mu,N)}\frac{\partial(p,V)}{\partial(p,N)}$, $\partial_p\mu)_N \overset{?}{=} \partial_N V)_p$ — heureka, denn dies ist eine in dG enthaltene Maxwell–Relation.

Übung 11/11

Joule–Thomson–Effekt — ein ständig irreversibler Prozeß.
Unter konstanter Druckdifferenz $p_1 > p_2$, realisiert durch erdangezogene bewegliche Kolben, wird eine Substanz (wir denken an ein Gas, aber es kann auch Wasser sein) durch eine poröse Schicht gedrückt: Reibung! Jedes der Teilsysteme durchläuft Gleichgewichtszustände. Etwaige Wärmeentwicklung in der Schicht darf vernachlässigt werden.

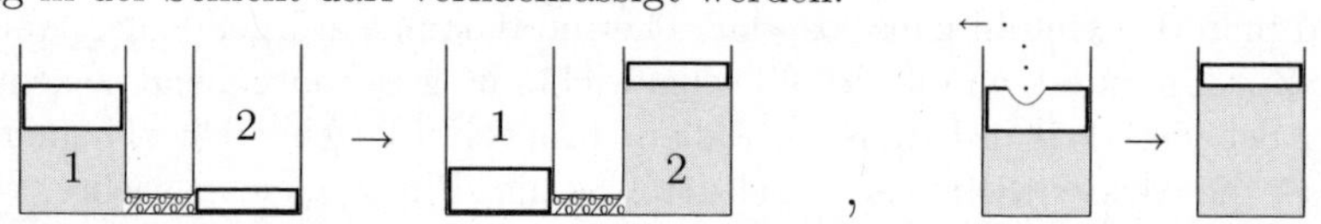

(a) Der Energiesatz erzählt uns, welche Größe am Beginn (alle N Teilchen im System 1) den gleichen Wert hat wie am Ende (alle Teilchen im System 2). Es ist ein Thermodynamisches Potential — welches?

(b) Wird nur End– mit Anfangszustand verglichen, kann der irreversible Weg dorthin durch einen reversiblen† ersetzt werden: rechtes Bild. Jetzt ist es e i n System, das eine Druckabnahme erfährt. Der Blick in Tabelle (11.28) verrät, welche Entropieänderung dS auf infinitesimale Druckänderung dp erfolgt: $dS = (\,?\,)\cdot(-dp)$ (dp ist negativ).

(c) Via $dT = \partial_p\, T)_{?,?}\; dp$ gelangt man zur Temperaturänderung $dT = \frac{V}{c_p}(1 - T\alpha)\,(-dp)$ — nämlich wie?

Lösung (a) $j=1,2$, $p_j = m_j g/\text{Querschnittfläche}$, $E_1 + p_1 V_1 = E_2 + p_2 V_2$, Enthalpie $\mathcal{H}$.
(b) $d\mathcal{H} = T\,dS + V\,dp + \mu\,dN$, $0 = T\,dS + V\,dp$, ergo $dS = \frac{V}{T}(-dp) > 0$.
(c) $\partial_p T)_{\mathcal{H},N} = \frac{\partial(T,\mathcal{H})}{\partial(p,\mathcal{H})} = \frac{\partial(T,\mathcal{H})}{\partial(T,p)}\frac{\partial(T,p)}{\partial(p,\mathcal{H})} = -\frac{1}{c_p}\partial_p \mathcal{H})_T = -\frac{1}{c_p}\left[T\,\partial_p S)_T + V\right]$
$= \frac{V}{c_p}\left[T\alpha - 1\right]$, qed. dT ist > 0 oder < 0 je nach Substanz und T.

† Die Körnchen aus Kolbenmaterial können auch wieder zurückgelegt werden. Vom reversiblen „Ersatzschaltbild“ scheinen alle Bücher Gebrauch zu machen — allerdings meist, ohne dies zu sagen. Siehe auch Text vor (11.30). Übrigens ist es nicht sehr fair, den Vorgang mit Ende–Anfang–Vergleich zu erledigen. Ihn „mikroskopisch“, d.h. Gasportion für Gasportion zu studieren, gestaltet sich ein wenig anstrengender. Es geht übrigens in Ordnung, wenn die Expansion des Ersatzsystems **isenthalp** genannt wird: [*Brenig*, § A.3].

Teil III

Näherungsverfahren

12 Reale Gase

Um der Realität einen Schritt weiter entgegenzukommen als mit den bisherigen Anwendungen (meist auf einem H_0 beruhend), sind wir Menschlein recht arm dran. Wir erfinden Näherungen und Näherungsverfahren — und sind dann ganz stolz darauf. Meist beruht ein approximatives Verfahren darauf, daß etwas *klein* ist. Nach einem kleinen Parameter läßt sich entwickeln. Klein kann die Wechselwirkung zwischen den Teilchen sein (Kapitel 16). Klein kann auch die Abweichung vom Gleichgewicht sein (Kapitel 15). Mitunter wird aber auch eine plausible technische Vereinfachung riskiert, ohne zunächst zu wissen, wie gut sie ist — Beispiele sind die *mean field approximation* bei den Spins oder die Boltzmann–Gleichung im Kapitel 14.

Von einem „realen Gas“ sprechen wir, wenn die Wechselwirkung zwischen den Teilchen einbezogen wird. In einem Gas gibt es vergleichsweise wenig Teilchen pro Volumen. Also ist die Dichte $N/V =: n$ in irgendeinem Sinne klein. Wer weiß, vielleicht kann nach n entwickelt werden. Dies wird im § 12.2 sogar *mit* Wechselwirkung formal möglich sein. Aber zum Aufwärmen sehen wir uns im § 12.1 die Sache für „ideale“ Gase an.

Die Teilchenzahl N gibt die Anzahl der kinetischen Terme im Hamilton–Operator H an. Auch Wechselwirkungen, sofern einbezogen, stehen in H. Oh, Sie hatten doch nicht etwa beim Joule–Thomson–Effekt (Übung 11.11) an kleine Kügelchen gedacht, die sich durch den Wattebausch drängeln? — wie leicht man doch in niedere klassich–physikalische Vorstellungen verfällt. Nein, es hatte sich um eine zeitabhängige Zustandsfunktion ψ gehandelt, abhängig von N Variablensätzen. So ist auch im folgenden zu denken. Wenn Sie jetzt tief Luft holen, strömt das ψ eines Gases in die Lungen.

12.1 „Ideales Gas“

Von einem idealen Gas sprechen wir, wenn es keine Wechselwirkung hat oder besser: wenn selbige gestrichen wurde. Soll nur eine Sorte Teilchen im Spiel sein, so gibt es nur zwei ideale Gase in der Natur: das ideale Fermi–Gas (§ 4.4) und das ideale Bose–Gas (§ 9.1). In der Überschrift dieses Abschnitts fehlt also der Verweis auf Fermi oder Bose. Wenn behaftet mit diesem Mangel, meinen die Leute meist jene Konstruktion von Übung 3/9 und 4/4 (Nachsehen unnötig, wir studieren es erneut). Hier interessiert uns, inwiefern dieses Kunst–Gas eine Näherung darstellt und wann dieselbe gut ist. Im übrigen ist N extensiv groß und somit ex–Denken erlaubt.

Alle Gase dieses Kapitels befinden sich in einem PBC–Würfel $V = L^3$ und bestehen nur aus einer Sorte Teilchen (m). Die Einteilchen–Energien sind also $\varepsilon_k = \hbar^2 k^2/(2m)$, und die Einteilchen–Zustände sind mit $\lambda = \vec{k}, s$ numeriert — wie zu $N = 1$ aus § 3.4 bekannt. Bei Spin–0–Bosonen entfällt s, und bei Spin–$\frac{1}{2}$–Fermionen hat s zwei Werte. Drei Bezeichnungen kommen neu hinzu:

$$\sum_s 1 = \left\{ \begin{matrix} 2 & (\tfrac{1}{2}\text{–Fermionen}) \\ 1 & (0\text{–Bosonen}) \end{matrix} \right\} =: \not{2} \quad , \quad \mathrm{e}^{\beta\mu} =: z \quad , \quad Z_{\mathrm{k.}}(T, V, \nu) =: Z_\nu \ . \tag{12.1}$$

Auch an höhere Werte $\not{2} > 2$ darf gedacht werden. z heißt **Fugazität**. Die Teilchenzahl in der kanonischen Zustandssumme $Z_{\mathrm{k.}}$ heißt jetzt ν, um den Buchstaben N für die mittlere Gesamtzahl der Gasteilchen aufzuheben. Gemäß (3.45) oder (3.61) ist speziell

$$Z_1 = Z_{\mathrm{k.}}(T, V, 1) = \sum_\lambda \mathrm{e}^{-\beta\varepsilon_k} = \not{2} \frac{V}{\lambda^3} \quad \text{mit} \quad \lambda = \sqrt{\frac{2\pi\hbar^2}{mT}} \ . \tag{12.2}$$

Wechselwirkung zwischen den Teilchen kann erst in Z_2, Z_3 usw. enthalten sein.

Uns interessiert die Frage, in welchem Bereich der kanonischen Variablen T, V, N der Fermi–Bose–Unterschied verschwindet und wo somit der Herr Pauli seinen Einfluß verliert. Also sehen wir uns die Verteilungen p_λ und n_λ der beiden idealen Gase an,

$$\left. \begin{matrix} p_\lambda \\ n_\lambda \end{matrix} \right\} = \frac{1}{\mathrm{e}^{\beta\varepsilon_k}\frac{1}{z} \pm 1} = \frac{z}{\mathrm{e}^{\beta\varepsilon_k} \pm z} \ \overset{?!}{\longrightarrow} \ z\,\mathrm{e}^{-\beta\varepsilon_k} \ . \tag{12.3}$$

Damit reduziert sich unsere Frage auf jene nach den Umständen, unter denen $z \ll 1$ gilt (denn 1 ist der tiefste $\mathrm{e}^{\beta\varepsilon_k}$–Wert). Allerdings sind wir urplötzlich bei großkanonischen Variablen gelandet. Zu diesen kennen wir die beiden großkanonischen Potentiale aus (4.46) und (9.9). Natürlich geht Paulis Einfluß auch in diesen verloren:

$$\Omega^{\mathrm{id.}\substack{\mathrm{F.}\\ \mathrm{B.}}} = \mp T \sum_\lambda \ln\!\left(1 \pm z\,\mathrm{e}^{-\beta\varepsilon_k}\right) \longrightarrow -T\,z \sum_\lambda \mathrm{e}^{-\beta\varepsilon_k} = -T\,z\,Z_1 \ . \tag{12.4}$$

Unter den „Trivialformeln" sind jene für N und E interessant: (4.42), (4.43), (9.5), (9.6). Sie geben

$$N = \sum_\lambda \begin{matrix} p_\lambda \\ n_\lambda \end{matrix} \to z\,Z_1 \quad \text{und} \quad E = \sum_\lambda \varepsilon_\lambda \begin{matrix} p_\lambda \\ n_\lambda \end{matrix} \to z \sum_\lambda \varepsilon_\lambda\,\mathrm{e}^{-\beta\varepsilon_k} \ . \tag{12.5}$$

Die Kombination von (12.4), (12.5) mit $p\,V = -\Omega$ aus (4.44) gibt eines sofort, nämlich die $\hbar$–freie Zustandsgleichung

$$p\,V = -\Omega = T\,z\,Z_1 = N\,T \tag{12.6}$$

des Grenzfall–Systems. Sie kommt recht bekannt vor, nicht wahr. Auch für die Energie können wir diesen Schnellweg gehen:

$$E = \frac{N}{Z_1} \sum_\lambda \varepsilon_\lambda \, \mathrm{e}^{-\beta\varepsilon_k} = N(-\partial_\beta)\ln(Z_1) = -N\,\partial_\beta \ln(T^{3/2}) \; = \; \frac{3}{2} N\,T \;. \qquad (12.7)$$

Für unsere Frage nach T–V–N–Bereich ist Rückkehr zu kanonischen Variablen angezeigt, nämlich per Legendre–Transformation $\Omega \to F$:

$$\begin{aligned} F(T,V,N) \;&=\; \Big[\,\Omega(T,V,\mu) + \mu\,N\,\Big]_{\text{eliminiere } \mu \text{ mittels } N=zZ_1} \\ -T\ln\left(\frac{1}{N!}\,Z_1^N\right) \;&=\; T\Big[\,N\ln(N) - N - N\ln(Z_1)\,\Big] \;. \end{aligned} \qquad (12.8)$$

Links unten in (12.8) zeigt sich, daß tatsächlich die gedankliche Konstruktion (Kästen ineinander setzen) aus Übung 3/9 entstanden ist. Wir setzen Z_1 aus (12.2) ein, erinnern uns des Gradienten $(-S,-p,\mu) = (\partial_T, \partial_V, \partial_N)F$ und fassen alles über das Pauli–ignorierende „Ideale Gas“ in einem Formelblock zusammen:

$$F \;=\; -N\,T\left[\ln\Big(\frac{V}{N}\Big) + \frac{3}{2}\ln(T) - \frac{3}{2}\ln\Big(\frac{2\pi\hbar^2}{m}\Big) + 1 + \ln(\not{2})\right] \;, \qquad (12.9)$$

$$-\partial_T F \;=\; S \;=\; N\left[\ln\Big(\frac{V}{N}\Big) + \frac{3}{2}\ln(T) - \frac{3}{2}\ln\Big(\frac{2\pi\hbar^2}{m}\Big) + \frac{5}{2} + \ln(\not{2})\right] \;, \qquad (12.10)$$

$$\mathrm{e}^{\beta\mu} = \tfrac{N}{Z_1} : \; \mu \;=\; -T\left[\ln\Big(\frac{V}{N}\Big) + \frac{3}{2}\ln(T) - \frac{3}{2}\ln\Big(\frac{2\pi\hbar^2}{m}\Big) + \ln(\not{2})\right] \;, \qquad (12.11)$$

und $E = F + T\,S$, $p = -\partial_T F$ geben nur Bekanntes: $E = \frac{3}{2} N\,T$, $p\,V = N\,T$.

Wegen der $\hbar$'s in F, S und μ schrecken wir vor dem (leider üblichen) Terminus „klassisches ideales Gas“ zurück. Richtig ist, daß es sich bei (12.9) bis (12.11) um führende Terme im Grenzfall $\hbar \to 0$ handelt. Weiterhin liegen total Pauli–symmetrisierte Zustandsfunktionen vor.

Die Frage nach der Gültigkeit von $z \ll 1$ beantwortet sich nun wie folgt:

$$z = \frac{N}{Z_1} = \frac{N\lambda^3}{\not{2}V} = \frac{N}{\not{2}V}\left(\frac{2\pi\hbar^2}{m}\,\frac{1}{T}\right)^{3/2} \;\overset{!}{\ll}\; 1 \;. \qquad (12.12)$$

Auch riesige Spins $\not{2} \to \infty$ sind also Pauli–Feinde. Aber jetzt vergessen wir die $\not{2}$, erinnern uns jener $2 \cdot 10^{-14}\,$K aus (3.49), Protonmasse und $L = 1$cm betreffend, und lassen damit (12.12) konkret werden:

$$N\left(\frac{4}{\pi}\,\frac{2\cdot 10^{-14}\,\mathrm{K}}{T}\right)^{3/2} \ll 1 \qquad \text{oder:} \qquad N^{2/3}\,3\cdot 10^{-14}\,\mathrm{K} \ll T \;. \qquad (12.13)$$

Die Teilchenzahl N hilft hier gewaltig, die Schwelle von $10^{-14}\,\mathrm{K}$ in meßbare Bereiche zu treiben (dies geschah in (9.15) schon einmal). Für $N = 27 \cdot 10^{18}$ (Avogadro–Zahl) entsteht $0.3\,\mathrm{K} \ll T$. Gewiß, bei Zimmertemperatur ist die Idealgas–Näherung exzellent gut.

(12.12) ist Beispiel dafür, daß Parameter gern Klumpen bilden. Es verwundert also nicht, daß die Ungleichung sowohl bei hoher Temperatur als auch zu $\hbar \to 0$ als auch bei großer Verdünnung erfüllt wird: Teilchendichte n klein. Tatsächlich haben wir mit (12.6), d.h. $p = nT$, in der Zustandgleichung den führenden Term einer Klein–n–Entwicklung gefunden. Schon in (12.3) oder (12.4) hätten wir die Reihe in z leicht fortsetzen können, um sodann z zugunsten von N zu eliminieren. Genau auf der n–Achse zu bleiben, erscheint uns jedoch nach Blick auf Bild 12–1 im Moment etwas engstirnig.

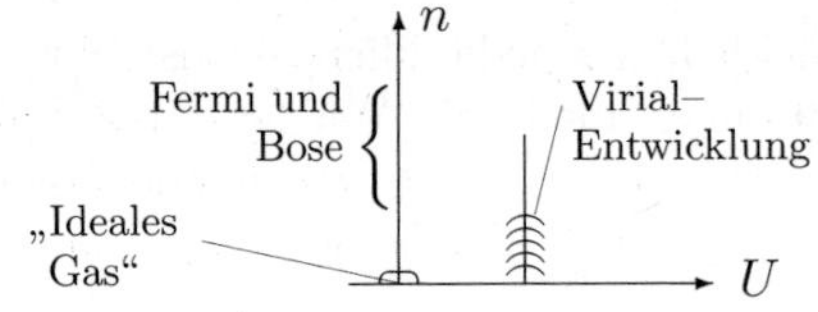

Bild 12–1 : Die n–U–Landschaft. U steht für Wechselwirkung und ≋ für Entwicklung in n–Potenzen.

Übung 12/1

Mit Idealgas im Tank (N fest, $\not{2} = 1$) soll der nebenstehend skizzierte Stirling–Prozeß betrieben werden.

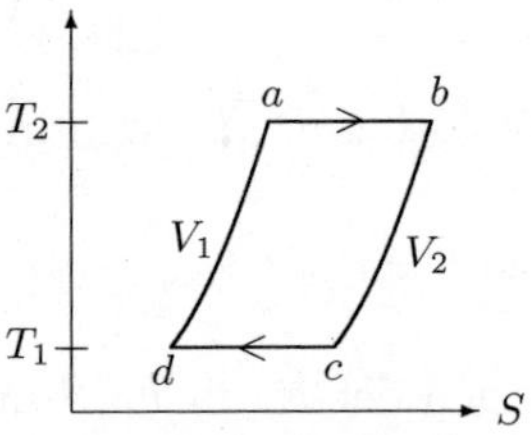

(a) Wie sehen zu den beiden $V = \mathrm{const}$–Kurven (Isochoren) die Funktionen $T(S)$ explizit aus? Wir erhalten die unter ihnen liegenden Flächen F_1, F_2 artig per Integration über $T(S)$ und eliminieren dann S_a bis S_d zugunsten von T_1 und T_2.

(b) Mit welcher d–Relation folgen die (a)–Resultate sehr viel schneller?

(c) Der Wirkungsgrad η der Stirling–Maschine werde abhängig von $\eta_c = 1 - T_1/T_2$ und $\ell = \ln(V_2/V_1) > 1$ so geschrieben, daß sich $< \eta_c$ zeigt.

Lösung

(a) $S = N\,\left[\,\frac{3}{2}\ln(T) + \mathrm{const}\,\right]$, $T = \alpha\,\mathrm{e}^{2S/(3N)}$, $F_1 = \int_{S_d}^{S_a} dS\,\alpha\,\mathrm{e}^{2S/(3N)} =$
$= \ldots = \frac{3}{2}N(T_2 - T_1)$, $F_2 = \int_{S_c}^{S_b} dS\,\alpha\,\mathrm{e}^{2S/(3N)} = \frac{3}{2}N(T_2 - T_1) = F_1$.

(b) In $dS\,T = dE + p\,dV$ ist dV Null, so daß (a) mittels $E = \frac{3}{2}NT$ folgt.

(c) $Q_{\mathrm{pos}} = F_1 + T_2(S_b - S_a)$, $S_b - S_a = N\ell$, $W = Q_{\mathrm{pos}} - F_2 - T_1(S_c - S_d)$,
$W = (T_2 - T_1)N\ell \quad \curvearrowright \quad \eta = \dfrac{(T_2 - T_1)N\ell}{3N(T_2 - T_1)/2 + T_2 N\ell} = \dfrac{\eta_c}{1 + 3\eta_c/(2\ell)} < \eta_c$.

12.2 Virialentwicklung

Bei angenehmen Temperaturen (Frühling 2004) sollte sich das Verhalten realer Gase nicht allzu weit vom „Idealgas“ entfernen. Die Abweichungen beruhen auf den im § 12.1 genannten Quantenkorrekturen und auf paarweiser Wechselwirkung U zwischen den Gasteilchen. Beide Effekte sollten sich mit großer Verdünnung verlieren. Entwicklung nach n ist angezeigt — Frage: wovon.

Wir wollen in Erfahrung bringen, welche Korrekturen die Idealgas–Zustandsgleichung $pV = NT$ erfährt und setzen sie darum als Reihe in n an:

$$\frac{1}{T} p V = \beta p V = N \Big(1 + b(T)\, n + c(T)\, n^2 + \dots \Big) \,. \tag{12.14}$$

Die Frage ist damit in kanonischen Variablen formuliert. Was wir über $p\,V$ wissen — aus (4.16), (4.9), (4.8) (nachsehen!) — liest sich jedoch großkanonisch,

$$\beta p V = -\beta \Omega = \ln\Big(Z_{\text{gr.}}(T,V,\mu) \Big) = \ln \left(\sum_{\nu=0}^{\infty} z^\nu Z_\nu \right) , \tag{12.15}$$

und gilt ganz allgemein, mit beliebigen Wechselwirkungen, mit Pauli und überhaupt, $Z_0 := 1$. Eine Entwicklung nach der Fugazität z liegt also bereits fertig vor.

Wie schon im vorigen Abschnitt besteht das Problem „nur noch“ darin, die Fugazität z zugunsten der Teilchenzahl N zu eliminieren, nämlich mit Hilfe der μ–N–Beziehung

$$N = -\partial_\mu \Omega = T\, \partial_\mu \ln(Z_{\text{gr.}}) = z\, \partial_z \ln(Z_{\text{gr.}}) \ , \text{ d.h. } N\, Z_{\text{gr.}} = z\, \partial_z Z_{\text{gr.}} \ . \tag{12.16}$$

(12.15) gibt pV als Logarithmus einer Reihe in z, und (12.16) gibt N als Quotient zweier Reihen in z — eliminiere z! Wir schreiben uns die Aufgabe erst einmal etwas expliziter vor Augen:

$$\beta p V = \ln\Big(1 + z\, Z_1 + z^2\, Z_2 + z^3\, Z_3 + \dots \Big) \tag{12.17}$$

$$N \Big(1 + z\, Z_1 + z^2\, Z_2 + z^3\, Z_3 + \dots \Big) = z\, Z_1 + 2\, z^2\, Z_2 + 3\, z^3\, Z_3 + \dots \ . \tag{12.18}$$

Fällt uns nichts „Globales“ ein (und anderen auch nicht), so müssen wir uns mit ein paar Termen zufriedengeben. Wenn wir z als Reihe in N ansetzen,

$$z = \alpha_1\, N + \alpha_2\, N^2 + \alpha_3\, N^3 + \dots \ , \tag{12.19}$$

dann werden sich deren Koeffizienten α aus (12.18) durch Vergleich von N–Potenzen ergeben. Setzen wir dann (12.19) (mit bekannten Koeffizienten) in

(12.17) ein und entwickeln den Logarithmus, dann lassen sich die in (12.14) eingeführten Faktoren $b(T)$ und $c(T)$ ablesen — Ausblick beendet. Werden in (12.18) nur die N– und N^2–Terme mitgenommen, so entsteht

$$N\Big(1+\alpha_1 N Z_1\Big) \stackrel{!}{=} \left[\alpha_1 N + \alpha_2 N^2\right] Z_1 + 2\,\left[\alpha_1 N\right]^2 Z_2$$

$$\curvearrowright \qquad \alpha_1 = \frac{1}{Z_1} \quad \text{und} \quad \alpha_2 = \frac{1}{Z_1}\Big(1-\frac{2\,Z_2}{Z_1^2}\Big) \ . \qquad (12.20)$$

Aus (12.17) — zuerst nach z entwickelt, dann mit (12.19) bestückt, dann mit den α's aus (12.20) versehen — entsteht sodann

$$\begin{aligned} \beta p V &= \ln\Big(1+\left[zZ_1+z^2Z_2\right]\Big) = [\ \ ] - \frac{1}{2}[\ \ ]^2 = zZ_1 + z^2\Big(Z_2-\frac{1}{2}Z_1^2\Big) \\ &= N\,\alpha_1 Z_1 + N^2\Big(\alpha_2 Z_1 + \alpha_1^2 Z_2 - \frac{1}{2}\alpha_1^2 Z_1^2\Big) \quad , \quad N = V\,n\ : \\ &= N + N\ V\Big(1-\frac{2\,Z_2}{Z_1^2}+\frac{Z_2}{Z_1^2}-\frac{1}{2}\Big)\,n\ , \end{aligned} \qquad (12.21)$$

und wir sehen, wie der erste **Virialkoeffizient** $b(T)$ gestrickt ist:

$$b(T) = V\Big(\frac{1}{2}-\frac{Z_2}{Z_1^2}\Big) \ . \qquad (12.22)$$

Z_1 steht in (12.2), aber in Z_2 sind sowohl Wechselwirkung U als auch Pauli am Werke. Alsbald zeigt sich, daß sich schon in $b(T)$ allerlei Physik verbirgt.

Übung 12/2 Die Rechnung, welche zum zweiten Viralkoeffizienten $c(T)$ führt, ist unzumutbar trocken. Die beiden Behauptungen $\alpha_3 = \frac{1}{Z_1}\,[1-\frac{5\,Z_2}{Z_1^2}+\frac{8\,Z_2^2}{Z_1^4}-\frac{3\,Z_3}{Z_1^3}\,]$ und $c(T) = V^2\,[\,\frac{1}{3}-\frac{2\,Z_2}{Z_1^2}+\frac{4\,Z_2^2}{Z_1^4}-\frac{2\,Z_3}{Z_1^3}\,]$ sollten jedoch in der Lage sein, einen einfachen Test zu bestehen. Welchen? Bestehen sie ihn?

Lösung Zu $Z_\nu = Z_1^\nu/\nu!$ (Idealgas) sollten beide 0 sein: $1-\frac{5}{2}+\frac{8}{4}-\frac{3}{6}$, $\frac{1}{3}-\frac{2}{2}+\frac{4}{4}-\frac{2}{6}$.

Fermi und Bose als Korrektur

Um den Koeffizienten $b(T)$ zu studieren, setzen wir zuerst U außer Kraft, interessieren uns also für den Pauli–Effekt, und machen es anschließend umgekehrt. Selbst auf der n–Achse im Bild 12–1 ist die obige Virialentwicklung nicht zu umgehen. Jene Vermutung vom § 12.1–Ende (Stichwort „engstirnig") ziehen wir jetzt zurück. Für $b(T)$ benötigen wir Z_2 der beiden idealen Quantengase. Wir kennen deren Ω und erhalten deren kanonische Zwei–Teilchen–Zustandssumme Z_2 als z^2–Koeffizienten der exponenzierten Gleichung (12.15):

$$\mathrm{e}^{-\beta\Omega} = \sum_{\nu=0}^{\infty} z^\nu\,Z_\nu = 1 + z\,Z_1 + z^2\,Z_2 + \ldots \ . \qquad (12.23)$$

Mittels (12.4) (linker Teil) folgt

$$\mathrm{e}^{-\beta\Omega} = \mathrm{e}^{\sum_\lambda \left(z\,\mathrm{e}^{-\beta\varepsilon_k} \mp \frac{1}{2} z^2 \mathrm{e}^{-2\beta\varepsilon_k} + \ldots\right)} = 1 + z\,Z_1 + z^2 \left(\frac{1}{2} Z_1^2 \mp \frac{1}{2} \sum_\lambda \mathrm{e}^{-2\beta\varepsilon_k}\right) \tag{12.24}$$

und somit (immerhin in Strenge) die kanonische Zwei–Teilchen–Zustandssumme der beiden idealen Quantengase

$$Z_2^{\mathrm{id.}^{\mathrm{F.}}_{\mathrm{B.}}} = \frac{1}{2} Z_1^2 \;\mp\; \frac{1}{2} Z_1\Big|_{T \to T/2} \;. \tag{12.25}$$

Paulis Virialkoeffizient $b(T)$ ist also

$$b(T) = \pm \frac{V}{2\,Z_1^2} \Big[Z_1 \Big]_{T \to T/2} = \pm \frac{\lambda^3}{\not{2}} \left(\frac{1}{2}\right)^{5/2} = \pm \frac{1}{\not{2}\,2} \left(\frac{\pi\hbar^2}{mT}\right)^{3/2} \;. \tag{12.26}$$

Ist die Ungleichung (12.12) wirksam, stellt er natürlich nur eine kleine Korrektur dar. Daß $b(T)$ mit sinkender Temperatur anwächst, ist plausibel. Das Pauli–Prinzip möchte Fermionen voneinander entfernen (positiver Druck–Zusatz) und Bosonen annähern. Auch $b(T) \sim \hbar^3$ sei festgehalten, was die Geringfügigkeit der Symmetrieeffekte gegenüber Quantenkorrekturen $\sim \hbar^2$ an der nachfolgenden Klassik zeigen würde — wenn wir die letzteren behandeln würden.

„Klassische Kanonik“

Soll die Wechselwirkung U zwischen den Teilchen anhand des $b(T)$–Koeffizienten behandelt werden, so liegt die größtmögliche sonstige Vereinfachung in $\hbar \to 0$. Damit werden nicht nur Pauli–Effekte verbannt. Wir wollen also im klein–$\hbar$–Sinne nur mit den führenden Termen arbeiten. Wie der führende Term der kanonischen Zustandssumme aussehen „muß“, läßt sich erraten bzw. per Argument erhalten.

Ohne Wechselwirkung (Index ohne) führt $\hbar \to 0$ auf die in (12.8) unter Logarithmus stehende Zustandssumme der Idealgas–Konstruktion:

$$\begin{aligned} Z^{\mathrm{ohne}}_{\mathrm{klassisch}}(T,V,N) &= \frac{1}{N!}\left(\frac{V}{\lambda^3}\right)^N = \frac{1}{N!}\left[\frac{1}{(2\pi)^3}\int d^3k\;\mathrm{e}^{-\beta\frac{\hbar^2k^2}{2m}}\int d^3r\;\right]^N \\ &= \frac{1}{N!}\left(\frac{1}{2\pi\hbar}\right)^{3N}\int d^{3N}p\int d^{3N}r\;\mathrm{e}^{-\beta E_{\mathrm{kin}}} \;, \end{aligned} \tag{12.27}$$

wobei die zweite Zeile auf Substitutionen $\hbar k = p$ beruht und auf Durchnumerierung von 1 bis $3N$. Wir denken quantenmechanisch: $E_{\mathrm{kin}} = \sum_{j=1}^{N} \frac{\vec{p}_j^{\,2}}{2m}$ ist $3N$–fach indizierter Eigenwert des Gesamtsystem–Hamilton–Operators H_0. Verspüren alle N Teilchen das gleiche konstante Potential U_0, dann steht $E_{\mathrm{kin}} + NU_0$ in (12.27) im Expontenten. Die barometrische Höhenformel ist entstanden.

Wenn wir als nächstes die Teilchen einem Einteilchen–Potential $U(\vec{r})$ aussetzen, wird der Hamilton–Operator zu $H = H_0 + \sum_{j=1}^{N} U(\vec{r}_j)$. Jetzt erinnern wir uns der WKB–Betrachtungen im § 3.5 zum Virialsatz. Gemäß (3.52) werden die Einteilchen–Zustände an der Stelle $\vec{r}$ zu $\exp(\frac{i}{\hbar}\vec{p}\,\vec{r})$–Funktionen mit $p(\vec{r}) = \sqrt{2m\,[\varepsilon - U(\vec{r})]}$. Quadrieren gibt $\varepsilon = \frac{\vec{p}^{\,2}}{2m} + U(\vec{r})$ für einen Energie-Eigenwert ε eines Teilchens. In quasiklassischer Näherung verhalten sich also die Zustände so, als habe das Teilchen lokal eine um $U(\vec{r})$ angehobene Energie. Dieser Umstand läßt uns (12.27) wie folgt korrigieren:

$$Z^{U(\vec{r})}_{\text{klassisch}}(T,V,N) = \frac{1}{N!}\left(\frac{1}{2\pi\hbar}\right)^{3N}\int d^{3N}p \int d^{3N}r \;\mathrm{e}^{-\beta\sum_{j=1}^{N}\left[\frac{\vec{p}_j^{\,2}}{2m}+U(\vec{r}_j)\right]} \,. \tag{12.28}$$

In der eckigen Klammer steht ersichtlich die klassische Hamilton–Funktion des j–ten Teilchens.

Es ist nun unausweichlich, wie von (12.28) zu paarweisen Wechselwirkungs–Potentialen überzugehen ist. Dieser letzte Schritt führt auf *die* „klassisch–kanonische" Zustandssumme

$$Z_{\text{klassisch}}(T,V,N) \;=\; \frac{1}{N!}\left(\frac{1}{2\pi\hbar}\right)^{3N}\int d^{3N}p \int d^{3N}r \;\mathrm{e}^{-\beta H_{\text{klassisch}}} \tag{12.29}$$

$$\text{mit} \qquad H_{\text{klassisch}} = \sum_{j=1}^{N}\frac{\vec{p}_j^{\,2}}{2m} + \frac{1}{2}\sum_{j,\ell}^{N} U(\vec{r}_j - \vec{r}_\ell) \,. \tag{12.30}$$

Per Virial zu Van der Waals

Die Impulsintegrale in (12.29) waren nur unser Hilfsmittel bei der obigen heuristischen Herleitung. Jetzt, da Schuldigkeit getan, können sie wieder ausgeführt werden:

$$Z_{\text{klassisch}}(T,V,N) = \frac{1}{N!}\left(\frac{1}{\lambda^3}\right)^{N}\int d^3r_1\,d^3r_2\ldots d^3r_N \prod_{j<\ell} \mathrm{e}^{-\beta U(\vec{r}_j-\vec{r}_\ell)} \,. \tag{12.31}$$

(12.31) ist der Ausgangspunkt für erstaunlich weiterführende Entwicklungen. Mit Mayers f–Funktion $\mathrm{e}^{-\beta U_{j\ell}} - 1 =: f_{j\ell}$ entsteht $\prod \mathrm{e}^{-\beta U} = \prod(1+f_{j\ell}) = 1 + \sum f_{j\ell} + \sum\sum' f_{j\ell}f_{j'\ell'} + \ldots$, was wiederum eine Diagrammatik erlaubt, Partialsummationen usw. Bis zur Mayer–Cluster–Entwicklung steht die Prozedur in [*Greiner*, § 15.1]. Friedman „Ionic Solution Theory" (1962) vermag noch ein gutes Stück darüber hinaus zu gehen.

Hier sind wir nur auf $b(T)$ konzentriert (und der Einfachheit halber auf $\not{2} = 1$), benötigen dazu (12.31) nur zu $N = 2$,

$$Z_2^{\text{klassisch}} = \frac{1}{2\,\lambda^6}\int d^3r_1\,d^3r_2\;\mathrm{e}^{-\beta U(\vec{r}_1-\vec{r}_2)} = \frac{V}{2\,\lambda^6}\int d^3r\;\mathrm{e}^{-\beta U(\vec{r})} \;, \tag{12.32}$$

setzen dies in (12.22) ein und erhalten

$$b(T)^{\text{klassisch}} = -\frac{1}{2}\int d^3r \left(\mathrm{e}^{-\beta U(\vec{r})} - 1\right) \tag{12.33}$$

als Integral direkt über Mayers f–Funktion.

Beim Blick auf die einfache Bildung (12.33) wird es unwiderstehlich, ein wenig mit ihr zu spielen, sich also Funktionen $U(r)$ auszudenken. r ist Relativvariable. Wenn sich zwei He^4–Atome mit Radius R (*hard core*) auf den Pelz rücken, werden sie sich bei $r < 2R$ stark abstoßen: $U \approx \infty$. Bei größeren Abständen wird dagegen die schwache Van–der–Waals–Anziehung $U \sim -r^{-6}$ dominieren und $\beta U \ll 1$ gelten. Mit diesen beiden Vereinfachungen folgt sofort, daß

$$\mathrm{e}^{-\beta U} - 1 = \begin{cases} -1 & \text{für } r < 2R \\ -\beta U & \text{für } 2R < r \end{cases} \quad \text{und folglich} \quad b(T) = b - \beta a \tag{12.34}$$

$$\text{mit} \quad b = \frac{1}{2}\frac{4\pi}{3}(2R)^3 = 4\,V_R \quad \text{und} \quad a = -\frac{1}{2}\int_{r<2R} d^3r\; U(r) > 0\;. \tag{12.35}$$

Hierin ist $V_R := 4\pi R^3/3$ das Eigenvolumen eines Teilchens. Um zu begreifen, was (12.34) bedeutet, kehren wir zum Ausgangspunkt (12.14) zurück, d.h. zu $pV = NT(1 + b(T)n)$, und formen ein wenig um:

$$pV = NT(1 + bn - \beta an) \quad , \quad (p + an^2)V = NT(1 + bn) \to \frac{NT}{1 - bn}$$

$$\curvearrowright \quad \left(p + an^2\right)\left(V - Nb\right) = NT\;. \tag{12.36}$$

Die Ersetzung rechts oben ist erlaubt — ist *konsistent* — weil ja schon zuvor ständig n^2–Terme vernachlässigt worden waren.

Die Gleichung (12.36) ist wunderbar anschaulich. Sie hat die Form der Idealgas–Zustandsgleichung. Das einem Teilchen zur Verfügung stehende Volumen hat sich verkleinert. Leicht geht man in die folgende Falle. Einem bestimmten Teilchen machen $N - 1 \approx N$ andere Teilchen je das Volumen $8V_R$ streitig. Richtig. „Also ersetze ich V durch $V - N\,8V_R$". Aber das ist falsch. Man muß Paare zählen. Es gibt $N(N-1)/2 \approx N^2/2$ Teilchenpaare. Dem Volumen V^N des $3N$–dimensionalen Ortsraumes ist $N^2/2$ mal eine Verkleinerung im Verhältnis $8V_R/V$ zu verpassen.[1] Die V–Ersetzung lautet also

$$V \to \left[V^N\left(1 - \frac{8V_R}{V}\right)^{N^2/2}\right]^{1/N} = V\left(1 - \frac{8V_R}{V}\right)^{N/2} \to V - N\,4\,V_R\;. \tag{12.37}$$

[1] Überschneidungen der $8V_R$–Volumina sind hier vernachlässigbare Drei– und Mehr–Teilchen–Effekte. Es gibt viel mehr Paare als Relativvariable. Aber bei jeder Einbeziehung der $r > 2R$–Beschränkung eines Paares dürfen wir $\vec{r}$ als eine der Relativvariablen lesen.

Auf einem anderen Verstehweg denkt man bei gleichbleibendem Volumen über eine effektiv erhöhte Teilchenzahl nach. Wird der b–Term auf die rechte Seite gebracht, so zeigt $(p+\ldots)\,V = T\,(N + \frac{8\,V_R}{V}\,\frac{N^2}{2})$, daß sich N mit jedem Teilchenpaar im $8V_R/V$–Verhältnis um Eins erhöht.

Der $a\,n^2$–Term in (12.36) — wir denken ihn uns mit Minuszeichen nach rechts gebracht — zeigt, wie sich der Druck aufgrund der Anziehungskräfte vermindert hat. Ein n in $\Delta p = -an^2$ beruht auf $\Delta p \sim$ Anzahl der drückenden Teilchen, und das andere n rührt daher, daß die von der Wand wegziehende Kraft $\sim n$ ist. Mit (12.36) ist die **Van der Waals–Gleichung** entstanden. Es stört allerdings sehr, daß sie auf beklemmend dürftigen Näherungen beruht: Abbruch der n–Reihe nach dem ersten nicht–trivialen Term und $\hbar \to 0$.

Übung 12/3 Per Legendre–Transformation $\Omega \to F$ soll die Freie Energie $F(T,V,N)$ des bis mit $b(T) = b - \beta a$ virial–entwickelten Gases erhalten werden.

Lösung $F = [\,\Omega + \mu N\,]_{\text{elim.}\,\mu} = -pV + NT\ln(z)$ mit $z = N[1 + 2b(T)n]/Z_1$ aus (12.22), (12.20) und (12.19) führt – in a, b linearisierend – auf $F = -\,[\,nT(1+bn) - an^2\,]\;V + NT\;2n(b-\beta a) + NT\ln(N/Z_1) = -NT + NT\ln(\lambda^3) + NT\ln(n) + NTnb - Nna\,.$ Linear in a, b ist $\ln(n) + nb$ mit $-\ln(\frac{1}{n} - b)$ identisch, wonach $p = -\partial_V F$ direkt (12.36) gibt. Mit $v := \frac{1}{n}$ folgt $F = -NT\ln(v-b) - N\,\frac{a}{v} - \frac{3}{2}\,NT\ln(T) - NT + \frac{3}{2}\,NT\ln(\frac{2\pi\hbar^2}{m})\,.$

12.3 Van der Waals–Gas

Gar nicht so selten ist die erste Korrektur einer Entwicklung physikalisch vernünftiger, als wenn weitere (aber nicht alle) Terme mitgenommen werden. Wir vergessen jetzt die oben genannten Näherungen, lösen uns von den zugehörigen Beschränkungen und heißen (12.36) als ein famoses Spielzeug willkommen. Als solches hatte schon das Idealgas seine Berechtigung. Man kann nun zu einem real existierenden Gas nach dem anderen nachsehen, wie gut es der Van der Waals–Gleichung folgt und welches Parameterpaar a, b es am besten beschreibt. „Beschreiben" riecht unangenehm nach reiner Phänomenologie. Andererseits halten wir natürlich die Ratio hinter dem b–Term aufrecht (die Volumen–Reduktion muß einfach gut sein bei verdünnten Gasen). Bald gibt es auch zum a–Term gutes zu sagen. Vielleicht hatte sich auch Van der Waals (1837 – 1923) zunächst auf Argumente verlassen.

Zuerst schreiben wir die Van der Waals–Zustandsgleichung etwas angenehmer auf, indem wir v als Volumen pro Teilchen ins Spiel bringen:

$$v := \frac{V}{N} = \frac{1}{n} \quad : \qquad p(T,v) \;=\; \frac{T}{v-b} \;-\; \frac{a}{v^2} \quad . \tag{12.38}$$

Das Erstaunliche an dieser Gleichung ist — und darum muß sie irgendwie besser sein als Virial — daß sie, wie sich zeigen wird, rudimentär den Phasenübergang Gas–Flüssigkeit enthält.

Mit der Zustandsgleichung allein liegt noch nicht die volle thermodynamische Information vor. $E(T,V,N)$ kommt als Ergänzung in Betracht. Leicht kann in Fortsetzung der Übung 12/3 die unten in (12.40) angegebene Energie erhalten werden. Aber nein, wir sträuben uns energisch dagegen, noch einmal in die beschränkende Entwickelei des § 12.2 zu verfallen. E per Argument zu finden wahrt die Chance auf weiterreichende Gültigkeit.

Beim Aufleiten von (12.38) = $p = -\partial_V F = -\frac{1}{N}\partial_v F$ bleibt eine Funktion von T unbekannt:

$$\begin{aligned} F &= -N\,T\ln(v-b) - N\frac{a}{v} + N\,f(T) \quad \curvearrowright \\ S &= -\partial_T F \;=\; N\ln(v-b) - N\,f'(T) \quad \curvearrowright \\ E &= F + T\,S = N\,[\,f(T) - T\,f'(T)\,] - N\frac{a}{v} \;. \end{aligned} \tag{12.39}$$

Der unbekannt bleibende E–Beitrag hängt nicht von V ab. Also kann er während der Idealgas–Abwandlungen von einer Reduktion des Volumens nichts bemerken. Er bleibt der Idealgas–Term. Also ist

$$E(T,V,N) \;=\; \frac{3}{2}\,N\,T - N\frac{a}{v} \;. \tag{12.40}$$

Übung 12/4 Wie weit läßt sich die Funktion $f(T)$ in (12.39) aufgrund von (12.40) dingfest machen und wie weit die Entropie $S(T,V,N)$ des Van der Waals–Gases? Lehrt der Rückblick auf das Resultat von Übung 12/3 etwas?

Lösung $f - T\,f' = \frac{3}{2}T$, $F = T g$, $g' = -\frac{3}{2T}$, $g = C - \frac{3}{2}\ln(T)$, $f = C\,T - \frac{3}{2}T\ln(T)$, $S = N\ln(v-b) + N\,\frac{3}{2}\ln(T) + N\,\mathrm{const}_{T,V}$. Die Konstante bleibt unbekannt. Übung 12/3 aber kennt sie — und kennt $\hbar$. Wer den Boden unter den Füßen verloren hat, wundere sich nicht, daß er schwebt.

Es fehlt uns noch eine Überlegung, weshalb auch der a–Term „besser als erlaubt" sein könnte. Die Antwort: Er folgt aus einer *mean field approximation*. Wir setzen vorübergehend $b = 0$, d.h. $R = 0$, haben den Hamilton–Operator $H = \sum_j H_j + \frac{1}{2}\sum'_{j,\ell} U(|\vec r_j - \vec r_\ell|)$ vor Augen und wollen die schwache längerreichweitige Wechselwirkung U näherungsweise behandeln. Das *mean field* sollte für ein betrachtetes Teilchen ein effektives Potential sein, verursacht von allen anderen Teilchen. Schrödinger–Gleichungen dieser Art läßt das quantenmechanische Variationsverfahren $\mathcal{V} = \int \psi^* H \psi \stackrel{!}{=} \min.$ entstehen, wenn bestückt mit

Slater–Determinanten: Hartree–Fock–Verfahren. Werden Pauli–Effekte unterdrückt, handelt es sich um die Hartree–Gleichungen

$$H_1\,\varphi_{\lambda_j}(1) + \left[\,\sum_{\ell=1}^{N}{}'\int_2 \varphi^*_{\lambda_\ell}(2)\,U(|\vec r_1 - \vec r_2|)\,\varphi_{\lambda_\ell}(2)\right]\varphi_{\lambda_j}(1) = \varepsilon_{\lambda_j}\,\varphi_{\lambda_j}(1)\ . \qquad (12.41)$$

λ_j numeriert die Lösungen zum j–ten Teilchen. Die eigentlichen Näherungen folgen erst jetzt, wenn wir darauf verzichten, das Einteilchenpotential $[\quad] =: U(1)$ selbstkonsistent zu bestimmen, und die $\varphi_{\lambda_2}(2)$ schlicht als PBC–normierte ebene Wellen ansetzen: $|\varphi_{\lambda_2}|^2 = 1/V$. Dadurch wird $U(1)$ unabhängig vom Variablensatz 1:

$$\Big[\qquad\Big] = U(1) \;\rightarrow\; N\,\frac{1}{V}\int_V d^3r\;U(|\vec r\,|) \;=\; -2\,a\,\frac{N}{V}\ , \qquad (12.42)$$

denn so hatten wir a in (12.35) eingeführt. (12.42) ist zwar ein konstanter Beitrag zu jeder Energie ε_{λ_j} des j–ten Teilchens. Um aber die Gesamtenergie E des Systems zu ermitteln — bekannte Fallgrube — müssen wir entweder angestrengt den Erwartungswert $\mathcal{U}$ von H studieren ($\langle U\rangle$ beginnt mit $\frac{1}{2}\sum_{j,\ell}$) oder einfach aus (12.42) den Beitrag $-2a/V$ eines Teilchenpaares entnehmen. Und weil es $\approx N^2/2$ Paare gibt, ist

$$E^{\,mean\ field} \;=\; E^{\,\mathrm{Idealgas}} \;-\; N\,\frac{a}{v}\ , \qquad (12.43)$$

Wegen $F = E - T\,S$ erhält auch F diesen Zusatz (S nicht wegen $S = -\partial_T\,F$). Und der Druck bekommt via $p = -\partial_V\,F$ den Term $-a/v^2$ verpaßt. Es stimmt.

Übung 12/5 Inversionstemperatur T_I. Ob sich beim Joule–Thomson–Prozeß das Gas erwärmt oder abkühlt, hängt nach Übung 11/11 vom Vorzeichen des Koeffizienten $(1 - T\alpha) =: k$ ab, wobei $\alpha = \frac{1}{V}\,\partial_T V)_{p,N} = \frac{1}{v}\partial_T v)_p$. Bekannt sei die Zustandsgleichung $p(T, v)$ eines Gases. Wie verarbeitet sich diese Information zu k? Zu welcher Funktion von T, v (und von a, b) wird k bei Van der Waals? Bei welcher Temperatur T_I wechselt k das Vorzeichen?

Lösung $\partial_T)_p$ auf $p = p(T, v)$: $0 = \partial_T\,p)_v + \partial_v\,p)_T\,v\,\alpha \;\curvearrowright\; k = 1 + \frac{T}{v}\partial_T\,p)_v/\partial_v\,p)_T$. $k_{\mathrm{VdW}} = \ldots = \frac{2a(v-b)^2 - Tbv^2}{2a(v-b)^2 - Tv^3} \stackrel{!}{=} 0$ bei $T_I = \frac{2a}{b}\,\frac{(v-b)^2}{v^2}$. Bei $T = T_I$ ist der Nenner negativ, nämlich $= -2a(v-b)^3/b$. Also ist k bei $T > T_I$ positiv (Erwärmung) und bei $T < T_I$ negativ (Abkühlung). Erst bei der noch tieferen Temperatur $T_c = 2a(v-b)^2/v^3$ wird der Nenner Null: Abkühlung durch Kondensation?! Gleich wird es klarer.

Um Van der Waals' Zustandsgleichung bildlich darzustellen, liegt es nahe, zu verschiedenen festen T den Druck über dem Volumen v pro Teilchen aufzutragen, d.h. sich die die Isothermen $p(v)$ anzusehen. Ein erster Blick auf Bild 12–2 zeigt, daß es nur eine Kurve gibt, jene zu $T = T_c$ (die kritische Isotherme), welche einen Punkt mit horizontaler Wendetangente durchläuft. Dieser **kritische Punkt** (v_c, p_c) bestimmt sich aus den beiden Gleichungen

$$\partial_v\, p(T,v) = 0 \qquad \text{und} \qquad \partial_v^2\, p(T,v) = 0 \ . \tag{12.44}$$

Übung 12/6 Welche kritischen Daten v_c, p_c und T_c (je Bildungen nur aus a, b) hat das Van der Waals–System? Werden per $v = v_c\,\overline{v}$, $p = p_c\,\overline{p}$ und $T = T_c\,\overline{T}$ dimensionslose Variable eingeführt, so entsteht $\overline{p} = \frac{n_1\,\overline{T}}{n_2\,\overline{v} - 1} - \frac{n_2}{\overline{v}^2}$, nämlich mit welchen natürlichen Zahlen n_1, n_2 ?

Lösung (12.44) gibt $-\frac{T}{(v-b)^2} + \frac{2a}{v^3} = 0$ und $\frac{2T}{(v-b)^3} - \frac{6a}{v^4} = 0$, dritte Gl. ist $p_c = p(T_c, v_c)$ $\curvearrowright$ $v_c = 3\,b$, $p_c = \frac{a}{27b^2}$, $T_c = \frac{8a}{27b}$ — womit $\overline{p} = \frac{8\,\overline{T}}{3\,\overline{v} - 1} - \frac{3}{\overline{v}^2}$ entsteht.

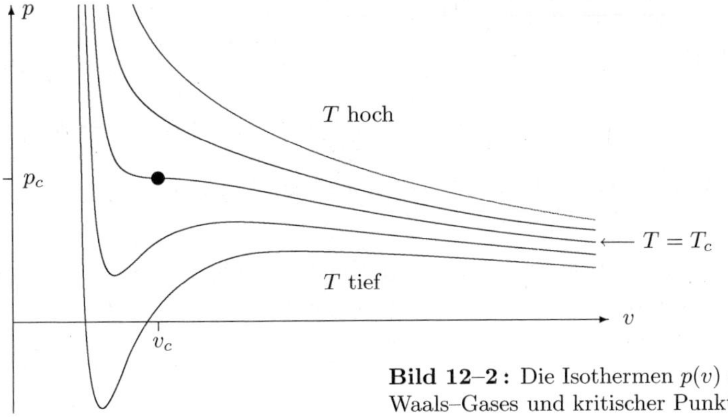

Bild 12–2 : Die Isothermen $p(v)$ des Van der Waals–Gases und kritischer Punkt (v_c , p_c).

Maxwell–Konstruktion

„Kritisch" wird die Situation unterhalb von T_c in der Tat. Hier enthalten die Isothermen Stücke mit $\partial_v\, p < 0$. Ein System, das unter Druckabnahme sein Volumen verkleinern kann, ist nicht stabil. Es kollabiert. Aha, das Gas könnte sich verflüssigen. Die Idee, den Phasenübergang Gas–Flüssigkeit entdeckt zu haben, verhilft uns zu dem folgenden Denkweg. Er hat einiges mit dem alten Bild 11-1 zu tun: Kolben auf Gas am Wärmebad.

Der Denkweg beginnt weit rechts im p–v–Diagramm und läuft dort auf einer Isothermen mit $T < T_c$ entlang. Wir erhöhen allmählich das Kolbengewicht, den Druck also, woraufhin sich das Volumen v (pro Teilchen) verkleinert. An einer noch unbekannten Stelle v_g (g wie gasförmig, $T =$ jene der gewählten Isotherme, $p = p_0 =$ jener aus Zustandgleichung) beginnt die Verflüssigung: Tröpfchen bilden sich, eine Pfütze am Boden usw. Jetzt lassen wir den Kolben in Frieden: Er sorgt für konstanten Druck $p = p_0$. Aber v sinkt und sinkt. Das System setzt Bindungsenergie frei. Also werden wir etwas kühlen müssen, um T konstant zu halten.[2]

Im Bild 12–3 bewegt sich jetzt das System auf der dicken Horizontalen nach links, und zwar so lange, bis kein Gas mehr vorhanden ist. An einer noch unbekannten Stelle v_f (f wie flüssig) trifft die Horizontale wieder auf die ursprüngliche Isotherme. Soll sich nun v weiter verkleinern, so ist das Kolbengewicht wieder weiter zu erhöhen, jetzt viel stärker, denn schließlich ist es eine Flüssigkeit. Vielleicht wird das Material später auch noch fest. Aber dies würde jenseits der Möglichkeiten des Van der Waals–Modells liegen.

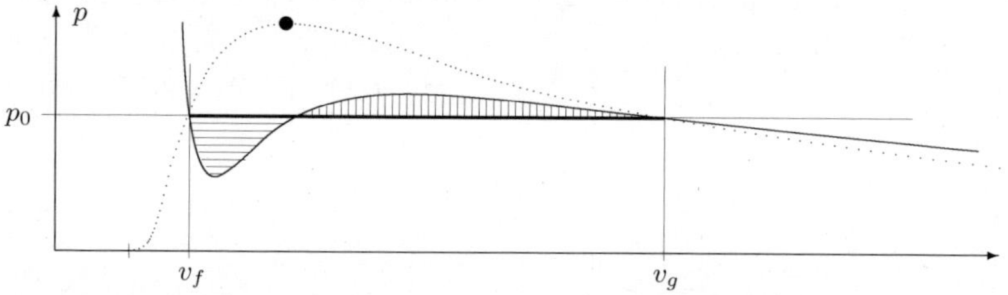

Bild 12–3 : Bild 12–2–Ausschnitt und Maxwell–Konstruktion. Der Rand des Koexistenzgebietes besteht aus Punkten (v_g, p_0) bzw. (v_f, p_0).

Wir haben ein Problem. Wie findet man die beiden Stellen v_g und v_f? Sie würden aus der Zustandsgleichung folgen, wenn der Druck p_0, d.h. die Höhe der Horizontalen bekannt wäre. Eine Unbekannte — und es ist auch genau eine Weisheit, die noch nicht ausgenutzt wurde. Während Flüssigkeit und Gas koexistieren und Teilchen austauschen, sind die chemischen Potentiale gleich: $\mu_f = \mu_g$, denn schon im § 2.4 war μ nach T und p der dritte intensive Parameter, welcher im Gleichgewicht zweier Systeme gleich wird, siehe auch (4.15). Die Duhem–Gibbs–Relation $F = -p\,V + \mu\,N$ besagt daraufhin, daß

$$
\begin{aligned}
0 &= \mu_g - \mu_f = \frac{1}{N}\Big(F_g - F_f\Big) + p_0\Big(v_g - v_f\Big) \\
&= \frac{1}{N}\int_{v_f}^{v_g} dv\,\partial_v F)_T + p_0\Big(v_g - v_f\Big) \quad , \quad \partial_v F = -N\,p \\
&= -\int_{v_f}^{v_g} dv\; p(T,v) + p_0\Big(v_g - v_f\Big) \qquad (12.45) \\
&= \{\,\text{Fläche}\ \equiv\,\} - \{\,\text{Fläche}\ \text{|||||||}\,\}\ .
\end{aligned}
$$

Grafisch kann man also die p_0–Horizontale so lange verschieben, bis die beiden

[2] Bei Durchlauf nach rechts ist dem System entsprechend Verdampfungswärme zuzuführen. Infinitesimale Kühlung (Erwärmung) genügt, das System nach links (rechts) laufen zu lassen.

schraffierten Flächen gleich sind. Zählt man v_g , v_f und p_0 als drei Unbekannte, so sind $p(T, v_g) = p_0$, $p(T, v_f) = p_0$ und (12.45) ihre drei Bestimmungsgleichungen. Leicht eliminiert sich p_0, aber die beiden Gleichungen

$$p(T, v_g) = p(T, v_f) \quad , \quad v_g\, p(T, v_g) - v_f\, p(T, v_f) = \int_{v_f}^{v_g} dv\; p(T, v) \qquad (12.46)$$

für v_f, v_g sind auf Numerik angewiesen — selbst im Van der Waals–Falle und nach Ausführen des Integrals.[3]

Der gepunktete Rand des Koexistenzgebietes zieht sich übrigens beim Van der Waals–Gas weit, weit nach rechts hinaus. Trotzdem wird jede Isotherme von ihr geschnitten. Am linken Ende endet die Koexistenzgrenze links von jeder etwaigen Nullstelle einer Isothermen (man kann es zeigen). Beinahe hätten wir es zu Bild 12–2 zu einer unphysikalischen Modelleigenschaft erklärt, daß der Druck ins Negative tauchen kann. Jedoch ist, wie wir nun wissen, keinerlei Physik hinter dieser Eigenschaft. Es ist eben qualitativ unglaublich gut, das Van der Waals–Modell.

Übung 12/7 Drei kritische Exponenten des Van der Waals–Systems.

(a) In der Notation von Übung 12/6 ist $\overline{v}_c = \overline{p}_c = \overline{T}_c = 1$. Wir setzen $\overline{v} = 1 + \varepsilon$, $\overline{T} = 1 + \eta$ und entwickeln p bis zur dritten Ordnung in ε und/oder η . Auf der kritischen Isothermen $\overline{T} \equiv 1$ folgt daraufhin $(1 - \overline{p}) \sim (\overline{v} - 1)^\delta$ mit $\delta = ?$

(b) Mit wachsender Tendenz zur Verflüssigung wird das Gas immer leichter komprimierbar, so daß $\kappa_T^{-1} \sim (\overline{T} - 1)^\gamma$ mit $\gamma = ?$

(c) Als Ordnungsparameter kann $\Delta := v_g - v_f$ angesehen werden. In Nähe des kritischen Punktes geht er $\sim (1 - \overline{T})^\beta$ gegen Null mit $\beta = ?$

Lösung (a) $\overline{p} = \frac{8(1+\eta)}{3(1+\varepsilon)-1} - \frac{3}{(1+\varepsilon)^2} = \ldots = 1 + 4\,\eta - 6\,\eta\,\varepsilon + 9\,\eta\,\varepsilon^2 - \frac{3}{2}\,\varepsilon^3$. $\eta \equiv 0:\ \delta = 3$.

(b) (11.54): $\kappa_T = -\frac{1}{v}\,\partial_p v)_T$, $\kappa_T^{-1} = -\overline{v}\,\partial_{\overline{v}}\, p \sim -(1+\varepsilon)\,\partial_\varepsilon \overline{p} \to 6\,\eta:\ \gamma = 1$.

(c) Alle Größen in (12.46) dürfen einen Querstrich bekommen. $\overline{T} =: 1 - \tau$ heißt $\eta = -\tau$ in der Entw. bei (a): $\overline{p} = 1 - 4\,\tau + 6\,\tau\,\varepsilon - \frac{3}{2}\,\varepsilon^3 - 9\,\tau\,\varepsilon^2$. Ohne den −9–Term gäbe es zu $p_0 = 1 - 4\tau$ die Lösungen $\varepsilon = 0,\ \pm 2\sqrt{\tau}$ und Flächengleichheit wegen Symmetrie. Aber zu $\varepsilon = \mathcal{O}(\sqrt{\tau})$ ist der −9–Term als $\mathcal{O}(\tau^2)$ vernachlässigbar. $\overline{v}_g = 1 + 2\sqrt{\tau}$, $\overline{v}_f = 1 - 2\sqrt{\tau}$, $\Delta \sim 4\sqrt{1 - \overline{T}}$: $\beta = \frac{1}{2}$ — typisch für *mean field*, vgl. Bild 10–3 .

[3] Nach Eliminieren von T kann sich der Computer v_g–Werte vorgeben, v_f dazu bestimmen und schließlich T und p_0 . Die so entstandene gepunktete Linie im Bild 12–3 ist also „real“.

Übung 12/8 Ein Kunst–Gas. Irgendwie ist jemand bei der dimensionslosen Zustandsgleichung $p = 2T - (T+2)\,v + 3v^2 - v^3$ angekommen. Welche kritischen Daten hat das Gas und welchen Koexistenzbereich?

Lösung Auf die Form $p = T + (1-T)\,(v-1) - (v-1)^3$ gebracht, kann man „sehen", daß $v_c = p_c = T_c = 1$ ist und daß $v_{g,f} = 1 \pm \alpha$ die rechte Gl. (12.46) erfüllen wird (Flächen gleich wegen Symmetrie). (12.46) links führt auf $\alpha^2 = 1 - T$ und dies auf $p_0 = T = 1 - \alpha^2 = 1 - (v-1)^2$: Parabel–begrenztes Gebiet symmetrisch unter kritischem Punkt.

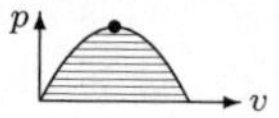

12.4 Zweiatomige Gase

Und schon stellt sich jenes Wohlbehagen ein, wie gut wir doch die Realität mit den vergangenen drei Abschnitten im Griff haben. Wie bitte? Realität? Wo ist z.B. die Paarerzeugung geblieben? Auf gewisse Blindheiten wird man glücklicherweise meist schon durch die Frage „warum?" aufmerksam. Warum hatten unsere Teilchen einen *hard core* R? — weil sich etwas innerhalb desselben befindet, Kern und Elektronen, jedenfalls weitere Freiheitsgrade. Bei Erwärmung des Gases wird sich Energie auch auf elektronische Anregungen verteilen. Statt der Ausrede „aber nicht viel" wegen $1\,\text{eV} \approx 11\,000\,\text{K}$, gestehen wir besser ein, daß ständig noch eine weitere Näherung im Spiel war: T hoch, aber $\ll 1\,\text{eV}$.

Weit unter die eV–Schwelle geraten die Anregungsenergien, wenn es sich bei den Gasteilchen um Moleküle handelt, fähig zu rotieren und zu schwingen. Im einfachsten solchen Falle (auf den wir uns hier beschränken) ist ein „Gasteilchen" ein Hantelmolekül mit Massen m_1 und m_2. Die Wechselwirkung zwischen m_1 und m_2 hängt vom Betrag $|\vec{r}_1 - \vec{r}_2| =: r$ der Relativkoordinate ab, hat ein Minimum bei $r = \ell$ und kann dort harmonisch genähert werden.

Konzentriert auf den Effekt der Hantelstruktur behandeln wir das Gas in ansonsten der billigsten Näherung. Die Moleküle mögen Spin 0 haben und untereinander nicht wechselwirken. Weil auch Pauli–Effekte außer acht bleiben sollen, empfiehlt sich das kanonische Ensemble und in diesem die Idealgas–Konstruktion $Z_{\text{kanonisch}} = Z_1^N/N!$. Wir behandeln das „zweiatomige ideale Gas" und interessieren uns für dessen spezifische Wärme $c_V = \partial_T E$. Alles über innere Freiheitsgrade (schon bei der Spin–½ war es so) verbirgt sich in Z_1. Das Ausrechnen von $Z_1 = \text{Sp}(e^{-\beta H})$ beginnt beim Hamilton–Operator der Hantel:

$$
\begin{aligned}
H &= -\frac{\hbar^2}{2m_1}\Delta_1 - \frac{\hbar^2}{2m_2}\Delta_2 + \frac{\kappa}{2}\left(|\vec{r}_1 - \vec{r}_2| - \ell\right)^2 \\
&= -\frac{\hbar^2}{2M}\Delta_R - \frac{\hbar^2}{2\mu}\Delta_r + \frac{\kappa}{2}(r-\ell)^2 \quad \text{mit} \quad M = m_1 + m_2\,,\ \mu = \frac{m_1\,m_2}{M}
\end{aligned}
$$

$$\approx \underbrace{-\frac{\hbar^2}{2M}\Delta_R}_{=\,H_{\rm schwer}} \;+ \underbrace{\frac{1}{2\mu\ell^2}\,\vec{J}^{\,2}}_{=\,H_{\rm rot}} \;\underbrace{-\,\frac{\hbar^2}{2\mu}\frac{1}{r}\,\partial_r^2\, r + \frac{\kappa}{2}(r-\ell)^2}_{=\,H_{\rm osz}} \;. \tag{12.47}$$

Im Schritt zur zweiten Zeile wurde zu Relativ– und Schwerpunkt–Koordinaten übergegangen. In der dritten Zeile bestand die einzige Näherung in $r^2 \approx \ell^2$ im Nenner vor $\vec{J}^{\,2}$. Sie vernachlässigt Rotations–Vibrations–Kopplung. Mit $\vec{J} = \vec{r} \times \vec{p}$ wurde der Bahndrehimpuls–Operator in der Relativkoordinate bezeichnet. Daß ansonsten

$$-\frac{1}{\hbar^2}\,\vec{J}^{\,2} = (\vec{r}\times\nabla)\cdot(\vec{r}\times\nabla) = \vec{r}\Big[\nabla\times(\vec{r}\times\nabla)\Big] = \vec{r}\Big[\,\vec{r}(\nabla\nabla) - (\nabla\vec{r})\nabla\Big]$$

$$= \vec{r}\,\big[\,\vec{r}\Delta + \nabla - (\vec{r}\nabla)\nabla - 3\nabla\,\big] = r^2\Delta - 2r\partial_r - r^2\partial_r^2 \;=\; r^2\Delta - r\partial_r^2 r \tag{12.48}$$

ist, das steht gar nicht unbedingt überall (so).

Die drei Teil–Hamiltonians in (12.47) vertauschen miteinander und wirken auf verschiedene Variable. Wir könnten hier noch rein quantanmechanisch bleiben und per $\psi \sim e^{i\vec{K}\vec{R}}\; Y_{j\,m}(\vartheta,\varphi)\;\frac{1}{r}\,\chi(r)$ separieren. Es kann aber auch unverzüglich die e–Funktion faktorisiert werden:

$$\begin{aligned} Z_1 &= {\rm Sp}_{\rm schwer}\left(e^{-\beta H_{\rm schwer}}\right)\cdot {\rm Sp}_{\rm rot}\left(e^{-\beta H_{\rm rot}}\right)\cdot {\rm Sp}_{\rm osz}\left(e^{-\beta H_{\rm osz}}\right) \\ &= Z_{\rm schwer}\cdot Z_{\rm rot}\cdot Z_{\rm osz} \;. \end{aligned} \tag{12.49}$$

Zwei aus diesem Trio finden sich in der Vorratskammer und einer ($Z_{\rm rot}$) ist neu im Bunde:

$$\begin{aligned} Z_{\rm schwer} &= \sum_{\vec{K}} e^{-\beta\,\frac{\hbar^2\vec{K}^2}{2M}} = \frac{V}{\lambda_M^3} \quad \text{mit} \quad \lambda_M = \sqrt{\frac{2\pi\hbar^2}{MT}} \;, \\ Z_{\rm rot} &= \sum_{j=0}^{\infty}(2j+1)\,e^{-\beta\,\frac{\hbar^2}{2\mu\ell^2}\,j\,(j+1)} \;=\; ? \;, \\ Z_{\rm osz} &= \sum_{n=0}^{\infty} e^{-\beta\,\hbar\omega\,\left[\,\frac{1}{2}+n\right]} = \frac{e^{\beta\hbar\omega/2}}{e^{\beta\hbar\omega}-1} \quad \text{mit} \quad \omega = \sqrt{\frac{\kappa}{\mu}} \;. \end{aligned} \tag{12.50}$$

In $Z_{\rm rot}$ ist der Faktor $2j+1$ das Resultat der Summation über m von $-j$ bis $+j$, welche in der ${\rm Sp}_{\rm rot}$ enthalten ist. Entsprechend zerfällt die Energie E des Gesamtsystems in drei Terme:

$$\begin{aligned} E &= -\partial_\beta\ln(Z_{\rm kanonisch}) = -\partial_\beta \ln\Big(\frac{1}{N!}\,Z_{\rm schwer}^N\,Z_{\rm rot}^N\,Z_{\rm osz}^N\Big) \\ &= -N\,\partial_\beta\ln(Z_{\rm schwer}) - N\,\partial_\beta\ln(Z_{\rm rot}) - N\,\partial_\beta\ln(Z_{\rm osz}) \;. \end{aligned} \tag{12.51}$$

Wie sich E_{schwer} bei „hoher“ Temperatur verhält, steht im Schnellweg (12.7). Oberhalb von Zehntel–Kelvin (siehe (12.13) und Text darunter) wird $E_{\text{schwer}} = \frac{3}{2}NT$ erreicht. Die spezifische Wärme pro Teilchen $c_V/N = \partial_T E/N$ sättigt also bei $2/3$. Die Energie in den Schwingungs–Freiheitsgraden der Hantel ist das N–fache von (3.38), also $E_{\text{osz}} = N\hbar\omega/2 + N\hbar\omega/(e^{\beta\hbar\omega}-1)$. Wenn die Temperatur $\hbar\omega$ überstreicht, schwappt der für c_V relevante Anteil von exponentiell klein nach NT. Also nimmt c_V/N um Eins zu. Sollte das schematische Bild 12–4 zutreffen, müßte die Rotation im Zwischenbereich ihr Unwesen treiben.

Es ist gar kein Problem, die wesentlichen Eigenschaften von Z_{rot} aus (12.50) zu erschließen. Bei Temperaturen unterhalb von $\hbar^2/(2\mu\ell^2) =: T_{\text{rot}}$ verhält sich Z_{rot} ersichtlich wie $1 + 3\,e^{-2T_{\text{rot}}/T}$. Die Rotations–Energie ist also noch exponentiell ausgefroren. Bei $T_{\text{rot}} \ll T$ wird hingegen die $\sum_j \to \int dj$–Näherung gut. Nach Substitution $j(j+1) = x$ ($\curvearrowright dj\,(2j+1) = dx$) entsteht

$$Z_{\text{rot}}^{T\gg T_{\text{rot}}} = \int_0^\infty dx\; e^{-\beta T_{\text{rot}} x} = \frac{T}{T_{\text{rot}}} \quad \curvearrowright \quad E_{\text{rot}}^{T\gg T_{\text{rot}}} = N\,T\ . \tag{12.52}$$

Folglich nimmt c_V/N auch an der T_{rot}–Schwelle um Eins zu.

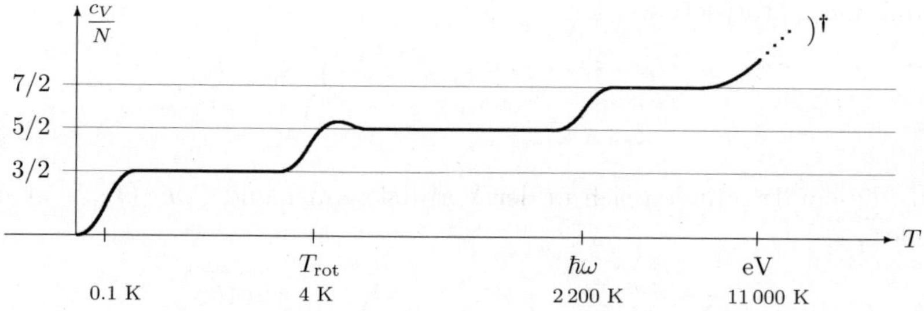

Bild 12–4: Zweiatomiges Gas. Spezifische Wärme pro Teilchen als Funktion der Temperatur (schematisch). Die Zahlenwerte beziehen sich auf O_2.

Soll auch noch der Buckel im Bild 12–4 dingfest gemacht werden, so sind zum führenden Term (12.52) Korrekturen auszurechnen. Ausnahmsweise sehen wir uns das Resultat vorab an:

$$Z_{\text{rot}}^{T\gg T_{\text{rot}}} = \frac{T}{T_{\text{rot}}} + \frac{1}{3} + \frac{T_{\text{rot}}}{15\,T} + \mathcal{O}\left(\left[\frac{T_{\text{rot}}}{T}\right]^2\right)\ . \tag{12.53}$$

Hiermit folgt

$$E_{\text{rot}}^{T\gg T_{\text{rot}}} = -\frac{N}{Z_{\text{rot}}}\,\partial_\beta Z_{\text{rot}} = \ldots = N\left[T - \frac{T_{\text{rot}}}{3} - \frac{T_{\text{rot}}^2}{45\,T}\right]$$

$$\text{und somit}\qquad \frac{c_V}{N} = 1 + \frac{1}{45}\left[\frac{T_{\text{rot}}}{T}\right]^2 + \ldots\ , \tag{12.54}$$

was natürlich nur das leichte Ansteigen der c_V–Kurve zeigt, wenn man sich von rechts her der Schwelle nähert. Zimmertemperaturen liegen viel höher. Die Freiheitsgrade der Rotation sind also hübsch angeregt in der Atemluft der Erdenmenschen.

Das Bild 12–4 ist damit weitgehend verstanden — bis auf das Grabkreuz † rechts oben. Es steht nicht da, um alles bei Kilo–K Verflossene zu würdigen, sondern als Fußnote: Es geht dort noch lange weiter! Die Hanteln beginnen zu dissoziieren. Ionisation tritt ein. Und schließlich kommen wir doch noch bei der Paarerzeugung an. Aber mit diesem „heißer, heißer“–Spielchen hatten wir uns schon am Ende von Kapitel 7 vergnügt.

Korrekturen zu $\sum \to \int$

Zu Z_{rot} wurden in (12.53) zwei Korrekturterme nur zitiert. Deren physikalische Auswirkung blieb mager. Es hat zwei ganz andere Gründe, die Herleitung dieser Terme nachzutragen. Zum einen ist das Auswerten von Summen ein generelles Thema der Statistischen Physik. Zum anderen „klingen“ Integrale manchmal so gut, wenn man auf ihnen spielt. Es wird musisch.

Wird (12.53) mit der Euler–Maclaurin–Summenformel erledigt, dann bleibt offen, wie sie wohl herzuleiten sei. Verwirren sogar Vorzeichen ([*Abramovitz/S.*, 3.6.28 $\neq$ 23.1.30] [4]), so beginnt man endlich, selber nachzudenken. Die Idee liegt nahe. Eine Summe $\sum_{n=0}^{\infty}$ läßt sich gut ausführen, wenn sie $(\text{etwas})^n$ vor sich sieht. Vielleicht kann der Summand nach $(\text{etwas})^n$ entwickelt werden — die Fourier–Transformation leistet dies:

$$\sum_{n=0}^{\infty} f(n)\,\mathrm{e}^{-\varepsilon n} = \frac{1}{2\pi}\int dk\; \widetilde{f}(k) \sum_{n=0}^{\infty} \mathrm{e}^{(ik-\varepsilon)\,n} = \frac{1}{2\pi}\int dk\; \widetilde{f}(k)\,\frac{1}{1-\mathrm{e}^{ik-\varepsilon}} \quad . \tag{12.55}$$

Weil, wie natürlich unterstellt war, die $\sum_{n=0}^{\infty} f(n)$ konvergiert, durfte links ein konvergenzerzeugender Faktor angebracht werden: $\varepsilon = +0$. Er erklärt rechts, wie mit Polen umzugehen ist. $\widetilde{f}(k)$ ist die Fourier–Transformierte einer Funktion $f(x)$, welche an den Stellen $x = n$ die Werte $f(n)$ annimmt und zu negativen x in einer transformierbaren Weise fortgesetzt wurde.

Wenn f nur schwach von n abhängt, dürften sich die $\widetilde{f}$–Werte bei kleinen k konzentrieren. Die Näherung $\sum \to \int$ könnte rechts in (12.55) der Nenner–Vereinfachung auf $-(ik-\varepsilon)$ ensprechen. Aber das rechnen wir besser nach:

$$\int_0^{\infty} dn\; f(n)\,\mathrm{e}^{-\varepsilon n} = \int \frac{dk}{2\pi}\; \widetilde{f}(k) \int_0^{\infty} dn\; \mathrm{e}^{(ik-\varepsilon)\,n} = \int \frac{dk}{2\pi}\; \widetilde{f}(k)\,\frac{-1}{ik-\varepsilon} \;, \tag{12.56}$$

[4] Das Pluszeichen in $\sum = \int + \frac{1}{2} f(0) - \ldots$ ist jedenfalls richtig. Vielleicht haben Sie eine korrigierte Auflage. Generell ist Konturintegration in der komplexen Ebene eine mächtige Methode der Auswertung von Summen, so z.B. im § 16.3. Im Falle der Rotations–Zustandssumme erweist sie sich jedoch als recht anstrengend verglichen mit dem hier begangenen Weg.

wie erwartet. Die interessierende Korrektur kann nun als Differenz aufgeschrieben werden:

$$\sum_{n=0}^{\infty} f(n) - \int_0^\infty dn\; f(n) \;=\; \frac{1}{2\pi}\int dk\; \widetilde{f}(k)\left[\frac{1}{1-\mathrm{e}^{ik-\varepsilon}}+\frac{1}{ik}\right] \;=:\; \Im \;. \qquad (12.57)$$

Weil die eckige Klammer keinen Pol mehr bei $k = 0$ hat, durfte das ε in ihrem zweiten Term entfallen. Ihr erster Term braucht ε weiterhin, um die vielen anderen Pole zu regulieren.

Im folgenden dient $Z_{\rm rot}$, (12.50), als spezielles Beispiel für die allgemeine $\Im$–Formel (12.57). Wir setzen

$$f(x) = (2x+1)\,\mathrm{e}^{-\omega\,(x^2+x)} \qquad \text{mit} \qquad \omega := \beta\,\frac{\hbar^2}{2\mu\,\ell^2} = \frac{T_{\rm rot}}{T}\;, \qquad (12.58)$$

sehen ω als kleinen Parameter an und rechnen erst einmal $\widetilde{f}$ aus:

$$\begin{aligned}
\widetilde{f}(k) &= \int dx\; \mathrm{e}^{-ikx}\,(2x+1)\,\mathrm{e}^{-\omega\,(x^2+x)} \quad,\quad x \to x-\frac{1}{2}\\
&= 2\,\mathrm{e}^{ik/2}\,\mathrm{e}^{\omega/4}\int dx\; x\,\mathrm{e}^{-ikx}\,\mathrm{e}^{-\omega\,x^2} = 2\,\mathrm{e}^{ik/2}\,\mathrm{e}^{\omega/4}\,i\,\partial_k \int dx\;\mathrm{e}^{-ikx}\,\mathrm{e}^{-\omega\,x^2}\\
&= 2\,\mathrm{e}^{ik/2}\,\mathrm{e}^{\omega/4}\sqrt{\tfrac{\pi}{\omega}}\;i\,\partial_k\,\mathrm{e}^{-\frac{k^2}{4\omega}} = -\mathrm{e}^{ik/2}\,\mathrm{e}^{\omega/4}\,\frac{\sqrt{\pi}}{\omega^{3/2}}\,i\,k\,\mathrm{e}^{-\frac{k^2}{4\omega}}\;. \qquad (12.59)
\end{aligned}$$

Hiermit wird die Korrektur $\Im$ zu

$$\begin{aligned}
\Im &= \frac{\mathrm{e}^{\omega/4}}{2\sqrt{\pi}\,\omega^{3/2}}\int dk\,\left[\frac{-\,ik}{\mathrm{e}^{-ik/2}-\mathrm{e}^{ik/2-\varepsilon}} - \mathrm{e}^{ik/2}\right]\mathrm{e}^{-\frac{k^2}{4\omega}} \quad,\quad k \to 2\,k\\
&= \frac{\mathrm{e}^{\omega/4}}{\sqrt{\pi}\,\omega^{3/2}}\int dk\,\left[\frac{-2ik}{(1-\mathrm{e}^{-\varepsilon})\cos(k)-(1+\mathrm{e}^{-\varepsilon})\,i\sin(k)} - \cos(k) - i\sin(k)\right]\mathrm{e}^{-\frac{k^2}{\omega}}\\
&\qquad\qquad \Big[\quad\Big] \to \frac{k\,\sin(k)}{\sin^2(k)+\varepsilon^2/4} - \cos(k)\\
&= \frac{\mathrm{e}^{\omega/4}}{\sqrt{\pi}\,\omega^{3/2}}\,⨍\, dk\,\left[\frac{k}{\sin(k)} - \cos(k)\right]\mathrm{e}^{-\frac{k^2}{\omega}}\;. \qquad (12.60)
\end{aligned}$$

Der $\sin(k)$ rechts in der zweiten Zeile durfte entfallen, weil er zu ungeradem Integranden führt. Sodann wurden fleißig relevante von irrelevanten ε's unterschieden, um die Haupwert–Beschreibung der Pole zu erkennen. Exakt — obwohl dicht davor stehend — geht es jetzt leider nicht weiter.

Weil ω klein ist, schneidet die Gauß–Funktion erwartungsgemäß rasch ab. Eine ω–Entwicklung von $\Im$ wird entstehen, wenn wir die eckige Klammer nach k^2–Potenzen entwickeln:

$$\frac{k}{\sin(k)} - \cos(k) \;=\; \frac{2}{3}\,k^2 - \frac{1}{45}\,k^4 + \frac{13}{15\cdot 252}\,k^6 + \mathcal{O}(k^8)\;. \qquad (12.61)$$

In $\Im$ werden Integrale $\int dk\, k^{2n}\, e^{-\lambda k^2} = (-\partial_\lambda)^n \int dk\, e^{-\lambda k^2} = \sqrt{\pi}\, (-\partial_\lambda)^n \lambda^{-1/2}$ daraus mit Resultat

$$\int dk \;\, k^{2,4,6}\; e^{-k^2/\omega} \;=\; \sqrt{\pi}\;\omega^{3/2} \left\{ \frac{1}{2}\,,\, \frac{3}{4}\,\omega\,,\, \frac{15}{8}\,\omega^2 \right\} . \tag{12.62}$$

Dort in (12.60) ist natürlich auch $e^{\omega/4}$ zu entwickeln, und wir kommen an bei

$$\Im = \left(1 + \frac{\omega}{4} + \frac{\omega^2}{32}\right)\left(\frac{1}{3} - \frac{\omega}{60} + \frac{13\,\omega^2}{8\cdot 252}\right) = \frac{1}{3} + \frac{\omega}{15} + \frac{4\,\omega^2}{315} + \mathcal{O}(\omega^3)\ . \tag{12.63}$$

Alle drei Terme stimmen mit [*Greiner*, § 9.4] überein. Und die ersten zwei sind die in (12.53) vorab behaupteten. Hurra.

13 Thermisches Variationsverfahren

Mit Variationsverfahren werden Näherungen möglich, welche nicht auf Reihenentwicklungen beruhen. Sie sind ihrer Natur nach nicht–störungstheoretisch. Wenn man bedenkt, wie stark Störungsreihen in praxi dominieren — ganz besonders in der Theorie der Elementarteilchen — dann heben sich bei *non–perturbative* Aussichten die Augenbrauen. Die herausragende Bedeutung solcher Methoden steht allerdings — wenn es um Variationsverfahren und Statistische Physik geht — in Kontrast zu einem erschreckenden Mangel an konkreten Anwendungen. Bald wird sich dafür eine Erklärung finden. Vielleicht bleibt aber eine so andersartige Vorgehensweise auch gern versehentlich außer Acht. Jedenfalls sei dies Grund genug, ihr hier ein Kapitel zu widmen.

13.1 Variable Hamilton–Operatoren

Schon im Kapitel 5 waren wir im Raum der Statistischen Operatoren spazieren gegangen (siehe auch Übungen 5/2 und 5/3) und hatten Extrema dreier Thermodynamischer Potentiale in diesem Raum gefunden. Speziell im kanonischen Ensemble, auf welches wir uns hier beschränken, hatte die Freie Energie ein Minimum. Genau auf diesem Umstand beruht das Variationsverfahren — unter gehöriger Veränderung der begleitenden Philosophie.

Zuerst schreiben wir die Ungleichung (5.8) noch einmal auf, ändern aber die jetzt unpassenden dortigen Indizes ab. Statt „Gl." erscheint jetzt ein dicker Punkt. Er verweist auf die exakte Freie Energie $F_\bullet$ des tatsächlichen und interessierenden Systems. $H_\bullet$ sei sein Hamilton–Operator und $Z_\bullet = \mathrm{Sp}(\mathrm{e}^{-\beta H_\bullet})$ seine kanonische Zustandssumme. Indexfrei bleiben Größen wie z.B. $S = -\mathrm{Sp}\,[\,\rho \ln(\rho)\,]$, die sich mitbewegen, wenn ρ frei durch den Raum der Statistischen Operatoren wandert:

$$F_\bullet \;\leqslant\; \mathrm{Sp}(\rho H_\bullet) + T\,\mathrm{Sp}\,[\,\rho \ln(\rho)\,] \;=\; \mathcal{V}\,[\,\rho\,] \quad . \tag{13.1}$$

Eines wissen die ρ's allerdings noch von $H_\bullet$, nämlich, daß sie in dessen Hilbert–Raum zu wirken haben. Ansonsten sollen sie bekanntlich hermitesch und positiv–definit sein und Spur Eins haben. Die rechte Seite von (13.1) ist ein Variationsfunktional. Es nimmt eine angenehmere Gestalt an durch Übergang vom *trial–ρ* zum

trial Hamiltonian

Lassen wir für einen Moment die Spur–Bedingung beiseite. Jeder Satz nicht–negativ reeller ρ–Eigenwerte λ_n kann dann in der Form $\lambda_n = \mathrm{e}^{-r_n}$ eins zu eins auf die reellen Eigenwerte (beliebigen Vorzeichens) eines hermiteschen Operators R abgebildet werden: $\rho = \mathrm{e}^{-R}$. Jedes ρ (hermitesch und positiv definit) hat sein R (hermitesch) und umgekehrt. Die Forderung nach Eins–Spur kann nun hinzugenommen werden, ohne R einzuschränken, nämlich per $\rho = \mathrm{e}^{-R} \,/\, \mathrm{Sp}(\mathrm{e}^{-R})$. Leider geht aber beim Dividieren durch Spur die Eindeutigkeit der Zuordnung verloren. R und $R + \mathrm{const}$ führen zum gleichen ρ. Setzen wir noch $R =: \beta H$, dann ist der *trial Hamiltonian* erfunden:

$$\text{ein } \textit{trial} \text{ Statistischer Operator} \;=\; \rho \;=\; \frac{\mathrm{e}^{-\beta\,[\,H \,=\, \text{seine Schar } \textit{trial Hamiltonians}, \text{ die sich nur in additiven Konstanten unterscheiden}\,]}}{\mathrm{Sp}(\mathrm{e}^{-\beta H})} \,. \tag{13.2}$$

Damit die Spur existiert, muß H *bounded from below* sein. Aber ansonsten ist H wohlgemerkt ein beliebiger hermitescher Operator im Hilbert–Raum von $H_\bullet$. Mittels (13.2) kann (13.1) vollständig durch die Operator–Variable H ausgedrückt werden. Wenn dennoch ein ρ stehen bleibt, so ist (13.2) damit gemeint. Und Z (ohne Index) ist Abkürzung für $\mathrm{Sp}(\mathrm{e}^{-\beta H})$:

$$\mathcal{V}\,[\,H\,] \;=\; -T\,\ln(Z) + \mathrm{Sp}(\,\rho\,[\,H_\bullet - H\,]\,) \;\overset{!}{=}\; \text{min.} \tag{13.3}$$

Mit (13.3) ist die gewünschte Version des Funktionals erreicht.

Der Hamilton–Operator $H_\bullet$ eines interessierenden Systems sei zu kompliziert und exakter statistischer Behandlung nicht zugänglich. Für seine Freie Energie $F_\bullet$ wird mit (13.3) eine Näherung erhalten, wenn wir mit einfacheren, aber Parameter enthaltenden *trial*–H's nach dem Minimum von $\mathcal{V}$ suchen. Die Assoziation „$H_\bullet$ ist schwer und H ist einfach“ ist berechtigt, auch wenn sie nur auf menschlicher Unzulänglichkeit beruht. In der Quantenmechanik wird für $\int \psi^* H \psi \overset{!}{=} \text{min.}$ eine Grundzustands–Funktion parametrisiert. Hier aber werden für die Spurbildungen in (13.3) *alle* Eigenfunktionen von H benötigt. Dieser Umstand mag der Grund dafür sein, daß es die Variationsmethode sehr schwer hat, konkrete Anwendungen zu finden.

Übung 13/1 Ob (13.3) die thermische Verallgemeinerung des quantenmechanischen Variationsprinzips ist, zeigt sich beim Rückweg $T \to 0$: $\mathcal{V}\,[\,H\,] \;\to\; ?$

Lösung Weil *bounded*, hat der *trial Hamiltonian* einen tiefsten Eigenwert E_0. $Z = \mathrm{Sp}(\mathrm{e}^{-\beta H}) \to \mathrm{e}^{-\beta E_0}$, $\mathcal{V} \to E_0 + \mathrm{e}^{\beta E_0} \langle 0|\, \mathrm{e}^{-\beta E_0}\; [\,H_\bullet - H\,]\; |0\rangle = E_0 + \langle 0|H_\bullet|0\rangle - E_0$. Somit reduziert sich die Variation von H auf jene von $|0\rangle$, qed.

13.2 Zwei Beispiele

Das beste Weißsche Feld

Die *mean field* Prozedur im Curie–Weiß–Abschnitt 10.3 macht mißtrauisch. Der zu schwierige Hamilton–Operator (wir schreiben ihn gleich erneut auf) steht in (10.17). Wenn seine Vereinfachung auf (10.30)–Form angestrebt wird, dann doch am besten mit einem Variationsparameter Γ. Das beste effektive Magnetfeld Γ wird gesucht. Das Funktional (13.3) ist also mit

$$H_\bullet = -\mu B \sum_{j=1}^{N} \sigma_j^z - \frac{1}{2} \sum_{j,\ell=1}^{N}{}' J_{j\ell}\, \vec{\sigma}_j \cdot \vec{\sigma}_\ell \quad \text{und} \quad H = -\mu\,\Gamma \sum_{j=1}^{N} \sigma_j^z \tag{13.4}$$

zu bestücken. Es wird dadurch zu einer normalen Funktion der Variablen Γ. Es lohnt sich nicht, ganz rechts in (13.4) eine Konstante zu addieren. Sie würde, wie wir wissen, in $\mathcal{V}$ herausfallen. Die Differenz $H_\bullet - H = -\mu(B-\Gamma)\sum \sigma^z - \frac{1}{2}\sum' J_{j\ell}\,\vec{\sigma}_j \cdot \vec{\sigma}_\ell$ besteht aus zwei Termen und folglich $\mathcal{V}$ aus drei. Zwei davon können wir sofort auswerten, wobei sich die Notation $(\mathrm{e}^{\beta\mu\Gamma} \pm \mathrm{e}^{-\beta\mu\Gamma}) =: (\pm)$ als rentabel erweist:

$$\begin{aligned} \mathcal{V}(\Gamma) &= \mathcal{V}_1 + \mathcal{V}_2 + \mathcal{V}_3 \quad , \quad Z = \mathrm{Sp}\Big(\mathrm{e}^{\beta\mu\Gamma\sum\sigma^z}\Big) = (+)^N \quad , \\ \mathcal{V}_1 &= -T\ln(Z) = -N\,T\ln(+) \quad , \end{aligned} \tag{13.5}$$

$$\begin{aligned} \mathcal{V}_2 &= \mathrm{Sp}\Big(\rho\,\mu\,(\Gamma-B)\sum\sigma^z\Big) = \mu\,(\Gamma-B)\,\partial_{\beta\mu\Gamma}\ln(Z) \\ &= N\,\mu\,(\Gamma-B)\,\frac{(-)}{(+)} = N\,\mu\,(\Gamma-B)\,\tanh(\beta\mu\Gamma) \quad , \end{aligned} \tag{13.6}$$

$$\mathcal{V}_3 = \mathrm{Sp}\Big(\rho\Big[-\frac{1}{2}\sum{}' J_{j\ell}\,\vec{\sigma}_j \cdot \vec{\sigma}_\ell\Big]\Big) \ . \tag{13.7}$$

Die Näherung besteht im mageren *trial* H, und wir sollten uns hüten, etwa weitere Näherungen hinein zu mischen. Nein, auch $\mathcal{V}_3$ will exakt ausgewertet werden:

$$\begin{aligned} \mathcal{V}_3 &= -\frac{1}{2}\sum{}' J_{j\ell}\,\frac{1}{Z}\,\mathrm{Sp}\Big(\mathrm{e}^{\beta\mu\Gamma\sum\sigma^z}\,\vec{\sigma}_j \cdot \vec{\sigma}_\ell\Big) \\ &= -\frac{1}{2}\sum{}' J_{j\ell}\,\frac{(+)^{N-2}}{Z}\,\mathrm{Sp}_1\,\mathrm{Sp}_2\Big(\mathrm{e}^{\beta\mu\Gamma(\sigma_1^z+\sigma_2^z)}[\sigma_1^x\sigma_2^x + \sigma_1^y\sigma_2^y + \sigma_1^z\sigma_2^z]\Big) \\ &= -\frac{1}{2}\,\frac{(-)^2}{(+)^2}\sum{}' J_{j\ell} = -\frac{1}{2}\,N\,\theta\,\tanh^2(\beta\mu\Gamma) \quad , \end{aligned} \tag{13.8}$$

wobei wir uns erinnert haben, wie in (10.30) die Konstante θ eingeführt worden war. Addition der drei $\mathcal{V}$–Beiträge ergibt insgesamt

$$\mathcal{V}(\Gamma) = -N\,T\ln\big(\mathrm{e}^{\beta\mu\Gamma} + \mathrm{e}^{-\beta\mu\Gamma}\big) +$$

$$+ N\,\mu\,(\Gamma - B)\,\tanh(\beta\mu\Gamma) - \frac{1}{2}\,N\,\theta\,\tanh^2(\beta\mu\Gamma)\ . \qquad (13.9)$$

Das beste effektive Magnetfeld ist der Wert von Γ — nennen wir ihn Γ_0 — bei dem die Funktion $\mathcal{V}$ minimal wird. Mittels $\partial_x \tanh(x) = 1 - \tanh^2(x)$ und Abkürzung $\tanh(\beta\mu\Gamma) =:$ th folgt

$$\partial_\Gamma\,\mathcal{V} \;=\; -N\,T\,\beta\,\mu\,\mathrm{th} + N\,\mu\,\mathrm{th} + N\,\beta\,\mu^2\,\left[1 - \mathrm{th}^2\right]\left(\Gamma - B - \frac{\theta}{\mu}\,\mathrm{th}\right) \overset{!}{=} 0$$

$$\curvearrowright \qquad \Gamma_0 \;=\; B + \frac{\theta}{\mu}\,\tanh\Big(\,\beta\,\mu\,\Gamma_0\Big)\ . \qquad (13.10)$$

(13.10) ist eine für Γ_0 zu lösende transzendente Gleichung. Die Lösung ist tatsächlich identisch mit dem effektiven B–Feld aus § 10.3. Um das einzusehen, setzen wir $\Gamma_0 = B + \theta\,m/\mu$ (was auch immer m ist) und erhalten aus (13.10), daß $m = \tanh(\beta\mu B + \beta\theta m)$ zu gelten hat. Aber genau dies war die Gleichung (10.31) zur Bestimmung von m. Damit ist die *mean field* Prozedur voll rehabilitiert.

Es ist noch etwas mehr herausgekommen. Wenn am Minimum genommen, stellt $\mathcal{V}(\Gamma_0) =: \mathcal{V}_0$ eine Näherung für die Freie Energie des Systems dar, die beste mit effektivem Magnetfeld erreichbare. Da jetzt m als Lösung der soeben notierten Gleichung $m = \tanh(\ldots)$ anzusehen ist, kann Γ_0 in $\mathcal{V}_0$ zugunsten von m eliminiert werden (wobei (13.9) danach verlangt, $m = \tanh(x)$ nach x aufzulösen: $\mathrm{e}^x + \mathrm{e}^{-x} = 2/\sqrt{1 - m^2}$). Man erhält

$$\mathcal{V}_0 \;=\; \frac{1}{2} N\,T \ln\!\Big(\frac{1 - m^2}{4}\Big) + \frac{1}{2} N\,\theta\,m^2 \quad ,$$
$$\text{wobei} \quad m = \tanh\left(\,\beta\mu B + \beta\theta m\,\right)\ . \qquad (13.11)$$

Dies wäre nun mit der Freien Energie des Curie–Weiß–Systems im § 10.3 zu vergleichen, wenn sie dort irgendwo aufzufinden wäre (sorry). Was uns viel mehr interessiert, um ein gewisses Magengrimmen zu beheben, ist der konstante Zusatz $N\theta m^2/2$ in (10.30), welcher ja hier im *trial Hamiltonian* fehlte und aus $\mathcal{V}$ herausgefallen wäre. Sensibel auf diesen Zusatz ist die Energie E des Systems. Sie findet sich im § 10.3 in der Lösung zur Übung 10/9. Und hier — mit $E = F + TS$ und $S = -\partial_T F$ im Hinterkopf — rechnen wir sie mal einfach aus:

$$\begin{aligned} E \;&=\; (1 - T\,\partial_T)\,\mathcal{V}_0 = (1 + \beta\,\partial_\beta)\,\mathcal{V}_0 \\ &=\; \frac{1}{2}\,N\,\theta\,m^2 + N\,m\,m'^{\beta}\left(\beta\,\theta - \frac{1}{1 - m^2}\right) \quad , \quad m'^{\beta} \text{ aus (13.11) :} \\ &=\; -N\,\mu\,B\,m - \frac{1}{2}\,N\,\theta\,m^2\ . \end{aligned} \qquad (13.12)$$

Die Hoffnung geht also in Erfüllung. Der fragliche Zusatz zur Energie steht zwar nicht im *trial–H* , aber das $H_\bullet$ enthaltende Funktional $\mathcal{V}$ kennt diesen Term sehr wohl. Alles zum Curie–Weiß–System folgt auch aus Variationsrechnung.

Ein anharmonischer Oszillator

Kaum wird das x^2–Potential eines 1D harmonischen Oszillators (Frequenz ω) durch einen positiven x^4–Zusatz nach oben gebogen, schon sind die Exaktlöser mit ihrem Latein am Ende. Wir fragen hier nach dem besten ungestörten 1D Oszillator, indem wir seine Frequenz Ω variieren. Bei $T = 0$ dürften die Frequenzen beider Oszillatoren zusammenfallen (nicht ganz, wie sich unter (13.22) zeigen wird). Und mit wachsender Temperatur wird sich auch Ω mit immer größeren Werten dem verengten Potential anpassen wollen.

Das Beispiel darf als ein recht einfaches eingestuft werden. Es hält jedoch ein paar hübsche Einlagen bereit. Die Hamilton–Operatoren sind

$$H_\bullet = -\frac{\hbar^2}{2m}\partial_x^2 + \frac{m}{2}\omega^2 x^2 + \lambda\, x^4 \quad \text{und} \quad H = -\frac{\hbar^2}{2m}\partial_x^2 + \frac{m}{2}\Omega^2 x^2 - \frac{\hbar\Omega}{2} \ . \tag{13.13}$$

Der Faktor λ sei positiv. Weil er im Funktional bekanntlich herausfällt, durften wir ganz rechts in (13.13) den konstanten Term so wählen, daß das *trial–H* keine Nullpunktsenergie hat. Variationsparameter ist Ω. Das Funktional (13.3) nimmt die Gestalt

$$\begin{aligned} \mathcal{V}(\Omega) &= -T\ln(Z) + \mathrm{Sp}\left(\frac{\mathrm{e}^{-\beta H}}{Z}\left[\frac{m}{2}(\omega^2-\Omega^2)\,x^2 + \lambda\,x^4 + \frac{\hbar}{2}\Omega\right]\right) \\ &= -T\ln(Z) + \frac{\hbar}{2}\Omega + \frac{m}{2}(\omega^2-\Omega^2)\,\langle x^2\rangle + \lambda\,\langle x^4\rangle \end{aligned} \tag{13.14}$$

an. Der Parameter Ω, soweit nicht explizit zu sehen, versteckt sich auch in Z und H bzw. in den Klammern der beiden thermischen Mittel.

Weil mit einiger Vereinfachung verbunden, bilden wir sofort die Ableitung von $\mathcal{V}$ nach Ω. Wegen

$$-T\,\partial_\Omega \ln(Z) = -\frac{T}{Z}\,\partial_\Omega\,\mathrm{Sp}\Big(\mathrm{e}^{-\beta\left[-\frac{\hbar^2}{2m}\partial_x^2 + \frac{m}{2}\Omega^2x^2 - \frac{\hbar\Omega}{2}\right]}\Big) = m\Omega\,\langle x^2\rangle - \frac{\hbar}{2} \tag{13.15}$$

kompensieren sich nämlich Terme. Die Bestimmungsgleichung für das beste Ω wird dadurch zu

$$\frac{m}{2}(\omega^2-\Omega^2)\,\partial_\Omega\,\langle x^2\rangle + \lambda\,\partial_\Omega\,\langle x^4\rangle \stackrel{!}{=} 0 \ . \tag{13.16}$$

Haben Sie tatsächlich die Zeile (13.15) akzeptiert — ohne jegliches Herzflimmern? Sie haben ∂_Ω in Gedanken unter die Spur gezogen, nicht wahr, und dann die Ableitung des Exponenten nach unten geschrieben. Das war falsch. Wenn sich beim Ableiten nach einem Parameter in (in!) H ein Operator ergibt, der nicht mit H vertauscht, dann ist die folgende Vorsicht angezeigt:

$$\partial_\tau\,\mathrm{e}^{M(\tau)} = \int_0^1 ds\ \mathrm{e}^{s\,M(\tau)}\,\left[\,\partial_\tau\,M(\tau)\,\right]\,\mathrm{e}^{(1-s)\,M(\tau)} \ . \tag{13.17}$$

Im vorliegenden Falle ist $\tau = \Omega$ und $M = -\beta H$. Und tatsächlich vertauscht $\partial_\Omega(-\beta H) = -\beta m\Omega x^2 + \beta\hbar/2$ nicht mit H. Es ist also

$$\partial_\Omega \, \mathrm{e}^{-\beta H} = -\beta m\Omega \int_0^1 ds \; \mathrm{e}^{-s\beta H} x^2 \mathrm{e}^{(s-1)\beta H} + \beta \frac{\hbar}{2} \mathrm{e}^{-\beta H} \quad . \tag{13.18}$$

In (13.15) entsteht Obiges unter einer Spur. Wie sich deren heilsame Wirkung via $\mathrm{Sp}(AB) = \mathrm{Sp}(BA)$ entfaltet, zeigt

$$\begin{aligned} \mathrm{Sp}\left(\partial_\Omega \, \mathrm{e}^{-\beta H}\right) &= -\beta m\Omega \int_0^1 ds \; \mathrm{Sp}\left(\mathrm{e}^{-s\beta H} x^2 \mathrm{e}^{(s-1)\beta H}\right) + \beta \frac{\hbar}{2} Z \\ &= -\beta Z \left(m\,\Omega \, \langle x^2 \rangle - \frac{\hbar}{2} \right) \,, \end{aligned} \tag{13.19}$$

womit sich die rechte Seite von (13.15) doch noch als richtig erweist: glückliche Fügung — wie bei manchen Übungs-Bearbeitungen. (13.15) ist also richtig, und (13.16) ist es ebenfalls.

Übung 13/2 Um (13.17) herzuleiten, werde der Operator $X(s) := \left[\,\partial_\tau \, \mathrm{e}^{sM}\,\right] \mathrm{e}^{-sM}$ nach s abgeleitet. Es folgen $\int_0^1 ds$ über $\partial_s X$ und Multiplikation mit e^M von rechts.

Lösung $\partial_s X = \left[\,\partial_\tau \mathrm{e}^{sM} M\,\right] \mathrm{e}^{-sM} - \left[\,\partial_\tau \mathrm{e}^{sM}\,\right] M \mathrm{e}^{-sM} = \mathrm{e}^{sM} \left[\,\partial_\tau M\,\right] \mathrm{e}^{-sM}$, $X(1) - X(0) = \int_0^1 ds \; \mathrm{e}^{sM} \left[\,\partial_\tau M\,\right] \mathrm{e}^{-sM}$, $X(0) = 0$, $X(1) = \left[\,\partial_\tau \mathrm{e}^M\,\right] \mathrm{e}^{-M}$, qed.

Das Variationsproblem (13.16) wartet jetzt auf Auswertung der thermischen Mittel $\langle x^2 \rangle$ und $\langle x^4 \rangle$. Mit (13.19) steht bereits eine Gleichung für $\langle x^2 \rangle$ auf dem Papier. Wir lesen sie von rechts nach links, werten Z aus und leiten nach Ω ab:

$$\beta\,\hbar\,\Omega =: \kappa \quad , \quad Z = \sum_{n=0}^{\infty} \mathrm{e}^{-\kappa n} = \frac{1}{1 - \mathrm{e}^{-\kappa}} \quad , \quad \partial_\Omega Z = -\beta\,\hbar \frac{Z}{\mathrm{e}^\kappa - 1}$$

$$\langle x^2 \rangle = \frac{\hbar}{2m\Omega} - \frac{\partial_\Omega Z}{\beta m\Omega Z} = \frac{\hbar}{2m\Omega} \, \frac{\mathrm{e}^\kappa + 1}{\mathrm{e}^\kappa - 1} \quad . \tag{13.20}$$

Zu $\langle x^4 \rangle$ möchten wir uns das Resultat

$$\langle x^4 \rangle = 3 \, \langle x^2 \rangle^2 \tag{13.21}$$

vorab „ausleihen“, weil damit das Variationsproblem zügig zum Abschluß kommt. Wegen $\partial_\Omega \langle x^4 \rangle = 6 \, \langle x^2 \rangle \, \partial_\Omega \langle x^2 \rangle$ vereinfacht sich (13.16) zu

$$\frac{m}{2} \left(\omega^2 - \Omega^2\right) + \lambda \, 6 \, \langle x^2 \rangle = 0 \quad , \quad \text{d.h.} \quad \Omega^2 = \omega^2 + \frac{6\hbar\,\lambda}{m^2 \Omega} \, \frac{\mathrm{e}^{\beta\hbar\Omega} + 1}{\mathrm{e}^{\beta\hbar\Omega} - 1} \quad . \tag{13.22}$$

Einmal mehr endet das Verfahren mit einer transzendenten Gleichung. Aber (13.22) bestätigt alle qualitativen Erwartungen. Bei $T = 0$ ($\beta \to \infty$) bleibt

Ω bei einem Wert $> \omega$ hängen. Schon seine Nullpunktsenergie läßt nämlich den deformierten Oszillator etwas von λx^4 bemerken, und erst mit $\lambda \to 0$ wird $\Omega = \omega$ erreicht. Im entgegengesetzten Grenzfall $T \to \infty$ wird (13.22) mit der Konsistenzannahme $\beta\hbar\Omega \to 0$ verständlich:

$$\Omega^2 \to \frac{6\,\lambda}{m^2\Omega}\,\frac{2}{\beta\Omega} \;, \quad \text{d.h.} \quad \Omega \to \left(\frac{12\,\lambda}{m^2}\,T\right)^{1/4} . \tag{13.23}$$

Zugleich mit der Ω–Zunahme sinkt übrigens die Grundzustands–Energie des best–angepaßten 1D Oszillators nach unten weg. Auch dies ließ sich vorausahnen.

Übung 13/3 Welche Grundzustands–Energie E_0 hat der nach obiger Variationsrechnung best–angepaßte Frequenz–Ω–Oszillator?

Lösung Ein System mit $H = \textit{trial-}H + \alpha$ hat Freie Energie $\alpha + T\ln(1 - \mathrm{e}^{-\beta\hbar\Omega})$ und $E_0 = \alpha$. Es genügt, an $\mathcal{V}_0$ ($:= \mathcal{V}$ am Minimum) die Konstante α abzulesen. Mittels (13.22) wird (13.14) zu $\mathcal{V}_0 = \alpha + T\ln(\ldots)$ mit $\alpha = \frac{1}{2}\hbar\Omega - 3\lambda(\frac{\hbar}{2m\Omega})^2(\frac{\mathrm{e}^\kappa+1}{\mathrm{e}^\kappa-1})^2 = E_0$. $T \to \infty$: $E_0 \to -\infty$, und zwar $\sim -T$.

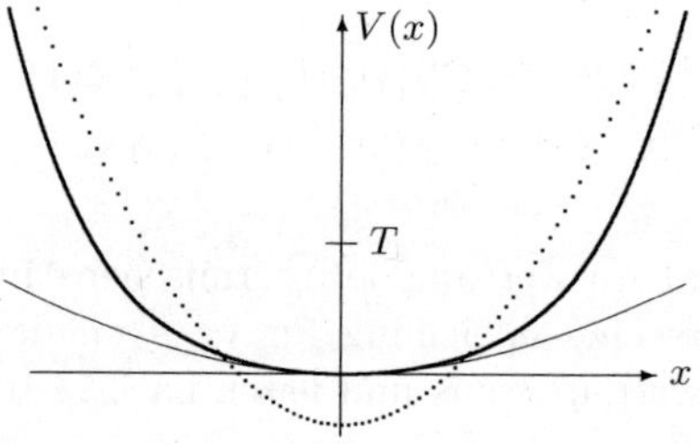

Bild 13–1: Anharmonischer Oszillator. Potential mit x^4–Term (dicke Linie), sein harmonischer Anteil (dünne Linie, ω) und die best–angepaßte Parabel (punktiert, $\Omega \approx 2.3\,\omega$) bei Temperatur $T = 10\,\hbar\omega$.

$\langle x^4 \rangle$ aus drei Kontraktionen

Es ist noch nachzutragen, wie (13.21), d.h. $\langle x^4\rangle = 3\,\langle x^2\rangle^2$ herauskommt. Schöne Zahlen haben manchmal einen Hintergrund. Bei $\langle x^4\rangle$ ist es so. Zum Aufwärmen sei zuerst $\langle x^2\rangle$ noch einmal etwas anders ausgerechnet, nämlich mit Erzeugern und Vernichtern. Das Wichtigste dazu steht in (8.12), nur daß wir hier a statt c schreiben, Ω statt ck, m statt ε_0 und x statt Q:

$$x = \sqrt{\frac{\hbar}{m\Omega}}\;z \;, \quad z = \frac{a + a^\dagger}{\sqrt{2}} \quad ; \quad \partial_x = \sqrt{\frac{m\Omega}{\hbar}}\;\partial_z \;, \quad \partial_z = \frac{a - a^\dagger}{\sqrt{2}} \quad \curvearrowright$$

$$(13.13)_{\text{rechts}} \;=\; H \;=\; \hbar\,\Omega\,a^\dagger a \quad \text{und} \quad x^2 \;=\; \frac{\hbar}{2m\Omega}\,(\,a + a^\dagger\,)^2 \;. \tag{13.24}$$

Es ist nur eine andere Sprache. Also ergibt sich die Zustandssumme (13.20) erneut: $Z = \mathrm{Sp}(\mathrm{e}^{-\kappa a^\dagger a}) = \sum_n \langle n|\mathrm{e}^{-\kappa a^\dagger a}|n\rangle = \sum_n \mathrm{e}^{-\kappa n} = 1/(1 - \mathrm{e}^{-\kappa})$ mit

$\kappa = \beta\hbar\Omega$. Zu $\langle x^2\rangle$ ermöglicht (13.24) die folgende Verfahrensweise:

$$\langle x^2\rangle = \frac{\hbar}{2m\Omega}\frac{1}{Z}\,\mathrm{Sp}\left(\mathrm{e}^{-\kappa a^\dagger a}\underbrace{(a+a^\dagger)(a+a^\dagger)}\right) \quad , \quad a\,a^\dagger - a^\dagger a = 1$$

$$\underbrace{(a+a^\dagger)(a+a^\dagger)} = a\,a + a^\dagger a + a\,a^\dagger + a^\dagger a^\dagger = a\,a + 1 + 2\,a^\dagger a + a^\dagger a^\dagger$$

$$= \frac{\hbar}{2m\Omega}\frac{1}{Z}\sum_{n=0}^{\infty}\mathrm{e}^{-\kappa n}\,(1+2\,n) \quad , \quad \sum_{n=0}^{\infty}\mathrm{e}^{-\kappa n}n = -\partial_\kappa Z = Z\,\frac{1}{\mathrm{e}^\kappa - 1}$$

$$= \frac{\hbar}{2m\Omega}\left(1 + \frac{2}{\mathrm{e}^\kappa - 1}\right) = \frac{\hbar}{2m\Omega}\,\frac{\mathrm{e}^\kappa + 1}{\mathrm{e}^\kappa - 1} = (13.20)\ . \tag{13.25}$$

Rechts in der mittleren Zeile gab es kein Herzflimmern: Das Differenzieren hatte nichts mehr mit Operatoren zu tun. Die Terme $a\,a$ und $a^\dagger a^\dagger$ entfielen übrigens wegen $\langle n|a\,a|n\rangle = \langle n|a^\dagger a^\dagger|n\rangle = 0$.

Übung 13/4 Wie kommt das Wunschresultat $\langle x^4\rangle = 3\,\langle x^2\rangle^2$ heraus, wenn man das Verfahren (13.25) getreulich im x^4–Falle verfolgt?

Lösung $(a + a^\dagger)(a + a^\dagger)(a + a^\dagger)(a + a^\dagger) \;\to\; 3 + 6\,a^\dagger a + 6\,a^\dagger a\,a^\dagger a$ gibt $\langle x^4\rangle = \left(\frac{\hbar}{2m\Omega}\right)^2\frac{1}{Z}\sum_{n=0}^{\infty}\mathrm{e}^{-\kappa n}(3+6\,n+6\,n^2) = 3\left(\frac{\hbar}{2m\Omega}\right)^2\left(1+\frac{2}{\mathrm{e}^\kappa-1}+\frac{2\,(\mathrm{e}^\kappa+1)}{(\mathrm{e}^\kappa-1)^2}\right) = (13.21)$.

Der Harmonie–verdächtige Faktor 3 ist in Übung 13/4 zwar herausgekommen, aber die Rechnung gab keinen Hinweis darauf, warum es eine schöne Drei wurde. Sie beruht auf einer Weisheit, die den Namen **Wicksches Theorem** trägt. Das Theorem ist für Vakuum–Erwartungswerte gut bekannt. Aber es gilt auch für thermische Mittel: [*Fetter/Walecka*, § 24]. Dafür, wie man dies herleitet, ist $\langle x^4\rangle$ ein zwar recht billiges Beispiel, jedoch: Einfaches begreift sich gut.

Um zu akzeptieren, daß x ein „Feld“ ist, blicken wir beiläufig zurück auf den Photon–Feldoperator (8.15) und lassen dort einmal alle Indizes weg. Die Koordinate $x \sim a + a^\dagger$ ist ein Bose–Feld in null räumlichen Dimensionen. Wir setzen

$$a + a^\dagger =: \phi \quad , \text{ so daß } \langle x^4\rangle = \left(\frac{\hbar}{2m\Omega}\right)^2 S \quad \text{mit} \quad S = \langle\,\phi\,\phi\,\phi\,\phi\,\rangle \quad , \tag{13.26}$$

und haben das thermische Mittel S eines Produktes aus vier ϕ–Feldern auszuwerten, deren jedes einen Vernichter– und einen Erzeugeranteil hat (so ist es auch in der QFT). Erster Schritt: Zerlege das erste Feld (nur das erste) in die genannten beiden Anteile. Zweiter Schritt: Kommutiere den Erzeuger bzw. Vernichter mit allen ϕ–Feldern bis ganz nach rechts durch:

$$S = S_1 + S_2 \quad , \quad S_1 = \langle\,a\,\phi\,\phi\,\phi\,\rangle \ , \quad S_2 = \langle\,a^\dagger\,\phi\,\phi\,\phi\,\rangle \tag{13.27}$$

$$a\,\phi = a\,a + a\,a^\dagger = 1 + \phi\,a \ , \quad a^\dagger\phi = a^\dagger a + a^\dagger a^\dagger = -1 + \phi\,a^\dagger \quad \curvearrowright$$

$$S_1 = 3\,\langle\,\phi\,\phi\,\rangle + \langle\,\phi\,\phi\,\phi\,a\,\rangle \ , \quad S_2 = -3\,\langle\,\phi\,\phi\,\rangle + \langle\,\phi\,\phi\,\phi\,a^\dagger\,\rangle\ . \tag{13.28}$$

Da ist sie ja schon, die Drei. Daß sie auf drei Vertauschungen beruhe, ist aber noch nicht gut gesagt. Dritter Schritt: Hole den a– bzw. den $a^\dagger$–Operator unter der Spur nach vorn und schiebe ihn dann am $\mathrm{e}^{-\beta H}$ vorbei:

$$S_1 = 3\langle\phi\phi\rangle + \frac{1}{Z}\,\mathrm{Sp}\left(a\,\mathrm{e}^{-\kappa a^\dagger a}\phi\phi\phi\right) \quad , \quad a\,\mathrm{e}^{-\kappa a^\dagger a} = \mathrm{e}^{-\kappa}\,\mathrm{e}^{-\kappa a^\dagger a}\,a \tag{13.29}$$

$$= 3\langle\phi\phi\rangle + \mathrm{e}^{-\kappa}S_1 \quad \curvearrowright \quad S_1 = \frac{3}{1-\mathrm{e}^{-\kappa}}\langle\phi\phi\rangle = 3\,(1+b)\langle\phi\phi\rangle$$

$$\text{mit Bose–Verteilung } b := \frac{1}{\mathrm{e}^{\kappa}-1}\,. \qquad \text{Analog: } S_2 = 3\,b\,\langle\phi\phi\rangle\,. \tag{13.30}$$

Wie sich die Umformung rechts in (13.29) im Kopf bewerkstelligen läßt, stand im Text vor (4.48). Vierter Schritt: Setze wieder zusammen (hier: $S = S_1 + S_2$) und bemerke, daß $1 + 2\,b = \langle\phi\phi\rangle$ ist (hier: in (13.25) steht es):

$$\langle\phi\phi\phi\phi\rangle = 3\langle\phi\phi\rangle\langle\phi\phi\rangle \quad , \text{ ergo } \quad \langle x^4\rangle = 3\,\langle x^2\rangle^2\,. \tag{13.31}$$

Etwas Denksport führt nun zu dem Faktor, welcher $\langle x^6\rangle$ mit $\langle x^2\rangle^3$ verknüpft.[1] Und daß $\langle x^{\text{ungerade}}\rangle = 0$ wird, ist ebenfalls klar.

Es versteht sich, daß den obigen vier Schritten weitere folgen, wenn mehr als vier Felder im Mittelwert stehen. Nicht auf den anfänglichen Vertauschungen beruht die Drei, sondern auf der Zahl der Paare, die sich aus vier Feldern bilden lassen. Das Bilden des Erwartungswertes eines Paares wird **Kontraktion** genannt.

Das Verfahren und damit Wicks Theorem funktioniert auch noch, wenn die a, $a^\dagger$ Indizes tragen und allerlei Faktoren mit sich schleppen — auch für $\geqslant 1$–dimensionale Felder also. Im Falle von Fermion–Feldern entstehen Minuszeichen, und zwar so viele, wie ψ–Felder zwischen den Paarpartnern liegen.

Was wie eine Nachbereitung begann ($\langle x^4\rangle$ ausrechnen), hat sich mehr und mehr zu einer Vorbereitung auf Höheres gemausert. Der nächste Abschnitt — das sei besser vorher eingestanden — besteht fast ganz aus solchen „Vorbereitungen".

13.3 Feynmans Funktional

Es gibt noch ein anderes, kaum bekanntes Funktional. Wegen der Exotik seiner Formulierung und Begründung bleibt unklar, ob oder wie weit es mit $\mathcal{V}[H]$ identisch ist.[2] Im momentanen Kontext könnten wir Feynmans Funktional leichten Herzens beiseite lassen, gäbe es da nicht zwei aufregende Begleitumstände.

---

[1] „5, weil 5 Vertauschungen" springt zu kurz. Richtig ist $\langle x^6\rangle = 5\,\langle x^2\rangle\,\langle x^4\rangle = 15\,\langle x^2\rangle^3$.

[2] Die beiden Funktionale stimmen in einem Spezialfall überein. Zu der etwaigen Aussage, eines sei im anderen enthalten, berechtigt dieser Umstand jedoch nicht.

- Ursächlich scheinen Boltzmann–Faktor $e^{-\beta H}$ und Zeitentwicklungs-Operator $e^{-i(t/\hbar)H}$ nichts miteinander zu tun zu haben. Daß aber beides e–Funktionen sind – man müßte noch staunen können – läßt sich vielleicht ausnutzen. β hat Dimension 1/Energie und $t/\hbar$ ebenfalls. *Unification* von Zeit und Temperatur?
- Leicht gewöhnt man sich (zu sehr) daran, einen Hamilton–Operator H voranzustellen, um ein System zu spezifizieren. Aber H für sich ist weder eichinvariant noch Lorentz–invariant (E ist nur 4–Vektor–Komponente). Die Wirkung $\mathcal{S} = \int_1^2 dt\, L$ hat hingegen beide Eigenschaften, wie es sich für eine „Zahl der Welt" gehört.[3] $\mathcal{S}$ steht höher als H. Ob es einen Weg gibt, der die Zustandssumme eines Systems direkt mit seiner Wirkung $\mathcal{S}$ verkoppelt?

Beide Aspekte haben mit einer technischen Umformulierung der Quantentheorie zu tun, mit dem **Funktionalintegral**, oft auch Wegintegral oder Pfadintegral genannt. Die QFT hat gute Gründe, massiv davon Gebrauch zu machen. Und hier freuen wir uns über die Gelegenheit, diese Technik mit einem ersten überschaubaren Schritt kennenzulernen.

time slicing

Seltsame Töne kommen uns zu Ohren, eine Zeitachse sei zu unterteilen und Feynman könne die Quantenmechanik als Mittel über klassische Wege darstellen. Das Wörtchen „klassisch" erregt Verdacht, zumal in jenen Kreisen gern $\hbar = 1$ gesetzt wird. Da machen wir es lieber „selber", zu Fuß und unter Hochachtung der $\hbar$'s.

Die Zustandssumme $Z = \mathrm{Sp}(e^{-\beta H})$ soll eine andere Formulierung erhalten. An der Stelle H versuchen wir es mit der einfachsten Wahl: ein Teilchen in 1D, aber in einem allgemein bleibenden Potential $V(x)$. An $T - V$ wollen wir ggf. erkennen, daß die Lagrange–Funktion entstanden ist. Mit der anderen Freiheit, beim Bilden der Spur eine Basis zu wählen, gehen wir schamlos ins Extreme und verwenden Eigenfunktionen des Ortsoperators. Das kam noch nie vor. Ortsvariable x und Ortsoperator $X = x$ seien wohl unterschieden von dessen reell kontinuierlichen Eigenwerten $a \in (-\infty, \infty)$ mit Eigenzuständen $|a\rangle$:

$$H = \frac{p^2}{2m} + V(x) \quad , \quad x|a\rangle = a\,|a\rangle \quad , \quad \langle b|a\rangle = \delta(b-a) \ . \tag{13.32}$$

Zum Beispiel kann man x eine Heisenberg–Zeitabhängigkeit verpassen (es vertauscht nicht mit H), den c–Zahlen a aber nicht. (13.32) benutzt Dirac–Notation: Dächer über H, p, x wurden nur der Einfachheit halber eingespart. Ganz nebenbei (und weil manchmal seltsame Hemmungen auslösend) sei (13.32) auch noch in Ortsdarstellung aufgeschrieben:

$$H \;=\; -\frac{\hbar^2}{2m}\partial_x^2 + V(x) \quad , \quad x\,\delta(x-a) = a\,\delta(x-a) \quad ,$$

[3] Ihr innerer Schrägstrich möge verhindern, die Wirkung als Entropie S zu lesen.

$$\langle b|a\rangle = \langle b|x\rangle \langle x|a\rangle = \int dx\ \delta(b-x)\,\delta(x-a) = \delta(b-a)\ , \tag{13.33}$$

was verifiziert werden kann, indem man einbettet und so vom Inneren des Hilbert–Raumes her seinen Rand erreicht.[4]

Zur Sache. $\hbar\beta$ hat die Dimension einer Zeit. Wird das Intervall $(0, \hbar\beta)$ in N gleich große Abschnitte $d\tau$ unterteilt, dann ist $\hbar\beta = N\,d\tau$ und $d\tau = \hbar\beta/N$:

$$\begin{aligned} Z &= \mathrm{Sp}(\mathrm{e}^{-\beta H}) = \int da\ \langle a|\,\mathrm{e}^{-\hbar\beta\frac{H}{\hbar}}|a\rangle \\ &= \int da\ \langle a|\,\mathrm{e}^{-d\tau\frac{H}{\hbar}}\,\mathrm{e}^{-d\tau\frac{H}{\hbar}}\ \ldots\ \mathrm{e}^{-d\tau\frac{H}{\hbar}}\,|a\rangle \quad ,\quad N \text{ e's}\ ,\ N-1 \text{ Lücken} \\ &= \int da \int da_{N-1} \ldots da_1\ \langle a|\,\mathrm{e}^{-d\tau\frac{H}{\hbar}}|a_{N-1}\rangle\,\langle a_{N-1}|\,\mathrm{e}^{-d\tau\frac{H}{\hbar}}\ \ldots \\ &\qquad \ldots\ |a_2\rangle\,\langle a_2|\,\mathrm{e}^{-d\tau\frac{H}{\hbar}}|a_1\rangle\,\langle a_1|\,\mathrm{e}^{-d\tau\frac{H}{\hbar}}|a\rangle\ . \end{aligned} \tag{13.34}$$

Bis hierher ist nichts Gefährliches passiert. Nicht einmal klein braucht $d\tau$ zu sein. Und N ist irgendeine natürliche Zahl. Erst im folgenden Schritt wird $N \to \infty$, $d\tau \to 0$ benötigt, wobei das Produkt $N d\tau$ endlich bleibt. Wir wollen nämlich im Sinne einer Konsistenzannahme die Faktorisierung

$$\mathrm{e}^{-d\tau\frac{H}{\hbar}} = \mathrm{e}^{-d\tau\frac{T+V}{\hbar}} = \mathrm{e}^{-d\tau\frac{T}{\hbar}}\,\mathrm{e}^{-d\tau\frac{V}{\hbar} + \mathcal{O}(d\tau^2)} \ \to\ \mathrm{e}^{-d\tau\frac{T}{\hbar}}\,\mathrm{e}^{-d\tau\frac{V}{\hbar}} \tag{13.35}$$

riskieren. Wenn sich $d\tau$–Terme insgesamt nur zu $\mathcal{O}(N\,d\tau) = \mathcal{O}(1)$ aufschaukeln (sollten), dann dürfte $d\tau^2$ nur zu unwichtigem $\mathcal{O}(N\,d\tau^2) = \mathcal{O}(d\tau)$ führen. Das zweite Gleichheitszeichen in (13.35) beruht auf $\mathrm{e}^{A+B} = \mathrm{e}^{A}\,\mathrm{e}^{B-\frac{1}{2}[A,B]+\cdots}$, einer Variante der Baker–Campbell–Hausdorff–Formel, detailliert in Übung 13/5 (c).

Übung 13/5 Die drei wichtigsten e–hoch–Operator–Formeln:

(a) $\mathrm{e}^{A}B\,\mathrm{e}^{-A} = B + [A,B] + \frac{1}{2}\,[A,[A,B]] + \ldots =: \mathrm{e}^{[A,\ ]}B$. Leite her!

(b) $\mathrm{e}^{A}\,\mathrm{e}^{B} = \mathrm{e}^{B}\,\mathrm{e}^{A+Y}$. Mit Hilfe der Beziehung (a) folgt $Y = ?$

(c) Auch die Baker–Campbell–Hausdorff–Formel $\mathrm{e}^{A}\,\mathrm{e}^{B} = \mathrm{e}^{A+B+X}$ mit $X = \sum_{n=1}^{\infty} \frac{1}{1+n}\int_0^1 ds\ \left(1 - \mathrm{e}^{-s[B,\ ]}\mathrm{e}^{-[A,\ ]}\right)^n B$ läßt sich herleiten: ?↯

Lösung (a) $X(s) := \mathrm{e}^{sA}B\,\mathrm{e}^{-sA}$, $\partial_s X(s) = \mathrm{e}^{sA}\,[A,B]\,\mathrm{e}^{-sA} = \left[A, \mathrm{e}^{sA}B\,\mathrm{e}^{-sA}\right] = [A, X(s)] = [A,\ \ ]\,X(s)$. Und wegen $X(0) = B$ folgt $X(s) = \mathrm{e}^{s[A,\ ]}B$.

(b) $\mathrm{e}^{A+Y} = \mathrm{e}^{-B}\mathrm{e}^{A}\,\mathrm{e}^{B} = \mathrm{e}^{\mathrm{e}^{-B}A\,\mathrm{e}^{B}}$, $A+Y = \mathrm{e}^{-B}A\,\mathrm{e}^{B}$, $Y = \left(\mathrm{e}^{-[B,\ ]} - 1\right)A$.

(c) $\mathrm{e}^{A}\mathrm{e}^{sB} =: \mathrm{e}^{C(s)}$, $C(0) = A$, $A+B+X = C(1) = A + \int_0^1 ds\,C'$ mit $C' = \partial_s C(s)$, $\mathrm{e}^{C}B = \partial_s \mathrm{e}^{C} = \int_0^1 dt\,\mathrm{e}^{tC}C'\mathrm{e}^{(1-t)C}$, $\mathrm{e}^{C}B\mathrm{e}^{-C} = \int_0^1 dt\,\mathrm{e}^{tC}C'\mathrm{e}^{-tC}$.

[4] Die zweite Zeile bestätigt sich mit jeder Deltafunktions–Darstellung. Aber auch der Ortsoperator kann eingebettet werden, z.B. so: $X_\varepsilon\,\psi(x) := \int dy\ \frac{x+y}{4\varepsilon}\ \mathrm{e}^{-|x-y|/\varepsilon}\,\psi(y)$. Die Eigenfunktionen von X_ε findet man mittels Fourier–Transformation. Bei $\varepsilon \to 0$ werden sie $\sim \delta(x-a)$.

d.h. $e^{[C,\ ]}B = \int_0^1 dt\, e^{[tC,\ ]}C'$, $[C,\ ]\, e^{[C,\ ]}B = (e^{[C,\ ]}-1)\,C'$. Also ist $C' = g(e^{-[C,\ ]})B$ mit $g(z) = \frac{-\ln(z)}{1-z} = \sum_{n=0}^{\infty}\frac{(1-z)^n}{1+n} = 1+\sum_{n=1}^{\infty}\frac{1}{1+n}(1-z)^n$, qed, denn $e^{-[C,\ ]}\ldots = e^{-sB}e^{-A}\ldots e^{A}e^{sB} = e^{-s[B,\ ]}e^{-[A,\ ]}\ldots$.

Durch die Faktorisierung (13.35) sind erneut Lücken zwischen e–Funktionen entstanden. Werden Eins–Operatoren $|k\rangle\langle k|$ aus ($\frac{1}{\hbar}$·Impuls)–Eigenzuständen,

$$p\,|k\rangle = \hbar k|k\rangle \quad , \quad \langle k'|k\rangle = \delta(k'-k) \quad , \quad \langle a|k\rangle = \frac{1}{\sqrt{2\pi}}\, e^{ika} \quad , \tag{13.36}$$

in diese N neuen Lücken gefüllt, so entsteht

$$\begin{aligned}
Z &= \int da \int da_{N-1}\ldots da_1 \int dk_N \ldots dk_1\ \langle a|\, e^{-d\tau\frac{T}{\hbar}}|k_N\rangle\, \langle k_N|\, e^{-d\tau\frac{V}{\hbar}}|a_{N-1}\rangle \\
&\qquad \langle a_{N-1}|\, e^{-d\tau\frac{T}{\hbar}}|k_{N-1}\rangle\, \langle k_{N-1}|\ \ldots\ e^{-d\tau\frac{V}{\hbar}}|a_1\rangle\, \langle a_1|\, e^{-d\tau\frac{T}{\hbar}}|k_1\rangle\, \langle k_1|\, e^{-d\tau\frac{V}{\hbar}}|a\rangle \\
&= \int da \int da_{N-1}\ldots da_1 \int dk_N \ldots dk_1 \\
&\qquad\qquad e^{-d\tau\left[\frac{\hbar k_N^2}{2m}+\ldots\frac{\hbar k_1^2}{2m}\right]} \left(\frac{1}{2\pi}\right)^{N/2} e^{ik_N a + ik_{N-1}a_{N-1}+\ldots ik_1 a_1} \\
&\qquad e^{-\frac{d\tau}{\hbar}[V(a_{N-1})+\ldots+V(a)]} \left(\frac{1}{2\pi}\right)^{N/2} e^{-ik_N a_{N-1}-\ldots-ik_2 a_1 - ik_1 a} \\
&= \int da\ \left(\frac{1}{2\pi}\right)^{N} \int da_{N-1}\ldots da_1 \int dk_N \ldots dk_1 \\
&\qquad\qquad e^{\sum_{j=1}^{N}\left\{ik_j(a_j-a_{j-1})-\frac{d\tau}{\hbar}\left[\frac{\hbar^2 k_j^2}{2m}+V(a_{j-1})\right]\right\}}\ .
\end{aligned} \tag{13.37}$$

Es ist viel weniger schrecklich, als es aussieht. Wenn a_j in der j–Summe den Index $j=N$ abbekommt, ist a damit gemeint. Auch a_0 ist a. Jetzt, da sich alle Operatoren durch Eigenwerte ersetzt haben, erkennen wir, daß jedes der N k–Integrale einen konkreten Integranden hat. Wir greifen das j–te heraus und führen es mittels quadratischer Ergänzung aus, wobei $(\ ):= (a_j - a_{j-1})$ abkürzt:

$$\int dk\ e^{ik(\ )-d\tau\frac{\hbar k^2}{2m}} = \int dk\ e^{-\frac{d\tau\hbar}{2m}\left[k-i\frac{m(\ )}{d\tau\hbar}\right]^2-\frac{m(\ )^2}{2d\tau\hbar}} = \sqrt{\frac{2m\pi}{d\tau\hbar}}\ e^{-\frac{m(\ )^2}{2d\tau\hbar}}\ . \tag{13.38}$$

Die Zustandssumme nimmt dadurch eine Gestalt an, welche den Limes $d\tau\to 0$ erlaubt:

$$Z = \underbrace{\int da \left(\frac{m}{2\pi\hbar\, d\tau}\right)^{N/2}\int da_{N-1}\ldots da_1}_{=\int \mathcal{D}_\tau a}\ e^{\frac{1}{\hbar}\underbrace{d\tau\sum_{j=1}^{N}}_{=\int_0^{\hbar\beta}d\tau}\left[-\frac{m}{2}\frac{(a_j-a_{j-1})^2}{d\tau^2}-V(a_{j-1})\right]} \tag{13.39}$$

$$= \int da \int \mathcal{D}_\tau a\ e^{\frac{1}{\hbar}\int_0^{\hbar\beta}d\tau\,\left[-\frac{m}{2}(\partial_\tau a)^2 - V(a)\right]}\ . \tag{13.40}$$

Das sieht schon recht gut aus und ist der Angelpunkt für zwei Weiterungen. All dies dürfte original von Feynman (1918 – 1988) erfunden worden sein. (13.40) ist Gleichung (3.19) in [*Feynman*] — ein hartes Brot, selbst als *lecture note*.

Beim Übergang von $d\tau \sum$ zum Integral hatte sich der Index j an a in eine kontinuierliche Zeitmarke τ verwandelt, und aus $(a_j - a_{j-1})/d\tau$ war $\partial_\tau a$ geworden. Ein Funktionalintegral ist der Anzahl–nach–Unendlich–Limes eines Produktes von Integralen, jedes einem Punkt eines Gebietes zugeordnet. Das Gebiet muß nicht in 1D liegen. Ein Index an $\mathcal{D}$, welcher auf das Gebiet verweist, ist meist sinnvoll. Hier wurde ein Intervall auf der τ–Achse mit Integralen überzogen: darum $\int \mathcal{D}_\tau$.

Die Integrationsvariablen laufen auf a–Achsen. Die unterteilte τ–Achse links in (13.34) kann zwanglos zu einer a–τ–Ebene erweitert werden. Verbindet man a_{j-1}–Werte mit a_j–Werten, so entstehen Wege in dieser Ebene. Weil unabhängig über diese a's integriert wird, müßten — sollte man meinen — diese Wege ein wahnsinniges Zickzack zeigen. Solche Wege wie etwa der dünnlinige in Bild 13–2 gibt es. Der Integrand in (13.39) zeigt aber, daß ihr Beitrag exponentiell unterdrückt wird. Ein endlicher a–Sprung wird sogar mit $\sim \exp(-\frac{\cdots}{d\tau^2})$ bestraft. Die sanften Wege dominieren Z.

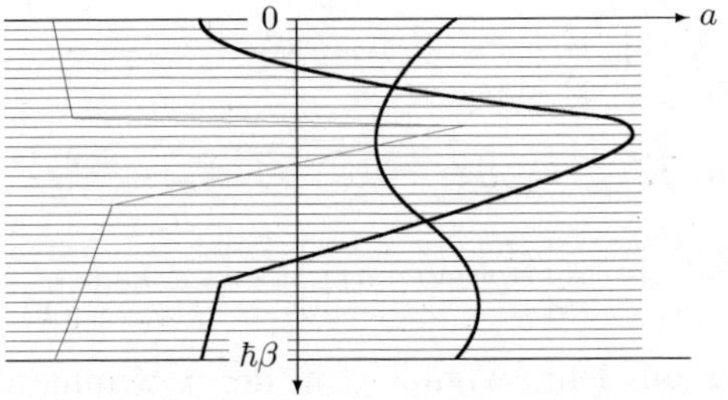

Bild 13–2: Zustandssumme als Funktionalintegral. Jeder Weg im Ort–Zeit–Diagramm, der von einem der Punkte $(a,0)$ nach $(a,\hbar\beta)$ führt, liefert einen ihrer Beiträge.

Unter den Wegen gibt es einen optimalen (Index opt), bei welchem der Exponent in (13.40) maximal wird. Dieser *classical path* ist Lösung einer Dgl:

$$\delta \int_0^{\hbar\beta} d\tau \left[\frac{m}{2}(\partial_\tau a)^2 + V(a)\right] \stackrel{!}{=} 0 \quad \curvearrowright \quad m\,\partial_\tau^2\, a_{\text{opt}} = V'(a_{\text{opt}}) \tag{13.41}$$

zur Randbedingung $a_{\text{opt}} = a$ sowohl bei $\tau = 0$ als auch bei $\tau = \hbar\beta$.

Im Moment würden die vielen Seiten stören, mit denen die Bildung (13.40) genauer untersucht werden könnte. Einen ersten Test besteht sie in Übung 13/6. Und einen gründlichen Test (am harmonischen Oszillator) verschieben wir in den letzten Unterabschnitt dieses Kapitels. Niemals möge der divergierende Normierungsfaktor in $\int \mathcal{D}a$ Sorgen bereiten. Entweder fällt er in einem physikalischen Resultat heraus, oder er kann an bekannten Grenzfällen dingfest gemacht werden. Ansonsten ist (13.40) vollständig reell. Weil $V(a)$ *bounded from below* ist, kann auch kein einzelnes Integral divergieren.

Übung 13/6

Funktionalintegral für Z im Grenzfall $T \to \infty$ und/oder $\hbar \to 0$.

(a) Das Intervall $(0, \hbar\beta)$ ist dann so klein, daß (13.39) zu $N = 1$ ausreichen sollte. Womit stimmt das Resultat überein?

(b) Zum 1D Osillator wird Z explizit zu ? In Übereinstimmung womit?

(c) Behauptung: Steht einmal $\mathrm{e}^{-\beta V(a)}$ vorn an $\int da$, folgt stets das Resultat von (a), egal wie viele a_j–Integrale man einzieht und ausführt – !?

Lösung

(a) Kein a_j–Integral, $d\tau = \hbar\beta$, $Z = (\frac{mT}{2\pi\hbar^2})^{1/2} \int da\, \mathrm{e}^{-\beta V(a)} = (12.31)|^{1\mathrm{D}}_{N=1}$.

(b) $Z = (\frac{mT}{2\pi\hbar^2})^{1/2} \int da\, \mathrm{e}^{-\beta m\omega^2 a^2/2} = \frac{T}{\hbar\omega}$, (3.37): $Z_{\mathrm{osz}} = \frac{\mathrm{e}^{-\beta\hbar\omega/2}}{1-\mathrm{e}^{-\beta\hbar\omega}} \to \frac{1}{\beta\hbar\omega}$.

(c) $Z =: (\frac{mT}{2\pi\hbar^2})^{1/2} \int da\ \mathrm{e}^{-\beta V(a)} J_n$ mit $n = \#$ der eingezogenen Integrale, d.h. $n = N - 1$ in (13.39). Alle $a_j \to a_j + a$ $\curvearrowright$ die J_n hängen nicht von a ab. $d\tau = \hbar\beta/N$ und $a_j \to \sqrt{2\hbar^2\beta/(mN)}\, a_j$ gibt $J_n = \sqrt{n+1}\, \pi^{-n/2} \int d^n a\, \mathrm{e}^{-\left[a_n^2 + (a_n - a_{n-1})^2 \dots (a_2 - a_1)^2 + a_1^2\right]}$. Zu Fuß: $J_1 = J_2 = J_3 = 1$. Allgemein: $[\ \ ] = \vec{a} C \vec{a}$ mit $C = \begin{pmatrix} 2 & -1 & 0 & 0 & \dots \\ -1 & 2 & -1 & 0 & \dots \\ 0 & -1 & 2 & -1 & \\ & & & \cdot & \\ & & & & \cdot \end{pmatrix}$. $\vec{a} = D^T \vec{a}'$. Der Wechsel von a– zu a'–Integralen hat Jacobi–Determinante $\det(D) = 1$, $\prod_{j=1}^n$Eigenwerte $= \det(C') = \det(DCD^T) = \det(C)$. Also ist

$$\int d^n a\, \mathrm{e}^{-\vec{a} C \vec{a}} = \sqrt{\frac{\pi^n}{\det(C)}} \,. \tag{13.42}$$

Für $\det(C) =: d_n$ führt der Entwicklungssatz auf $d_{n+1} = 2\, d_n - d_{n-1}$, und mit $d_1 = 2$, $d_2 = 3$ folgt $d_n = n + 1$. Also ist $J_n = 1\ \forall\, n$, qed.

Jensens Ungleichung

Wie sich jetzt das Z–Funktional zu einem Variationsfunktional mausert, das ist einfach schön. Zuerst führen wir den $\bullet$–Index wieder ein für Größen des vorliegenden, zu schweren tatsächlichen Problems und versehen (13.40) mit geeigneten Abkürzungen:

$$Z_\bullet = \fint \mathrm{e}^{-\zeta_\bullet} \quad \text{mit} \quad \fint := \int da \int \mathcal{D}a$$

$$\text{und} \quad \zeta_\bullet := \frac{1}{\hbar} \int_0^{\hbar\beta} d\tau\ \left[\frac{m}{2}(\partial_\tau a)^2 + V_\bullet(a)\right] \,. \tag{13.43}$$

Ein einfacheres *trial* System unterscheide sich in Z nur im Exponenten ζ. Beispielsweise enthält es statt $V_\bullet(a)$ ein einfacheres Potential $V(a)$. Für den nächsten Schritt genügt es, $Z_\bullet$ mit $Z = \fint \mathrm{e}^{-\zeta}$ zu erweitern und die e–Funktion von $-\zeta_\bullet = (\zeta_\bullet - \zeta) - \zeta$ zu faktorisieren (längst sind keine Operatoren mehr im Spiel).

Und schon wird $Z_\bullet$ zu einem Mittelwert der ζ–Verteilung:

$$Z_\bullet \;=\; Z \fint \frac{e^{-\zeta}}{\fint e^{-\zeta}}\, \mathrm{e}^{-(\zeta_\bullet-\zeta)} \;=\; Z\,\left\langle \mathrm{e}^{-(\zeta_\bullet-\zeta)}\right\rangle \;. \tag{13.44}$$

Für das Mittel einer e–Funktion, sofern es existiert, reell ist und keine Operatoren enthält, gilt generell die Jensen–Ungleichung

$$\left\langle \mathrm{e}^{-f}\right\rangle \;\geqslant\; \mathrm{e}^{-\langle f\rangle} \;, \tag{13.45}$$

egal, von wie vielen Variablen f abhängt. Zur Erklärung von (13.45) genügen zwei f–Werte und die im Bild 13–3 dargestellen arithmetischen Mittel.

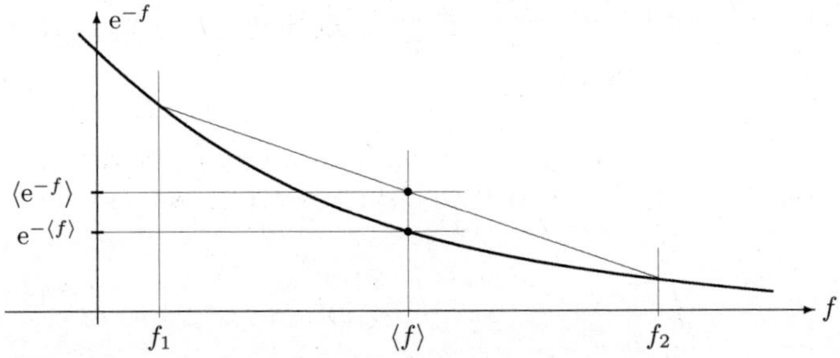

Bild 13–3 : Geometrische Deutung der Jensen–Ungleichung, [*Feynman*, Fig. 3.5].

Die Zustandssumme (13.44) erfüllt also

$$Z_\bullet = Z\,\left\langle \mathrm{e}^{-(\zeta_\bullet-\zeta)}\right\rangle \;\geqslant\; Z\,\mathrm{e}^{-\langle\zeta_\bullet-\zeta\rangle} \;, \tag{13.46}$$

und folglich erreicht die rechte Seite von

$$-T\ln(Z_\bullet) \;\leqslant\; -T\ln(Z) + T\,\langle\,\zeta_\bullet - \zeta\,\rangle \;=\; \mathcal{V}\,[\,\zeta\,] \;\;\overset{!}{=}\;\; \text{min.} \tag{13.47}$$

bei $\zeta \to \zeta_\bullet$ ihr Minimum. Die zu variierende Größe ζ ist selbst ein Funktional und hält sich auch in Z und $\langle\;\;\rangle$ verborgen. Die divergente Normierung kürzt sich in $\langle\;\;\rangle$ zwischen Zähler und Nenner und in $-T\ln(\;\;)$ zwischen rechter und linker Seite.

Mit dem Anblick des obigen Funktionals habe das Thema Variationsverfahren hier sein Ende. Als Anwendung erhält [*Feynman*, § 3.5] die Korrekturen zur klassisch–kanonischen Zustandssumme und in seinem § 8.4 Obergrenzen für die Energie des Polarons zu beliebiger Kopplung.

13.4 Funktionalintegral für Zeitentwicklung

Der Angelpunkt (13.40), zu welchem wir jetzt zurückkehren, hält noch eine ganz andere Überraschung bereit. Dort im Exponenten steht leider nicht die Lagrange–Funktion L des Systems — aber beinahe! Nur das Vorzeichen der kinetischen Energie ist „falsch". Der Zeitindex τ mußte a–Werte kontinuierlich numerieren. Aber wer sagt denn, wie a von τ abhängt.[5] Wenn wir $a(t)$ schreiben und $t = -i\tau$ setzen, dann läuft die Zeit t von 0 bis $-i\hbar\beta := t_{\rm end}$ die negative imaginäre Achse entlang nach unten, so wie es Bild 13–4 (a) zeigt.

Z bleibt Z. Die erste Zeile in (13.34) bleibt gleich (13.40), wenn wir die soeben genannten Umdeutungen in beiden Z–Versionen vornehmen:

$$\begin{array}{lll} \text{in (13.34) :} & \text{in (13.40) :} & \\ -\hbar\beta = -i\,t_{\rm end} \quad , & [\quad] = L(\dot a, a) \quad \text{und} & \displaystyle\int_0^{\hbar\beta} d\tau = i\int_0^{t_{\rm end}} dt\ . \end{array} \tag{13.48}$$

Es ist also

$$\int da\ \langle\, a\,|\,{\rm e}^{-\frac{i}{\hbar}H\,t_{\rm end}}\,|\,a\,\rangle \ =\ \int da \int \mathcal{D}_t a\ \ {\rm e}^{\frac{i}{\hbar}\int_0^{t_{\rm end}} dt\ L(\dot a,a)}\ . \tag{13.49}$$

Die Frage, ob auch das beiderseitig voranstehende a–Integral entfallen kann, ist leicht mit *Ja* beantwortet. Es war von den Z–Umformungen nirgends betroffen und blieb ständig links vorn stehen. Jetzt steht der bra–Vektor $\langle a|$ links voran. Wir ersetzen ihn durch irgendeinen anderen Ortsoperator–Eigenzustand $\langle b|$:

$$\langle\, b\,|\,{\rm e}^{-\frac{i}{\hbar}H\,t_{\rm end}}\,|\,a\,\rangle \ =\ \int \mathcal{D}_t a\ \ {\rm e}^{\frac{i}{\hbar}\int_0^{t_{\rm end}} dt\ L(\dot a,a)}\ . \tag{13.50}$$

Auch die rechte Seite ist von dieser Ersetzung betroffen (sie gibt dies nur nicht explizit zu erkennen), denn jetzt laufen die Wege im Bild 13–2 von einer Stelle a auf der oberen horizontalen Achse zu einer (jetzt anderen) Stelle b auf der unteren: $a(0) = a$, $a(t_{\rm end}) = b$.

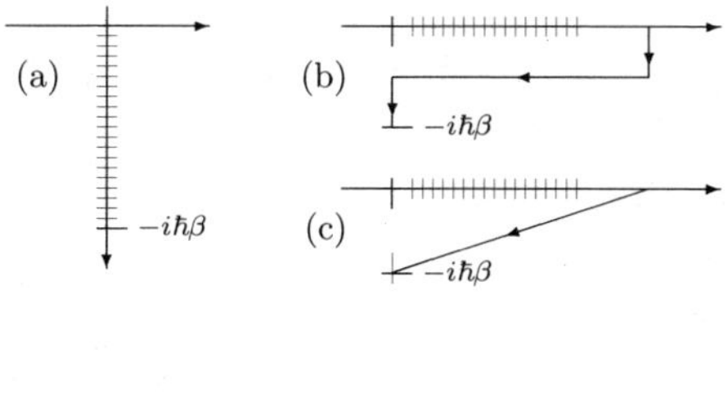

Bild 13–4: Komplexe Zeitebene mit (a) Matsubara–Kontur und (b), (c) zwei *real time* Konturen.

[5] Bisher hatten wir krampfhaft vermieden, „$a(\tau)$" zu schreiben. Verboten war das jedoch nicht. Wir wollten uns lediglich „a von" für $a(t) = a(-i\tau)$ aufheben, und $\dot a$ für $\partial_t a$.

Links in (13.50) steht bereits ein Matrixelement des Zeitentwicklungs–Operators. Nur die spezielle Zeit $t_{\rm end}$ stört dort noch, und auch der Anfang des Zeitintervalls bei $t = 0$. Die Zeit bei $t = 0$ beginnen zu lassen, ist bekanntlich Menschenwerk. Wir dürfen ebensogut sagen, irgendwo bei einer reellen Zeit t_1 beginne das Intervall, und es ende entsprechend bei $t_2 = t_1 - i\hbar\beta$.

Auch der Verlauf der Kurve in der komplexen Zeitebene von t_1 nach t_2 liegt nicht fest. Wir dürfen eine „Kontur" wählen, zum Beispiel jene in Bild 13–4 (b) oder (c) (Kontur (b) ist recht üblich, und auch (c) wurde einmal studiert). Die Beziehung (13.50) bleibt bei alledem richtig, ihr Aussehen hat sich nur in

$$\langle\, b\,|\,\mathrm{e}^{-\frac{i}{\hbar}H\,(t_2-t_1)}\,|\,a\,\rangle = \int \mathcal{D}_t a\; \mathrm{e}^{\frac{i}{\hbar}\int_{t_1}^{t_2} dt\; L(\dot{a},a)} = \int \mathcal{D}_t a\; \mathrm{e}^{\frac{i}{\hbar}\mathcal{S}[a]} \qquad (13.51)$$

verwandelt, $a(t_1) = a$, $a(t_2) = b$. Mit (13.51) hat das Matrixelement eine Gestalt bekommen, die sich im §16.4 noch als nützlich erweisen wird.

Darf schließlich auch die (im Bild 13–4 noch sorgsam beachtete) Bindung $t_2 - t_1 = -i\hbar\beta$ vergessen werden? „Ja, aber". (13.51) gilt artig weiter, wenn man (t_1, t_2) auf ein Stückchen der Kontur zusammenschnurren läßt, etwa auf ein Intervall auf der reellen Achse im Bild 13–4 (b) oben. Das „aber" wird weiter unten kommentiert.

Mit (13.51) ist der Kern des Zeitentwicklungs–Operators notiert und funktionalintegral dargestellt.[6] Jeder lineare Operator L, wirkend im Raum von Funktionen $\psi(x)$, hat seinen Kern: $L\psi$ ist die entstandene neue Funktion von x: $L\psi = \int dx'\, K(x,x')\,\psi(x')$, denn allgemeiner als per Matrix–Anwendung geht es nicht — hier liegen lediglich die Matrixindizes kontinuierlich. Wie die Dirac–Notation $L\,\langle x| \quad \rangle = \langle x|\hat{L}| \quad \rangle = \int dx'\,\langle x|\hat{L}|x'\rangle\,\langle x'| \quad \rangle$ zeigt, sind Kern und Orts–Matrixelement identisch: $K(x,x') = \langle x|\hat{L}|x'\rangle$. Ist speziell L der Zeitentwicklungs–Operator (zu t–*un*abhängigem H), dann haben wir

$$\begin{aligned} \psi(b,t_2) &= \mathrm{e}^{-\frac{i}{\hbar}H\,(t_2-t_1)}\,\psi(b,t) \quad , \quad \text{d.h.} \\ \langle\, b\,|\,t_2\,\rangle &= \int da\,\langle\, b\,|\,\mathrm{e}^{-\frac{i}{\hbar}\hat{H}\,(t_2-t_1)}\,|\,a\,\rangle\,\langle\, a\,|\,t_1\,\rangle \ . \end{aligned} \qquad (13.52)$$

Übung 13/7 Explizit welchen Kern $K(x,x') =: K(x-x')$ hat der Zeitentwicklungs–Operator für ein freies Teilchen in 1D? $t \to 0$: $K(x) \to\ ?$

Lösung Mittels (13.36) wird $\int dk\,\langle x|\mathrm{e}^{-itH/\hbar}|k\rangle\,\langle k|x'\rangle = \frac{1}{2\pi}\int dk\,\mathrm{e}^{ik(x-x')}\,\mathrm{e}^{-it\hbar k^2/(2m)}$, Quadrat. Ergänzung: $K(x) = \frac{1}{2\pi}\int dk\,\mathrm{e}^{-it\hbar k^2/(2m)}\,\mathrm{e}^{imx^2/(2\hbar t)}$, $k = (1-i)u$ $\curvearrowright$ $K(x) = \frac{1-i}{2}\sqrt{\frac{m}{\pi\hbar t}}\,\mathrm{e}^{imx^2/(2\hbar t)}$. $\int dx\,K(x) = \ldots = 1$, d.h. $K(x) \to \delta(x)$.

[6] Häufig wird (13.51) als *transition amplitude* bezeichnet — aber manchmal kommt dieses Wort daher, als sei damit schon jedermann klar, worum es sich handelt.

Um das „aber“ unter (13.51) zu erklären, ist voranzustellen (und vorerst zu glauben), daß jegliche Physik eines Systems (ob warm oder kalt) in ∞ vielen Hilfsfunktionen G_n enthalten ist — den **Greenschen Funktionen**. Bisher konnten wir meist (weil Korrelationsfunktionen beiseite lassend) schon aus $\mathrm{Sp}(\mathrm{e}^{-\beta H})$ alles Interessierende herauslesen. Die genannten Hilfsfunktionen entstehen, wenn man auch noch n Heisenberg–zeitabhängige Operatoren $\phi_n^H(t_n) = \mathrm{e}^{iHt_n/\hbar}\phi_n \mathrm{e}^{-iHt_n/\hbar}$ hinter $\mathrm{e}^{-\beta H}$ zeitgeordnet unter die Spur schreibt:

$$\begin{aligned} G_n &= \frac{1}{Z}\,\mathrm{Sp}\Big(\mathrm{e}^{-\beta H}\;\phi_n^H(t_n)\;\phi_n^H(t_{n-1})\;\ldots\;\phi_1^H(t_1)\Big) \\ &= \frac{1}{Z}\,\mathrm{Sp}\Big(\mathrm{e}^{-\frac{i}{\hbar}H([-i\hbar\beta]-t_n)}\,\phi_n\,\mathrm{e}^{-\frac{i}{\hbar}H(t_n-t_{n-1})}\,\phi_{n-1}\;\ldots \\ &\qquad \ldots\;\mathrm{e}^{-\frac{i}{\hbar}H(t_3-t_2)}\,\phi_2\,\mathrm{e}^{-\frac{i}{\hbar}H(t_2-t_1)}\,\phi_1\,\mathrm{e}^{-\frac{i}{\hbar}H(t_1-0)}\Big)\;. \end{aligned} \tag{13.53}$$

Hier sieht man die n Operatoren ϕ auf der Kontur eingestreut, welche von $t_{\text{start}} = 0$ bis $t_{\text{end}} = -i\hbar\beta$ läuft.[7] Und die Zwischenräume sind mit Zeitentwicklungs–Operatoren aufgefüllt. Der Operator ϕ_n mit der größten Zeitmarke befindet sich auch am weitesten vorn auf der gerichteten Kontur. Man kann sich vorstellen, wie als nächstes die *transition amplitudes* (13.51) nützlich werden: durch Einziehen von Eins–Operatoren $|a\rangle\langle a|$. „Was ist der Unterschied zwischen Zeit und inverser Temperatur?“ — Keiner, beide sind Punkte der Kontur (aber der da fragt, kann nicht richtig Deutsch).

Allerlei Leute, welche ihr Leben ausschließlich mit $T = 0$ verbringen, schreiben Vakuum–Erwartungswerte $\langle 0|\,\phi_n^H(t_n)\;\ldots\;\phi_1^H(t_1)\,|0\rangle$ als Greensche Funktionen auf. Mitten im technischen Gestrüpp sehen sie sich plötzlich genötigt, etwas imaginäre Zeit zuzulassen. Nanu, wozu denn „zulassen“? Unsere Welt hat nicht Null–Temperatur. Der Limes $T \to 0$ erscheint nur gern auf dem Papier der Menschen. Jedenfalls wird das *sandwich* aus Vakuum–Zuständen auch per

$$\langle\,0\,|\;\ldots\;|\,0\,\rangle \;=\; \lim_{T\to 0}\frac{1}{Z}\,\mathrm{Sp}\Big(\mathrm{e}^{-\beta H}\;\ldots\Big) \tag{13.54}$$

erreicht. Im Bild 13–4 (b) kann man sich die n ϕ's oben auf die reelle Achse legen, t_{start} weit nach links schieben und den ersten Knick der Kontur weit nach rechts. Mit $T \to 0$ wandern alle nicht–reellen Konturstücke nach unten und liegen schließlich weit außerhalb der Physik, welche in der Nähe der Strichlein angesiedelt bleibt. Null–Temperatur–Physik ist Grenzfall.

Alles in diesem § 13.3 hatten wir uns anhand eindimensionaler Physik überlegt. In 3D ist der Ortsoperator ein Tripel, hat simultane Eigenfunktionen $\delta(\vec{r}-\vec{a})$ und die Spur in (13.34) ist mit einem $\int d^3a$ zu bilden. Dieses Integral steht dann auch

[7] Wenn die Kontur von t_0 bis $t_{\text{end}} = t_0 - i\hbar\beta$ laufen soll, braucht die zunächst in einer $|n\rangle$–Darstellung notierte Spur nur mit den anderen Zuständen $\mathrm{e}^{iHt_0/\hbar}\,|n\rangle$ gebildet zu werden.

als erstes in (13.40), und auch jedes der $N-1$ Lückenfüller–Integrale ist dreifach. In der Feldtheorie ist $\vec{r}$ nur ein Index, welcher eine Feldachse bezeichnet.[8] Jetzt ist auch der 3D Index–Raum zu diskretisieren und an jeder „Stelle" des Raumes über die dortigen Feld–Eigenwerte funktional zu integrieren:

$$\int \mathcal{D}_\tau \sim \int \prod da_j \quad , \quad \sim \int \prod d^3 a_j \quad , \quad \int \mathcal{D}_x \phi \sim \int \prod{}_x \, d\phi(x) \quad , \tag{13.55}$$

wobei x für $(ct, \vec{r})$ steht. Der Index x an $\mathcal{D}$ besagt, daß die 4D Raumzeit diskretisiert zu denken ist. Im § 16.4 wird es so zugehen.

Auswertung: harmonischer Oszillator

Die obigen „Märchen" sind vielleicht zu ertragen. Aber es geht nicht an, niemals ein Funktionalintegral ausgerechnet zu haben. Wir kehren einmal mehr zur Angelpunkt–Formel (13.40) für Z zurück und setzen dort $V(a) = \frac{m}{2}\omega^2 a^2$. Auswertung des Funktionalintegrals möchte bitte auf die bekannte Zustandssumme $Z_{\text{osz}} = \mathrm{e}^{-\beta\hbar\omega/2}/(1-\mathrm{e}^{-\beta\hbar\omega})$ führen. Wir folgen [*Feynman*, § 3.2].

Im Sinne einer Vorstudie, die sich sogleich als hilfreich erweist, lösen wir zuerst die Dgl (13.41) für den optimalen Weg. Mit Oszillatorpotential wird sie zu

$$\partial_\tau^2 a_{\text{opt}} = \omega^2 \, a_{\text{opt}} \quad , \quad a_{\text{opt}}(\tau) = \frac{a}{\mathrm{sh}(\omega\hbar\beta)} \left[\mathrm{sh}(\omega\tau) + \mathrm{sh}(\omega\hbar\beta - \omega\tau) \right] \quad , \tag{13.56}$$

und ihre Lösung zur Randbedingung $a_{\text{opt}}(0) = a$, $a_{\text{opt}}(\hbar\beta) = a$ paßte direkt daneben. Weil nun die Abweichung $b(\tau)$ des allgemeinen Weges vom optimalen Null–Randbedingungen erfüllt,

$$a(\tau) =: a_{\text{opt}}(\tau) + b(\tau) \quad \curvearrowright \quad b(0) = 0 \ , \ b(\hbar\beta) = 0 \ , \tag{13.57}$$

entfallen im Exponenten von (13.40) die Mischterme. Dort ist nämlich inzwischen die eckige Klammer zu $-\frac{m}{2}(a'^2 + a^2)$ geworden, und es ist

$$\begin{aligned} a'_{\text{opt}} b' + \omega^2 a_{\text{opt}} b &= \partial_\tau (a'_{\text{opt}} b) - (a''_{\text{opt}} - \omega^2 a_{\text{opt}})\, b \\ &= \partial_\tau (a'_{\text{opt}} b) \quad , \quad \int_0^{\hbar\beta} d\tau \; \partial_\tau (a'_{\text{opt}} b) = 0 \ . \end{aligned} \tag{13.58}$$

Der genannte Exponent wird also zu

$$\frac{1}{\hbar} \int_0^{\hbar\beta} d\tau \left[-\frac{m}{2}(a'^2 + a^2) \right] = -\frac{m}{2\hbar} \int_0^{\hbar\beta} d\tau \left({a'_{\text{opt}}}^2 + \omega^2 a_{\text{opt}}^2 \; + \; b'^2 + \omega^2 b^2 \right) , \tag{13.59}$$

und für Z ist das Zwischenresultat

[8] Im Text unter (8.11) saßen die Feldachsen an Stellen des $\vec{k}$–Raumes. Auch den Stellen des diskretisierten Ortsraumes dürfen sie zugeordnet werden. Keine Sorge, alles geht gut.

$$Z = \underbrace{\int da\, \mathrm{e}^{-\frac{m}{2\hbar}\int_0^{\hbar\beta} d\tau\, \left\{ {a'_{\rm opt}}^2 + \omega^2 a_{\rm opt}^2 \right\}}}_{\hat{=}\ \mathcal{E}} \cdot \underbrace{\int \mathcal{D}_\tau b\, \mathrm{e}^{-\frac{m}{2\hbar}\int_0^{\hbar\beta} d\tau\, \left\{ b'^2 + \omega^2 b^2 \right\}}}_{\hat{=}\ \mathcal{F}} \tag{13.60}$$

erreicht. $\mathcal{F}$ hängt gar nicht von a ab. Weil in $\mathcal{E}$ dank (13.56) alles bekannt ist, läßt sich vielleicht die a–Integration ausführen:

$$\begin{aligned}
{a'_{\rm opt}}^2 + \omega^2 a_{\rm opt}^2 &= \partial_\tau(a_{\rm opt}\, a'_{\rm opt}) - (a''_{\rm opt} - \omega^2 a_{\rm opt})\, a \;=\; \partial_\tau(a_{\rm opt}\, a'_{\rm opt}) \ , \\
a'_{\rm opt} &= \frac{a\,\omega}{\mathrm{sh}(\omega\hbar\beta)}\, [\,\mathrm{ch}(\omega\tau) - \mathrm{ch}(\omega\hbar\beta - \omega\tau)\,] \ , \\
a_{\rm opt}\, a'_{\rm opt}\Big|_{\tau=0} &= a^2\, \frac{\omega}{\mathrm{sh}(\omega\hbar\beta)}\, [\,1 - \mathrm{ch}(\omega\hbar\beta)\,] \;=\; -a_{\rm opt}\, a'_{\rm opt}\Big|_{\tau=\hbar\beta} \\
\curvearrowright \quad -\frac{m}{2\hbar}\int_0^{\hbar\beta} d\tau\, \left\{ {a'_{\rm opt}}^2 + \omega^2 a_{\rm opt}^2 \right\} &= -a^2\, \frac{m\,\omega}{\hbar}\, \frac{\mathrm{ch}(\omega\hbar\beta) - 1}{\mathrm{sh}(\omega\hbar\beta)} \qquad \text{und}
\end{aligned}$$

$$\mathcal{E} = \sqrt{\frac{\pi\,\hbar}{m\,\omega}\, \frac{\mathrm{sh}(\omega\hbar\beta)}{\mathrm{ch}(\omega\hbar\beta) - 1}} = \frac{\mathrm{e}^{-\beta\hbar\omega/2}}{1 - \mathrm{e}^{-\beta\hbar\omega}}\, \sqrt{\frac{2\pi\hbar}{m\omega}\, \mathrm{sh}(\beta\hbar\omega)} \ . \tag{13.61}$$

Die Vorstudie verhalf zur Faktorisierung $Z = \mathcal{E}\,\mathcal{F}$. Wie aber (13.61) rechts unten zeigt, war die etwaige Vorstellung ganz falsch, schon mit dem einzelnen optimalen Weg könne man dem Wunschresultat nahekommen.

Das eigentliche Funktionalintegral $\mathcal{F}$ bleibt auszuwerten. Eine quadratische Form (hier jene im Exponenten von $\mathcal{F}$), die Differentiationen enthält, will mittels Fourier diagonalisiert werden. So gelang es auch bei der Energie (8.2) eines Volumens Strahlung. Wegen der Null–Randbedingung (13.57) ist hier eine Fourier–Sinus–Reihe angezeigt:

$$b(\tau) = \sum_{n=1}^{\infty} b_n \sin\left(n\,\frac{\pi}{\hbar\beta}\,\tau\right) \quad , \quad b_n = \frac{2}{\hbar\beta}\int_0^{\hbar\beta} d\tau\; b(\tau)\, \sin\left(n\,\frac{\pi}{\hbar\beta}\,\tau\right) \ . \tag{13.62}$$

Der $\mathcal{F}$–Exponent bekommt damit die Gestalt

$$\begin{aligned}
&-\frac{m}{2\hbar}\sum_{n,\,\ell=1}^{\infty} b_n\, b_\ell \int_0^{\hbar\beta} d\tau\, \left\{ n\,\frac{\pi}{\hbar\beta}\,\ell\,\frac{\pi}{\hbar\beta}\, \cos\left(n\frac{\pi}{\hbar\beta}\tau\right) \cos\left(\ell\frac{\pi}{\hbar\beta}\tau\right) + \right. \\
&\left. + \ \omega^2 \sin\left(n\frac{\pi}{\hbar\beta}\tau\right) \sin\left(\ell\frac{\pi}{\hbar\beta}\tau\right) \right\} \;=\; -\frac{m\beta}{4}\sum_{n=1}^{\infty} b_n^2 \left(\left[n\,\frac{\pi}{\hbar\beta} \right]^2 + \omega^2 \right) \ .
\end{aligned} \tag{13.63}$$

Natürlich möchten wir das Funktionalintegral über die ∞ vielen b_n erstrecken statt über die $b(\tau)$–Werte an den ∞ vielen Stellen τ. Weil der Zusammenhang (13.62) linear ist, hängt die zugehörige Funktionaldeterminante $|\,\partial\, b(\tau)/\partial\, b_n\,|$ nicht von den b_n ab. Und sie hängt auch nicht von ω ab. Diese Eigenschaften hat auch der in $\int\mathcal{D}$ verborgene Normierungsfaktor. Sei mit $\mathcal{N}$ das Produkt der beiden bezeichnet, dann ist

$$\mathcal{F} = \mathcal{N} \int \prod_{\ell=1}^{\infty} db_\ell \; \mathrm{e}^{-\frac{m\beta}{4}\sum_{n=1}^{\infty} b_n^2 \left(\left[n\,\frac{\pi}{\hbar\beta}\right]^2+\omega^2\right)} = \mathcal{N} \prod_{n=1}^{\infty} \sqrt{\frac{4\,\pi}{m\,\beta\,\left(\left[n\,\frac{\pi}{\hbar\beta}\right]^2+\omega^2\right)}}$$

$$\text{d.h.} \qquad \ln(\mathcal{F}) = \ln(\mathcal{N}) - \frac{1}{2}\sum_{n=1}^{\infty} \ln\!\left(\frac{m\,\beta\,\left(\left[n\,\frac{\pi}{\hbar\beta}\right]^2+\omega^2\right)}{4\,\pi}\right)\,, \tag{13.64}$$

weil uns der Umgang mit Summen geläufiger ist als der mit Produkten.

Wie es sich vermeiden lassen könnte, jemals den Faktor $\mathcal{N}$ *ab initio* zu untersuchen, dazu bietet sich jetzt der erste Schritt an. $\mathcal{N}$ hängt nicht von ω ab, also entschwindet $\ln(\mathcal{N})$ unter Differentiation:

$$\begin{aligned} \partial_\omega \ln(\mathcal{F}) &= -\omega \sum_{n=1}^{\infty} \frac{1}{\left[n\,\frac{\pi}{\hbar\beta}\right]^2+\omega^2} = -\omega\left(\frac{\hbar\beta}{\pi}\right)^2 \sum_{n=1}^{\infty} \frac{1}{n^2+\left(\frac{\hbar\beta\omega}{\pi}\right)^2} \\ &= -\frac{1}{2}\hbar\beta\,\frac{\mathrm{ch}(\beta\hbar\omega)}{\mathrm{sh}(\beta\hbar\omega)} + \frac{1}{2\,\omega} = -\frac{1}{2}\,\partial_\omega \ln\!\left(\frac{\mathrm{sh}(\beta\hbar\omega)}{\omega}\right)\,. \end{aligned} \tag{13.65}$$

Im Schritt zur zweiten Zeile haben wir von

$$\sum_n \frac{1}{n^2+\alpha^2} = \frac{\pi}{\alpha}\,\frac{\mathrm{ch}(\pi\alpha)}{\mathrm{sh}(\pi\alpha)} \tag{13.66}$$

Gebrauch gemacht ($\sum_n := \sum_{n=-\infty}^{\infty}$). (13.66) ist leicht hergeleitet (Übung?), indem man die Fourier–Reihe der Funktion $f(x) = \mathrm{ch}(\pi\alpha x)$ für $x \in (-1,1]$, 2–periodisch sonst, bildet und bei $x = 1$ betrachtet.

Weil beim Differenzieren Information verlorenging, bleibt natürlich beim Aufleiten von (13.65) eine Konstante A unbekannt. A hängt nicht von ω ab:

$$\mathcal{F} = A\sqrt{\frac{\omega}{\mathrm{sh}(\beta\hbar\omega)}} \quad \curvearrowright \quad Z = \mathcal{E}\,\mathcal{F} = A\sqrt{\frac{2\pi\hbar}{m}}\,\frac{\mathrm{e}^{-\beta\hbar\omega/2}}{1-\mathrm{e}^{-\beta\hbar\omega}}\,. \tag{13.67}$$

Die Bestimmung der Konstanten A bildet nun den feierlichen Abschluß. „Aus bekannten Grenzfällen" mag hier etwas lächerlich klingen, weil ja Z vollständig bekannt ist. Jedoch folgt $A = \sqrt{\frac{m}{2\pi\hbar}}$ bereits aus der viel bescheideneren Kenntnis, daß $Z = \mathrm{e}^{-\beta\hbar\omega/2}$ wird bei $\omega \to \infty$, oder auch, daß $Z \to \frac{T}{\hbar\omega}$ geht bei $\omega \to 0$, s. a. Übung 13/6 (b). Meist ist zu einem $\mathcal{S}$–Anteil, welcher quadratisch in den „Feldern" bleibt, alles bekannt. Er eignet sich also zum „Anlöten". Ohnehin zeigt sich erst bei der Behandlung von „Wechselwirkungen" (höheren Feldpotenzen) der Nutzen der Funktionalintegrale.

14 Boltzmann–Gleichung

Es mag etwas erstaunt haben, als zu Beginn des Teils III die Rede davon war, daß mitunter auch eine plausible technische Vereinfachung riskiert wird, ohne zunächst zu wissen, wie gut sie ist. Die Konzeption einer zeitabhängigen Verteilungsfunktion, welche in diesem Kapitel dominiert, ist so umwerfend plausibel, daß ihr Näherungscharakter leicht übersehen oder wieder vergessen wird. Zum Glück wissen wir inzwischen [1], wie sich die Boltzmann–Gleichung in eine streng–quantenmechanische Struktur als Näherung einfügt.

Wer bereit ist, den genannten Makel zu ignorieren und „hineinzuspringen" in die folgende konzeptionell vereinfachende Struktur, dem werden wundersame Möglichkeiten eröffnet. Er kann sich weit vom Gleichgewicht entfernen, Zeitabhängigkeiten behandeln, erstmals den Gang eines Systems ins Gleichgewicht studieren und unter anderem den elektrischen Widerstand eines Metalls ausrechnen.

Die Gleichung von Boltzmann (1844 – 1906) war notgedrungen eine klassische. Wie schön, daß sie auch in der Quantenmechanik Bestand hat. Und wie traurig, daß allerlei Lehrbücher bei der klassischen Variante stehenbleiben und somit nur klassische Gase behandeln können. Wenn irgend möglich, sollen nicht Näherungen verschiedener Art ineinander greifen. Also bilde eines der beiden idealen Quantengase den Ausgangspunkt — am besten das Elektronengas im Metall.

Besonders ab § 14.2 hat dieses Kapitel vieles mit einem alten, aber jung gebliebenen Buch von [*Ziman*] zu tun (1. Auflage 1963, jüngste 1999).[2]

14.1 Ladung im elektrischen Feld

Wie schon einmal im § 7.1 befinden wir uns inmitten eines Metalls bei einer Temperatur weit unterhalb des Schmelzpunktes. Die Elektronen mögen nicht miteinander wechselwirken. Daß sie aber ein gitterperiodisches Potential $V(\vec{r})$ spüren, wollen wir beachten. Die stationären Zustände eines einzelnen Elektrons mit Energie $\varepsilon_{k,\nu}$ sind also nach (7.5) Bloch–Funktionen $\varphi_{\vec{k}\,\nu}(\vec{r})$, und sie

---

[1] Dank eines guten, schwierigen, aber hier nicht weiter vertieften Buches von Kadanoff und Baym „Quantum Statistical Mechanics" (Perseus Books 1994).

[2] Nicht minder interessant ist das ausführlichere, englischsprachige Buch von Ziman: „Electrons and Phonons" (Oxford UP 2001).

sind über das ganze Periodizitäts–Volumen V ausgebreitet. Die Zustände des Gesamtsystems sind Slater–Determinanten aus diesen φ's. Im großkanonischen Gleichgewicht kann die Wahrscheinlichkeit $f^0_{k,\nu}$ dafür angegeben werden, daß ein bestimmtes $\varphi_{\vec{k}\,\nu}$ im Slater–Zustand anzutreffen ist. Richtig, bei f^0_k handelt es sich um die Fermi–Verteilung,

$$f^0_{k,\nu} \;=\; \frac{1}{\mathrm{e}^{\beta\,(\varepsilon_{k,\nu}-\mu)}+1} \quad , \tag{14.1}$$

und der Index Null soll auf Gleichgewicht verweisen. Der k–Index an f und ε möchte bitte als $\vec{k}$ verstanden werden. Auch ist ein Spin–Index s der Einfachheit halber unterdrückt (ε möge nicht von s abhängen). ν ist der Bandindex. Für ein klassisches Gas wäre f^0_k die Maxwell–Verteilung.

Befindet sich das System in einer Nicht–Gleichgewichts–Präparation (Kapitel 5 läßt grüßen), so sollte auch dieser eine Wahrscheinlichkeit $f_{k,\nu}$ zugeordnet werden können. Das Wort **Verteilungsfunktion** ist nun für $f_{k,\nu}$ sehr üblich. Da die Slaters ein Basis des Hilbert–Raumes bilden, können die System–Zustände nach Slater–Determinanten entwickelt werden, um sodann weiterhin zu fragen, wie häufig $\varphi_{k,\nu}$ vorkommt. Erst wenn wir die Verteilungsfunktion von der Zeit t abhängen lassen und eine Dgl für $f_{k,\nu}(t)$ zimmern, „springen wir hinein". Dieser Abschnitt bleibt noch ganz bei quantenmechanischer Vorbereitung.

q in $\vec{E}$ — ohne Gitterpotential

Den exakt lösbaren Beispielen zur Quantenmechanik gebührt ein Ehrenplatz. Seltsamerweise scheint aber das folgende wenig bekannt zu sein. Ein einzelnes Teilchen (Ladung q) im homogenen elektrischen Feld $\vec{E}$ hat im Hamilton–Operator das Potential $-q\vec{E}\,\vec{r}$ stehen. Stationäre Zustände gibt es *nicht* (erst wenn auch noch eine ∞ hohe Wand eingefügt würde, kämen Airy–Funktionen ins Spiel). Aber wir dürfen das Anfangswertproblem lösen wollen. Ein $\mathrm{e}^{i\vec{k}\,\vec{r}}$–Zustand liege vor, und zur Zeit $t=0$ werde das $\vec{E}$–Feld plötzlich angelegt:

$$\psi(\vec{r},t)=\mathrm{e}^{-\frac{i}{\hbar}H\,t}\,\psi(\vec{r},0) \;=\; \mathrm{e}^{-\frac{i}{\hbar}t\left(-\frac{\hbar^2}{2m}\Delta\,-\,q\vec{E}\,\vec{r}\right)}\,\frac{1}{\sqrt{V}}\,\mathrm{e}^{i\vec{k}\,\vec{r}} \quad . \tag{14.2}$$

Viel Qälerei mit weiterer Auswertung von (14.2) bleibt nun erspart durch eine schöne Idee: Versuchen wir doch vorab Eigenschaften von $\psi(\vec{r},t)$ — so wie es dasteht — zu studieren. Was mag passieren, wenn wir den Impulsoperator $\vec{p}=\frac{\hbar}{i}\nabla$ anwenden:

$$\vec{p}\;\psi(\vec{r},t) \;=\; \mathrm{e}^{-\frac{i}{\hbar}H\,t}\;\underbrace{\mathrm{e}^{\frac{i}{\hbar}H\,t}\,\vec{p}\;\mathrm{e}^{-\frac{i}{\hbar}H\,t}}\;\frac{1}{\sqrt{V}}\,\mathrm{e}^{i\vec{k}\,\vec{r}} \quad , \qquad \text{Übung 13/5 (a) :}$$

$$\underbrace{}\;=\;\vec{p}+\left[\frac{i}{\hbar}Ht\,,\,\vec{p}\right]+\text{Null}\;=\;\vec{p}+q\,\vec{E}\;t$$

$$= \hbar \left(\vec{k} + \frac{q \vec{E}}{\hbar} t \right) \psi(\vec{r}, t) \;=:\; \hbar \, \vec{k}(t) \, \psi(\vec{r}, t) \ . \tag{14.3}$$

Offenbar hat sich ψ reproduziert, aber zu einem zeitlich veränderten Eigenwert. Damit wissen wir schon alles über die ψ–Zukunft,

$$\psi(\vec{r}, t) \;=\; C(t) \, \frac{1}{\sqrt{V}} \, \mathrm{e}^{i \vec{k}(t) \vec{r}} \ , \tag{14.4}$$

jedenfalls nachdem in Übung 14/1 auch noch der Vorfaktor $C(t)$ bestimmt worden ist. Mit (14.4) ist das vorgegebene Anfangswertproblem exakt gelöst.

Übung 14/1 Woraus und wie ergibt sich in Strenge der zeitabhängige Vorfaktor $C(t)$ in der Zustandsfunktion (14.4)?

Lösung $i\hbar\dot{\psi} = i\hbar\dot{C}\,\mathrm{e} - \hbar\dot{\vec{k}}\,\vec{r}\,C\,\mathrm{e} \stackrel{!}{=} H\,C\,\mathrm{e} = \left(\frac{\hbar^2 k(t)^2}{2m} - q\vec{E}\,\vec{r}\right) C\,\mathrm{e}$ ↷
$\dot{C} = -i\,\frac{\hbar}{2m}\,k^2(t)\,C\,, \quad C(0) = 1\,,$ und folglich $C(t) = \mathrm{e}^{-i\frac{\hbar}{2m}\int_0^t dt'\,k^2(t')}$.

Die Wanderung (14.3) des Eigenwertes in $\vec{E}$–Richtung[3] durch den $\vec{k}$–Raum hat neckische Konsequenzen. Ist ein Zustand mit Wahrscheinlichkeit p da und verändert er sich nach Schrödinger–Gleichung, so ist er auch zu späterer Zeit da und zwar immer noch mit p: Zustände nehmen ihre Wahrscheinlichkeit mit. *Alle* Einteilchen–Zustände folgen (14.4). Liegt also zur Zeit $t = 0$ die Fermi–Verteilung vor, das Zuständediagramm unten „schwarz" füllend (mit oder ohne Staubwolke), so wird alsbald die Schwärzung in $\vec{E}$–Richtung die parabolische Energie hinauf kriechen.

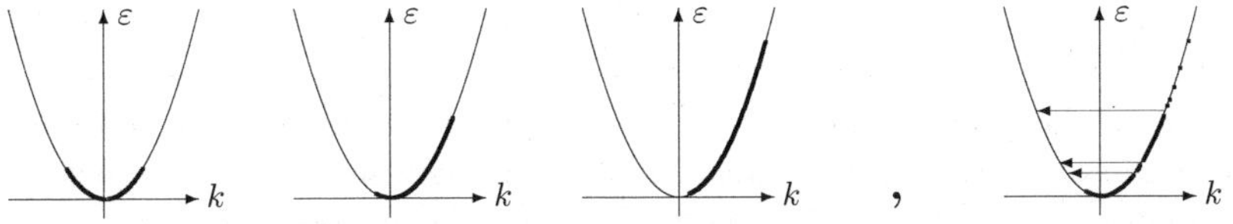

Bild 14–1: 1D freie Teilchen im elektrischen Feld. Zeitliche Veränderung der Besetzungen im Zuständediagramm und eine erste Vorstellung davon, wie durch Streuprozesse der elektrische Widerstand zustande kommt.

Wie in 1D die „Raupe" kriecht, zeigt Bild 14–1. Der zugehörige Strom (Vorgriff auf § 14.2) nimmt ständig zu. Es ist wirklich so, wären da nicht auch Streu-

[3] Da ist es passiert. Von Metall ist die Rede. Dessen Elektronen haben $q = -|e|$. Folglich ist $-\vec{E}$ die Richtung, in der sich $\vec{k}$ bewegt. Es sei uns bitte erlaubt, ständig so zu kommentieren, als handle es sich um positive Teilchen, um Löcher im Band. Ist einmal Genauigkeit nötig, haben wir ja q in den Gleichungen stehen. Nicht wahr, die Ladung ist irgendwann einmal mit dem falschen Vorzeichen eingeführt worden. Aber das waren auch nur Menschen.

prozesse am Werke (Phononen, Fremdatome etc.), welche $\vec{k}$–Zustände in andere überführen — und zwar besonders gern jene am Kopf der Raupe, weil es von dort aus besonders viele (speziell energetisch gleiche) unbesetzte Endzustände gibt. Die Raupe bröckelt oben ab. Eine Balance stellt sich ein (in 3D jedenfalls). Und das ist gut so, denn sonst wäre ja immerzu die Glühbirne auszuwechseln.

q in $\vec{E}$ — mit Gitterpotential

Um auch in $V(\vec{r}) = V(\vec{r} + \vec{R})$ das mit einer Bloch–Funktion startende Anfangswertproblem

$$\psi(\vec{r}, t) = \mathrm{e}^{-\frac{i}{\hbar}H\,t}\,\psi(\vec{r}, 0) \;=\; \mathrm{e}^{-\frac{i}{\hbar}t\left(-\frac{\hbar^2}{2m}\Delta - q\vec{E}\vec{r} + V(\vec{r})\right)}\,\varphi_{\vec{k}\,\nu}(\vec{r}) \tag{14.5}$$

zu behandeln, bedarf es einiger Bauernschläue. Die unter (14.2) geäußerte Idee führt auch hier weiter. Dort war $\hbar\vec{k}$ Impulseigenwert. Bei der Frage, was der auf Brillouin–Zone (BZ) begrenzte $\vec{k}$–Index an der Bloch–Funktion mit Eigenwerten zu tun hat, zieht die Erinnerung an (7.2) bis (7.5) und (6.5) herauf. Ein simultaner Eigenwert *aller* Gitter–Translationen legt $\vec{k} \in$ BZ fest:

$$T_{\vec{R}}\,\mathrm{e}^{i\vec{k}\vec{r}+i\vec{K}\vec{r}} \;=\; \mathrm{e}^{i\vec{k}\vec{R}}\;\mathrm{e}^{i\vec{k}\vec{r}+i\vec{K}\vec{r}} \quad , \quad T_{\vec{R}}\,\varphi_{\vec{k}\,\nu}(\vec{r}) \;=\; \mathrm{e}^{i\vec{k}\vec{R}}\,\varphi_{\vec{k}\,\nu}(\vec{r}) \;. \tag{14.6}$$

Nicht wahr, es dämmert. Schlau gefragt, gut erinnert, und schon ist der nächste Schritt klar — wende $T_{\vec{R}}$ auf (14.5) an:

$$T_{\vec{R}}\,\psi(\vec{r}, t) \;=\; \mathrm{e}^{-\frac{i}{\hbar}\left(H - q\vec{E}\vec{R}\right)t}\,\mathrm{e}^{i\vec{k}\vec{R}}\,\varphi_{\vec{k}\,\nu}(\vec{r}) \;=\; \mathrm{e}^{-\frac{i}{\hbar}\left(\vec{k} + \frac{q\vec{E}}{\hbar}t\right)\vec{R}}\,\psi(\vec{r}, t) \;. \tag{14.7}$$

Auch im Bloch–Falle wandert also der $\vec{k}$–Vektor in $\vec{E}$–Richtung. Läuft er am Rand der BZ heraus, so kommt er an einer um ein $\vec{K}$ versetzen Stelle wieder herein. Sie haben völlig recht, daß schon (14.2) mit kontinuierlichen Translationen $T_{\vec{a}}$ be–operiert werden konnte: kürzere Rechnung, längerer Idee–Verkauf.

Eines ist jetzt allerdings anders als unter (14.3). Wenn $T_{\vec{R}}\,\mathit{etwas} = \mathrm{e}^{i\vec{k}(t)\vec{R}}\,\mathit{etwas}$ für alle T gilt, so kann daraus nur geschlossen werden, daß *etwas* eine Linearkombination aus Funktionen $\varphi_{\vec{k}(t)\,\nu}(\vec{r})$ ist: gleiche $\vec{k}(t)$, aber verschiedene Bandindizes ν. Es ist jedoch meist eine sehr gute Näherung, aus der Linearkombination nur den Term mit Start–ν mitzunehmen und *intraband*–Physik zu betreiben:

$$\psi(\vec{r}, t) \;\approx\; C(t)\,\varphi_{\vec{k}(t)\,\nu}(\vec{r}) \;. \tag{14.8}$$

Eigentlich ist damit schon klar, wie sich die Raupe vom Bild 14–1 im Bloch–Falle und in *intraband*–Näherung bewegt. Wo sie aus der BZ–Schachtel herauskriecht, kommt sie zur anderen Wand wieder herein und an den Bandboden zurück (schön über Berg und Tal im wiederholten Zonenschema). Es fließt ein Wechselstrom! Vermutlich ist die zugehörige stationäre Variante (die Stark–Leiter) inzwischen experimentell verifiziert. In der Regel verhindern wieder die Streumechanismen, daß die Raupe einen Berg auch nur im entferntesten lebendig erreicht. Übrigens ist sie ja von vornherein an Kopf und Schwanz ein wenig thermisch aufgeweicht. Ein voll gefülltes Band führt übrigens *keinen* Strom, wie sich im § 14.2 zeigen wird.

Die *interband*–Effekte gehören schwerlich noch hierher. Aber etwas „Märchen" sei erlaubt. Die soeben vernachlässigten anderen Terme in der Linearkombination können gut störungstheoretisch behandelt werden, mit *intraband*–System als nullter Näherung. Sie sorgen für Tunneleffekt in höhere Bänder, woraufhin selbst im „totalen Isolator" noch ein Strom fließt, der **Zener–Strom**. Selbiger ist nicht Ohm–isch $\sim E$, sondern Tunneleffekt–typisch proportional zu einer e–Funktion von $\sim -1/E$ (Argyres 1962). Nun ja, zu der Behauptung am Beginn des § 7.1, es gäbe keine Isolatoren, können wir jetzt zumindest etwas besser sprechen. Ergänzend läßt sich hinzufügen, keine Temperatur sei so tief, daß nicht ein paar angeregte Elektronen Strom tragen.

14.2 Stromdichte, Driftterm und Stoßterm

Zu jedem Zustand ψ, so er denn mit bekannter Wahrscheinlichkeit vorliegt, weiß die Quantenmechanik zu sagen, welche Wahrscheinlichkeits–Stromdichte dann den Raum erfüllt. Ist kein Magnetfeld im Spiel, so folgt bekanntlich $\vec{\jmath} = \frac{1}{2m}(\psi^* \vec{p} \psi + c.c)$ aus der Kontinuitätsgleichung für $\psi^*\psi$. Wenn sich viele Wahrscheinlichkeiten addieren, darf die Summe getrost als mittlere Teilchenzahl angesehen werden. Im Metall, jetzt sofort *mit* gitterperiodischem Potential, ist also die mittlere Teilchen–Stromdichte $\vec{\jmath}_T$ zu gegebener Verteilung $f_{k,\nu}$ durch die folgende Summe von Produkten gegeben:

$$\vec{\jmath}_T = 2 \sum_{\vec{k},\nu} f_{k,\nu} \cdot \frac{1}{2m} \Big(\varphi^*_{\vec{k}\,\nu}(\vec{r})\, \vec{p}\, \varphi_{\vec{k}\,\nu}(\vec{r}) + c.c \Big) \; . \tag{14.9}$$

Abgesehen davon, daß wir damit nicht gut weiterrechnen können, enthält (14.9) Details über das Innere der Elementarzellen, die uns gar nicht interessieren. Hier hilft großräumige Mittelung per $\frac{1}{V}\int d^3r$ aus der Klemme:

$$\frac{1}{V}\int d^3r\, \frac{1}{2m}\Big(\text{s. (14.9)} \Big) = \frac{1}{V}\int d^3r\, \varphi^*_{\vec{k}\,\nu}\, \frac{\vec{p}}{m}\, \varphi_{\vec{k}\,\nu} = \frac{1}{V} \left\langle \frac{\vec{p}}{m} \right\rangle_{\vec{k},\nu} \; , \tag{14.10}$$

und wir kommen weiter mit Hilfe eines hübschen Theorems,

$$\left\langle \frac{\vec{p}}{m} \right\rangle_{\vec{k},\nu} \;=\; \frac{1}{\hbar} \nabla_k\, \varepsilon_{k,\nu} \;=:\; \vec{v}_{k,\nu} \;, \tag{14.11}$$

dessen Beweis die Übung 14/2 leisten möge. ∇_k ist der Gradient einer $\vec{k}$–abhängigen Funktion. Im Spezialfall $V(\vec{r}) \equiv 0$ wird (14.11) recht trivial zu $\vec{v}_k = \hbar \vec{k}\,/m$, und in (14.9) degeneriert die runde Klammer zu $2\hbar \vec{k}\,/\,V$, weil die Bloch–Faktoren $u \equiv 1$ werden.

Mit (14.10) und (14.11) erhält die Teilchen–Stromdichte (14.9) die Gestalt

$$\vec{j}_T = 2 \sum_{\vec{k},\nu} f_{k,\nu} \, \frac{1}{V} \, \vec{v}_{k,\nu} = \frac{1}{4\pi^3} \int_{\mathrm{BZ}} d^3k \sum_{\nu} \vec{v}_{k,\nu} \, f_{k,\nu} \ . \tag{14.12}$$

Übung 14/2 Bei Herleitung des Theorems (14.11) ist der Operator $\widetilde{H} := \mathrm{e}^{-i\vec{k}\vec{r}} H \mathrm{e}^{i\vec{k}\vec{r}}$ entscheidend hilfreich. $\widetilde{H}u = ?$ Kann man $\widetilde{H}$ e–Funktions–frei schreiben? $\nabla_k \widetilde{H} = ?$ Wie sind die Bloch–Faktoren u eigentlich normiert?

Lösung $\widetilde{H}u = \mathrm{e}^{-i\vec{k}\vec{r}} H \varphi_{\vec{k}\,\nu} = \varepsilon\, u$, $\widetilde{H} = -\frac{\hbar^2}{2m}\mathrm{e}^{-}\nabla\mathrm{e}^{+}\mathrm{e}^{-}\nabla\mathrm{e}^{+} + V = -\frac{\hbar^2}{2m}(i\vec{k} + \nabla)^2 + V$, $\nabla_k \widetilde{H} = \frac{\hbar^2}{m\,i}(i\vec{k} + \nabla)$, $\langle \frac{\vec{p}}{m} \rangle_{\vec{k},\nu} = \frac{1}{V}\int \mathrm{e}^{-}u^* \frac{\hbar}{mi}\nabla \mathrm{e}^{+} u = \frac{\hbar}{miV}\int u^*(ik + \nabla)u = \frac{1}{\hbar V}\int u^*[\nabla_k \widetilde{H}]u = \frac{1}{\hbar V}\Big(\nabla_k \int u^* \widetilde{H} u - \int [\nabla_k u^*]\widetilde{H}u - \int u^* \widetilde{H}\, \nabla_k u\Big)$, $\widetilde{H}^\dagger = \widetilde{H}$: $u^* \widetilde{H} \to (\widetilde{H}u)^* = \varepsilon\, u^*$ $\curvearrowright$ $\langle \frac{\vec{p}}{m} \rangle = \frac{1}{\hbar}\nabla_k \varepsilon$, denn $\frac{1}{V}\int u^* u = 1$.

Die Bandindex–Summe in (14.12) wird sich in der Regel auf wenige Terme reduzieren. Zum Halbleiter werden es zwei Terme sein, jene für Valenz– und Leitungsband. Weil im folgenden nur die *intraband*–Physik eines Metall interessieren soll, können wir die ν–Summe weglassen und vereinfachend auch den Index ν. Größen wie f, ε, $\vec{v}$ beziehen sich auf das Leitungsband.

Ein voll besetztes Band ($f_k \equiv 1$) führt keinen Strom. Im Gleichgewicht ($f_k \equiv f_k^0$) fließt kein Strom. Diese beiden Aussagen beruhen auf dem gleichen Argument. In der um den Ursprung gelegten BZ (Halbierung der elementaren reziproken Gittervektoren, s. Text unter (6.7)) herrscht Spiegelsymmetrie am Ursprung. Zu jedem Zustand $\vec{k}$ gibt es mit der gleichen Wahrscheinlichkeit auch jenen mit $-\vec{k}$. Deren Stromdichten kompensieren sich zu $\vec{0}$.

Hand aufs Herz, vor langer Zeit hatten wir uns wohl alle einmal die Elektronen als kleine Kullerchen gedacht, welche sich — hin und wieder durch Stöße aus der Bahn gebracht — durch den Kupferdraht schlängeln. Falsch. Das quantenmechanische Bild ist ganz anders. Elektronen sind über das ganze Material ausgebreitet. Ihren Zuständen ist Stromdichte zugeordnet. Und netto fließt Strom aufgrund einer Besetzungs–Asymmetrie, verursacht vom elektrischen Feld.

Bisher wurde nur an Teilchen–Stromdichte gedacht. Wird jedes Teilchen mit einer seiner Eigenschaften bedacht, d.h. $\vec{v}_k$ mit derselben multipliziert, so entstehen Ladungs–, Energie– und Wärmestromdichte:

$$\left.\begin{array}{c}\vec{\jmath}_T\\ \vec{\jmath}\\ \vec{\jmath}_E\\ \vec{\jmath}_Q\end{array}\right\} = \frac{1}{4\pi^3}\int_{\mathrm{BZ}} d^3k \left\{\begin{array}{c}1\\ q\\ \varepsilon_k\\ \varepsilon_k-\mu\end{array}\right\} \vec{v}_k\, f_k \ . \tag{14.13}$$

Der Eintrag in der dritten Zeile ist unphysikalisch: Ein solcher Strom wäre ja von der Wahl der Energieskala abhängig. Aber er dient als Zwischenschritt zur vierten Zeile. Wenn $dE = đQ - p\,dV + \mu\,dN$ nach Streichen des dV–Terms (hier Null) auf Zeit und auf Fläche bezogen wird, ensteht $\vec{\jmath}_E = \vec{\jmath}_Q + \mu\ \vec{\jmath}_T$. Zeile 4 rekrutiert sich nun aus Zeile 3 und Zeile 1. Es versteht sich, daß es sich bei $\vec{\jmath}_Q$ nur um den elektronischen Beitrag zum Wärmestrom handelt. Auch Phononen tragen bei.

Driftterm

Die Verteilungsfunktion ändert sich mit der Zeit: $f_k(t)$. Wie dies qualitativ aussehen kann, hat sich schon bei der Raupe im § 14.1 gezeigt. Änderungen durch „Drift" beruhen auf elektromagnetischen Feldern und ggf. auf einem Gradienten der Temperatur. Mit Änderung durch „Stöße" ist natürlich der Effekt verschiedener Streumechanismen gemeint. Wenn wir $\dot{f} = \sum_{\text{Mechanismen}} \dot{f})_{\text{Mechanismus}}$ setzen, entsteht eine Dgl für $f(t)$. An eine Dgl bezüglich der Zeit können dann verschiedene Fragen gerichtet werden. Man kann erfahren wollen, wie sich f zu gegebenem Anfangsprofil weiter entwickelt, oder auch — durch Nullsetzen von $\dot{f}$ — welches stationäre Verhalten sich nach Abklingen von Einschwing–Vorgängen einstellt. Bei Newton ist $\vec{K}\,/m$ der $\vec{v}$–ändernde Mechanismus, und Nullsetzen von $\dot{\vec{v}}$ gibt Gleichgewichtspositionen.

Zustände nehmen ihre Wahrscheinlichkeit mit. Im elektrischen Feld, wofür wir $\vec{k}\,(t) = \vec{k} + \frac{q}{\hbar}\vec{E}\,t$ und somit $\partial_t\,\vec{k}\,(t) = \frac{q}{\hbar}\vec{E}$ ermittelt hatten, gilt also

$$f_{\vec{k}\,(t)}(t) \equiv f_{\vec{k}}(0) \quad \curvearrowright \quad \frac{q}{\hbar}\vec{E}\cdot\nabla_k f_k(t) + \overset{\Downarrow}{\partial_t}\, f_k(\overset{\Downarrow}{t}\,) = 0 \ . \tag{14.14}$$

Wird auch ein Magnetfeld einbezogen, lautet der Driftterm

$$\left.\dot{f}_k\right)_{\vec{E},\vec{B}} = -q\left(\vec{E} + \vec{v}_k \times \vec{B}\right)\cdot\frac{1}{\hbar}\nabla_k f_k \ . \tag{14.15}$$

Soweit $\vec{E}$ betreffend, wurde hier nur (14.14) nach $\dot{f}$ aufgelöst. In der Klammer zur Lorentz–Kraft zu ergänzen, das erscheint plausibel. Aber die saubere Begründung des $\vec{B}$–Terms ist eine so biestige Angelegenheit, daß wir sie hier besser der Festkörper–Theorie überlassen. Mit $\vec{v}_k$ ist wirklich (14.11) gemeint. Der $\vec{B}$–Term bleibt also ein Zitat.

Mit dem Anliegen, im Driftterm auch einen Temperatur–Gradienten ∇T einzufügen, betreten wir schwankenden Boden. Die Temperatur darf sich nur so schwach ändern, über so große Raumbereiche, daß lokal noch Statistik stattfinden kann: $f_k(\vec{r}, t)$. Sind insbesondere die Mechanismen (14.15) nicht da (oder im ∇T–Term vernachlässigbar, wie es bald im § 14.3 der Fall sein wird), dann liegt lokales Gleichgewicht vor:

$$f_k^0(\vec{r}) \approx \frac{1}{\mathrm{e}^{\beta(\vec{r})\left[\varepsilon_k - \mu(\vec{r})\right]} + 1} \quad . \tag{14.16}$$

Eine (zusätzliche) Abhängigkeit von der Zeit t bekommt $f(\vec{r}, t)$ dadurch, daß Zustände bei oder um $\vec{k}$ eine Gruppengeschwindigkeit $\vec{v}_{\mathrm{gr}}$ haben. Jetzt wird auch räumlich Wahrscheinlichkeit mitgenommen:

$$f_k(\vec{r} + \vec{v}_{\mathrm{gr}}\, t\,,\, t + dt\,) \equiv f_k(\vec{r}\;,\,t\,) \quad \curvearrowright \quad \dot{f}_k\Big)_{\text{räumlich}} = -\,\vec{v}_{\mathrm{gr}} \cdot \nabla f_k \quad . \tag{14.17}$$

Die Gruppengeschwindigkeit, oh, was war das eigentlich. Sie ist die zeitliche Änderung des Orts–Erwartungswertes eines Teilchens. Also dürfte sie etwas mit Ehrenfests Theorem zu tun haben:

$$\vec{v}_{\mathrm{gr}} = \langle\, \vec{r}\,\rangle^{\bullet}_{\varphi} = \frac{i}{\hbar}\,\langle\,[H, \vec{r}\,]\,\rangle_{\varphi} = \frac{i}{\hbar}\Big\langle\Big[-\frac{\hbar^2}{2m}\Delta\,,\vec{r}\,\Big]\Big\rangle_{\varphi} = \Big\langle\frac{\vec{p}}{m}\Big\rangle_{\varphi} = \vec{v}_k \quad , \tag{14.18}$$

siehe (14.11). Alte Bekannte trifft man gern.

Stoßterm

Das „Abbröckeln der Raupe“ durch Streuvorgänge explizit machen zu wollen, hört sich zunächst gefährlich an, kann aber wunderbar allgemein formuliert werden. Mit Nervenschmerzen ist allerdings die begleitende Philosophie verbunden. Ein Bloch–Zustand $\vec{k}$ liege vor. Ein Störpotential werde „plötzlich“ wahrgenommen (wir werden vorrangig an Fremdatome denken). Die zeitabhängige Störungsrechnung gibt nun per Fermis goldener Regel eine Übergangsrate $\Gamma_{k,k'}$ dafür an, daß sich der Zustand $\vec{k}\,'$ bevölkert. Ist dies geschehen, so mögen „plötzlich“ wieder nur Bloch–Zustände vorliegen, lediglich deren Belegung mit Wahrscheinlichkeiten hat sich verändert. Daß hier etwas faul ist, liegt auf der Hand. „Plausible technische Vereinfachung“ lautet die Ausrede.

Damit ein Übergang mit Rate Γ stattfindet, muß der Ausgangszustand besetzt sein und der Endzustand leer. Die Wahrscheinlichkeit pro Zeit $W_{k,k'}$ für einen $\vec{k} \to \vec{k}\,'$–Prozeß ist also

$$W_{k,k'} = f_k\,(1 - f_{k'})\,\Gamma_{k,k'} \quad , \quad \text{und} \quad \dot{f}_k\Big)_{\text{Stoß}} = \sum_{\vec{k}\,'} \Big[\, W_{k',k} - W_{k,k'} \,\Big] \tag{14.19}$$

ist der Stoßterm. In seinem ersten Beitrag wird ersichtlich die f–Vergrößerung bedacht, welche sich durch das In–$\vec{k}$–Hineinstreuen aus allen vorhandenen $\vec{k}'$–Zuständen ergibt. Und der zweite Beitrag bedenkt das Aus–$\vec{k}$–Herausstreuen pro Zeit. Auch die Indizes an Γ und an W sind natürlich in Gedanken bitte mit kleinen Vektorpfeilen zu versehen.

Wir sind so weit, alle Mechanismen in einer Gleichung zu vereinen. Daß sie schlicht addiert werden dürfen, ist eine weitere vereinfachende Annahme. Die vollständige (und hier voll quantenmechanische) Boltzmann–Gleichung lautet:

$$\begin{aligned} \dot{f}_k &= -q\left(\vec{E} + \vec{v}_k \times \vec{B}\right)\frac{1}{\hbar}\nabla_k f_k - \vec{v}_k \nabla f_k \\ &+ \sum_{\vec{k}'}\left[f_{k'}(1-f_k)\,\Gamma_{k',k} - f_k(1-f_{k'})\,\Gamma_{k,k'}\right]. \end{aligned} \tag{14.20}$$

(14.20) ist eine nicht–lineare, partielle Integro–Differentialgleichung. Alle Terme haben die Dimension 1/Zeit. Alle Größen sind bekannt (oder anderweitig erhältlich), nur die Lösung $f_k(\vec{r}, t)$ nicht. Hat sich $f_k(\vec{r}, t)$ ermitteln lassen, liefert (14.13) die interessierenden Elektronen–getragenen Stromdichten im Metall. Eine Transporttheorie ist komplett.

14.3 Linearisierte Boltzmann–Gleichung

Lösen heißt Vereinfachen, Vereinfachen ... , bis die Lösung in den Schoß fällt. Im Falle (14.20) wird bereits das Problem selbst vorab gehörig zu vereinfachen sein. Häufig interessieren nur die von den Feldern $\vec{E}$, ∇T, $\nabla\mu$ verursachten Ströme und dann auch oft nur als lineare Antwort (Beispiel $\vec{j} = \sigma\vec{E}$). (14.13) macht klar, daß dann auch die Abweichung $f_k - f_k^0 =: \eta_k$ vom Gleichgewicht nur linear in den Feldern gesucht wird: „η_k ist klein". Wir sehen uns die Terme der Boltzmann–Gleichung (14.20) der Reihe nach an und fragen, was sie unter Linearisierung erleben.

Die linke Seite. $\dot{f}_k = (f_k - f_k^0)^\bullet = \dot{\eta}_k$ ist ein trivialer Schritt. Es wäre übrigens voreilig, die linke Seite mit Blick auf stationäre Lösungen sofort Null zu setzen. Auch zeitabhängige Felder sollen nämlich im Spiel bleiben. Der Wechselstrom–Leitfähigkeit ist Übung 14/3 gewidmet.

Der $\vec{E}$–Term. Linear im Feld $\vec{E}$ bleibt der Term nur, wenn f_k durch f_k^0 ersetzt wird. Aus $\frac{1}{\hbar}\nabla_k f_k$ wird also $\frac{1}{\hbar}\nabla_k f_k^0 = f^{0\prime\varepsilon}\frac{1}{\hbar}\nabla_k\varepsilon_k = \vec{v}_k\, f^{0\prime\varepsilon}$, wobei mit $f^{0\prime\varepsilon}$ die Ableitung der Fermi–Verteilung nach ε gemeint ist.

Der $\vec{B}$–Term. Würde man hier f_k durch f_k^0 ersetzen, käme Null heraus, denn $(\vec{v}_k \times \vec{B})\,\vec{v}_k$ verschwindet. Davon, daß auch $\vec{B}$ klein sei, war aber nicht die

Rede. Um auch den $\vec{B}$–Term linear zu schreiben, haben wir also $\nabla_k f_k$ durch $\nabla_k (f_k - f_k^0) = \nabla_k \eta_k$ zu ersetzen.

Der ∇f_k–Term. Wie schon beim $\vec{E}$–Term gibt bereits f_k^0 die gewünschte erste Ordnung. Es müssen nur die in (14.16) notierten $\vec{r}$–Abhängigkeiten beachtet werden:

$$\nabla f_k \to \nabla f_k^0 = (\nabla \beta)\, \partial_\beta f_k^0 + (\nabla \mu)\, \partial_\mu f_k^0 = \frac{\mu - \varepsilon_k}{T} f^{0/\varepsilon} \nabla T - f^{0/\varepsilon} \nabla \mu \ . \qquad (14.21)$$

Der Stoßterm. Hier ist zur Art der Streuprozesse genauere Auskunft erforderlich. Beispielsweise könnten sich die Verursacher (Phononen) in einer Vorzugsrichtung bewegen. Mit Gedanken an Streuung durch Fremdatome schränken wir hier zweifach ein: (a) $\Gamma_{k',k} = \Gamma_{k,k'}$ und (b) im Gleichgewicht wird f nicht durch Stöße verändert. Aufgrund von (a) kann Γ ausgeklammert werden. Und wegen (b) gibt es keinen Beitrag nullter Ordnung:

$$\dot{f}_k\Big)_{\text{Stoß}} = \sum_{k'} \Big[(f_{k'}^0 + \eta_{k'})(1 - f_k^0 - \eta_k) - (f_k^0 + \eta_k)(1 - f_{k'}^0 - \eta_{k'}) \Big] \Gamma_{k,k'}$$

$$\Big[\ldots\Big] \doteq \eta_{k'}(1 - f_k^0) - f_{k'}^0 \eta_k - \eta_{k'}\eta_k - \eta_k(1 - f_{k'}^0) + f_k^0 \eta_{k'} + \eta_k \eta_{k'}$$

$$+ \text{ Terme ohne } \eta\text{, welche wegen (b) nicht interessieren}$$

$$\dot{f}_k\Big)_{\text{Stoß}} \doteq \sum_{k'} [\eta_{k'} - \eta_k]\, \Gamma_{k,k'} \ . \qquad (14.22)$$

Erstaunlicherweise wurde dies automatisch linear in η, d.h. (a) und (b) haben die Nichtlinearität beseitigt. Nach obigem letzten Schritt der (14.20)–Verarbeitung kommt die linearisierte Boltzmann–Gleichung wie folgt zu Papier:

$$\begin{aligned} \dot{\eta}_k &= -q\, f^{0/\varepsilon}\, \vec{v}_k \vec{E} - q\, (\vec{v}_k \times \vec{B})\, \frac{1}{\hbar} \nabla_k \eta_k \\ &\quad + f^{0/\varepsilon}\, \vec{v}_k \Big(\nabla \mu + \frac{\varepsilon_k - \mu}{T} \nabla T \Big) + \sum_{\vec{k}'} [\eta_{k'} - \eta_k]\, \Gamma_{k,k'} \ . \end{aligned} \qquad (14.23)$$

Relaxationszeit

Wenn die Realität näher rückt, wird bekanntlich besonders gern zu windigen Vereinfachungen gegriffen („gleich zeigt sich ja, obs funktioniert"). Es fällt jedenfalls (zunächst) vom Himmel, wenn der Stoßterm (14.22) mal flugs durch

$$\dot{f}_k\Big)_{\text{Stoß}} = -\frac{1}{\tau}\Big(f_k - f_k^0 \Big) = -\frac{1}{\tau}\, \eta_k \qquad (14.24)$$

ersetzt wird, wobei die τ eine phänomenologische Konstante ist, Relaxationszeit genannt. Ob plausibel oder nicht, eine Herleitung von (14.24) aus (14.22) wird nur für spezielle Lösungen η_k gelingen können. Tatsächlich wird sich (14.24) im § 14.4 als streng gültig erweisen, und zwar mit einem speziellen τ, der Transport–Relaxationszeit.

Zunächst ist (14.24) ein schönes Spielzeug. Es kann sogar in der vollen Boltzmann–Gleichung (14.20) verwendet werden. Setzen wir dort einmal alle Felder Null, dann gibt uns

$$\dot{f}_k = -\frac{f_k - f_k^0}{\tau} \quad \curvearrowright \quad f_k(t) = f_k^0 + \left[f_k(t=0) - f_k^0 \right] \mathrm{e}^{-t/\tau} \qquad (14.25)$$

eine erste gute Vorstellung davon, wie ein System mit Hilfe interner Streuprozesse sein Gleichgewicht ansteuert.

In Relaxationszeit–Näherung kann auch der elektrische Widerstand leicht ausgerechnet werden. Dazu setzen wir in (14.23) die linke Seite Null (stationärer Betrieb) und beschränken uns rechts auf ein konstantes Feld $\vec{E}$. Das Lösen der „Dgl" reduziert sich dann darauf, sie aufzulösen:

$$0 = -q\, f^{0/\varepsilon} \vec{v}_k \vec{E} - \frac{1}{\tau}\, \eta_k \quad \curvearrowright \quad \eta_k = -q\, \tau\, f^{0/\varepsilon} \vec{v}_k \vec{E} \quad . \qquad (14.26)$$

Lassen wir überdies Bandeffekte beiseite, so daß $\vec{v}_k = \hbar \vec{k}/m$ ist (sowie BZ $= \infty$), dann wird die elektrische Stromdichte (14.13) zu folgendem Integral

$$\vec{\jmath} = \frac{q\,\hbar}{4\pi^3\, m} \int d^3k\; \vec{k}\; \eta_k = \frac{q^2\, \tau\, \hbar^2}{4\pi^3\, m^2}\, \vec{\Im} \ , \quad \vec{\Im} = \int d^3k\; \vec{k}\, (-f^{0/\varepsilon})(\vec{k}\, \vec{E}) \ . \qquad (14.27)$$

Das Integral $\vec{\Im}$ „weiß nur" von der $\vec{E}$–Richtung. Also ist $\vec{\Im} = c\, \vec{E}$, und c bestimmt sich aus $\vec{E}\, \vec{\Im} = c\, \vec{E}^2$. Also ist

$$\begin{aligned} \vec{\Im} &= \vec{E}\, \frac{\vec{E}\, \vec{\Im}}{E^2} = \vec{E} \int d^3k\, (-f^{0/\varepsilon}) \Big(\vec{k}\, \frac{\vec{E}}{E} \Big)^2 \ , \quad \int d\Omega\, \cos^2(\vartheta) = \frac{4\pi}{3} \\ &= \vec{E}\, \frac{4\pi}{3} \int_0^\infty dk\; k^4\, (-f^{0/\varepsilon}) = \vec{E}\, \frac{4\pi\, m}{3\, \hbar^2} \int_0^\infty dk\; k^3\, (-\partial_k f_k^0) \\ &= \vec{E}\, \frac{4\pi\, m}{\hbar^2} \int_0^\infty dk\; k^2\, f_k^0 = \vec{E}\, \frac{4\pi^3\, m}{\hbar^2}\, \frac{N}{V} = \vec{E}\, \frac{4\pi^3\, m\, n}{\hbar^2} \ , \end{aligned} \qquad (14.28)$$

denn $N = \frac{V}{\pi^2} \int_0^\infty dk\, k^2\, f_k^0$ ist die Teilchenzahl im Band $\varepsilon_k = \frac{\hbar^2 k^2}{2m}$ freier Teilchen. Mit $\vec{\Im}$ kehren wir zur Stromdichte (14.27) zurück und lesen die Leitfähigkeit σ ab:

$$\vec{\jmath} = \sigma\, \vec{E} \qquad \text{mit} \qquad \sigma = \frac{q^2\, n\, \tau}{m} \ . \qquad (14.29)$$

Die Formel (14.29) für die Leitfähigkeit enthält kein $\hbar$. Man kann sie erraten (und sich dadurch auch merken). Drude (1863 – 1906) hatte es also nicht allzu schwer. (14.29) ist die **Drude–Formel**. Etwas boshaft kann man sagen, τ sei durch sie definiert.

Übung 14/3

Wechselstrom–Leitfähigkeit. Die Lösung $\eta_k(t)$ der linearisierten Boltzmann–Gleichung (14.23) kann in Relaxationszeit–Näherung auch für ein Wechselfeld $\vec{E}(t) = \vec{E}_0 \cos(\omega t) = \Re e\,(\vec{E}_0\, \mathrm{e}^{-i\omega t})$ erhalten werden.

(a) $\eta(0) \equiv 0\,,\ \eta(t) = ?$ Sind einige τ vergangen (Einschwingen vorüber), bleibt eine periodische Verteilung $\eta_{\rm per} = \Re e\,(\ldots ?\ \ldots e^{-i\omega t}\,)$ übrig.

(b) Die **komplexe Leitfähigkeit** $\sigma(\omega)$ ist durch $\vec{\jmath}_{\rm per}(t) =: \Re e\,(\,\sigma(\omega)\,\vec{E}_0\ e^{-i\omega t}\,)$ definiert. Mittels (a) folgt $\sigma(\omega) = ?$ als Produkt aus $\sigma(0)$ mit einem ω–abhängigen Bruch. Auf welchen asymptotisch führenden Term reduziert sich $\sigma(\omega)$ bei $\omega \to \infty$?

(c) Wieviel Energie pro Zeit und Volumen erwärmt im Zeitmittel das Material?

Lösung

(a) $\dot\eta + \frac{1}{\tau}\eta = -\Re e\,(qf^{0\prime\varepsilon}\vec{v}\,\vec{E}_0\, \mathrm{e}^{-i\omega t}\,)$. $\eta = \mathrm{e}^{-t/\tau}\,u\,,\ \dot u = \ldots,\ u(0) = 0:$ $\eta(t) = -\Re e\,(qf^{0\prime\varepsilon}\vec{v}\,\vec{E}_0\,\tau\,\frac{1}{1-i\omega\tau}[\mathrm{e}^{-i\omega t} - \mathrm{e}^{-t/\tau}])$. $\eta_{\rm per} = \eta$ ohne $\mathrm{e}^{-t/\tau}$.

(b) $\vec{\jmath}_{\rm per} = \frac{q}{4\pi^3}\int d^3k\,\vec{v}\,\eta_{\rm per} = \Re e\,(\,\frac{q}{4\pi^3}\int d^3k\,\vec{v}\,[\,-\,qf^{0\prime\varepsilon}\vec{v}\,\vec{E}_0\,\tau]\,\frac{1}{1-i\omega\tau}\mathrm{e}^{-i\omega t})$ $= \Re e\,(\sigma(0)\,\vec{E}_0\,\frac{1}{1-i\omega\tau}\mathrm{e}^{-i\omega t})$. Also ist:

$$\sigma(\omega) = \frac{\sigma(0)}{1-i\omega\tau} \quad \to \quad \frac{i\sigma(0)}{\omega\,\tau} \ \text{ bei } \omega \to \infty\ . \qquad (14.30)$$

$\vec{\jmath} \to 0$, weil das Material der wachsenden Frequenz nicht folgen kann. Wegen $\sigma(0) \sim \tau$ kürzt sich τ, weil es auch nicht mehr stoßen kann.

(c) Joulesche Wärme $\vec{\jmath}\,\vec{E}$ zeitgemittelt: $\langle\,\vec{\jmath}\,\vec{E}\rangle_t = \langle\,\vec{E}_0\cos(\omega t)\,\Re e(\ldots)\,\rangle_t$ $= \vec{E}_0^2\ \Re e\,[\,\sigma(\omega)\,\langle\,\cos(\omega t)\,\mathrm{e}^{-i\omega t}\rangle_t\,] = \frac{1}{2}E_0^2\ \Re e\,[\,\sigma(\omega)\,]$.

Übung 14/4

quicky. Wie hilft das Motto „weiß nur von“ bei der Auswertung des skalaren Integrals $J = \int d\Omega\,(\vec{a}\,\vec{k}\,)\,(\,\vec{b}\,\vec{k}\,)$? ($\Omega$ ist der Raumwinkel im $\vec{k}$–Raum.)

Lösung

$J = \vec{a}\,\vec{\Im}$, $\vec{\Im} = c\,\vec{b}$, $c = (\,\vec{b}\,\vec{\Im})/b^2$, $J = \vec{a}\,\vec{b}\ \int d\Omega\,(\frac{\vec{b}}{b}\,\vec{k}\,)^2 = \vec{a}\,\vec{b}\ \frac{4\pi}{3}k^2$. Oder: $J = \vec{a}\,\underline{\underline{J}}\,\vec{b}$, $\underline{\underline{J}} = \int d\Omega\ \vec{k}\circ\vec{k}$ weiß von nichts $\curvearrowright$ $\underline{\underline{J}} = c'\,\underline{\underline{1}}$, $c' = \vec{e}_3\underline{\underline{J}}\vec{e}_3 = \ldots$

14.4 Restwiderstand eines Metalls

Noch wartet die linearisierte Boltzmann–Gleichung (14.23) auf ein Anwendungsbeispiel, bei dem nichts vom Himmel fällt. Sollte eine Relaxationszeit existieren, würde sie *ab initio* auszurechnen sein. Es fällt leicht, die Streuung an Phononen [*Ziman*] zu überlassen. Wir brauchen das Metall nur hinreichend abzukühlen, bis selbige ausgefroren sind. Die Anzahl der Phononen nimmt bekanntlich $\sim T^3$ ab und deren Beitrag zum Widerstand sogar (Zitat) $\sim T^5$. Übrig bleibt die Streuung an Fremdatomen (*impurities*, Index i). Den absolut sauberen Kristall gibt es nicht.

Im Periodizitäts–Volumen V seien N_i Fremdatome mit Ladung Q zufällig verteilt, $N_i \ll$ Zahl der Gitterplätze. Ein Fremdatom am Ursprung mit Ladungsdichte $Q\,\delta(\vec{r})$ wird von den Elektronen als abgeschirmtes Potential $V_i(\vec{r}) = q\,\phi$ erlebt. Weiter weg vom Ursprung ist näherungsweise lokal Statistik möglich: In Bereichen mit positivem ϕ tummeln sich die negativen Elektronen mit einer Ladungsdichte $\sim -\phi$. Wir setzen $\rho_{\text{zusätzlich}} \approx -\varepsilon_0\kappa^2\phi$, verweisen bezüglich κ–Berechnung auf (15.63) und erhalten

$$-\Delta\phi = \frac{1}{\varepsilon_0}\left[Q\delta(\vec{r}) - \varepsilon_0\kappa^2\phi(\vec{r})\right] \quad \curvearrowright \quad V_i(\vec{r}) = \frac{q\,Q}{4\pi\varepsilon_0}\,\frac{1}{r}\,\mathrm{e}^{-\kappa r} \tag{14.31}$$

mittels räumlicher Fourier–Transformation. Für die Streuung an diesem Potential hält Fermis goldene Regel die Rate

$$\Gamma_{k,k'}^{\text{ein Fremdatom}} = \frac{2\pi}{\hbar}\left|\langle\,\vec{k}\,|\,V_i\,|\,\vec{k}'\rangle\right|^2 \delta(\varepsilon_k - \varepsilon_{k'}) \tag{14.32}$$

bereit. Näherungsweise werden sich die von den einzelnen *impurities* verursachten Raten addieren, so daß $\Gamma_{k,k'} = N_i \cdot (14.32)$.

Nur ein elektrisches Feld liege an (kein $\vec{B}$, keine Gradienten), und nur stationärer elektrischer Strom interessiere (*dc conductivity*). Allein der Umstand, daß die Stöße die Energie erhalten, erlaubt eine weitere Vereinfachung der linearisierten Boltzmann–Gleichung (14.23). Aus η_k läßt sich nämlich ein Faktor, der nur von ε_k abhängt, abspalten, im Stoßterm vor die Summe ziehen und schließlich sogar kürzen:

$$\eta_k = -f^{0/\varepsilon}\,\phi_k \quad \curvearrowright \quad q\vec{E}\,\vec{v}_k = \sum_{k'}\,[\,\phi_k - \phi_{k'}\,]\,\Gamma_{k,k'} \ . \tag{14.33}$$

Eine Idee ist jetzt gefragt. Hätten wir den Stoßterm schon in (14.23) per $-\eta_k/\tau$ mit einer Relaxationszeit verhackstückt — vielleicht haben wir Glück und es gibt eine — dann stünde in (14.33) schlicht ϕ_k/τ auf der rechten Seite, und es wäre $\phi_k \sim \vec{v}_k\vec{E}$. Damit ein solcher Ansatz problemlos funktioniert, lassen wir erneut die Band–Details beiseite, so daß $\varepsilon_k = \hbar^2k^2/(2m)$, $\vec{v}_k = \hbar\vec{k}/m$ ist und die für (14.32) benötigten Zustände ebene Wellen $\mathrm{e}^{i\vec{k}\vec{r}}/\sqrt{V}$ sind. Wegen der dadurch erreichten Kugelsymmetrie um das Streuzentrum hängt Γ nur von k, k' und dem Winkel ϑ zwischen $\vec{k}'$ und $\vec{k}$ ab. Mit dem Ansatz

$$\phi_k = A(k)\,\vec{k}\,\vec{E} \tag{14.34}$$

verwandelt sich die zu lösende Integralgleichung (14.33) in

$$\frac{q\hbar}{m}\,\vec{k}\,\vec{E} = A(k)\,\frac{V}{(2\pi)^3}\left[\vec{k}\int d^3k'\,\Gamma(k,k',\vartheta) - \int d^3k'\,\Gamma(k,k',\vartheta)\,\vec{k}'\right]\vec{E} \ . \tag{14.35}$$

Das zweite Integral „weiß nur" von der $\vec{k}$–Richtung, ist also gleich $c\,\vec{k}$ mit $c = \int \Gamma\,\vec{k}\,\vec{k}'/k^2$. Aus (14.35) wird somit

$$\frac{q\hbar}{m}\,\vec{k}\,\vec{E} \;=\; \frac{V}{(2\pi)^3}\int d^3k'\;\Gamma(k,k',\vartheta)\Big[1-\frac{\vec{k}\,\vec{k}'}{k^2}\Big]\,A(k)\,\vec{k}\,\vec{E} \;\stackrel{?}{=}\; \frac{1}{\tau}\phi_k\;. \qquad (14.36)$$

Das erste Gleichheitszeichen zeigt, daß der Ansatz (14.34) die Integralgleichung tatsächlich löst: $\vec{k}\,\vec{E}$ auf beiden Seiten. Und die im zweiten Gleichheitszeichen gestellte Frage verdient ein Ja. Viel Streuung — kurze Relaxationszeit. Die letztere wird am besten reziprok notiert,

$$\frac{1}{\tau} = \frac{V}{8\pi^3}\int d^3k'\;\Gamma(k,k',\vartheta)\,[1-\cos(\vartheta)]\;,\;\text{und}\quad \eta_k = -f^{0/\varepsilon}\,\tau\,\frac{q\hbar}{m}\,\vec{k}\,\vec{E} \qquad (14.37)$$

ist die Lösung der linearisierten Boltzmann–Gleichung. Es ist sehr vernünftig, daß links in (14.37) die Vorwärtsstreuung ($\vartheta = 0$) keinen Beitrag hat, die Rückwärtsstreuung aber um so mehr den Strom begrenzt. Es ist eine Transport–Stoßzeit.

Es mag aufgefallen sein, daß τ nach (14.37) gar keine Konstante ist, sondern von $k = |\,\vec{k}\,|$ abhängt. Das ist nicht schlimm, denn nichtsdestotrotz ist mit (14.37) die Lösung bekannt — nur die Drude–Formel gilt nicht mehr. Bei Halbleitern ist dieser Umstand zu beachten. Hier jedoch gerät die schwach von k abhängige Funktion τ rechts in (14.37) an die Fast–Delta–Funktion $-f^{0/\varepsilon}$. Zu $T \ll \varepsilon_F$ kann darum getrost $\tau(k) \approx \tau(k_F)$ gesetzt werden ($\varepsilon_F = \hbar^2 k_F^2/(2m)$). Ist es dadurch zu einer Konstanten geworden, befördert uns die Drude–Formel (14.29) bis zum Ziel, der Leitfähigkeit σ.

Für τ, (14.37), benötigen wir Γ und für Γ, (14.32), benötigen wir das Matrixelement

$$\langle\vec{k}\,|V_i|\,\vec{k}'\rangle = \frac{q\,Q}{4\pi\varepsilon_0}\,\frac{1}{V}\int d^3r\;\frac{1}{r}\,\mathrm{e}^{-\kappa r}\,\mathrm{e}^{-i(\vec{k}'-\vec{k})\vec{r}} = \frac{q\,Q}{\varepsilon_0\,V}\,\frac{1}{(\vec{k}'-\vec{k})^2+\kappa^2}\;. \qquad (14.38)$$

Mit (14.38) entsteht

$$\begin{aligned}
\frac{1}{\tau} &= \frac{V}{8\pi^3}\int d^3k'\,[1-\cos(\vartheta)]\,N_i\,\frac{2\pi}{\hbar}\delta(\varepsilon_k-\varepsilon_{k'})\left(\frac{q\,Q}{\varepsilon_0\,V}\,\frac{1}{(\vec{k}'-\vec{k})^2+\kappa^2}\right)^2\Bigg|_{k=k_F}\\
&= \frac{N_i}{V}\,\frac{1}{4\pi^2\hbar}\left(\frac{qQ}{\varepsilon_0}\right)^2\frac{m}{\hbar^2k_F}\int d^3k'\,\delta(k_F-k')\Big[1-\cos(\vartheta)\Big]\Big(\frac{1}{2k_F^2-2k_F^2\cos(\vartheta)+\kappa^2}\Big)^2\\
&= \frac{N_i}{V}\,\frac{m\,k_F}{2\pi\,\hbar^3}\left(\frac{qQ}{\varepsilon_0}\right)^2\frac{1}{4k_F^4}\int_{-1}^{1}du\;\frac{4k_F^4\,(1-u)}{[\,2k_F^2(1-u)+\kappa^2\,]^2}\\
&\qquad\qquad \frac{4k_F^4\,(1-u)}{[\,2k_F^2(1-u)+\kappa^2\,]^2} = \partial_u\Big[\frac{-\kappa^2}{2k_F^2(1-u)+\kappa^2}-\ln\Big(1-u+\frac{\kappa^2}{2k_F^2}\Big)\Big]\\
&= \frac{N_i}{V}\,\frac{m}{8\pi\,\hbar^3k_F^3}\left(\frac{qQ}{\varepsilon_0}\right)^2 f\Big(\frac{4k_F^2}{\kappa^2}\Big)\quad\text{mit}\quad f(x) := \ln(1+x)-\frac{x}{1+x}\;. \qquad (14.39)
\end{aligned}$$

Die Zahl N_i der Fremdatome wird besser auf die Zahl $N = V k_F^3/(3\pi^2)$ der Elektronen bezogen statt auf V. (14.39) macht die Drude–Leitfähigkeit explizit. Der Gedanke „viel Streuung – viel Widerstand" favorisiert deren Kehrwert, den **spezifischen Widerstand**:

$$\rho := \frac{1}{\sigma} = \frac{N_i}{N} \frac{2\,m^2}{3\pi\,\hbar^3\,n\,q^2} \left(\frac{q\,Q}{4\pi\,\varepsilon_0}\right)^2 f\Big(\frac{4k_F^2}{\kappa^2}\Big) \ . \tag{14.40}$$

Der Bezug zu Ohms Formel $U = RI$, in welcher R unglücklich von Länge L und Querschnitt F eines homogen stromdurchflossenen Drahtes abhängt, ergibt sich via $LE = RFj$ zu $\rho = RF/L$.

Das Resultat (14.40) enthält $\hbar$. Daß es über τ ins Spiel kam, hindert nicht an der folgenden Aussage: Widerstand ist ein Quantenphänomen. Die Abschirmung war wesentlich, denn bei Übergang zu Coulomb–Potentialen per $\kappa \to 0$, d.h. $x \to \infty$, $f(x) \to \infty$, $\rho \to \infty$, fließt kein Strom mehr. Das Anwachsen des Widerstandes mit N_i–, m– oder Q–Vergrößerung oder n–Abnahme paßt zu anschaulichen Vorstellungen. Die Ladung q zu verändern (wenn man das könnte), bliebe hingegen ohne Einfluß auf den Restwiderstand: q kürzt sich.

Einmal gesehen zu haben, wie in der Statistischen Physik ein Transportkoeffizient explizit ausgerechnet werden kann — mit welchen Vereinfachungen und Näherungen auch immer — das erschien der Mühe wert.

Übung 14/5

Hall–Konstante. In Relaxationszeit–Näherung, mit $\vec{v}_k = \hbar\vec{k}/m$ und Ansatz für ϕ_k, kann die stationäre linearisierte Boltzmann–Gleichung auch in homogenen Feldern $\vec{E}$, $\vec{B}$ beliebiger Richtungen gelöst werden.

(a) Gleichung für ϕ_k, Ansatz und Lösung? $\quad (qB/m =: \omega)$

(b) Weil sich mit $\phi_k = \frac{q\hbar\tau}{m}\vec{E}\,\vec{k}$ die Drude–Formel $\vec{\jmath} = \sigma_{\rm drude}\vec{E}$ ergab, führt die (a)–Lösung auf $\vec{\jmath} = \sigma_{\rm drude} \vec{\cdots}$. Der Leitfähigkeits–Tensor $\underline{\underline{\sigma}}$, per $\vec{\jmath} = \underline{\underline{\sigma}}\vec{E}$ definiert, kann nun zu $\vec{B} = B\vec{e}_3$ explizit gemacht werden. Welche neun Komponenten hat er?

(c) Für die gemäß Bild 14–2 durch $E_2 =: j_1 R_H B$ definierte Hall–Konstante R_H ergibt sich $R_H = 1/(n\,q)$. Wie kommt das heraus?

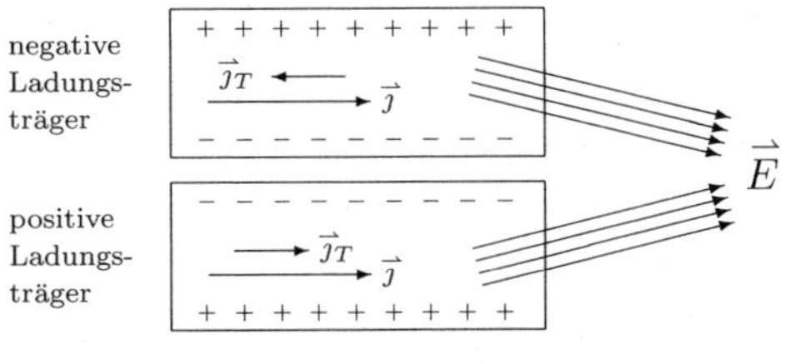

Bild 14–2: Der Hall–Effekt und seine Richtungsverhältnisse. Das Magnetfeld $\vec{B}$ zeigt senkrecht zur Papierebene nach oben.

Lösung (a) (14.23) zu $\dot{\eta} = 0$, $-\eta/\tau$ für Stoßterm und ohne ∇–Terme: $q\vec{v}\,\vec{E} = \frac{q}{\hbar}\cdot(\vec{v}\times\vec{B})\nabla_k\phi + \frac{1}{\tau}\phi$, denn der in $\nabla_k\eta = -f^{0\prime\varepsilon}\nabla_k\phi$ „vergessene" Term ist $\sim\vec{v}$. In der Gleichung, auf welche der Ansatz $\phi = \vec{k}\,\vec{a}$ führt, hat jeder Term die Form $\vec{k}\cdot\ldots$ Weil sie für alle $\vec{k}$ zu gelten hat, kann $\vec{k}\cdot$ entfallen: $\frac{q\hbar\tau}{m}\vec{E} = \frac{q\tau}{m}\vec{B}\times\vec{a} + \vec{a}$. Die Lösung (welche zeigt, wie man sie finden kann) ist $\vec{a} = \frac{q\hbar\tau}{m}\Big(\vec{E} - \frac{q\tau}{m}\vec{B}\times\vec{E} + (\frac{q\tau}{m})^2(\vec{B}\,\vec{E})\,\vec{B}\Big)/(1+\omega^2\tau^2)$.

(b) $\vec{E} \to \frac{m}{q\hbar\tau}\vec{a} \;\curvearrowright\; \underline{\underline{\sigma}} = \frac{\sigma_{\rm drude}}{1+\omega^2\tau^2}\begin{pmatrix} 1 & \omega\tau & 0 \\ -\omega\tau & 1 & 0 \\ 0 & 0 & 1+\omega^2\tau^2 \end{pmatrix}$.

(c) $j_2 = 0 \;\curvearrowright\; E_2 = \omega\tau E_1$ und $j_1 = \frac{\sigma_{\rm drude}}{\cdots}(E_1 + \omega\tau E_2) = \sigma_{\rm drude}\,E_1$. Also ist $R_H = E_2/(j_1\,B) = \omega\tau/(B\,\sigma_{\rm drude}) = 1/(q\,n)$ und mißt q–Vorzeichen.

Übung 14/6 Anfangswertproblem im homogenen Magnetfeld. Welche Zukunft $\phi_k(t)$ hat die Start–Verteilung $\phi_k(t=0) = \vec{a}_0\,\vec{k}$ aufgrund von $\dot{\phi}_k = -q(\frac{\hbar\vec{k}}{m}\times\vec{B})\cdot\frac{1}{\hbar}\nabla_k\phi_k - \frac{1}{\tau}\phi_k$? Es genügt die Rückführung auf ein bekanntes Problem der Mechanik, denn dieses hatten wir ja damals schon gelöst.

Lösung Der Ansatz $\phi_k(t) = \vec{a}(t)\,\vec{k}$ gibt $\dot{\vec{a}}\,\vec{k} = -\frac{q}{m}(\vec{k}\times\vec{B})\vec{a} - \frac{1}{\tau}\vec{a}\,\vec{k}\;\;\forall\vec{k} \;\curvearrowright\; m\dot{\vec{a}} = -\frac{m}{\tau}\vec{a} + q\vec{a}\times\vec{B}$, d.h. $\vec{a}$ ist die Geschwindigkeit einer unter Reibung spiralig kreisenden Ladung im Magnetfeld – schöne Übung für Anfangssemester!

Übung 14/7 Die Wiedemann–Franz–Beziehung $\frac{\kappa}{\sigma T} = \frac{\pi^2}{3e^2}$ war 1853 ein experimenteller Befund ($\kappa :=$ Wärmeleitfähigkeit, $\vec{j}_Q = -\kappa\nabla T$). Um sie herzuleiten, sind zunächst aus der linearisierten Boltzmann–Gleichung die **Onsager–Koeffizienten** $L_{j\ell}$ in $\begin{pmatrix}\vec{j}\\ \vec{j}_Q\end{pmatrix} = \begin{pmatrix}L_{11} & L_{12}\\ L_{21} & L_{22}\end{pmatrix}\begin{pmatrix}\vec{E}\\ -\nabla T\end{pmatrix}$ zu ermitteln. Weil das mühsam ist und mehr in den § 7.1 gehört, springen wir zum Resultat: $\{L_{11}, L_{12}, L_{21}, L_{22}\} = \frac{n\tau}{m}\{q^2, q\pi^2T/(2\varepsilon_F), q\pi^2T^2/(2\varepsilon_F), \pi^2T/3\}$.

Onsager–Relationen sind Beziehungen zwischen Nicht–Diagonalelementen der L–Matrix. Welche gilt hier? Wie setzt sich κ aus Onsager–Koeffizienten zusammen und wie kommt Wiedemann–Franz heraus?

Lösung $L_{21} = T\,L_{12}$. Nur Wärme fließt, d.h. $\vec{j} \equiv 0$ und $\vec{E} = L_{12}\nabla T/L_{11}$ bildet sich aus $\curvearrowright \kappa = L_{22} - L_{12}L_{21}/L_{11}$. $T \to 0$: $\kappa \to L_{22} = (\sigma/q^2)\,\pi^2T/3$, qcd. Festkörperphysik kann Naturkonstanten messen — oft zwar nur mit ihrer typischen 10–Prozent–Genauigkeit, aber manchmal auch mit Perfektion.

15 *Response Theory*

Mit der Wahl des Titels ergeht an die englischsprachigen Kollegen ein Dankeschön dafür, daß sie das Wort *ansatz* fest etabliert haben. Deutschtümelnde Varianten des Titels wären „Antwort–Theorie“ oder „Lineare Antwort“. Aber so hört man niemanden sprechen.

Die phänomenologischen Elemente, die der Boltzmann–Gleichung anhaften, sind genau dann nicht nötig, wenn man sich von vornherein auf die Reaktion (die Antwort) eines Systems *linear* im verursachenden Feld beschränkt. Die Näherung besteht im folgenden darin, daß in der als Potenzreihe gedachten Antwort nur der lineare Term, der Feld–hoch–eins–Term ausgesondert wird. Wir interessieren uns hier also für den ersten nicht–trivialen Term einer Klein–Feld–Asymptotik. Im Prinzip können natürlich auch höhere Terme dieser Asymptotik studiert werden.

Ist die genannte Beschränkung einmal akzeptiert, eröffnet sich eine unglaublich allgemeine Prozedur. Die soeben benutzen Worte „Feld“ und „Antwort“ seien bitte im weitesten Sinne verstanden. Weshalb ein Resultat ohne Fehl, aber mit Tadel ansteht, kann der Leser vorausblickend im Unterabschnitt *Warnung* ergründen.

15.1 Allgemeine Struktur

Ein beliebiges Quantensystem wird einer Störung ausgesetzt. Es darf an einen 1D anharmonischen Oszillator mit periodischer Störung gedacht werden, oder an ein Medium, elektromagnetischen Feldern ausgesetzt, oder auch an Quantenchromodynamik mit einem störenden Zusatz zum gluonischen Feld. Solange es von einer Störung noch nichts weiß, befinde sich das System im (hier: kanonischen) Gleichgewicht bei Temperatur T. Unglaublich allgemein ist also zuvorderst das System selbst.

Das betrachtete System hat einen Hamilton–Operator H und dieser seinen Hilbert–Raum. H sei zeit*un*abhängig. Wird das System gestört, bekommt H einen Zusatzterm U (U wie Ursache) aus dem H–Hilbert–Raum. Was nun linear in U geschieht, kann in verschiedenster Weise erfragt werden, als Erwartungswert $\langle A\rangle$ eines weiteren Operators A (A wie Antwort) aus dem H–Hilbert–Raum. Weitgehend allgemein bleiben also zwei weitere Details, wie man stört und wie man fragt. Diese zweifache Qual der Wahl,

Wähle einen Antwort–Operator A aus dem Hilbert–Raum von H	Das System mit zeitunabhängigem Hamilton–Operator H	Wähle einen Stör–Operator U aus dem Hilbert–Raum von H ,	(15.1)

ist in (15.1) so angeordnet, wie sie in einigen der folgenden Gleichungen wiedergefunden wird. Natürlich steht $\langle A\rangle$ in Beziehung zur gewählten Ursache. Viele Fragen $\langle A\rangle$ werden vom System mit einer Null beantwortet werden. So mag in der Regel ein elektrisches Feld keine Magnetisierung zur Folge haben. Aber fragen kostet nichts.

Die Prozedur ist voller Fallstricke. Behutsamkeit ist angezeigt. Am Beginn steht der Kunstgriff, die Störung adiabatisch einzuschalten (epsilontisch schwach anwachsen zu lassen), woraufhin auch die Antwort des Systems ebenso schwach anwachsen wird:

$$U = \mathrm{e}^{\varepsilon t}\, u \quad , \quad \langle A\rangle - \langle A\rangle_0 =: \delta\langle A\rangle = \mathrm{e}^{\varepsilon t}\, a \ . \tag{15.2}$$

Der Index 0 verweist auf eine weit zurückliegende Zeit t_0. Damals war das System noch im Gleichgewicht und hatte folglich den Statistischen Operator $\rho_0 = \frac{1}{Z}\,\mathrm{e}^{-\beta H}$. Sobald es technisch möglich ist, werden wir t_0 nach $-\infty$ schieben. Der Kunstgriff soll sich nicht auf die Gegenwart auswirken. In (15.2) ist u die tatsächlich beabsichtigte Störung und a die tatsächlich interessierende Antwort des Systems.

Der Hamilton–Operator des Gesamtsystems ist $H_{\text{gesamt}} = H + U$. Wie (15.2) rechts zeigt, darf der Operator A ein Gleichgewichts–Mittel $\langle A\rangle_0 \neq 0$ haben. Antwort ist dann natürlich nur der von U bewirkte Zusatz $\delta\langle A\rangle$.

Zustände nehmen ihre Wahrscheinlichkeit mit, nämlich genau dann, wenn sie sich nach der zeitabhängigen Schrödinger–Gleichung entwickeln. Dieser Gedanke stand schon bei (14.14) Pate. Hier verhilft er uns zum Statistischen Operator $\rho(t)$ aufgrund dessen, daß zur Zeit t_0 alles bekannt ist, nämlich die H–Eigenzustände $|n\rangle$ und der damalige Statistische Operator $\rho(t_0) =: \rho_0$:

$$H\,|\,n\,\rangle = E_n\,|\,n\,\rangle \quad , \quad \rho_0 = \sum_n\,|\,n\,\rangle\,\frac{1}{Z}\,\mathrm{e}^{-\beta E_n}\,\langle\,n\,| \ , \tag{15.3}$$

wobei für ρ_0 die Notation (3.17) verwendet wurde. Rekapitulieren, $\langle A\rangle_0 = \mathrm{Sp}(\rho_0 A) = \sum_{m,n}\langle m|n\rangle\frac{1}{Z}\,\mathrm{e}^{-\beta E_n}\langle n|\hat{A}|m\rangle = \sum_n\langle n|\frac{1}{Z}\,\mathrm{e}^{-\beta E_n}\hat{A}|n\rangle$, ist immer gut. Das Mitnahme–Argument überführt nun (15.3) in

$$\rho(t) = \sum_n\,|\,n,t\,\rangle\,\frac{1}{Z}\,\mathrm{e}^{-\beta E_n}\,\langle\,n,t\,| \tag{15.4}$$

mit Zuständen $|\,n,t\,\rangle$, die der Schrödinger–Gleichung

$$i\hbar\,|\,n,t\,\rangle^{\bullet} = (\,H+U\,)\,|\,n,t\,\rangle \quad , \quad |\,n,t_0\,\rangle = |\,n\,\rangle \ , \tag{15.5}$$

folgen. Lösen wir zuerst (15.5) linear in U, auf $|\, n,t\,\rangle = |\, n\,\rangle +$ *Term* $\sim U$ führend, so wird nach Einsetzen in (15.4) noch der dann dort entstehende Term $\sim U^2$ wegzulassen sein.

(15.5) ruft nach Wechselwirkungs–Bild, d.h. danach, die Ordnung–Null–Zeitabhängigkeit in $|\, n,t\,\rangle$ zu explizieren. Es ist aber nicht nötig, dabei (per $|\, n,t\,\rangle = \mathrm{e}^{-\frac{i}{\hbar}Ht}|\, n,t\,\rangle_I$) einen neuen Satz von Zuständen ins Spiel zu bringen. Wir wenden einfach $\mathrm{e}^{+\frac{i}{\hbar}Ht}$ beiderseits auf (15.5) an:

$$i\hbar\left(\mathrm{e}^{\frac{i}{\hbar}Ht}\,|\, n,t\,\rangle\right)^{\bullet} + H\,\mathrm{e}^{\frac{i}{\hbar}Ht}\,|\, n,t\,\rangle \;=\; \mathrm{e}^{\frac{i}{\hbar}Ht}(\,H+U\,)\,\mathrm{e}^{-\frac{i}{\hbar}Ht}\left(\mathrm{e}^{\frac{i}{\hbar}Ht}\,|\, n,t\,\rangle\right)$$

$$i\hbar\left(\mathrm{e}^{\frac{i}{\hbar}Ht}\,|\, n,t\,\rangle\right)^{\bullet} \;=\; \underbrace{\mathrm{e}^{\frac{i}{\hbar}Ht}\,U\,\mathrm{e}^{-\frac{i}{\hbar}Ht}}_{=\,W(t)}\left(\mathrm{e}^{\frac{i}{\hbar}Ht}\,|\, n,t\,\rangle\right)$$

$$\left(\mathrm{e}^{\frac{i}{\hbar}Ht}\,|n,t\rangle\right)^{\bullet} = -\frac{i}{\hbar}\,W(t)\left(\mathrm{e}^{\frac{i}{\hbar}Ht}\,|n,t\rangle\right) \quad , \quad \left(\mathrm{e}^{\frac{i}{\hbar}Ht}\,|n,t\rangle\right)_{t=t_0} = \mathrm{e}^{\frac{i}{\hbar}Ht_0}\,|n\rangle \;. \tag{15.6}$$

Die e–Funktion rechts in (15.6) zeigt, weshalb wir noch nicht $t_0 = -\infty$ setzen können — aber bald. Die Dgl (15.6) ist leicht formal aufgeleitet und nur einmal iteriert, um linear in U zu bleiben:

$$\mathrm{e}^{\frac{i}{\hbar}Ht}\,|\, n,t\,\rangle \;=\; \mathrm{e}^{\frac{i}{\hbar}Ht_0}\,|\, n\,\rangle - \frac{i}{\hbar}\int_{t_0}^{t} dt'\; W(t')\left(\mathrm{e}^{\frac{i}{\hbar}Ht_0}\,|\, n\,\rangle\right) + \mathcal{O}(U^2) \;. \tag{15.7}$$

Damit ist (15.5) linear in U gelöst:

$$|\, n,t\,\rangle = \mathrm{e}^{-\frac{i}{\hbar}Ht}\left[1 - \frac{i}{\hbar}\int_{t_0}^{t} dt'\; W(t')\right]\mathrm{e}^{\frac{i}{\hbar}Ht_0}\,|\, n\,\rangle \;. \tag{15.8}$$

$W(t)$ ist hermitesch, und H vertauscht mit ρ_0. Die folgenden Schritte, welche sich nach Einsetzen von (15.8) in (15.4) ergeben, gilt es zu genießen:

$$\begin{aligned}
\rho(t) &= \sum_n \mathrm{e}^{-\frac{i}{\hbar}Ht}\left[1-\frac{i}{\hbar}\int\ldots\right]\mathrm{e}^{+\frac{i}{\hbar}Ht_0}\,|\, n\,\rangle\,\frac{1}{Z}\,\mathrm{e}^{-\beta E_n}\,\langle\, n\,|\,\mathrm{e}^{-\frac{i}{\hbar}Ht_0}\left[1+\frac{i}{\hbar}\int\ldots\right]\mathrm{e}^{+\frac{i}{\hbar}Ht} \\
&= \mathrm{e}^{-\frac{i}{\hbar}Ht}\left[1-\frac{i}{\hbar}\int\ldots\right]\sum_n |\, n\,\rangle\,\frac{1}{Z}\,\mathrm{e}^{-\beta E_n}\,\langle\, n\,|\left[1+\frac{i}{\hbar}\int\ldots\right]\mathrm{e}^{+\frac{i}{\hbar}Ht} \\
&= \mathrm{e}^{-\frac{i}{\hbar}Ht}\left(\rho_0 - \frac{i}{\hbar}\int\ldots\,\rho_0 + \rho_0\,\frac{i}{\hbar}\int\ldots\right)\mathrm{e}^{+\frac{i}{\hbar}Ht} + \mathcal{O}(U^2) \\
&= \rho_0 - \frac{i}{\hbar}\,\mathrm{e}^{-\frac{i}{\hbar}Ht}\left[\int_{-\infty}^{t} dt'\; W(t')\,,\,\rho_0\right]\mathrm{e}^{+\frac{i}{\hbar}Ht} \;.
\end{aligned} \tag{15.9}$$

Weil in der ersten Zeile die beiden t_0–enthaltenden e–Funktionen an $|n\rangle$–Zuständen stehen, konnte ihr H durch E_n ersetzt werden. Daraufhin kompensieren sich die beiden Phasenfaktoren. Genau jetzt, wo selbige nicht mehr stören, ist

$t_0 \to -\infty$ möglich. Sodann konnte die n–Summe nach innen wandern, um dort den Operator ρ_0 zu bilden. Aus Gründen der Konsistenz muß der Term $\sim W^2$ gestrichen werden. Die letzte Zeile faßt nur noch das Resultat als Kommutator zusammen.

Mittels $\rho(t)$ läßt sich nun der gesuchte Antwort–Mittelwert $\langle A\rangle = \mathrm{Sp}(\rho(t)\,A)$ bilden. Hierin gibt der erste Term von (15.9) einen Anteil $\mathrm{Sp}(\rho_0 A) = \langle A\rangle_0$, welcher sich in (15.2) kompensiert. Mit Notation $A^H(t) = \mathrm{e}^{\frac{i}{\hbar}Ht}\,A\,\mathrm{e}^{-\frac{i}{\hbar}Ht}$ für den Heisenberg–zeitabhängigen A–Operator (auch A selbst durfte und darf von t abhängen) entsteht

$$
\begin{aligned}
\delta\langle A\rangle &= \mathrm{Sp}\left(-\frac{i}{\hbar}\,\mathrm{e}^{-\frac{i}{\hbar}Ht}\left[\int_{-\infty}^{t} dt'\,W(t')\,,\,\rho_0\right]\mathrm{e}^{+\frac{i}{\hbar}Ht}\,A\right)\\
&= -\frac{i}{\hbar}\int_{-\infty}^{t} dt'\,\mathrm{Sp}\left(\left[W(t')\,,\,\rho_0\right]A^H(t)\right)\quad,\quad [W,\rho]A = W\rho A - \rho W A\\
&= -\frac{i}{\hbar}\int_{-\infty}^{t} dt'\,\mathrm{Sp}\left(\rho_0\left[A^H(t)\,,\,W(t')\right]\right)\\
&= -\frac{i}{\hbar}\int_{-\infty}^{t} dt'\,\Big\langle\left[A^H(t)\,,\,W(t')\right]\Big\rangle_0\ .
\end{aligned}
\qquad (15.10)
$$

Die lineare Antwort bei Störung eines Gleichgewichts–Systems ist ein Gleichgewichts–Erwartungswert.

Weil (15.10) noch vom adiabatischen Einschalten infiziert ist und $\sim \mathrm{e}^{\varepsilon t}$ anwächst, ist auf die in (15.2) erklärten tatsächlichen Größen u und a umzusteigen — durch Multiplikation von (15.10) mit $\mathrm{e}^{-\varepsilon t}$:

$$
a(t) = -\frac{i}{\hbar}\int dt'\,\theta(t-t')\,\mathrm{e}^{-\varepsilon(t-t')}\Big\langle\left[A^H(t)\,,\,u^H(t')\right]\Big\rangle_0\ . \qquad (15.11)
$$

An der Stufenfunktion ist die Kausalität des Resultates gut erkennbar: Ein „Ruck“ in der Ursache zur Zeit t' kann sich in der Antwort erst bei $t > t'$ bemerkbar machen. Von der Epsilontik ist etwas sehr Vernünftiges übrig geblieben, nämlich ein konvergenzerzeugender Faktor.

Was die *response*–Theorie ganz allgemein zu bieten hat, steht in (15.11) in einer Zeile. Man kann sich wohl vorstellen, daß die Auswertung beliebig viele Schwierigkeiten bereithält. Also verlangt der Mensch nach einem möglichst einfachen, notfalls etwas billigen Beispiel, welches (15.11) einem

Schnelltest

unterwirft. Ein System aus N nicht–wechselwirkenden Elektronen mit $H = \sum_{j=1}^{N}(-\frac{\hbar^2}{2m}\Delta_j)$ werde durch ein elektrisches Wechselfeld $\vec{E}(t) = \Re e(\vec{E}_0\,\mathrm{e}^{-i\omega t})$

gestört. Für die Ladung eines Elektrons schreiben wir in diesem Kapitel $-|e|$ (statt q). Weil weit und breit keine Streumechanismen zu sehen sind, sollte (15.11) die Leitfähigkeit $\sigma = e^2 n\, i/(m\omega)$ liefern, jetzt aber — anders als in Übung 14/3 und (14.30) — gültig für *alle* Frequenzen ω. Zum Hamilton–Operator addiert sich die Störung $u(t) = |e| \sum_j \vec{r}_j \cdot \vec{E}(t)$. Antwort–Operator $\vec{A}$ ist der der Stromdichte des Systems. Wir gewinnen $\vec{A} = -|e| \sum_j \vec{p}_j/(mV)$ wie in (14.10) durch räumliche Mittelung des quantenmechanischen Stromausdruckes.[1] Weil $\vec{A}$ mit H vertauscht, hat $\vec{A}$ keine Heisenberg–Zeitabhängigkeit. Der Kommutator in (15.11) hat also die Gestalt

$$\begin{aligned} \left[\vec{A}\,,\, u^H(t')\right] &= -\frac{e^2}{m\,V}\left[\,\sum_\ell \vec{p}_\ell\,,\, \sum_j \underbrace{\mathrm{e}^{\frac{i}{\hbar}Ht'}\,\vec{r}_j\,\mathrm{e}^{-\frac{i}{\hbar}Ht'}}_{=\,\vec{r}_j - \frac{i\hbar}{m}\nabla_j + 0}\,\vec{E}(t')\right] \\ &= -\frac{e^2}{m\,V}\sum_\ell \frac{\hbar}{i}\,\vec{E}(t') = i\hbar\,\frac{e^2 n}{m}\,\Re e\Big(\vec{E}_0\,\mathrm{e}^{-i\omega t'}\Big)\;. \end{aligned} \qquad (15.12)$$

Er ist gar kein Operator mehr — glücklicher Umstand dieses Beispiels — so daß $\langle \ldots \rangle_0$ in (15.11) entfällt. $a(t)$ ist die Stromdichte, und wir erhalten mit

$$\begin{aligned} \vec{\jmath}\,(t) &= \Re e\left(\frac{e^2 n}{m}\underbrace{\int_{-\infty}^{t} dt'\;\mathrm{e}^{\varepsilon(t'-t)}\mathrm{e}^{-i\omega t'}}_{=\,\int_{-\infty}^{0} dt'\;\mathrm{e}^{\varepsilon t' - i\omega(t'+t)} \,=\, \frac{\mathrm{e}^{-i\omega t}}{\varepsilon - i\omega}\;,\quad \varepsilon \to +0}\,\vec{E}_0\right) \\ &= \Re e\left(\frac{e^2 n}{m}\,\frac{i}{\omega}\,\vec{E}_0\,\mathrm{e}^{-i\omega t}\right) \end{aligned} \qquad (15.13)$$

tatsächlich das Wunschresultat (14.30) für alle ω. Soeben, bevor wir ε weggelassen haben, hatte es sich bei der t'–Integration nützlich gemacht. (15.11) hat den Test bestanden — aber das Beispiel war recht dürftig.

Warnung

Bei der Herleitung von (15.11) war es pur mikroskopisch nach $i\hbar\dot{\psi} = H\psi$ zugegangen. Das System weiß von keinem Mechanismus, der es ein neues Gleichgewicht finden lassen könnte. Es befindet sich auch in der Gegenwart nur in einem gestörten *alten* Gleichgewicht. Wenn das System im gegenteiligen Falle neue Wahrscheinlichkeiten ausspielen *soll*, so muß man ihm entsprechende „Reibungen" implementieren. Die Fallgrube zeigt sich z.B. anhand der Frage nach

[1] Ohne Mittelung und im großen Hilbert–Raum ist $\hat{\vec{\jmath}} = -|e|\hbar\left(\Psi^\dagger\nabla\Psi - (\nabla\Psi^\dagger)\Psi\right)/(2mi)$.

der Magnetisierungs–Änderung ($A = \mu\sigma^z$) eines lokalisierten $\frac{1}{2}$–Spins aufgrund der Störung $u = -\mu B\sigma^z$ durch ein schwaches Magnetfeld $(0,0,B)$. (15.11) gibt Null. War gar am Anfang kein B da, so ist $H = 0$ und $\rho_0 = 1$. Schon (15.9) gibt dann $\rho(t) = \rho_0$, denn mit einer Eins vertauscht alles.

Wenn das neue Gleichgewicht interessiert, welches sich aufgrund einer zeitunabhängigen — oder à la Kapitel 11 langsam veränderlichen — Störung λU ($\lambda = 1$ für später aufhebend) einstellt, dann schreibe man sich die neue Statistik zuerst einmal hin:

$$F = -T\ln\left[\mathrm{Sp}\left(\mathrm{e}^{-\beta H-\beta\lambda U}\right)\right] \quad , \quad \partial_\lambda F = -\frac{T}{Z}\,\mathrm{Sp}\left(\partial_\lambda\,\mathrm{e}^{-\beta H-\beta\lambda U}\right) \quad , \quad (13.17):$$

$$= -\frac{T}{Z}\,\mathrm{Sp}\left(\int_0^1 ds\;\mathrm{e}^{s(-\beta H-\beta\lambda U)}\left[\partial_\lambda\left(-\beta H-\beta\lambda U\right)\right]\mathrm{e}^{(1-s)(-\beta H-\beta\lambda U)}\right)$$

$$= \frac{1}{Z}\,\mathrm{Sp}\left(\mathrm{e}^{-\beta H-\beta\lambda U}U\right) = \langle U\rangle_{H+\lambda U}$$

$$\curvearrowright \qquad F_{\lambda=1} = F_{\lambda=0} + \int_0^1 d\lambda\;\langle U\rangle_{H+\lambda U} \; . \tag{15.14}$$

Dieses Aufaddieren λ–abhängiger Mittelwerte läuft unter dem Stichwort **Kopplungskonstanten–Integration**. Wie (15.14) zum Ausgangspunkt einer Potenzreihe in U wird, steht bei [*Brenig*, § 26]. Beschränken wir uns auf die thermodynamisch–lineare Antwort, so reduziert sich (15.14) schlicht auf

$$F_{\lambda=1} = F_{\lambda=0} + \langle U\rangle_H + \mathcal{O}(U^2) \; . \tag{15.15}$$

15.2 Dispersionsrelationen

Zur Struktur linearer Ursache–Antwort–Beziehungen ist bekanntlich eine völlig allgemeine Aussage möglich — unabhängig von (15.11), beruhend auf reiner Logik sozusagen. Die Beziehung, sofern linear, zwischen einer Ursachen–Funktion $u(\vec{r},t)$ und einer Antwort–Funktion $a(\vec{r},t)$ *muß* die Gestalt

$$a(\vec{r},t) = \int d^3r' \int dt'\;\chi(\vec{r},\vec{r}\,';t,t')\,u(\vec{r}\,',t') \tag{15.16}$$

haben, denn in (15.16) wurde ja lediglich der allgemeinst–mögliche Zusammenhang $a_j = \sum_\ell \chi_{j\ell}u_\ell$ zwischen zwei Vektoren auf den Fall kontinuierlicher Indizes übertragen. Nicht einmal ein antwortendes Medium ist erforderlich. Zum Beispiel muß sich aufgrund von $\Delta\phi = -\rho/\varepsilon_0$ die Lösung $\phi(\vec{r})$ als $\phi = \int d^3r'\chi(\vec{r},\vec{r}\,')\rho(\vec{r}\,')$ schreiben lassen — und es ist bekanntlich $\chi(\vec{r},\vec{r}\,') = 1/(4\pi\varepsilon_0|\vec{r}-\vec{r}\,'|)$.

Wenn man überdies weiß — so ist es im ϕ–Beispiel — daß eine um 3km verschobene Ursache auch zu einer um 3km verschobenen Antwort führt, dann kann χ nur von der Differenz $\vec{r}-\vec{r}\,'$ abhängen. Und wenn eine auf übermorgen aufgeschobene Ursache auch übermorgen die (gleiche) Antwort haben wird, kann χ nur von $t-t'$ abhängen. Wie man rechentechnisch diese Aussagen erlangt, steht in [*PB*, § 12.3]. Braucht χ ein Medium, so tritt die Differenzen–Abhängigkeit genau dann ein, wenn selbiges homogen ist und sich zeitlich nicht verändert. Die resultierenden vier Faltungsintegrale faktorisieren unter Fourier–Transformation:

$$a(\vec{r},t) \;=\; \int d^3r'\,dt'\;\chi(\vec{r}-\vec{r}\,',\,t-t')\;u(\vec{r}\,',t')$$

$$\begin{matrix} a \\ \chi \\ u \end{matrix} = \int \frac{d^3k\,d\omega}{(2\pi)^4}\, \begin{matrix} \widetilde{a} \\ \widetilde{\chi} \\ \widetilde{u} \end{matrix}\; \mathrm{e}^{i\vec{q}\,\vec{r}-i\omega t} \quad \curvearrowright \quad \widetilde{a}(\vec{q},\omega) \;=\; \widetilde{\chi}(\vec{q},\omega)\,\widetilde{u}(\vec{q},\omega)\;. \tag{15.17}$$

Ist obiges aus der Erinnerung heraufgezogen, löst der Blick auf das *response*–Resultat (15.11) einigen Unmut aus. Es muß doch die Gestalt wenigstens von (15.16) bekommen können. Kann es. Zuallererst, die Abfrage A kann auch lokal erfolgen: $A(\vec{r})$. Ein Beispiel für einen solchen, parametrisch vom Ort abhängenden Operator folgt alsbald in (15.34). Beim Schnelltest hatten wir in (15.12) brav jedes der N Elektronen das Störpotential spüren lassen. Aber mit dem Trick

$$\sum_j u(\vec{r}_j,t') \;=\; \int d^3r' \,\sum_j \delta(\vec{r}_j-\vec{r}\,')\;u(\vec{r}\,',t') \tag{15.18}$$

holt man es sich leicht wieder nach rechts heraus, jetzt parametrisch von $\vec{r}\,'$ abhängend. Nach Einsetzen von (15.18) in (15.11) kann $\int d^3r'$ ganz nach links wandern, und schon ist die (15.16)–Form erreicht, und zwar mit

$$\chi(\vec{r},\vec{r}\,';t,t') = -\frac{i}{\hbar}\,\theta(t-t')\,\mathrm{e}^{-\varepsilon(t-t')}\Big\langle\Big[A^H(\vec{r},t)\,,\,\sum_j \mathrm{e}^{\frac{i}{\hbar}Ht'}\delta(\vec{r}\,'-\vec{r}_j)\mathrm{e}^{-\frac{i}{\hbar}Ht'}\Big]\Big\rangle_0$$

$$= -\frac{i}{\hbar}\,\theta(t-t')\,\mathrm{e}^{-\varepsilon(t-t')}\Big\langle\Big[A(\vec{r})\,,\,\sum_j \mathrm{e}^{-\frac{i}{\hbar}H(t-t')}\delta(\vec{r}\,'-\vec{r}_j)\,\mathrm{e}^{\frac{i}{\hbar}H(t-t')}\Big]\Big\rangle_0\,, \tag{15.19}$$

wobei sich unter der in $\langle\;\rangle_0$ enthaltenen Spur e-Funktionen von $\frac{i}{\hbar}Ht$ umsetzen ließen. Dadurch wird die Abhängigkeit nur von $t-t'$ transparent, und dies war zu erwarten, weil H schon bei (15.11)–Herleitung als zeitunabhängig angenommen worden war. Im § 15.4 wird χ für das dortige homogene System auch nur von $\vec{r}-\vec{r}\,'$ abhängen.

Dieser Abschnitt 15.2 ist nur eine Unterbrechung, um die „reine Logik“ nachzutragen. Die letztere hat noch eine Winzigkeit mehr zu bieten, nämlich daß generell Kausalität zu gelten hat. Die *response*–Funktion χ *muß* die Stufenfunktion $\theta(t-t')$ enthalten. Dispersionsrelationen (Kramers und Kronig 1927 bzw. 1926) stellen einen Zusammenhang zwischen Real– und Imaginärteil der in (15.17) eingeführten Fourier–Transformierten $\widetilde{\chi}(\vec{q},\omega)$ her.

Weil sie nur Parameter bleibt, werden wir im folgenden die Variable $\vec{q}$ der Einfachheit halber weglassen. Man sollte meinen, daß wir von der Funktion $\widetilde{\chi}(\omega)$

gar nichts wissen. Allerdings ist sie ist per Zeit–Fourier–Transformation aus $\chi(t)$ hervorgegangen, und $\chi(t)$ enthält $\theta(t)$. Das ist etwas! Es halbiert uns bei der Fourier–Umkehrung die t–Integration:

$$\widetilde{\chi}(\omega) = \int dt\, \chi(t)\, e^{i\omega t} = \int_0^\infty dt\, \chi(t)\, e^{i\omega t} \quad . \tag{15.20}$$

Mit der Variablen ω gehen wir nun in der komplexen Ebene spazieren: $\omega = \omega_1 + i\omega_2$. Der Exponent rechts in (15.20) nimmt dann die Werte $i\omega_1 t - \omega_2 t$ an. Für positive ω_2 kann das dem Integral nur gut tun: Es kann nicht divergieren. Kurz, $\widetilde{\chi}(\omega)$ ist in der oberen ω–Halbebene analytisch.[2] Natürlich ist angenommen, daß $\int_0^\infty dt\, \chi(t)$ existiert. Liege also ω irgendwo in der oberen Halbebene, dann können wir $\widetilde{\chi}(\omega)$ dort als geschlossenes Kurvenintegral darstellen:

$$\widetilde{\chi}(\omega) = \frac{1}{2\pi i} \oint dz\, \frac{\widetilde{\chi}(z)}{z - \omega} \quad . \tag{15.21}$$

Die z–Ebene mit der ω–umrundenden Kurve ist im Bild 15–1 (a) zu sehen. Sie darf nun Wegverbiegung erfahren, bis die Zitronenscheibe von Bild 15–1 (b) entstanden ist. Mit Radius nach ∞ geht deren Halbkreis–Beitrag auf Null. Nur das z–Integral knapp unter der reellen Achse bleibt — mit ω irgendwo darüber. Jetzt schieben wir ω auf die reelle z–Achse herunter und ergänzen um zwei Wege, die sich kompensieren: Bild 15–1 (c) und (d). Der Beitrag (c) gibt Hauptwert–Integration, und die Wege (d) können zu einer ω umrundenden Kurve zusammengezogen werden. Die verbliebene Integrationsvariable nennen wir jetzt besser ω' (statt z), um zu betonen, daß sie die reelle Achse entlangläuft:

$$\widetilde{\chi}(\omega) = \frac{1}{2\pi i} ⨍ d\omega'\, \frac{\widetilde{\chi}(\omega')}{\omega' - \omega} + \frac{1}{2}\widetilde{\chi}(\omega) \quad \curvearrowright \quad \widetilde{\chi}(\omega) = \frac{1}{\pi i} ⨍ d\omega'\, \frac{\widetilde{\chi}(\omega')}{\omega' - \omega} \quad . \tag{15.22}$$

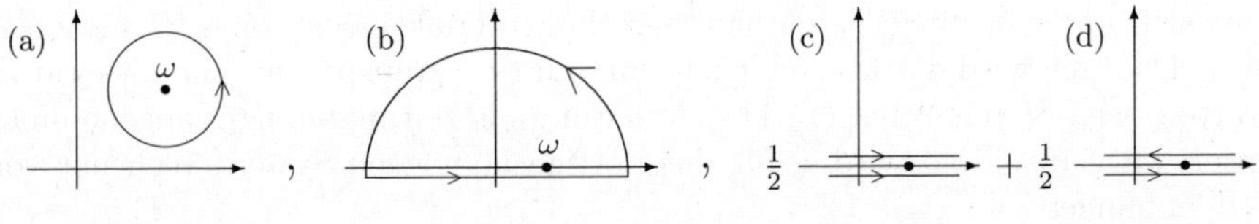

Bild 15–1 : Wege in der z–Ebene und die Variable ω der dynamischen Suszeptibilität.

Natürlich hätten wir schon bei Bild 15–1 (b) wieder zum Bleistift greifen und mit

$$\widetilde{\chi}(\omega) = \frac{1}{2\pi i} \int d\omega'\, \frac{\widetilde{\chi}(\omega')}{\omega' - \omega - i\varepsilon} \;, \quad \frac{1}{\omega' - \omega - i\varepsilon} = \frac{\mathcal{P}}{\omega' - \omega} + i\pi\delta(\omega' - \omega) \tag{15.23}$$

---

[2] Keine Panik, bitte — die dreieinhalbseitige Funktionentheorie in [PB, § 9.3] reicht aus.

fortfahren können.

Der letzte Schritt zu den Dispersionsrelationen ist ganz einfach und besteht darin, (15.22) in Real– und Imaginärteil zu zerlegen:

$$\widetilde{\chi}(\omega) =: A(\omega) + iB(\omega) \;=\; \frac{1}{\pi} \fint d\omega' \, \frac{-iA(\omega') + B(\omega')}{\omega' - \omega} \qquad \curvearrowright$$

$$A(\omega) = \frac{1}{\pi} \fint d\omega' \, \frac{B(\omega')}{\omega' - \omega} \quad \text{und} \quad B(\omega) = -\frac{1}{\pi} \fint d\omega' \, \frac{A(\omega')}{\omega' - \omega} \; . \tag{15.24}$$

Kennt man den Imaginärteil $B(\omega)$ einer *response*–Funktion, so kann man sich ihren Realteil $A(\omega)$ ausrechnen und umgekehrt. Eigentlich ist nur von einer Dispersionsrelation die Rede, denn (Übung?) aus der rechten Gleichung (15.24) kann man die linke herleiten.

In der Regel werden Ursache, Antwort und somit auch χ reelle Funktionen sein, so daß

$$\overset{a}{\underset{u}{\chi}} \text{ reell, d.h. } \widetilde{\chi}(-\vec{q},\omega) = \widetilde{\chi}^*(\vec{q},\omega) \quad \curvearrowright \quad \begin{aligned} A(-\vec{q},-\omega) &= A(\vec{q},\omega) \\ B(-\vec{q},-\omega) &= -B(\vec{q},\omega) \; . \end{aligned} \tag{15.25}$$

Ist schließlich der Raum (das Medium) isotrop, kann also keine Richtung auszeichnen, so hängt $\widetilde{\chi}$ nur von $|\vec{q}|$ ab (im ϕ–Beispiel ist $\widetilde{\chi} = 1/(\varepsilon_0 q^2)$). In (15.25) entfällt dann der $\vec{q}$–Vorzeichenwechsel, und folglich ist $A(\omega)$ eine gerade, aber $B(\omega)$ eine ungerade Funktion von ω. Am Beginn der 15/1–Lösung steht ein Beispiel.

Übung 15/1 (15.24) läßt sich unverzüglich am Beispiel testen. Wir kennen die Wechselstrom–Leitfähigkeit $\sigma(\omega) = \sigma(0)/(1 - i\omega\tau)$, (14.30), setzen $\sigma(\omega) = \sigma(0)\cdot [\,A(\omega) + iB(\omega)\,]$ und werten $\mathcal{J} :=$ erstes ω'–Integral in (15.24) explizit aus.

Lösung $A = \frac{1}{1+\omega^2\tau^2}$, $B = \frac{\omega\tau}{1+\omega^2\tau^2}$, $\mathcal{J} = \frac{1}{\pi\tau} \int d\omega' \, \frac{\omega'}{\omega'^2+\tau^{-2}} \, \frac{\omega'-\omega}{(\omega'-\omega)^2+\varepsilon^2}$, schließe oben, umrunde dabei Pole bei i/τ und $\omega + i\varepsilon$ mathem. positiv und erhalte per Residuensatz (u. $\varepsilon \to 0$) $\mathcal{J} = \frac{i}{\tau}\left(\frac{1}{i\tau^{-1}-\omega} + \frac{\omega}{\omega^2+\tau^{-2}}\right) = \frac{1}{1+\omega^2\tau^2} = A(\omega)$, qed.

15.3 Elektromagnetische Wellen durch Medien

Die relativistisch richtige, lokale, klassische Elektrodynamik hat das Vakuum als natürlichen Lebensraum. Quantensysteme leben ebenfalls im Vakuum. Systeme beider Art nehmen auch gern den gleichen Raum miteinander ein und beeinflussen sich dann gegenseitig, warum auch nicht. Ein gewisses Leiden entsteht lediglich dann, wenn Studierende zu früh ein bekanntes mit einem unbekannten

Gebiet kombiniert bekommen. Bekanntlich wird ihnen gern „etwas" in das Vakuum geschüttet. Und diesem unverstandenen Zeug werden dann augenzwinkernd gewisse Eigenschaften zugesprochen, insbesondere drei phänomenologische, experimentell zu ermittelnde Proportionalitätsfaktoren. Alle drei, ε, μ und σ, sind *response*–Funktionen, hängen bei homogenen Medien via Fourier von $\vec{q}$ und ω ab und natürlich auch von der Temperatur. Das Übel liegt weniger bei der Phänomenologie (worin auch wir nicht ohne Tadel sind) als vielmehr beim Augenzwinkern und der ungeschickten Stoffreihung.[3]

Mit der folgenden Erinnerung an Elektrodynamik in Medien soll sich hier der Abschnitt § 15.4 ein wenig vorbereiten. Wellen durch linear antwortende Medien bringen aber auch die *response theory* gut in Kontakt zur Realität. Bei Festlegung der „freien" Ladungen und Ströme, jener die nicht Medium–Antwort sind, herrscht eine gewisse Freiheit. Wir werden hier die vom $\vec{E}$–Feld verursachte Stromdichte als „frei" ansehen. Der Reihe nach.

Als *first principles* gelten die Maxwell–Gleichungen weiterhin auch dann, wenn der Raum mit homogenem Material ausstaffiert wurde. Elektromagnetische Felder sind reell. Wir wollen nachsehen, ob der Medium–erfüllte Raum speziell von

$$\vec{E} = \Re e\left(\vec{E}_0\, \mathrm{e}^{i\vec{q}\,\vec{r}-i\omega t}\right) \quad \curvearrowright \quad \vec{B} = \Re e\left(\vec{B}_0\, \mathrm{e}^{i\vec{q}\,\vec{r}-i\omega t}\right) \tag{15.26}$$

durchzogen sein kann: Frequenz ω vorgegeben, Wellenvektor $\vec{q}$ unbekannt. Das daraus–folgt–Zeichen beruht auf $\mathrm{rot}\,\vec{E} = -\dot{\vec{B}}$, denn den homogenen Maxwell–Gleichungen kann kein Medium etwas anhaben. An $\mathrm{div}(\varepsilon_0 \vec{E}) = \rho_{\text{frei}} + \rho_{\text{medium}}$ hat der Schritt $\rho_{\text{medium}} = -\mathrm{div}\,\vec{P}$ bekanntlich noch eine saubere Ratio. Auch gegen $\varepsilon_0 \vec{E} + \vec{P} =: \vec{D}$ ist nichts einzuwenden. Aber es ist eine Näherung (wiewohl eine sehr gute), wenn das Polarisationsfeld $\vec{P}$ (folglich auch $\vec{D}$) nur linear in $\vec{E}$ antworten darf. Das Medium sei isotrop ($\curvearrowright$ $\epsilon \sim$ Einheitsmatrix). Der allgemeine lineare Zusammenhang (15.17) lautet damit hier

$$\begin{aligned} \vec{D}(\vec{r},t) &= \varepsilon_0 \int d^3r'\,dt'\ \epsilon(\vec{r}-\vec{r}\,',\,t-t')\,\Re e\left(\vec{E}_0\,\mathrm{e}^{i\vec{q}\,\vec{r}\,'-i\omega t'}\right) \ , \qquad \begin{matrix}\vec{r}\,' \to \vec{r}\,' + \vec{r}\\ t' \to t' + t :\end{matrix} \\ &= \Re e\left(\varepsilon_0\,\widetilde{\epsilon}(\vec{q},\omega)\,\vec{E}_0\,\mathrm{e}^{i\vec{q}\,\vec{r}-i\omega t}\right) =: \Re e\left(\vec{D}_0\,\mathrm{e}^{i\vec{q}\,\vec{r}-i\omega t}\right) \end{aligned} \tag{15.27}$$

Durch $\mathrm{div}\,\vec{D} = \rho$ wird nun auch $\rho(\vec{r},t)$ die Ort–Zeit–Struktur $\Re e(\rho_0\,\mathrm{e}^{i\vec{q}\,\vec{r}-i\omega t})$ aufgezwungen, und so weiter. Die dieserart bestückten Medien–Maxwell–Gleichungen werden zu Gleichungen für $\mathrm{e}^{i\vec{q}\,\vec{r}-i\omega t}$–Vorfaktoren, nämlich

$$\begin{aligned} i\vec{q}\,\vec{D}_0 &= \rho_0 \quad , \quad & i\vec{q}\,\vec{B}_0 &= 0 \\ i\vec{q}\times\vec{E}_0 &= i\omega\vec{B}_0 \quad , \quad & i\vec{q}\times\vec{H}_0 &= \vec{j}_0 - i\omega\vec{D}_0 \ . \end{aligned} \tag{15.28}$$

[3] Elektrodynamik (zu ϵ, $\mu = 1$) ist kurz. Quantentheorie kann früher studiert werden. ED in Medien gehört nach hinten. Landau–Lifschitz, Bd. VIII (acht!): *Elektrodynamik der Kontinua*.

Sie sind zu ergänzen um zwei Ursache–Antwort–Beziehungen (die erste steht in (15.27)) und — statt freie Ladungen und Ströme vorzugeben — um zwei Gleichungen für $\vec{\jmath}_0$ (dritte Ursache–Antwort–Relation) und ρ_0 (Kontinuitätsgleichung):

$$\vec{D}_0 = \varepsilon_0 \widetilde{\epsilon} \vec{E}_0 \quad , \quad \vec{B}_0 = \mu_0 \widetilde{\mu} \vec{H}_0$$
$$\vec{\jmath}_0 = \widetilde{\sigma} \vec{E}_0 \quad , \quad -i\omega\rho_0 + i\vec{q}\,\vec{\jmath}_0 = 0 \; . \tag{15.29}$$

Weil auch $\vec{\jmath}_0$, ρ_0 als Unbekannte zählen, bilden (15.28) und (15.29) ein homogenes Gleichungssystem. Um der Lösbarkeitsbedingung näher zu kommen, erklären wir $\vec{\jmath}_0$, ρ_0, $\vec{D}_0$, $\vec{H}_0$ zu unerwüschten Subjekten und entfernen sie mittels (15.29) aus (15.28). Es geht problemlos,

$$[\omega\varepsilon_0\widetilde{\epsilon} + i\widetilde{\sigma}]\; \vec{q}\,\vec{E}_0 = 0 \quad , \quad \vec{q}\,\vec{B}_0 = 0$$
$$\vec{q} \times \vec{E}_0 = \omega \vec{B}_0 \quad , \quad -\vec{q} \times \vec{B}_0 = \mu_0\widetilde{\mu}\,[\omega\varepsilon_0\widetilde{\epsilon} + i\widetilde{\sigma}]\; \vec{E}_0 \; , \tag{15.30}$$

und auch $\vec{B}_0$ läßt sich eliminieren:

$$[\qquad]\; \vec{q}\,\vec{E}_0 = 0 \quad , \quad q^2 \vec{E}_0 = \vec{q}(\vec{q}\,\vec{E}_0) + \omega\mu_0\widetilde{\mu}\,[\qquad]\; \vec{E}_0 \; . \tag{15.31}$$

Entweder es ist $\vec{q}\,\vec{E}_0 = 0$. Dann zeigen (15.28) und (15.29) (je erste Gleichung), daß $\rho_0 \equiv 0$ bleibt. Es häufen sich also keine Ladungen an. Aus der rechten Gleichung (15.31) (sowie mit $\varepsilon_0\mu_0 = c^{-2}$) ergibt sich der zu ω gehörige Wellenvektor–Betrag

$$q = \sqrt{\omega\mu_0\widetilde{\mu}\,[\qquad]} = \frac{\omega}{c}\sqrt{\widetilde{\mu}\left(\widetilde{\epsilon} + \frac{i\,\widetilde{\sigma}}{\varepsilon_0\omega}\right)} =: \frac{\omega}{c}\, n \tag{15.32}$$

und der komplexe Brechungsindex n.

Oder aber die eckige Klammer verschwindet. Dann zeigen die beiden in (15.30) rechts stehenden Gleichungen, daß $\vec{B} \equiv 0$ ist. Wegen $\vec{q} \times \vec{E}_0 = 0$ ist $\vec{E}_0 \parallel \vec{q}$, ebenso $\vec{\jmath}_0 \parallel \vec{q}$ und $\rho_0 \neq 0$. Es passiert alles in einer Richtung. Ladung schwappt hin und her — wie die Luft im Kundtschen Rohr. Wir haben die Plasmaschwingungen entdeckt. Deren Frequenz ω ist aus $[\qquad] = 0$ zu ermitteln:

$$\omega = -\frac{i}{\varepsilon_0}\,\frac{\widetilde{\sigma}(\vec{q},\omega)}{\widetilde{\epsilon}(\vec{q},\omega)} \approx -\frac{i}{\varepsilon_0}\,\frac{i}{\omega\tau}\,\frac{e^2\,n\,\tau}{m} \quad \curvearrowright \quad \omega_{\text{plasma}} = \sqrt{\frac{n\,e^2}{\varepsilon_0\,m}} \; . \tag{15.33}$$

An der Stelle $\approx$ haben wir versuchsweise die komplexe Leitfähigkeit (14.30) — für große Frequenz und mit Drude–Formel für $\sigma(0)$ — eingesetzt und dabei an ein metallisches Medium $(-|e|, m)$ gedacht. Werden dessen *core*–Elektronen ignoriert, dann hat es $\widetilde{\epsilon} = 1$. Die Auflösung nach ω steht rechts in (15.33) und heißt **Plasmafrequenz**. Die Energie $\hbar\omega_{\text{plasma}}$ liegt recht hoch, nämlich im Bereich einiger Volts. Aber der Effekt ist experimentell zugänglich, sagt [*Harrison*], über die Energieverluste hochenergetischer Elektronen, welche dünne Metallfolien bombardieren.

Niemals kann die Gruppengeschwindigkeit c_{gr} von Licht in Medien größer als c ausfallen. Wie sich dies denn herleite, fragte einmal ein Kollege der Experimentalphysik. Die Antwort findet sich bei Landau–Lifschitz in Band VIII, § 64.

15.4 Dielektrische Funktion

Response–Funktionen kann man ausrechnen. Ein handfestes Beispiel soll dies zeigen. Es hat einen einfachen formalen Einstieg und einen schwierigen physikalischen. Auf formaler Ebene ist (15.11) mit konkreten Startvorgaben zu versehen:

$$H = \sum_{j=1}^{N} \Big(-\frac{\hbar^2}{2m}\Delta_j \Big) \quad , \quad A = \sum_{j=1}^{N} \delta(\vec{r} - \vec{r}_j) \quad , \quad u(t) = \sum_{j=1}^{N} V(\vec{r}_j, t) \quad . \qquad (15.34)$$

Das System bilden einmal mehr die N nicht–wechselwirkenden Elektronen eines Metalls, dessen Gitterstruktur– und *core*–Effekte unterdrückt werden. Die Elektronen sind offenbar einem beliebig raumzeitlich veränderlichen Potential ausgesetzt. Es soll untersucht werden, mit welcher Teilchendichte sie linear antworten. A hat Dimension 1/Volumen. Obige Summe über Deltafunktionen sieht „fürchterlich klassisch" aus, ist aber durchaus der richtige Operator der Teilchendichte n. Am besten schreibt man sich $\hat{n}$ mit Feldoperatoren auf und liest dann mittels (4.36) den Einteilchen–Operator ab: $\hat{n} = \sum_\sigma \Psi^\dagger_\sigma(\vec{r})\Psi_\sigma(\vec{r}) = \int_1 \Psi^\dagger(1)\,\delta(\vec{r} - \vec{r}_1)\Psi(1)$. Mit Bezeichung R für die zu (15.34) gehörige *response*–Funktion lautet die Ursache–Antwort–Beziehung

$$n(\vec{r}, t) = \int d^3r'dt'\; R(\vec{r}-\vec{r}\,', t-t')\, V(\vec{r}\,', t') \;,\; \widetilde{n}(\vec{q}, \omega) = \widetilde{R}(\vec{q}, \omega)\widetilde{V}(\vec{q}, \omega) \quad , \qquad (15.35)$$

und alsbald wird $\widetilde{R}$ ausgerechnet.

In (15.35) ist n natürlich der kleine, von V induzierte Zusatz zur Teilchendichte. $\rho_{\text{ind}} = -|e|n$ ist die induzierte Ladungsdichte, und diese produziert gemäß $\nabla\vec{E}_{\text{ind}} = \rho/\varepsilon_0$ ein zusätzliches Feld: $i\vec{q}\,\widetilde{\vec{E}}_{\text{ind}} = \widetilde{\rho}_{\text{ind}}/\varepsilon_0 = -|e|\widetilde{n}/\varepsilon_0 = -|e|\widetilde{R}\,\widetilde{V}/\varepsilon_0$. Wenn wir beteiligte Magnetfelder außer acht lassen (und eventuell später hierüber noch nachdenken), dann kann auch dem verursachenden Potential per $V = -|e|\phi$ und $-\nabla\phi = \vec{E}_{\text{ur}}$ ein elektrisches Feld zugeordnet werden: $i\vec{q}\widetilde{V} = |e|\,\widetilde{\vec{E}}_{\text{ur}}$ (ur wie ursächlich). Damit läßt sich $\widetilde{n} = \widetilde{R}\,\widetilde{V}$ vollständig in elektrischen Feldern formulieren:

$$q^2\, \vec{\widetilde{E}}_{\text{ind}} = -i\vec{q}\left(i\vec{q}\;\vec{\widetilde{E}}_{\text{ind}}\right) = i\vec{q}\;\frac{|e|}{\varepsilon_0}\,\widetilde{R}\,\widetilde{V} = \frac{e^2}{\varepsilon_0}\,\widetilde{R}\,\vec{\widetilde{E}}_{\text{ur}}\;. \tag{15.36}$$

Die Felder–Formulierung (15.36) kommt uns sehr gelegen, weil in diesem Abschnitt die durch $\vec{\widetilde{D}}= \widetilde{\epsilon}\;\vec{\widetilde{E}}$ definierte dielektrische Funktion $\widetilde{\epsilon}(\vec{q},\omega)$ erhalten werden soll. Anders als im vorigen Abschnitt werden aber jetzt die beweglichen Elektronen nicht als „frei“, sondern als Bestandteil des Systems angesehen (andernfalls wäre ja $\widetilde{\epsilon} = 1$ die triviale Antwort). Wenn man so wie jetzt denkt, sind übrigens die eckigen Klammern in (15.30) bis (15.32) durch $\omega\varepsilon_0\widetilde{\epsilon}$ zu ersetzen — und die Plasmafrequenz (falls es noch eine gibt) ist als Nullstelle von $\widetilde{\epsilon}$ zu erhalten.

Die angekündigte Schwierigkeit sei als Frage formuliert. Weil $\rho_{\text{ind}} = \varepsilon_0 \text{div}\,\vec{E}_{\text{ind}}$ jetzt die Rolle von ρ_{medium} übernommen hat, ist jedenfalls $\vec{D} = \vec{E} - \vec{E}_{\text{ind}}$ zu setzen, wobei $\vec{E}$ das tatsächlich im Medium vorhandene elektrische Feld ist. Sollen wir nun jenes $\vec{E}_{\text{ur}}$ in (15.36) **(A)** als das ursprünglich angelegte Feld interpretieren und somit $\vec{E}_{\text{ur}} = \vec{E} - \vec{E}_{\text{ind}} = \vec{D}$ setzen, oder **(B)** die Ladungen besser auf das tatsächliche $\vec{E}$ reagieren lassen, d.h. $\vec{E}_{\text{ur}} = \vec{E}$ setzen? Die Konsequenzen beider Versionen sind leicht durchgespielt:

$$\textbf{(A)}: \quad \vec{\widetilde{E}} - \vec{\widetilde{D}} = \vec{\widetilde{E}}_{\text{ind}} = \frac{e^2}{\varepsilon_0\, q^2}\,\widetilde{R}\,\vec{\widetilde{D}} \quad \curvearrowright \quad \widetilde{\epsilon} = \frac{1}{1+\frac{e^2}{\varepsilon_0\, q^2}\,\widetilde{R}}\;, \tag{15.37}$$

$$\textbf{(B)}: \quad \vec{\widetilde{E}} - \vec{\widetilde{D}} = \vec{\widetilde{E}}_{\text{ind}} = \frac{e^2}{\varepsilon_0\, q^2}\,\widetilde{R}\,\vec{\widetilde{E}} \quad \curvearrowright \quad \widetilde{\epsilon} = 1-\frac{e^2}{\varepsilon_0\, q^2}\,\widetilde{R}\;. \tag{15.38}$$

Was nun? Welche Version sagt Ihnen zu? Keine der beiden ist falsch. Bei (A) wird ernst genommen, daß die Elektronen nach Voraussetzung nichts voneinander bemerken und n u r auf die V–Störung reagieren. Im Falle (B) wirkt das induzierte Feld auch noch mit auf die Elektronen. Bei (B) ist folglich in einer effektiven, Hartree–artigen Weise die Elektron–Elektron–Wechselwirkung einbezogen. Die Elektronen bemerken einander. Auf die Frage, welche Version der Wahrheit näher kommt, können wir nun klar antworten: (B)!

Fußweg zu $\widetilde{R}(\vec{q},\omega)$

Aus (15.38) folgt die dielektrische Funktion $\widetilde{\epsilon}$, sobald $\widetilde{R}$ ausgerechnet ist. Zu diesem Zwecke ist (15.11) mit (15.34) zu bestücken. Experten mögen die Hände über dem Kopf zusammenschlagen beim Anblick der folgenden Rechnerei. Aber es geht doch so schön verrückt dabei zu. Der gewichtige Grund ist Stabilität.

Der Fußweg stellt einen Test auf den eleganten, im nächsten Unterabschnitt beschrittenen Weg vorab bereit.

Die Vorgaben (15.34) überführen (15.11) zunächst in

$$
\begin{aligned}
n(\vec{r},t) &= -\frac{i}{\hbar}\int_{-\infty}^{t} dt'\, \mathrm{e}^{-\varepsilon(t-t')} \Big\langle \Big[\sum_{\ell=1}^{N} \delta(\vec{r}-\vec{r}_\ell)\,,\, \mathrm{e}^{\frac{i}{\hbar}H(t'-t)} \sum_{j=1}^{N} V(\vec{r}_j,t')\, \mathrm{e}^{-\frac{i}{\hbar}H(t'-t)} \Big] \Big\rangle_0 \\
&= -\frac{i}{\hbar}\int_{0}^{\infty} dt'\, \mathrm{e}^{-\varepsilon t'} \Big\langle \Big[\sum_{\ell=1}^{N} \delta(\vec{r}-\vec{r}_\ell)\,,\, \sum_{j=1}^{N} \mathrm{e}^{-\frac{i}{\hbar}Ht'}\, V(\vec{r}_j,t')\, \mathrm{e}^{\frac{i}{\hbar}Ht'} \Big] \Big\rangle_0 \,. \qquad (15.39)
\end{aligned}
$$

Behandlung der Heisenberg–Zeitabhängigkeit dürfte durch Fourier–Entwicklung von V erleichtert werden. In § 15.2 und § 15.3 hatten wir die Volumen–Periodizität klammheimlich beiseite gelassen. Weil jetzt aber Kanonik ansteht (mit N Teilchen worin?), wird die PBC wieder benötigt:

$$
\begin{aligned}
\widetilde{n}(\vec{q},\omega) &= \int_V d^3r\, \mathrm{e}^{-i\vec{q}\,\vec{r}} \int dt\, \mathrm{e}^{i\omega t}\, n(\vec{r},t) \quad , \\
& \qquad V(\vec{r},t) = \sum_p \mathrm{e}^{i\vec{p}\,\vec{r}} \int \frac{d\Omega}{2\pi}\, \mathrm{e}^{-i\Omega t}\, \widetilde{V}(\vec{p},\Omega) \quad , \\
&= -\frac{i}{\hbar}\frac{1}{V} \sum_p \widetilde{V}(\vec{p},\omega) \int_0^\infty dt'\, \mathrm{e}^{-\varepsilon t' + i\omega t'} \Big\langle \Big[\sum_{\ell=1}^{N} \mathrm{e}^{i\vec{q}\,\vec{r}_\ell}\,,\, \sum_{j=1}^{N} \mathcal{E}_j \Big] \Big\rangle_0 \qquad (15.40)
\end{aligned}
$$

$$
\begin{aligned}
\text{mit}\quad \mathcal{E}_j &= \mathrm{e}^{-\frac{i}{\hbar}Ht'}\, \mathrm{e}^{i\vec{p}\,\vec{r}_j}\, \mathrm{e}^{\frac{i}{\hbar}Ht'} = \mathrm{e}^{i\vec{p}\, \underbrace{\mathrm{e}^{-\frac{i}{\hbar}Ht'}\, r_j\, \mathrm{e}^{\frac{i}{\hbar}Ht'}}} \\
& \qquad\qquad = \vec{r}_j - \frac{it'}{\hbar}\Big[\sum_{n=1}^{N} (-\frac{\hbar^2}{2m}\Delta_n)\,,\, \vec{r}_j \Big] + 0 \\
&= \mathrm{e}^{i\vec{p}\,\vec{r}_j - t'\frac{\hbar}{m}\vec{p}\nabla_j} = \mathrm{e}^{-it'\frac{\hbar p^2}{2m}}\, \mathrm{e}^{i\vec{p}\,\vec{r}_j}\, \mathrm{e}^{-t'\frac{\hbar}{m}\vec{p}\nabla_j} \,. \qquad (15.41)
\end{aligned}
$$

Im letzten Schritt wurde Übung 13/5 (c) benötigt, um den Translationsoperator zu isolieren: rechts unten in (15.41). Jetzt ist klar, daß sich die beiden Summen in (15.40) auf eine reduzieren werden und daß nur der folgende Kommutator auszurechnen ist. Den Leser ein wenig üben lassend,

$$
\Big[\mathrm{e}^{i\vec{q}\,\vec{r}_j}\,,\, \mathrm{e}^{i\vec{p}\,\vec{r}_j}\, \mathrm{e}^{-t'\frac{\hbar}{m}\vec{p}\nabla_j} \Big] = \mathrm{e}^{i(\vec{p}-\vec{q})\vec{r}_j} \Big(1 - \mathrm{e}^{it'\frac{\hbar}{m}\vec{q}\,\vec{p}} \Big)\, \mathrm{e}^{-t'\frac{\hbar}{m}\vec{p}\nabla_j} \quad , \qquad (15.42)
$$

kommen wir schließlich an bei

$$
\begin{aligned}
\widetilde{n}(\vec{q},\omega) &= -\frac{i}{\hbar}\frac{1}{V} \sum_p \widetilde{V}(\vec{p},\omega) \int_0^\infty dt'\, \mathrm{e}^{-\varepsilon t' + i\omega t' - it'\frac{\hbar}{2m}p^2} \Big(1 - \mathrm{e}^{it'\frac{\hbar}{m}\vec{q}\,\vec{p}} \Big) \langle B \rangle_0 \\
&\qquad \text{mit} \quad B := \sum_{j=1}^{N} \mathrm{e}^{i(\vec{p}-\vec{q})\vec{r}_j}\, \mathrm{e}^{-t'\frac{\hbar}{m}\vec{p}\nabla_j} \,. \qquad (15.43)
\end{aligned}
$$

Mit der Auswertung von $\langle B\rangle_0$ bekommt die Sache ihr dickes Ende. Die Spur ist mit $N*N$–Slater–Determinanten zu bilden, Konfigurationen $\mathcal{K}_N$ entsprechend (kurz $\mathcal{K}$). Weil $B=\sum_j B_j$ ein Einteilchen–Operator ist — der § 4.3 will sich erinnern — hilft (4.26) weiter:

$$\langle B\rangle_0 = \sum_{\mathcal{K}} \frac{\mathrm{e}^{-\beta E_{\mathcal{K}}}}{Z} \langle \mathcal{K}|B|\mathcal{K}\rangle = \sum_{\mathcal{K}} \frac{\mathrm{e}^{-\beta E_{\mathcal{K}}}}{Z} \sum_{\nu=1}^{N} \int d^3r_1\, \varphi_\nu^*(\vec{r}_1)\, B_1\, \varphi_\nu(\vec{r}_1) \quad , \qquad (15.44)$$

wobei ν die N Quantenzahl–Sätze $\vec{k}, s$ aus $\mathcal{K}$ numeriert. So ein B_1–Matrixelement wertet sich aus zu

$$\begin{aligned} \frac{1}{V}\int_V d^3r\, \mathrm{e}^{-i\vec{k}\vec{r}} \mathrm{e}^{-i(\vec{p}-\vec{q})\vec{r}} \mathrm{e}^{-t'\frac{\hbar}{m}\vec{p}\nabla} \mathrm{e}^{i\vec{k}\vec{r}} &= \frac{1}{V}\int_V d^3r\, \mathrm{e}^{-i(\vec{p}-\vec{q})\vec{r}}\, \mathrm{e}^{-it'\frac{\hbar}{m}\vec{k}\vec{p}} \\ &= \delta_{\vec{p},\vec{q}}\, \mathrm{e}^{-it'\frac{\hbar}{m}\vec{k}\vec{p}} \quad . \end{aligned} \qquad (15.45)$$

Wir erhalten damit

$$\langle B\rangle_0 \;=\; \delta_{\vec{p},\vec{q}}\, \frac{1}{Z} \sum_{\mathcal{K}} \mathrm{e}^{-\beta E_{\mathcal{K}}} \sum_{\nu=1}^{N} \mathrm{e}^{-it'\frac{\hbar}{m}\vec{p}\vec{k}_\nu} \qquad (15.46)$$

und wissen fürs erste nicht weiter. Wie sich die beiden Summen vertauschen lassen, ist ein irgendwie ungewohnter Schritt, ein *Theorem*:

$$\sum_{\mathcal{K}_N} C_{\mathcal{K}_N} \sum_{\nu=1}^{N} D_\nu \;=\; \sum_{\nu}^{\text{alle}} D_\nu \sum_{\mathcal{K}_N}^{\text{mit }\nu} C_{\mathcal{K}_N} \quad . \qquad (15.47)$$

Aber (15.47) ist recht einfach zu begreifen, wenn man sich ansieht, mit welchem Gewicht ein bestimmtes D_{ν_0} auf beiden Seiten von (15.47) vorkommt. Rechts ist das Gewicht schlicht die Summe aller ν_0 enthaltenden Konfigurationen. Aber auch links tragen genau nur diese Konfigurationen zum D_{ν_0}–Vorfaktor bei, qed.

Im Falle (15.46) verhilft das Theorem zu

$$\langle B\rangle_0 = \delta_{\vec{p},\vec{q}}\, 2\sum_k \mathrm{e}^{-it'\frac{\hbar}{m}\vec{p}\vec{k}} \frac{\sum^{\text{mit}}}{\sum^{\text{mit}} + \sum^{\text{ohne}}} = \delta_{\vec{p},\vec{q}}\, 2\sum_k \mathrm{e}^{-it'\frac{\hbar}{m}\vec{q}\vec{k}}\, f^0(\varepsilon_k) \quad , \qquad (15.48)$$

denn der obige Bruch aus Summen war damals ab (4.51) im thermodynamischen Limes zur Fermi–Verteilung verarbeitet worden, hier als $f^0(\varepsilon_k) = 1/(\mathrm{e}^{\beta(\varepsilon_k-\mu)}+1)$ notiert mit $\varepsilon_k = \frac{\hbar^2k^2}{2m}$.

Dank des $\vec{p}$–$\vec{q}$–Kroneckers tritt nun in (15.43) endlich die gebotene Faktorisierung $\widetilde{n} = \widetilde{R}\,\widetilde{V}$ ein, und $\widetilde{R}$ läßt sich ablesen:

$$\widetilde{R}(\vec{q},\omega) \;=\; \frac{2}{i\hbar V}\sum_k f^0(\varepsilon_k) \int_0^\infty dt'\, \mathrm{e}^{-\varepsilon t' + i\omega t' - it'\frac{\hbar}{m}\vec{q}\vec{k} - it'\frac{\hbar}{2m}q^2} \left(1 - \mathrm{e}^{it'\frac{\hbar}{m}q^2}\right)$$

$$= \frac{2}{V}\sum_k \left[\frac{f^0(\varepsilon_k)}{-\frac{\hbar^2 q^2}{2m} - \frac{\hbar^2}{m}\vec{q}\,\vec{k} + \hbar\omega + i\hbar\varepsilon} - \frac{f^0(\varepsilon_k)}{\frac{\hbar^2 q^2}{2m} - \frac{\hbar^2}{m}\vec{q}\,\vec{k} + \hbar\omega + i\hbar\varepsilon} \right]$$

$$= \frac{2}{V}\sum_k f^0(\varepsilon_k) \left[\frac{1}{\varepsilon_k - \varepsilon_{k+q} + \hbar\omega + i\hbar\varepsilon} - \frac{1}{\varepsilon_{k-q} - \varepsilon_k + \hbar\omega + i\hbar\varepsilon} \right] \qquad (15.49)$$

oder:

$$\widetilde{R}(\vec{q},\omega) = \frac{2}{V}\sum_k \frac{f^0(\varepsilon_{k+q}) - f^0(\varepsilon_k)}{\varepsilon_{k+q} - \varepsilon_k + \hbar\omega + i\hbar\varepsilon} . \qquad (15.50)$$

Natürlich ist hier $\varepsilon_{k\pm q}$ nur Stenografie für $\frac{\hbar^2}{2m}(\vec{k} \pm \vec{q})^2$. (15.50) ist aus (15.49) durch Vorzeichen–Umkehr $\vec{k} \to -\vec{k}$ entstanden, im ersten Term gefolgt von $\vec{k} \to \vec{k} + \vec{q}$. Der Ausdruck (15.50) ist unter dem Namen **Lindhard–Funktion** bekannt. Mitunter ist der Spin–Faktor 2 als Bestandteil der Summe zu lesen, so z.B. bei [*Doniach/S.*, § 6.5]. Abgesehen von einigen (gewünschten) Bezügen zu früheren Kapiteln möge dieser Fußweg erkennen lassen, wie elegant stattdessen die folgende Verfahrensweise ist.

Mit Feldoperatoren zu $\widetilde{R}(\vec{q},\omega)$

Statt Ursache– und Antwort–Operatoren in der „erst–quantisierten“ Version (15.34) anzugeben, kann man nach Rückblick in den § 4.3 auch

$$A = \sum_\sigma \Psi^\dagger_\sigma(\vec{r})\,\Psi_\sigma(\vec{r}) \qquad \text{und}$$

$$u(t') = \sum_{\sigma'} \int d^3r'\, \Psi^\dagger_{\sigma'}(\vec{r}\,')\,V(\vec{r}\,',t')\,\Psi_{\sigma'}(\vec{r}\,') \qquad (15.51)$$

aufschreiben. Ausgedrückt durch Fermi–Erzeuger und –Vernichter lauten Hamilton– und Feldoperator

$$H = \sum_{\vec{k},s} \varepsilon_k\, b^\dagger_{ks} b_{ks} \quad \text{und} \quad \Psi_\sigma(\vec{r}) = \sum_{\vec{k},s} \frac{1}{\sqrt{V}}\, e^{i\vec{k}\vec{r}} \delta_{\sigma,s}\, b_{ks} . \qquad (15.52)$$

Schon kann der erste Vorteil der Ψ–Sprache erahnt werden, nämlich, daß sich die Heisenberg–Zeitabhängigkeit auf die einzelnen Feldoperatoren von (15.51) abwälzen läßt:

$$\Psi^H_\sigma(\vec{r},t) = \sum_{\vec{k}} \frac{1}{\sqrt{V}}\, e^{i\vec{k}\vec{r}}\, e^{\frac{i}{\hbar}t\sum_{q,s} b^\dagger_{qs} b_{qs}}\, b_{k\sigma}\, e^{-\frac{i}{\hbar}t\sum_{q,s} b^\dagger_{qs} b_{qs}}$$

$$= \frac{1}{\sqrt{V}}\sum_k e^{i\vec{k}\vec{r} - i\omega_k t}\, b_{k\sigma} \qquad \text{mit} \qquad \omega_k := \frac{1}{\hbar}\varepsilon_k . \qquad (15.53)$$

Nach Einsetzen von (15.51) in (15.11) kann die Integration $\int d^3r'$ unverzüglich ganz nach links wandern und $V(\vec{r}\,',t')$ ganz nach rechts. Also bildet sich die *response*-Funktion $R(\vec{r},\vec{r}\,';t,t')$ sofort:

$$R(\vec{r},\vec{r}\,';t,t') = -\frac{i}{\hbar}\,\theta(t-t')\,\mathrm{e}^{-\varepsilon(t-t')}\sum_{\sigma,\sigma'} \Big\langle \Big[\Psi_\sigma^{\dagger H}(\vec{r},t)\,\Psi_\sigma^H(\vec{r},t)\,,\ \Psi_{\sigma'}^{\dagger H}(\vec{r}\,',t')\,\Psi_{\sigma'}^H(\vec{r}\,',t')\Big]\Big\rangle_0 . \qquad (15.54)$$

Das Mittel in (15.54) ist jetzt ein großkanonisches. Schon mit (15.51) hatten wir uns nämlich (klammheimlich, *sorry*) in den „großen“ Hilbert–Raum aller Teilchenzahlen begeben. Dies kann sich jedoch auf Resultate zum hier behandelten großen System nicht auswirken. Unten in (15.57) wird übrigens das Mittel per $\langle b^\dagger b\rangle_0 = f^0$ ausgeführt.

Daß im thermischen Mittel gern Heisenberg–zeitabhängige Operatoren erscheinen, verlautete schon einmal bei (13.53). In (15.54) stehen sie. Wird für jeden Feldoperator die Entwicklung (15.53) eingesetzt, können alle Summen und e–Funktionen vor das thermische Mittel wandern ($\omega_j := \hbar k_j^2/(2m)$),

$$R(\vec{r},\vec{r}\,';t,t') = -\frac{i}{\hbar}\,\theta(t-t')\,\mathrm{e}^{-\varepsilon(t-t')}\,\frac{1}{V^2}\sum_{\sigma,\sigma'}\sum_{k_1,k_2,k_3,k_4} \mathrm{e}^{-i\vec{k}_1\vec{r}+i\omega_1 t}\,\mathrm{e}^{i\vec{k}_2\vec{r}-i\omega_2 t}\,\mathrm{e}^{-i\vec{k}_3\vec{r}\,'+i\omega_3 t'}\,\mathrm{e}^{i\vec{k}_4\vec{r}\,'-i\omega_4 t'} \Big\langle\Big[b_{k_1\sigma}^\dagger\, b_{k_2\sigma}\,,\ b_{k_3\sigma'}^\dagger\, b_{k_4\sigma'}\Big]\Big\rangle_0 , \qquad (15.55)$$

der Kommutator ist elementar,

$$\Big[b_{k_1\sigma}^\dagger\, b_{k_2\sigma}\,,\ b_{k_3\sigma'}^\dagger\, b_{k_4\sigma'}\Big] = \delta_{\sigma,\sigma'}\delta_{k_2,k_3}\, b_{k_1\sigma}^\dagger\, b_{k_4\sigma'} - \delta_{\sigma,\sigma'}\delta_{k_1,k_4}\, b_{k_3\sigma'}^\dagger\, b_{k_2\sigma} , \qquad (15.56)$$

das thermische Mittel führt wunschgemäß auf Fermi–Funktionen,

$$\Big\langle\ \ldots\ \Big\rangle_0 = \delta_{\sigma,\sigma'}\delta_{k_2,k_3}\delta_{k_1,k_4}\Big[f^0(\varepsilon_{k_1}) - f^0(\varepsilon_{k_2})\Big] , \qquad (15.57)$$

und die Kroneckers versorgen R mit Differenz–Argumenten:

$$R(\vec{r},t) = -\frac{i}{\hbar}\theta(t)\mathrm{e}^{-\varepsilon t}\,\frac{2}{V^2}\sum_{k_1,k_2}\mathrm{e}^{-i\vec{k}_1\vec{r}+i\omega_1 t}\,\mathrm{e}^{i\vec{k}_2\vec{r}-i\omega_2 t}\Big[f^0(\varepsilon_{k_1}) - f^0(\varepsilon_{k_2})\Big] . \qquad (15.58)$$

Wird endlich (15.58) auch noch die Fourier–Transformation gestattet,

$$\widetilde{R}(\vec{q},\omega) = -\frac{i}{\hbar}\,\frac{2}{V^2}\sum_{k_1,k_2}\underbrace{\int_V d^3r\ \mathrm{e}^{i(\vec{k}_2-\vec{k}_1-\vec{q})\vec{r}}}_{=\,V\,\delta_{k_2,\,k_1+q}}\int_0^\infty dt\ \mathrm{e}^{-\varepsilon t-i(\omega_2-\omega_1-\omega)t}\ [\,f_1 - f_2\,] , \qquad (15.59)$$

so mündet die Rechnung zwanglos bei der Lindhard–Funktion (15.50) ein. Obiges Arbeiten mit Feldoperatoren war also richtig — und der Fußweg ebenfalls.

Die dielektrische Funktion, natürlich in ihrer besseren Version (15.38), bekommt nach Einsetzen von $\widetilde{R}$ die Gestalt

$$\widetilde{\epsilon}(\vec{q},\omega) = 1 - \frac{e^2}{\varepsilon_0\, q^2}\frac{2}{V}\sum_k \frac{f^0(\varepsilon_{k+q}) - f^0(\varepsilon_k)}{\varepsilon_{k+q} - \varepsilon_k + \hbar\omega + i\hbar\varepsilon} \;. \tag{15.60}$$

Wir haben eine explizit Temperatur–, Frequenz– und Wellenvektor–abhängige dynamische Suszeptibilität vor Augen.

Übung 15/2 Unter Definition von $B_q := \sum_\sigma b^\dagger_{k\,\sigma} b_{k+q\,\sigma}$ soll R — z.B. im Rückwärtsgang ab (15.57) — auch die folgende Gestalt gegeben werden:

$$R(\vec{q},t) = \frac{1}{V}\sum_k \Big\{ -\frac{i}{\hbar}\,\theta(t)\,\mathrm{e}^{-\varepsilon t} \Big\langle \big[\, B^H_q(t)\;,\; B^\dagger_q \,\big] \Big\rangle_0 \Big\} \;. \tag{15.61}$$

Lösung Die (15.57)–Weisheit $\langle\;\rangle_0 \sim \delta_{k_2,k_3}\delta_{k_1,k_4}$ kann vorab in (15.55) ausgenutzt werden. $\vec{r} - \vec{r}\,'$ durch $\vec{r}$ und $t - t'$ durch t ersetzend, entsteht $R = -i\frac{1}{\hbar V^2}\cdot$ $\cdot\,\theta(t)\,\mathrm{e}^{-\varepsilon t}\sum_{k_1,\,k_2} \mathrm{e}^{-ik_1\vec{r} - ik_2\vec{r}}\,\mathrm{e}^{i\omega_1 t - i\omega_2 t}\Big\langle \Big[\sum_\sigma b^\dagger_{k_1\,\sigma} b_{k_2\,\sigma}\;,\; \sum_{\sigma'} b^\dagger_{k_2\,\sigma'} b_{k_1\,\sigma'} \Big] \Big\rangle_0$. Die beiden $\mathrm{e}^{i\omega t}$'s geben den ersten beiden b's ihre H–Zeitabhängigkeit, und räumliche Fourier–Transformation, $V\delta_{k_2,\,k_1+q}$ liefernd, führt auf (15.61).

Hinter $\widetilde{\epsilon}$ und $\widetilde{R}$ hält sich erstaunlich viel Physik verborgen. Hier, wo Verfahrensweisen im Vordergrund stehen, müssen wir sie weitgehend der Festkörper–Theorie überlassen, wie z.B. [*Harrison*] und [*Doniach/S.*]. Jedoch sind die beiden wichtigsten Grenzfälle leicht erarbeitet. Geht es um die Abschirmung bei $T \approx 0$ eines geladenen Fremdatoms, so interessiert nur der statische Limes $\omega = 0$ von $\widetilde{R}$:

$$\widetilde{R}_{T=0}(\vec{q},0) = -\frac{mk_F}{\pi^2\hbar^2}\,u\Big(\frac{q}{2k_F}\Big) \quad \text{mit} \quad u(x) = \frac{1}{2} + \frac{1-x^2}{4x}\ln\Big|\frac{1+x}{1-x}\Big| \;. \tag{15.62}$$

In Übung 15/3 zeigt sich, wie das herauskommt. $u(x)$ ist eine nach rechts abfallende Funktion. Links erreicht sie den Wert $u(0) = 1$. Um den Stoßterm der Boltzmann–Gleichung explizit zu machen, hatten wir vor (14.31) $\rho_{\text{zusätzlich}}$ kurzerhand über einen Proportionalitätsfaktor mit dem elektrostatischen Potential verkoppelt. Im Fourier–Raum wird dieser Zusammenhang dank (15.35) q–abhängig:

$$\begin{aligned} \widetilde{\rho}_{\text{zusätzlich}} &= -\varepsilon_0\,\kappa^2\,\widetilde{\phi} \\ -|e|\,\widetilde{n} = \widetilde{\rho}_{\text{ind}} &= e^2\,\widetilde{R}\,\widetilde{\phi} \end{aligned} \quad \curvearrowright \quad \kappa^2 = -\frac{e^2}{\varepsilon_0}\,\widetilde{R}(\vec{q},0) \;. \tag{15.63}$$

Will man das Fremdatom nur in größerer Entfernung vom Zentrum korrekt behandeln und mit konstantem κ arbeiten, so ist der langwellige Grenzfall $q \to 0$

angezeigt, d.h. (15.62) mit $u(0) = 1$:

$$\kappa^2 \;=\; \frac{e^2}{\varepsilon_0}\,\frac{m\,k_F}{\pi^2\,\hbar^2} \;=\; \frac{e^2}{\varepsilon_0}\,\frac{z(\varepsilon_F)}{V} \quad . \tag{15.64}$$

Übung 15/3 Um $\widetilde{R}(\vec{q},0)$ bei $T = 0$ auszuwerten, empfiehlt sich (15.49) als Ausgangspunkt. Hat dieses $\widetilde{R}$ einen Imaginärteil? Kommt (15.62) heraus?

Lösung Nein, denn $\widetilde{R} = -\frac{2}{V}\sum_k f^0(\widetilde{\varepsilon}_k)\left(\frac{1}{\varepsilon_{k+q}-\varepsilon_k+i\hbar\varepsilon} + c.c.\right) = -\frac{2m}{\hbar^2\pi^2}\int_0^\infty dk\; k^2 f^0(\varepsilon_k)$ $\int_{-1}^1 du\,\frac{1}{q^2+2qku}$. Erst nach $\int du \ldots = \frac{1}{2kq}\ln(\frac{q+2k}{q-2k})$ wird $T \to 0$ nötig. — Ja.

Übung 15/4 Auch mit der q–Abhängigkeit (15.63) von κ^2 läßt sich die Lösung $\widetilde{\phi}$ der linken Gleichung (14.31) erhalten und als $\widetilde{\phi}(q) = (?)/\widetilde{\epsilon}(\vec{q},0)$ aufschreiben.

Lösung $-\Delta\phi = \frac{Q}{\varepsilon_0}\delta(\vec{r}) - \int d^3r'\,\kappa^2(\vec{r}-\vec{r}\,')\,\phi(\vec{r}\,')$, $q^2\widetilde{\phi} = \frac{Q}{\varepsilon_0} + \frac{e^2}{\varepsilon_0}\widetilde{R}\widetilde{\phi}$, $\widetilde{\phi}\,(1-\frac{e^2}{\varepsilon_0 q^2}\widetilde{R})$ $= \frac{Q}{\varepsilon_0 q^2} = \frac{1}{4\pi\varepsilon_0}\mathrm{FT}\{\frac{Q}{r}\}$. Hat das „Fremdatom" ursprünglich irgendein el.stat. Potential ϕ_0, so sorgen die Elektronen für effektiv $\widetilde{\phi}(q) = \frac{1}{4\pi\varepsilon_0}\widetilde{\phi}_0(q)/\widetilde{\epsilon}(q,0)$.

Bei den Wellen durch Medien im § 15.3 hatten wir die Ladungen explizit als „freie" behandelt und in (15.29) eine $\vec{q}$–ω–abhängige dynamische Leitfähigkeit $\widetilde{\sigma}$ ins Spiel gebracht. Weil unser *core*–freies Metall außer den beweglichen Ladungen nichts hat, was eine Polarisation bilden könnte, ist das dortige $\widetilde{\epsilon}$ Eins, und die eckige Klammer in (15.30) ist

$$\Big[\,{\scriptstyle (15.30)}\,\Big]^{\text{core–frei}} \;=\; \omega\varepsilon_0 + i\widetilde{\sigma}(\vec{q},\omega) \;=\; \omega\varepsilon_0\,\widetilde{\epsilon}(\vec{q},\omega) \quad\curvearrowright$$

$$\widetilde{\sigma}(\vec{q},\omega) \;=\; i\omega\varepsilon_0\Big(1-\widetilde{\epsilon}(\vec{q},\omega)\Big) \;=\; \frac{i\omega\,e^2}{q^2}\,\widetilde{R}(\vec{q},\omega) \quad . \tag{15.65}$$

Wenn wir in dieser dynamischen Leitfähigkeit per $\vec{q} \to 0$ zu langen Wellen gehen, dann müßte doch das Schnelltest–Resultat (15.13) zum Vorschein kommen. Also sehen wir uns (15.49) bei verschwindendem Wellenvektor an und vernachlässigen einen $\widetilde{R}$–Imaginärteil. Aber Vorsicht, zuerst wollen die beiden Brüche einen Hauptnenner bekommen:

$$\widetilde{R}(\vec{q}\to 0,\omega) \;=\; \frac{2}{V}\sum_k f^0(\varepsilon_k)\,\frac{\varepsilon_{k-q} - 2\varepsilon_k + \varepsilon_{k+q}}{\hbar^2\,\omega^2} \;=\; \frac{q^2}{m\omega^2}\,\frac{2}{V}\sum_k f^0(\varepsilon_k)$$

$$\;=\; \frac{q^2\,n}{m\,\omega^2} \quad\curvearrowright\quad \widetilde{\sigma}(\vec{0},\omega) \;=\; \frac{i\,e^2\,n}{m\,\omega} \quad . \tag{15.66}$$

Der Schnelltest ist also tatsächlich als Spezialfall enthalten.

Wenn eine *response*–Funktion divergiert, eröffnet dies in aller Regel dem System die Möglichkeit, *selber* Anregungen auszubilden. Im vorliegenden Falle zeigt

$$\vec{\widetilde{D}} = \widetilde{\epsilon}\,\vec{\widetilde{E}} = \widetilde{\epsilon}\,\left(\vec{\widetilde{D}} + \vec{\widetilde{E}}_{\rm ind}\right) \quad \curvearrowright \quad \vec{\widetilde{E}}_{\rm ind} = \frac{1-\widetilde{\epsilon}}{\widetilde{\epsilon}}\,\vec{\widetilde{D}}\ , \tag{15.67}$$

daß zu $\widetilde{\epsilon} \to 0$ bereits ein infinitesimales $\vec{D}$–Feld ein riesiges $\vec{E}$–Feld induziert. Die Dispersion $\omega = \omega(\vec{q})$ solcher „Von–alleine–Anregungen" (*if any*) ist also aus

$$\widetilde{\epsilon}(\vec{q},\omega) = 1 - \frac{e^2}{\varepsilon_0\,q^2}\,\widetilde{R}(\vec{q},\omega) \ \stackrel{!}{=}\ 0 \tag{15.68}$$

zu ergründen. Bei $\vec{q} = 0$ wird (15.68) dank (15.66) zu $1 - e^2n/(\varepsilon_0 m\omega^2) = 0$. Bei der Plasmafrequenz (15.33) handelte es sich also um $\omega(\vec{q} \to 0)$. In der ω–q–Ebene wird nun die $\omega_{\rm plasma}(q)$–Kurve nach rechts hin sanft ansteigen, ein wenig wegen Dämpfung ($\widetilde{R}$–Imaginärteil) verbreitert sein und in ein Kontinuum von Teilchen–Loch–Anregungen einmünden: [*Doniach/S.*, Fig. 6.8.]. Das Kontinuum wird im Bild 15–2 zu sehen sein.

15.5 Fluktuations–Dissipations–Theorem

Nicht nur aus der in § 15.2 behandelten Kausalität, sondern auch aufgrund der Kommutator–Struktur der *response*–Funktionen lassen sich einige recht allgemeine Aussagen gewinnen. Im Kommutator mögen Operatoren des großen Hilbert–Raumes stehen. Um der Allgemeinheit willen sei der thermische Mittelwert ein großkanonischer. Mit dieser Vorgabe weichen wir etwas von [*Doniach/S.*, Appendix 2] ab, welche ansonsten die Anregungen gaben.[4]

Zur Formulierung des Ausgangspunktes (und weil nützlich für das nächste Kapitel) definieren wir neben der H–Zeitabhängigkeit $B^H(t)$ noch eine andere, die großkanonische oder „K–Zeitabhängigkeit" $B^K(t)$:

$$K := H - \mu N \quad , \quad K\,|m\rangle =: K_m\,|m\rangle \quad , \quad B^K(t) := \mathrm{e}^{\frac{i}{\hbar}Kt} B\,\mathrm{e}^{-\frac{i}{\hbar}Kt} \ . \tag{15.69}$$

Falls der Operator B die Teilchenzahl nicht ändert, sind natürlich die beiden Zeitabhängigkeiten identisch. Ausgangspunkt ist eine *response*–Funktion der Gestalt

$$\chi(t) = -\frac{i}{\hbar}\,\theta(t)\,\mathrm{e}^{-\varepsilon t}\,\Big\langle\,\big[\,B^K(t)\ ,\ B^\dagger\,\big]\,\Big\rangle\ . \tag{15.70}$$

Vielleicht blicken Sie zuerst auf (15.54) zurück, aber dort stört die unterschiedliche Abhängigkeit von $\vec{r}$ bzw. $\vec{r}\,'$. Jedoch haben wir mit (15.61) in der geschwungenen Klammer ein gesundes Beispiel für die Struktur (15.70) stehen. Dort ist

[4] Kanonik wird erreicht, indem man $\mu = 0$ setzt. *Setzen* heißt nicht „ist Null".

B_q Teilchenzahl–erhaltend. Den Index 0 an $\langle\ \ \rangle$ ziehen wir jetzt wegen Mißverständlichkeit aus dem Verkehr (er verwies ja ständig nur auf H als $H+U$ ohne U).

In (15.70) ist nicht nur B ein beliebiger Operator–Klumpen, sondern auch H ein „voller“ Hamilton–Operator. Er kann Wechselwirkungen enthalten. Auch das Mittel ist großkanonisch mit diesem vollen H gebildet. Im ersten Schritt werden nur die beiden Terme des Kommutators separat aufgeschrieben,

$$\chi(t) \;=\; -\frac{i}{\hbar}\,\theta(t)\,\mathrm{e}^{-\varepsilon t}\left(\underbrace{\left\langle B^K(t)\,B^\dagger\right\rangle}_{=:\,\vartheta(t)} - \underbrace{\left\langle B^\dagger\,B^K(t)\right\rangle}_{=:\,\vartheta_{\text{-}}(t)}\right) \quad . \tag{15.71}$$

In der Fourier–Unterwelt wird daraus

$$\begin{aligned}\widetilde{\chi}(\omega) &= -\frac{i}{\hbar}\int_0^\infty dt\ \mathrm{e}^{i\omega t-\varepsilon t}\int\frac{d\omega'}{2\pi}\,\mathrm{e}^{-i\omega' t}\left(\widetilde{\vartheta}(\omega')-\widetilde{\vartheta}_{\text{-}}(\omega')\right)\\ &= \int d\omega'\,\frac{\mathsf{A}(\omega')}{\omega-\omega'+i\varepsilon}\qquad\text{mit}\quad \mathsf{A}(\omega)=\frac{\widetilde{\vartheta}(\omega)-\widetilde{\vartheta}_{\text{-}}(\omega)}{2\pi\,\hbar}\quad .\end{aligned} \tag{15.72}$$

Links steht bereits die **Spektraldarstellung** der *response*–Funktion. $\mathsf{A}(\omega)$ nennt man Spektralfunktion von χ. Ihre Eigenschaften ergeben sich aus der Untersuchung der beiden $\widetilde{\vartheta}$'s:

$$\begin{aligned}\widetilde{\vartheta}(\omega) &= \int dt\ \mathrm{e}^{i\omega t}\,\frac{1}{Z_{\text{gr.}}}\mathrm{Sp}_{\text{gr.}}\left(\mathrm{e}^{-\beta K}\,\mathrm{e}^{\frac{i}{\hbar}Kt}B\,\mathrm{e}^{-\frac{i}{\hbar}Kt}\,B^\dagger\right)\\ &= \frac{1}{Z_{\text{gr.}}}\sum_{m,n}\mathrm{e}^{-\beta K_m}\int dt\ \mathrm{e}^{i\omega t+\frac{i}{\hbar}K_m t-\frac{i}{\hbar}K_n t}\,\langle m|B|n\rangle\,\langle n|B^\dagger|m\rangle\\ &= \frac{2\pi\hbar}{Z_{\text{gr.}}}\sum_{m,n}\mathrm{e}^{-\beta K_m}\left|\langle m|B|n\rangle\right|^2\delta\left(\hbar\omega+K_m-K_n\right)\quad .\end{aligned} \tag{15.73}$$

Spur und Eins–Operator wurden in der zweiten Zeile mit Eigenzuständen $|m\rangle$ bzw. $|n\rangle$ des vollen H ausgeführt. Man kennt sie ebensowenig wie K_m — aber die Rechnung funktioniert und macht offenkundig, daß $\widetilde{\vartheta}(\omega)$ reell ist. Dies ist der Wahl $B^\dagger$ für den zweiten Operator im Kommutator zu verdanken.

Die Rechnung läuft bei $\widetilde{\vartheta}_{\text{-}}$ ganz analog. Verwenden wir hier $|n\rangle$ zur Spurbildung und $|m\rangle$ für den Eins–Operator, so entsteht

$$\widetilde{\vartheta}_{\text{-}}(\omega) = \frac{2\pi\hbar}{Z_{\text{gr.}}}\sum_{m,n}\mathrm{e}^{-\beta K_n}\left|\langle m|B|n\rangle\right|^2\delta\left(\hbar\omega+K_m-K_n\right)\quad . \tag{15.74}$$

Der Unterschied zu (15.73) ist kaum zu erkennen: K_n statt K_m im Exponenten. Dank Deltafunktion ist er leicht behoben:

$$\widetilde{\vartheta}_{\text{-}}(\omega) \;=\; \mathrm{e}^{-\beta\hbar\omega}\,\widetilde{\vartheta}(\omega)\quad . \tag{15.75}$$

Diese schöne Beziehung ist der K–Zeitabhängigkeit zu verdanken (andernfalls hätten wir Teilchenzahl–Erhaltung von B unterstellen müssen).

Die Spektralfunktion (15.72) bekommt mit (15.75) und (15.73) eine „konkrete“ Gestalt:

$$\mathsf{A}(\omega) = \left(1 - \mathrm{e}^{-\beta\hbar\omega}\right) \frac{1}{2\pi\hbar}\, \widetilde{\vartheta}(\omega) \tag{15.76}$$

$$= \left(1 - \mathrm{e}^{-\beta\hbar\omega}\right) \frac{1}{Z_{\text{gr.}}} \sum_{m,n} \mathrm{e}^{-\beta K_m} \left|\langle m|B|n\rangle\right|^2 \delta\left(\hbar\omega + K_m - K_n\right) \ . \tag{15.77}$$

Sie ist offensichtlich reell. Dieser Umstand wiederum macht den Imaginärteil von $\widetilde{\chi}(\omega) = \int d\omega' \mathsf{A}(\omega')/(\omega - \omega' + i\varepsilon)$ zur Spektralfunktion proportional: $\Im m\,[\widetilde{\chi}(\omega)] = -\pi\,\mathsf{A}(\omega)$. Es besteht also ein direkter Zusammenhang zwischen der Zeit–Korrelationsfunktion $\vartheta(t)$ und der *response*–Funktion $\chi(t)$. Wird (15.76) nach $\widetilde{\vartheta}(\omega)$ aufgelöst, bekommt er die Gestalt

$$\widetilde{\vartheta}(\omega) = \frac{-2\,\hbar}{1 - \mathrm{e}^{-\beta\hbar\omega}}\ \Im m\,[\,\chi(\omega)\,] \tag{15.78}$$

und wird gern „Fluktuations–Dissipations–Theorem“ genannt. Mit dem Imaginärteil einer Fourier–transformierten *response*–Funktion läßt sich Dissipation assoziieren. Anregungen erfahren Dämpfung, klingen ab und ihr Spektrum verbreitert sich. Der Terminus „Fluktuation“, links in (15.78) der Zeit–Korrelationsfunktion ϑ zuzuordnen, hat hingegen historischen Ursprung (Brownsche Bewegung). Er entstammt klassischen Vorstellungen, ist also kein gutes Wort. Es wird peinlich, wenn gar „Quantenfluktuationen“ — was soll das sein? — dem relativistischen Vakuum zugeschrieben werden. Dieses nämlich verharrt in absoluter Ruhe, still und starr wie der Dirac–See. Würde etwas wackeln, würde es strahlen.

Es ist richtig — und gar nicht peinlich — daß wir hier die Dispersionsrelationen (15.24) erneut entdeckt haben, nämlich unter etwas anderen (etwas engeren) Voraussetzungen. Bei $\Im m\,[\widetilde{\chi}(\omega)] = -\pi\,\mathsf{A}(\omega)$, handelt es sich um die dortige Funktion $B(\omega)$, und der Realteil der Spektraldarstellung (15.72) links wird damit zur linken Gleichung (15.24).

„Wie man weiß“, ist $\mathsf{A}(\omega)$ eine ungerade Funktion von ω — Fragezeichen. Nach (15.77) hat A zwar bei $0 < \omega$ nur positive Werte und bei $\omega < 0$ nur negative. Wer aber die Antisymmetrie zeigen will, gelangt (leichte Übung) bis zu

$$-\mathsf{A}(-\omega) = \left(1 - \mathrm{e}^{-\beta\hbar\omega}\right) \frac{1}{Z_{\text{gr.}}} \sum_{m,n} \mathrm{e}^{-\beta K_m} \left|\langle n|B|m\rangle\right|^2 \delta\left(\hbar\omega + K_m - K_n\right) \ , \tag{15.79}$$

was sich von (15.77) leider im Matrixelement unterscheidet. Nichts zu machen. Ist im konkreten Falle $\mathsf{A}(-\omega) = -\mathsf{A}(\omega)$, so hat entweder Hermitezität $B^\dagger = B$

dafür gesorgt, oder aber die Summen über n, m sowie ggf. weitere Summationen konnten die Antisymmetrie noch herstellen. So geht es beispielsweise im Falle des Elektronengases mit (15.61) zu. Die erste Zeile der nachfolgenden 15/5–Lösung zeigt, wie sich die A–Antisymmetrie per $\vec{k} \to -\vec{k} + \vec{q}$ ergibt.

Übung 15/5 Zum System freier Elektronen aus § 15.4 soll die Spektralfunktion $\mathsf{A}(q,\omega)$ der $\hat{n}$–*response*–Funktion (15.54) ermittelt werden. $T = 0$: In welchem Bereich der ω–q–Ebene (beide positiv) ist $\mathsf{A}(q,\omega)$ von Null verschieden?

Lösung $\mathsf{A} = -\frac{1}{\pi}\Im m\,(15.50) = \frac{2}{V}\sum_k [\,f^0(\varepsilon_{k+q}) - f^0(\varepsilon_k)\,]\;\delta(\,\varepsilon_{k+q} - \varepsilon_k + \hbar\omega\,) = \frac{1}{2\pi^2}\int_0^\infty dk\,k^2\,[\,f^0(\varepsilon_k - \hbar\omega) - f^0(\varepsilon_k)\,]\int_{-1}^1 du\;\delta\left(\frac{\hbar^2 q^2}{2m} + \frac{\hbar^2}{m}kqu + \hbar\omega\right)$, $\delta = \theta'$, $\mathsf{A} = \frac{m}{2\pi^2\hbar^2\,q}\int_0^\infty dk\,k\,[\,f - f\,]\;\theta\left(1 - \frac{\omega m}{\hbar k q} - \frac{q}{2k}\right)$. $T \to 0$: $\int \to \int_{k_F}^{k_+}$ mit $k_+ = \sqrt{k_F^2 + 2m\omega/\hbar}$, $\theta = \theta(k - k_q)$, $k_q = \frac{\omega m}{\hbar q} + \frac{q}{2}$. $\mathsf{A} = 0$ bei $k_q > k_+$, d.h. $2m\omega/\hbar > (q + k_F)^2 - k_F^2$ bzw. $2m\omega/\hbar < (q - k_F)^2 - k_F^2$: Bild 15–2. Die Kurve $k_q = k_F$, oberhalb welcher die A–Werte abnehmen, ist im Bild 15–2 punktiert eingetragen.

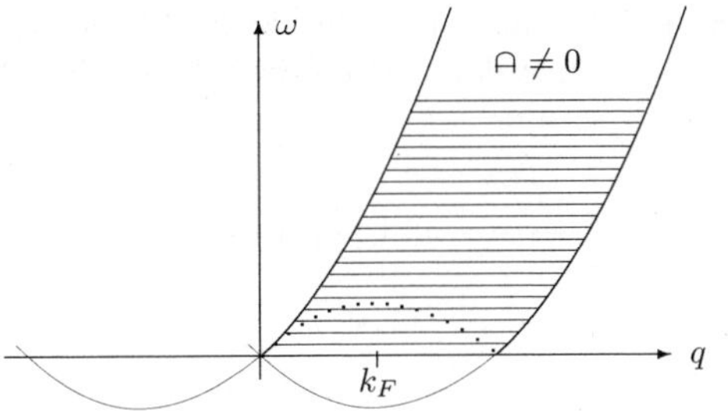

Bild 15–2 : Teilchen–Loch–Kontinuum des freien Elektronen–Gases: Übung 15/5. Die Plasmafrequenz $\omega_{\mathrm{plasma}}(q)$ fehlt hier, weil sich ohne e–e–Wechselwirkung in der $\hat{n}$–*response*–Funktion noch keine kollektiven Phänome zeigen können.

16 Störungsrechnung

Fast automatisch wird bei obigem Titel an die Wechselwirkung zwischen den Teilchen gedacht, aus denen ein System besteht. Wenn es denn anders leider nicht geht, sollen zu physikalisch interessierenden Größen wenigstens Terme einer Potenzreihe in der Kopplungsstärke zu Papier kommen — manchmal partiell aufsummiert ∞ viele, manchmal nur die ersten Terme. In der Trauer um diese Beschränkung fanden Feldtheoretiker und jene der kondensierten Materie in den 1950–ern zueinander.[1] Auch heute noch sind sich die beiden einig in der erforderlichen Technik: *many particle methods*, Vielteilchen–Theorie.

Im Zentrum dieser Technik steht eine Mannigfaltigkeit von Hilfsfunktionen G_n ($n = 1, 2, 3, 4 \ldots, \infty$) mit der schönen Eigenschaft, eine systematische Störungsentwicklung zu erlauben. Wie diese Hilfsfunktionen aufzuschreiben sind, wie sich Physik aus ihnen herausdestillieren läßt und wie man sie nach der Kopplung entwickelt — diese drei Fragen entsprechen den oberen drei Pfeilen im nachstehenden Diagramm:

$$\begin{array}{ccccc} H\,,\,\mathcal{L} & \longrightarrow & G_n & \longrightarrow & \text{Physik} \\ & & \big\downarrow & & \\ & & \text{Störungsrechnung} & \longrightarrow & \text{Physik als Reihe} \end{array} \tag{16.1}$$

Kennt man die benötigten G's (oft nur G_2 und G_4) beispielsweise bis zur siebenten Ordnung, dann wird sich auch die physikalische Antwort bis zur siebenten Ordnung gewinnen lassen: vierter Pfeil. Allerlei „Märchen“, welche im § 13.4 ab (13.52) erzählt wurden, möchten bitte hier als Einleitung hinzu gehören.

Es hat einen einfachen Grund, daß kondensierte Materie und QFT im folgenden ein Stück weit gleichzeitig behandelt werden können. Die einen studieren irdische nicht–relativistische Medien im Labor, die anderen das „Welt–Medium“ — siehe auch die Kommentare zu Bild 7–5 — natürlich oft in modellhaft vereinfachten und manchmal in spekulativen Varianten.

In Feldoperator–Sprache (4.36) bis (4.38) haben wir zum nicht–relativistischen

[1] Die Urheber–Ehre gebührt überwiegend den Feldtheoretikern: Abrikosov, Gorkov, Dzyaloshinskii „Methods of Quantum Field Theory in Statistical Physics“ (Prentice–Hall 1963).

Elektronengas mit Coulomb–Wechselwirkung $V(\vec{r}_j - \vec{r}_\ell)$ von

$$
\begin{aligned}
H \;=\; & \int d^3r \sum_\sigma \Psi^\dagger_\sigma(\vec{r}) \left(-\frac{\hbar^2}{2m}\Delta\right) \Psi_\sigma(\vec{r}) \;+ \\
& + \frac{1}{2} \int_1 \int_2 \Psi^\dagger(1)\, \Psi^\dagger(2)\, V(\vec{r}_1 - \vec{r}_2)\, \Psi(2)\, \Psi(1) \qquad (16.2)
\end{aligned}
$$

auszugehen, wirkend im großen Hilbert–Raum. Handelt es sich um einen 1D anharmonischen Oszillator (Feldtheorie in räumlich–0 D, $m := \omega$, $\hbar = c = 1$), eine Kunst–QFT oder um Quantenelektrodynamik (QED), dann stehen Lagrange–Dichten $\mathcal{L}$ voran ,

$$
\begin{aligned}
& \mathcal{L} = \frac{1}{2}\dot{\phi}^2 - \frac{1}{2}m^2\phi^2 + \lambda\phi^4 \quad , \quad \mathcal{L} = \frac{1}{2}\left(\partial_\mu\phi\right)\partial^\mu\phi - \frac{1}{2}m^2\phi^2 - \lambda\phi^4 \\
& \mathcal{L} = \overline{\psi}\left(i\not{D} - m\right)\psi - \frac{1}{4}F_{\mu\nu}F^{\mu\nu} \quad , \qquad (16.3)
\end{aligned}
$$

wobei die Wechselwirkung als ϕ^4 erscheint bzw. sich via (10.6) als Feld–hoch–drei–Term $\overline{\psi}A_\mu\psi$ in $\overline{\psi}i\not{D}\psi$ versteckt. H bzw. $\mathcal{L}$ erzählen bereits, mit welchen Feldoperatoren die Funktionen G_n zu bestücken sind. Der erste Pfeil in (16.1) ist also harmlos. Die Behauptung, in dem Satz aller G_n sei jegliche Physik enthalten, mag etwas gewagt sein (wir gehen das Risiko ein). Dies etwa auch der Reihenentwicklung zu unterstellen (selbst wenn sie aufsummierbar wäre), ist hingegen manchmal definitiv falsch (die Taylor–Reihe von e^{-1/x^2} besteht aus Nullen).

16.1 Greensche Funktionen

Die wundersam hilfreichen Funktionen G_n sind thermische Mittel und enthalten Feldoperatoren. Wie schon zu Beginn des § 15.5 sei von großkanonischen Mitteln $\langle \ldots \rangle$ die Rede. Im Einklang mit [*Fetter/Walecka*] verwenden wir Felder mit K–Zeitabhängigkeit (15.69) :

$$
G_n(1, \ldots, n) \;=\; \left\langle \mathcal{T}\, \phi^K(1)\, \phi^K(2)\, \ldots\, \phi^K(n) \right\rangle \, . \qquad (16.4)
$$

(16.4) hat mehrere Namen. Man kann von der thermischen Greenschen Funktion sprechen oder von der *temperature Green's function*. Aber auch von der n–Punkt–Funktion ist gern die Rede, und bei G_2 vom „vollen Propagator“.

Wie schon das kanonische geht bei $T \to 0$ natürlich auch das großkanonische Mittel in $\langle 0| \ldots |0\rangle$ über. $|0\rangle$ ist der Grundzustand zu vorgegebenem μ , siehe auch Übung 16/1. Jede Ziffer in (16.4) steht für einen Variablensatz *plus Zeit* ($2 := \vec{r}_2,\, t_2$ oder $2 := \vec{r}_2,\, \sigma_2,\, t_2$). Sind die ϕ's Vektorfelder A_μ, so hängt G_n auch von n μ's ab: $\langle \ldots \rangle$ läßt Parameter intakt. Die Felder sind mitunter verschiedene (z.B. eine bunte Mischung aus Ψ, $\Psi^\dagger$ und A_μ). Aber im folgenden möge G_n entweder nur Fermi– oder nur Bose–Felder enthalten.

Der **Zeitordnungs–Operator** $\mathcal{T}$ setzt das Feld mit der größten Zeitmarke nach links (so daß es rechts neben $\mathrm{e}^{-\beta K}$ landet), das Feld mit der nächst–größten Zeit daneben usw. Jedesmal, wenn ein Fermi–Feld beim Platzwechsel ein anderes Fermi–Feld passiert, werde das Resultat mit (-1) versehen:

$$\mathcal{T}\,\phi^K(1)\,\phi^K(2) = \begin{cases} \phi^K(1)\,\phi^K(2) & \text{wenn } t_1 > t_2 \\ \eta\,\phi^K(2)\,\phi^K(1) & \text{wenn } t_1 < t_2 \end{cases} , \quad \eta := \begin{cases} -1 \text{ (Fermi)} \\ +1 \text{ (Bose)} \end{cases} . \tag{16.5}$$

Die G_n–Definition (16.4) hängt von der Kontur $\mathcal{C}$ in der komplexen Zeit–Ebene ab. (13.53) haben wir zwar mit (16.4) ein wenig verallgemeinert — aber es bleibt dabei, daß die Kontur von t_{start} nach $t_{\text{end}} = t_{\text{start}} - i\hbar\beta$ führt. Größte Zeit ist die t_{end} nächstgelegene. Zur G_n–Definition gehört die Auskunft, auf welches der Bilder Bild 13–4 (a) oder (b) oder (c) sie zu beziehen ist.

Inwiefern der Name „Greensche Funktion" auf $\mathcal{T}$ beruht — weil $\mathcal{T}$ Sprünge (Fermi) oder Knicks (Bose) auf der Zeit–Achse schafft und diese bei ∂_t–Anwendung(en) zu δ–Funktionen werden — interessiert uns im Moment herzlich wenig. Die heilsame Wirkung der Zeitordnung wird sich vielmehr in den folgenden beiden Unterabschnitten entfalten.

Übung 16/1 Zum idealen Fermi–Gas sollte sich das großk. Mittel $\langle\ldots\rangle$ bei $\beta \to \infty$ auf $\langle\text{Eisblock unter }\mu|\ldots|\text{Eisblock unter }\mu\rangle$ reduzieren. Wie zeigt sich dies explizit? Und wie, daß $\langle 1\rangle = 1$ ist $\forall T$, wenn (4.45) als $Z_{\text{gr.}}$ im Nenner steht?

Lösung $E_\mathcal{K} - \mu N_\mathcal{K} = \sum_{\lambda\in\mathcal{K}}(\varepsilon_\lambda - \mu)$, $\langle\ldots\rangle = \frac{1}{Z_{\text{gr.}}}\sum_{\text{alle }\mathcal{K}}\prod_{\lambda\in\mathcal{K}}\mathrm{e}^{-\beta(\varepsilon_\lambda-\mu)}\langle\mathcal{K}|\ldots|\mathcal{K}\rangle$, $\beta \to \infty$ macht e–Funktionen mit $\varepsilon_\lambda > \mu$ zu Null–Faktoren. Das Divergieren der anderen fängt der Nenner auf. Damit $\langle 1\rangle = 1$ wird, müßte $\sum_{\text{alle }\mathcal{K}}\prod_{\lambda\in\mathcal{K}}\mathrm{e}^{-\beta(\varepsilon_\lambda-\mu)} = \prod_{\text{alle }\lambda}\left(1 + e^{-\beta(\varepsilon_\lambda-\mu)}\right)$ gelten (als *Theorem*). Es ist so. Die ersten Terme der Summe ($\mathcal{K} = \mathcal{K}_0,\ \mathcal{K}_1,\ \mathcal{K}_2,\ \ldots$) zeigen, warum.

β–Periodizität

Wenn die Zeit t in die komplexe Ebene wandert, entsteht ein Unterschied zwischen $\phi^{\dagger K}$ und $\phi^{K\dagger}$:

$$\phi^{\dagger K} = \mathrm{e}^{\frac{i}{\hbar}Kt}\,\phi^\dagger(\ldots,0)\,\mathrm{e}^{-\frac{i}{\hbar}Kt} \quad \neq \phi^{K\dagger} = (\mathrm{e}^{-\frac{i}{\hbar}Kt})^\dagger\phi^\dagger(\ldots,0)\,(\mathrm{e}^{\frac{i}{\hbar}Kt})^\dagger \ . \tag{16.6}$$

Nur mit der *linken* Version haben wir zu tun: Bildungen wie (16.2) stehen zuerst da und werden danach K–zeitabhängig. Wir schwenken jetzt vollends auf die Matsubara–Kontur ein: Bild 13–4 (a). Auf dieser wird die folgende Betrachtung besonders einfach. In den bisherigen Gleichungen muß aber *nicht* überall t durch

$-i\tau$ ersetzt werden (es zu wissen genügt). Erscheint jedoch ein τ im Argument, so ist es natürlich per $t = -i\tau$ dorthin gelangt. Die Stenografie

$$G(\tau_1, \tau_2, \ldots, \tau_n) = \frac{1}{Z_{\text{gr.}}} \mathrm{Sp}\left(\mathrm{e}^{-\beta K}\, \mathcal{T}\, \phi_1 \ldots \phi_{j-1}\, \phi_j\, \phi_{j+1} \ldots \phi_n\right) \tag{16.7}$$

behält nur noch bei, worauf es jetzt ankommt: Index der Zeitmarke als ϕ–Index. Die Variable τ_j hat irgendeinen Wert τ_0 im Intervall $(0, \hbar\beta)$. Nun vergrößern wir τ_j, bis es die größte Zeitmarke ist. $\mathcal{T}$ ordnet ϕ_j ganz nach links. Bei Vertauschung mit $\mathrm{e}^{-\beta K}$ bekommt es dort die Variable $\tau_j - \hbar\beta$, wandert unter der Spur ganz nach rechts und von dort wieder an die ursprüngliche Stelle. Jetzt kann τ_j wieder nach τ_0 zurückgefahren werden. Nichts verstanden? Aber vielleicht so:

$$\begin{aligned}
G(\tau_1, \ldots, \tau_n) &= \eta^{j-1} \frac{1}{Z_{\text{gr.}}} \mathrm{Sp}\left(\mathrm{e}^{-\beta K}\, \phi_j\, \mathcal{T}\, \phi_1 \ldots \phi_{j-1}\, \phi_{j+1} \ldots \phi_n\right) \\
&\qquad\qquad \mathrm{e}^{-\beta K}\phi_j = \mathrm{e}^{-\beta K + \frac{\tau_j}{\hbar} K}\, \phi_j(0)\, \mathrm{e}^{-\frac{\tau_j}{\hbar} K} = \phi_j(\tau_j - \hbar\beta)\, \mathrm{e}^{-\beta K} \\
&= \eta^{j-1} \frac{1}{Z_{\text{gr.}}} \mathrm{Sp}\left(\mathrm{e}^{-\beta K}\, \mathcal{T}\, \phi_1 \ldots \phi_{j-1}\, \phi_{j+1} \ldots \phi_n\, \phi_j(\tau_j - \hbar\beta)\right) \\
&= \eta^{j-1} \eta^{n-j} \frac{1}{Z_{\text{gr.}}} \mathrm{Sp}\left(\mathrm{e}^{-\beta K}\, \mathcal{T}\, \phi_1 \ldots \phi_{j-1}\, \phi_j(\tau_j - \hbar\beta)\, \phi_{j+1} \ldots \phi_n\right) \\
&= \eta\, G(\tau_1, \ldots, \tau_j - \hbar\beta, \ldots, \tau_n)\ .
\end{aligned} \tag{16.8}$$

Eigentlich hat sich in der letzten Zeile η^{n-1} ergeben. Weil aber Fermi–Feldoperatoren in Paaren vorzukommen pflegen (und Bosonen $\eta = +1$ haben), war $\eta^{n-1} = \eta$ erlaubt. Die Prozedur kann wiederholt (auf $\tau_j - 2\hbar\beta$ führend) oder rückwärts ausgeführt werden. Jedenfalls füllt sich die gesamte τ_j–Achse:

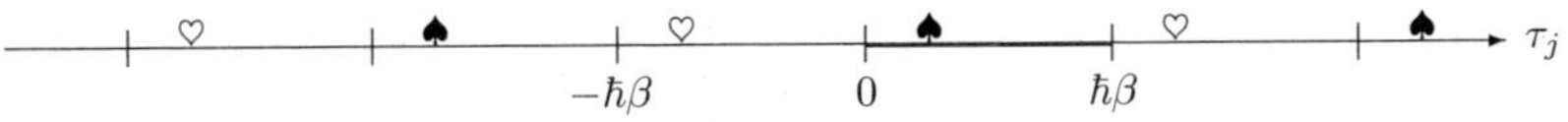

. (16.9)

An den Stellen ♡ erscheinen fermionische G–Werte mit entgegengesetztem Vorzeichen. Die $\hbar$'s werden lästig, nicht wahr. Wir wollen nur nicht die Konsistenz des Buches zu guter Letzt noch verderben. Insbesondere von Hand rechnend möge sich der Leser an $\hbar = 1$ erfreuen. In jedem seiner τ–Argumente hat G_n die β–Periodizität (16.9).

Das Vorzeichen η kann ersichtlich auch dem j–ten Feld selbst zugeordnet werden. Wir dürfen generell den Feldoperatoren β–Periodizität zuschreiben,

$$\phi^K(\ldots, \tau) = \eta\, \phi^K(\ldots, \tau - \hbar\beta)\ , \tag{16.10}$$

d.h. $\phi^K(\ldots, t) = \eta\, \phi^K(\ldots, t + i\hbar\beta)$ bei allgemein gehaltener Kontur. Periodisches erlaubt Fourier–Reihe. Mit nur vorläufiger Notation und mit Periode $2\hbar\beta$ ist zunächst

$$\phi(\tau) = \sum_m c_m\, \mathrm{e}^{i \frac{\pi}{\hbar\beta} m \tau} \quad \text{mit} \quad c_m = \frac{1}{2\hbar\beta} \int_{-\hbar\beta}^{\hbar\beta} d\tau\, \phi(\tau)\, \mathrm{e}^{-i \frac{\pi}{\hbar\beta} m \tau}\ . \tag{16.11}$$

Wegen der Intervall–internen Eigenschaft (16.9) wird die Hälfte dieser Koeffizienten Null:

$$\begin{aligned} c_m &= \frac{1}{2\hbar\beta}\left[\int_0^{\hbar\beta} + \int_{-\hbar\beta}^0\right] d\tau\, \phi(\tau)\, \mathrm{e}^{-i\frac{\pi}{\hbar\beta}m\tau} \quad ; \quad \tau \to \tau - \hbar\beta \text{ in } \int_{-\hbar\beta}^0 : \\ &= [1+(-1)^m\eta]\int_0^{\hbar\beta} d\tau\, \phi(\tau)\, \mathrm{e}^{-i\frac{\pi}{\hbar\beta}m\tau} \,. \end{aligned} \tag{16.12}$$

Bei Fermi–Feldern gibt es also nur zu ungeraden m nichtverschwindende Koeffizienten und bei Bose–Feldern nur zu geraden. Daraufhin setzen wir $m = -2n-1$ bzw. $m=-2n$, sowie $\hbar c_m = T\widetilde{\phi}(\omega_n)$, und geben damit (16.11) die Gestalt

$$\phi^K(\ldots,\tau) = \frac{T}{\hbar}\sum_n \mathrm{e}^{-i\omega_n\tau}\,\widetilde{\phi}(\omega_n) \quad \text{mit} \quad \omega_n = \begin{cases} 2n\,\pi\,\frac{T}{\hbar} & \text{(Bose)} \\ (2n+1)\,\pi\,\frac{T}{\hbar} & \text{(Fermi)} \end{cases}$$

$$\text{und} \quad \widetilde{\phi}(\omega_n) = \int_0^{\hbar\beta} d\tau\, \mathrm{e}^{i\omega_n\tau}\,\phi^K(\ldots,\tau) \quad \text{als Umkehrung}. \tag{16.13}$$

Die obigen ω_n werden meist salopp **Bose–Frequenzen** bzw. **Fermi–Frequenzen** genannt. Ab sofort darf τ wieder auf das Intervall $(0,\hbar\beta)$ beschränkt werden. Bei Bosonen kann man die τ–Achse im Kreise schließen: Bose–Felder leben auf einem Zylinder.

Es hat übrigens etwas für sich, bei den „alten" Argumenten ct (in ϕ^K) und ω/c (in $\widetilde{\phi}$) zu bleiben und dann zu sagen: Wenn t zu $-i\tau$ wird, wird zugleich ω zu $i\omega_n$. Dies erhält die alten Fourier–Gewohnheiten aufrecht,

$$\mathrm{e}^{i\omega_n\tau} = \mathrm{e}^{i(i\omega_n)(-i\tau)} \leftarrow \mathrm{e}^{i\omega t} \,, \tag{16.14}$$

und ist speziell in der QFT nützlich, weil damit die Minkowski–Metrik $+---$ intakt bleibt. Im Vierer–Skalarprodukt $Kx = K_0 ct - \vec{k}\,\vec{r}$ ist dann lediglich K als $(i\omega_n/c, \vec{k})$ und x als $(-ic\tau, \vec{r})$ zu lesen.

S–Matrix

Wir sind noch dabei, Allgemeines über die Objekte G_n zu erfahren. Die folgende Prozedur wird zeigen, daß es gewisse $T=0$–Probleme (des adiabatischen Einschaltens) in der thermischen Feldtheorie nicht gibt.[2]

Die Wechselwirkung, nach welcher Störungsrechnung erfolgen soll, versteckt sich in $K = H - \mu N$ und (ebenfalls via K) in der Mittelungsklammer. Die Zerlegung $H = H_0 + H_{\text{int}}$ wird nötig. H_{int} sei ebenso wie H_0 zeit*un*abhängig. Es kommt ein

[2] FTFT (*finite–temperature field theory*) untersucht, zugegeben, ganz andere Phänomene.

$K_0 := H_0 - \mu N$ ins Spiel und eine Wechselwirkungsbild–K_0–Zeitabhängigkeit. Diese sei gemeint, wenn ein Feldoperator *ohne* oberen Index erscheint:

$$\begin{aligned} \phi(1) &:= \mathrm{e}^{\frac{K_0}{\hbar}\tau_1}\,\phi(\ldots,0)\,\mathrm{e}^{-\frac{K_0}{\hbar}\tau_1} \quad \curvearrowright \\ \phi^K(1) &= U^{-1}(\tau_1)\,\phi(1)\,U(\tau_1) \quad \text{mit} \quad U(\tau) := \mathrm{e}^{\frac{K_0}{\hbar}\tau}\,\mathrm{e}^{-\frac{K}{\hbar}\tau}\ . \end{aligned} \tag{16.15}$$

Mittels U kann die große Zustandssumme in der Form

$$Z_{\text{gr.}} = \mathrm{Sp}\left(\mathrm{e}^{-\beta K_0}\,\mathrm{e}^{\beta K_0}\,\mathrm{e}^{-\beta K}\right) = \mathrm{Sp}\left(\mathrm{e}^{-\beta K_0}\,U(\hbar\beta)\right) = Z^0_{\text{gr.}} \cdot \langle\, U(\hbar\beta)\,\rangle_0 \tag{16.16}$$

aufgeschrieben werden. Die innere Gleichheit gilt auch ohne die beiden Spuren. Mit (16.16) und (16.15) überträgt sich G_n, (16.4), ins Wechselwirkungsbild:

$$\begin{aligned} G_n &= \frac{1}{\langle\, U(\hbar\beta)\rangle_0\, Z^0_{\text{gr.}}}\ \mathrm{Sp}\Big(\mathrm{e}^{-\beta K_0}\, U(\hbar\beta)\ \mathcal{T}\ \phi^K(1)\ldots\phi^K(n)\Big) \\ &= \frac{\eta'}{\langle\, U(\hbar\beta)\rangle_0}\Big\langle U(\hbar\beta)\ \phi^K(1')\ \ldots\ \phi^K(n')\Big\rangle_0 \\ &= \frac{\eta'\ \langle\, U(\hbar\beta)\,U^{-1}(\tau_1')\,\phi(1')\,U(\tau_1')\ \ldots\ U^{-1}(\tau_n')\,\phi(n')\,U(\tau_n')\,\rangle_0}{\langle\, U(\hbar\beta)\rangle_0}\ . \end{aligned} \tag{16.17}$$

Im Schritt zur zweiten Zeile wurde die $\mathcal{T}$–Ordnung ausgeführt. $1'$ ist der Index j der größten Zeit in der aktuell vorliegenden Folge $\tau_1\ \ldots\ \tau_n$ usw. Der Vorzeicheneffekt η' der Umordnung wird sich bald wieder verflüchtigen.

Abgesehen vom letzten Operator $U(\tau_n')$ kommen im (16.17)–Zähler alle U's in Paaren vor, und deren Dgl kann man lösen:

$$\begin{aligned} U(\tau)\,U^{-1}(\tau') &=: P(\tau,\tau') \quad \text{mit} \quad \tau \geqslant \tau' \quad \text{und} \quad P(\tau',\tau') = 1 \\ \partial_\tau\, P(\tau,\tau') &= \partial_\tau\,\mathrm{e}^{\frac{K_0}{\hbar}\tau}\mathrm{e}^{-\frac{K}{\hbar}\tau}U^{-1}(\tau') = -\frac{1}{\hbar}H_{\text{int}}(\tau)P(\tau,\tau') \quad \curvearrowright \\ P(\tau,\tau') &= \mathcal{T}\,\mathrm{e}^{-\frac{1}{\hbar}\int_{\tau'}^{\tau} d\tau''\ H_{\text{int}}(\tau'')} \quad ; \quad \mathrm{e}^{-\frac{\varepsilon}{\hbar}\,H_{\text{int}}(\tau)} =: \mathbb{I}_\tau\ : \\ &= \mathbb{I}_\tau \cdot \mathbb{I}_{\tau-\varepsilon} \cdot \ldots \cdot \mathbb{I}_{\tau'+\varepsilon} \cdot \mathbb{I}_{\tau'}\ . \end{aligned} \tag{16.18}$$

$H_{\text{int}}(\tau)$ ist die K_0–zeitabhängige Wechselwirkung. Das Resultat wird wunderbar anschaulich, wenn man das Integral ε–diskretisiert und $P(\tau,\tau')$ als Produkt von „Scheibchen" begreift. So wurde schon einmal in (13.35) und davor gedacht. Die Dgl bestätigt sich als Differenzenquotient. Bei $U(\tau) = P(\tau,0)$ läuft das Scheibchen–Produkt rechts bis zum Index 0. U^{-1} besteht aus inversen Scheibchen–Operatoren mit aufsteigendem Index.

Im Zähler von (16.17) sehen wir nun eine perfekte Zeitordnung stehen: ab größter Zeit $\hbar\beta$ Scheibchen bis herunter zu τ_1', dann $\phi(\tau_1')$, weitere Scheibchen usw. bis zu $U(\tau_n')$, welches seinerseits aus Scheibchen von τ_n' bis 0 besteht. Wenn das so ist, dann können wir ja vor diese Folge wieder einen Zeitordnungs–Operator $\mathcal{T}$ setzen[3] — weil er nichts bewirkt.

Es folgt ein schöner Gedanke. H_{int} ist ein bosonisches Objekt (Ψ's geradzahlig enthaltend), d.h. bei Vertauschung von Scheibchen (untereinander und mit ϕ's) entstehen keine Vorzeichen. Rechts von $\mathcal{T}$ darf man Scheibchen oder auch ganze U's durch die Gegend schieben. Kaum wirkt $\mathcal{T}$, macht es ja die Unordnung wieder rückgängig. Alle Scheibchen können also rechts von den ϕ's versammelt und dort zu insgesamt $U(\hbar\beta)$ zusammenmultipliziert werden. Es geht noch einfacher: Man schaffe im (16.17)–Zähler sämtliche U's nach rechts und rekombiniere sie dort mit ihren Inversen. Aus (16.17) ist inzwischen

$$G_n = \frac{\eta' \, \langle \mathcal{T} \, \phi(1') \ldots \phi(n') \, U(\hbar\beta) \, \rangle_0}{\langle U(\hbar\beta) \rangle_0} \tag{16.19}$$

geworden. Weil $\mathcal{T}$ alles im Griff behält, darf auch die ursprüngliche Unordnung wiederhergestellt werden: $\eta'^2 = 1$. Schließlich ist es an der Zeit, etwas zu verraten:

$$U(\hbar\beta) = P(\hbar\beta, 0) \;=:\; S = \mathcal{T} \, \mathrm{e}^{-\frac{1}{\hbar} \int_0^{\hbar\beta} d\tau'' \; H_{\text{int}}(\tau'')} \quad , \tag{16.20}$$

das *ist* die **S–Matrix** der Vielteilchen–Statistik. Wir sind angekommen bei

$$G_n(1, \ldots, n) = \frac{\langle \mathcal{T} \, \phi(1) \ldots \phi(n) \, S \, \rangle_0}{\langle S \rangle_0} \quad . \tag{16.21}$$

(16.21) ist noch nicht die letzte, aber doch eine recht prominente G_n–Gestalt. Sie läßt nämlich schlagartig erkennen, wie die Störungsreihe entsteht. Die Störung ist $H_{\text{int}}(\tau)$ und steht ausschließlich in S. Entwickle die e–Funktion (auch jene im Nenner — solange noch nicht zu sehen ist, daß er eine Partialsumme des Zählers ist) und die gesamte Störungsreihe steht da! Schon in (16.16) stand übrigens, wie das großkanonische Potential mit S zusammenhängt und wie folglich die Ω–Störungsreihe entstehen kann:

$$\Omega \;=\; -T \ln(\, Z^0_{\text{gr.}} \, \langle S \rangle_0 \,) \;=\; \Omega_0 - T \ln(\, \langle S \rangle_0 \,) \quad . \tag{16.22}$$

Erzeugendes Funktional (erster Schritt)

Wenn sich unendlich viele Objekte als Ableitungen einer einzigen Bildung ausweisen lassen, ist das allemal ein wenig aufregend. Es schafft Einheit. Muß man das Funktional als Summe stehen lassen (keine *einzige Bildung*), ist das nicht

[3] Es ist genaugenommen ein neuartiges $\mathcal{T}$ — sensibel für Zeitmarken von H_{int}'s und ϕ's.

besonders hilfreich — aber immerhin generell möglich. Irgendwelche abzählbar–unendlich viele Objekte X_n $(n = 1, \ldots, \infty)$ haben das erzeugende Funktional

$$W(j) = \sum_{n=0}^{\infty} \frac{1}{n!} X_n \, j^n \quad , \quad \text{denn} \quad \left[\,\partial_j^m W(j)\,\right]_{j=0} = X_m \ . \tag{16.23}$$

Ein Beispiel für Aufsummierbarkeit bieten die Hermite–Polynome:

$$H_n(x) = \mathrm{e}^{x^2}(-\partial_x)^n \mathrm{e}^{-x^2} \quad , \quad \sum_{n=0}^{\infty} \frac{1}{n!} j^n H_n(x) = \mathrm{e}^{x^2}\mathrm{e}^{-j\partial_x}\mathrm{e}^{-x^2} = \mathrm{e}^{2xj-j^2} \ . \tag{16.24}$$

Bei den ∞ vielen G_n geht es auch, man staune, und zwar sogar fast ebenso. Nur ist zuvor die **Funktionalableitung** zu begreifen, nämlich als das Kontinuum–Äquivalent der normalen Ableitung: Index $\to$ Variable, Summe $\to$ Integral:

$$\begin{aligned} \partial_{q_j} \textstyle\sum_\ell c_\ell \, q_\ell \quad &= \quad \textstyle\sum_\ell c_\ell \, \delta_{\ell,j} \quad = \; c_\ell \\ \delta_{f(x)} \textstyle\int dy \, c(y)\, f(y) &= \textstyle\int dy\, c(y)\delta(y-x) = c(x) \quad , \quad \delta_{f(x)}\, f(y) := \delta(y-x) \, . \end{aligned} \tag{16.25}$$

Um ein Funktional $W[f]$ nach den f–Werten bei x abzuleiten (daher der Name), sieht man zuerst nach, wo f in überintegrierter Form I vorkommt, und bildet dann $\partial_{f(x)} W = (\partial_I W) \cdot \partial_{f(x)} I$. Beispielsweise ist $\delta_{f(x)} \sin\left(\int dy\, f^2(y)\right) = 2f(x)\cos\left(\int dy\, f^2(y)\right)$. Funktionalableitung vertilgt Integral.

Übung 16/2 Die Variation zu bilden und funktional abzuleiten, das sind eng verwandte Operationen. Welche Variation δS und welche Funktionalableitung nach $\phi(x)$ hat das Wirkungsintegral $S[\phi] = \int d^4x \, \left(\frac{1}{2}\phi_{\prime\mu}\,\phi^{\prime\mu} - \frac{1}{2}m^2\phi^2\right)$?

Lösung $\partial_\mu\partial^\mu = \partial_{ct}^2 - \Delta =: \partial^2$, $\delta S = \int d^4x \, [-\frac{1}{2}(\phi+\eta)\,\partial^2\,(\phi+\eta) - \frac{1}{2}m^2(\phi+\eta)^2\,]_{\eta-\text{hoch-eins}} = \int d^4x \; \eta(x)\,[\,-(\partial^2+m^2)\phi(x)\,]$. $\delta_{\phi(x)} S = \int d^4y \; [\,-\frac{1}{2}\delta(y-x)\,\partial_y^2\,\phi(y) - \frac{1}{2}\phi(y)\,\partial_y^2\,\delta(y-x) - m^2\phi(y)\delta(y-x)\,] = -(\partial^2+m^2)\,\phi(x)$.

Wir kehren zu (16.4) zurück. Bei allen ϕ^K möge es sich um Bose–Felder handeln. Der Fermi–Fall wird nämlich besser zum bosonischen Endresultat nachgetragen. Bestehen die Variablensätze nur aus Ort und Imaginärzeit $(\,\tau\,,\,\vec{r} =: x\,)$, so ist von $G_n(x_1, \ldots, x_n)$ die Rede. Vermutlich sollten wir die Ableitungen in (16.23) zu Funktionalableitungen werden lassen. Also schreiben wir

$$W[j] = \sum_{n=0}^{\infty} \frac{1}{n!} \int^{\hbar\beta} dy_1 \, \ldots \int^{\hbar\beta} dy_n \; G_n(y_1, \ldots, y_n)\; j(y_1) \ldots j(y_n) \tag{16.26}$$

auf, meinen $\int^{\hbar\beta} dy := \int_0^{\hbar\beta} d\tau \int d^3r$ und sehen uns das mal an. Jede funktionale Ableitung nach einer der c–Zahl–Funktionen $j(x_\ell)$ wird das zugehörige Integral beseitigen und in G_n die Variable y_ℓ durch x_ℓ ersetzen. Fazit:

$$G_n(x_1, \ldots, x_n) \; = \; \delta_{j(x_1)} \, \ldots \, \delta_{j(x_n)} \; W[j] \,\Big|_{j=0} \ . \tag{16.27}$$

Wie schon in (16.23) eliminiert das nachträgliche Nullsetzen verbliebener j's die höheren Terme der Reihe.

Das Aufsummieren der Reihe (16.26) für $W[j]$ wird ganz einfach, wenn man (16.4) für G_n einsetzt:

$$\begin{aligned} W[j] &= \Big\langle \mathcal{T} \sum_{n=0}^{\infty} \frac{1}{n!} \int^{\hbar\beta} dx_1 \ldots \int^{\hbar\beta} dx_n \ \phi^K(x_1) \ldots \phi^K(x_n)\ j(x_1) \ldots j(x_n) \Big\rangle \\ &= \Big\langle \mathcal{T}\, \mathrm{e}^{\int^{\hbar\beta} dx\, j(x)\, \phi^K(x)} \Big\rangle \ . \end{aligned} \tag{16.28}$$

So wie es hier steht, kann man mit dem erzeugenden Funktional noch nicht viel anfangen. *Es gibt eins.* Und (16.28) ist der Ausgangspunkt für die Herleitung *der* nützlichen Version im § 16.4.

$G_n \longrightarrow$ Physik

Dieser Ausschnitt des Diagramms (16.1) ist bisher im Dunkel geblieben. Weil die G_n angeblich „alles“ enthalten, hier aber nicht alles Platz hat, beschränken wir uns zum einen auf den G_2–Gehalt (und zwar fermionisch) und danach bosonisch auf die Klasse (15.70) von *response*–Funktionen $\chi(t)$.

Angenommen $G_2(1,2) = \langle \mathcal{T}\ \Psi^K(1)\, \Psi^{\dagger K}(2) \rangle$ wurde bereits ausgerechnet — exakt oder hinreichend weit in der Störungsreihe — und zwar auf Matsubara–Kontur und für ein wechselwirkendes Elektronensystem: $1 = \vec{r}_1,\ \sigma_1,\ t_1 = -i\tau_1$ und 2 entsprechend. Mit diesen äußeren Variablen darf man spielen. Wenn speziell $\sigma_2 = \sigma_1 = \sigma$, $\vec{r}_2 = \vec{r}_1 = \vec{r}$ und $\tau_1 = \tau, \tau_2 = \tau_1 + 0$ gesetzt wird, so ordnet $\mathcal{T}$ das $\Psi^\dagger$ nach vorn,

$$\begin{aligned} G_2(\vec{r},\sigma,\tau\,;\,\vec{r},\sigma,\tau+0) &= -\langle \Psi^{\dagger K}(\vec{r},\sigma,\tau)\, \Psi^K(\vec{r},\sigma,\tau) \rangle \\ &= -\frac{1}{Z_{\text{gr.}}} \mathrm{Sp}\Big(\mathrm{e}^{-\beta K} \mathrm{e}^{\frac{K}{\hbar}\tau} \Psi^\dagger_\sigma(\vec{r})\, \Psi_\sigma(\vec{r}) \mathrm{e}^{-\frac{K}{\hbar}\tau} \Big) \quad , \\ &= -\langle \Psi^\dagger_\sigma(\vec{r})\, \Psi_\sigma(\vec{r}) \rangle \quad , \end{aligned} \tag{16.29}$$

und man erhält aus G_2 die Ladungsdichte $\rho(\vec{r})$ des Systems:

$$\rho(\vec{r}) = -|e|\,\langle \hat{n}(\vec{r}) \rangle = |e| \sum_\sigma G_2(\vec{r},\sigma,\tau\,;\,\vec{r},\sigma,\tau+0) \ . \tag{16.30}$$

In H kann z.B. das Potential eines Fremdatoms enthalten sein. (16.30) liefert dann die volle Information über dessen Abschirmung — im Prinzip exakt. Wie sich aus G_2 generell Mittelwerte von Einteilchen–Operatoren gewinnen lassen, zeigen [*Fetter/Walecka*, § 23] und das Beispiel in Übung 16/3.

Übung 16/3 Wie folgt die mittlere kinetische Energie $\langle T \rangle$ eines Elektronen–Systems aus seiner 2–Punkt–Funktion G_2 ?

Lösung T ist Einteilchen–Operator, (4.37) : $T = \int d^3r \sum_\sigma \Psi^\dagger_\sigma(\vec r)\,[-\frac{\hbar^2}{2m}\Delta\,]\,\Psi_\sigma(\vec r)$,
$\langle T\rangle = \ \ldots\ = \Big[-\int d^3r \sum_\sigma [-\frac{\hbar^2}{2m}\Delta\,]\ G_2(\vec r,\sigma,t\,;\,\vec r\,',\sigma,t+0)\Big]_{\vec r\,'\to\vec r}$.

An den bisherigen Beispielen für Physik–aus–G fällt auf, daß sie wegen $\tau_2 \to \tau_1$ gar keine Notiz von der Kontur nahmen. Wie Information auf der Matsubara–Kontur zu verwerten ist, zeigt sich jetzt, wenn aus G_n alle *response*–Funktionen der Form (15.70) folgen sollen. Wir wiederholen (15.70) und schreiben das vermutlich zutreffende G–Objekt daneben :

$$\chi(t) = -\frac{i}{\hbar}\,\theta(t)\,\mathrm{e}^{-\varepsilon t}\Big\langle\ [\,B^K(t)\ ,\ B^\dagger\,]\ \Big\rangle \quad , \quad G = \Big\langle\,\mathcal{T}\,B^K(\tau)\,B^\dagger\,\Big\rangle\ . \tag{16.31}$$

Ist B ein Bose–Feld, dann handelt es sich bei G direkt um ein bosonisches G_2 . Von dieser Version wird der nächste Abschnitt Gebrauch machen. Wie in (15.61) darf aber B auch aus Fermi–Operatoren zusammengesetzt sein. Auch dann hat es Bose–Periodizität. In beiden Fällen kann G nach Frequenzen $\omega_n = 2n\pi T/\hbar$ analysiert werden :

$$\begin{aligned}\widetilde G(\omega_n) &= \int_0^{\hbar\beta} d\tau\ \mathrm{e}^{i\omega_n\tau}\Big\langle\,\mathcal{T}\,B^K(t)B^\dagger\,\Big\rangle = \int_0^{\hbar\beta} d\tau\ \mathrm{e}^{i\omega_n\tau}\Big\langle \mathrm{e}^{K\frac{\tau}{\hbar}}B\mathrm{e}^{-K\frac{\tau}{\hbar}}B^\dagger\,\Big\rangle \\ &= \frac{1}{Z_{\rm gr.}}\sum_{m,n}\mathrm{e}^{-\beta K_m}\Big|\langle m|B|n\rangle\Big|^2\int_0^{\hbar\beta} d\tau\ \mathrm{e}^{i\omega_n\tau+K_m\frac{\tau}{\hbar}-K_n\frac{\tau}{\hbar}} \\ &= \frac{1}{Z_{\rm gr.}}\sum_{m,n}\mathrm{e}^{-\beta K_m}\Big|\langle m|B|n\rangle\Big|^2\ \frac{\mathrm{e}^{\beta(K_m-K_n)}-1}{i\omega_n+\frac{1}{\hbar}K_m-\frac{1}{\hbar}K_n}\ .\end{aligned} \tag{16.32}$$

$\widetilde G$ soll nach Möglichkeit der Spektraldarstellung (15.72) für $\chi(\omega)$ so ähnlich werden, daß der gesuchte Zusammenhang nur noch abgelesen zu werden braucht. In (16.32) steht schon fast die Spektralfunktion (15.77), nur deren Deltafunktion fehlt. Also fügen wir rechts in (16.32) eine Eins an, $1 = \int d\omega'\ \delta(\omega' + \text{irgendwas})$ und ziehen dann das ω'–Integral nach links :

$$\begin{aligned}-\frac{1}{\hbar}\widetilde G(\omega_n) &= \frac{1}{\hbar}\int d\omega' \frac{1}{Z_{\rm gr.}}\sum_{m,n}\mathrm{e}^{-\beta K_m}\Big|\langle m|B|n\rangle\Big|^2\ \frac{1-\mathrm{e}^{\beta\hbar\omega'}}{i\omega_n-\omega'}\ \delta\Big(\omega+\frac{K_m}{\hbar}-\frac{K_n}{\hbar}\Big) \\ &= \int d\omega'\ \frac{A(\omega')}{i\omega_n-\omega'} \quad \text{vgl.} \quad \widetilde\chi(\omega) = \int d\omega'\ \frac{A(\omega')}{\omega+i\varepsilon-\omega'}\ .\end{aligned} \tag{16.33}$$

In der ersten Zeile hat sich im Zähler tatsächlich genau die Spektralfunktion (15.77) ergeben. Rechts unten in (16.33) haben wir (15.72) wiederholt — als

Einladung zum Ablesen:

$$-\frac{1}{\hbar}\widetilde{G}\Big(-i\Big[\,i\omega_n \;\to\; \omega+i\varepsilon\,\Big]\Big) \;=\; \widetilde{\chi}(\omega)\;. \tag{16.34}$$

Zunächst liegen nur $\widetilde{G}$–Werte an den unendlich vielen äquidistanten Stellen $i\omega_n = i\,2n\,\pi\,T/\hbar$ vor, aufgereiht auf der imaginären Achse der komplexen ω–Ebene. Welche analytische Funktion von ω (zumindest in einem Streifen um die imaginäre Achse) durch diese Werte festgelegt ist, zeigt die Spektraldarstellung. Bei gesunder Physik existieren die Integrale $\int d\omega'\,\mathsf{A}(\omega')/\omega'$ und $\int d\omega'\,\mathsf{A}(\omega')$. Bei großen ω fällt also $\widetilde{G}$ ab, sogar invers–quadratisch, sofern A ungerade ist. Erst wenn sich ω der reellen Achse nähert (auf welcher z.B. ein Schnitt liegt), entsteht Gefahr, und der Zusatz $+i\varepsilon$ wird wichtig: von oben her nähern!

Die Ersetzung $i\omega_n \to \omega + i\varepsilon$ ist eine **analytische Fortsetzung**. Sie mag angesichts (16.33) trivial erscheinen. Aber im Gestrüpp störungstheoretischer Zwischenresultate, $\widetilde{G}$–Werte ergebend, kann sich mitunter weitergehende Funktionentheorie nützlich machen.

Zur Thermodynamik kann direkt (16.22) störungsentwickelt werden. Aber sie läßt sich laut [*Fetter/Walecka*] auch aus G_2 herauskitzeln. Wie der Blick auf die Vier–Feld–Bildung (15.54) zeigt, dürfte $\widetilde{\epsilon}(\vec{q},\omega)$ aus G_4 hervorgehen. Bei der leicht absurd klingenden Frage nach Streuquerschnitten aus G_n mögen hier, weil $T=0$ betreffend, grobe Argumente genügen. Bei $T=0$ steht $|0\rangle$ am rechten Ende des (16.21)–Zählers. Unter anderem Fourier–Umkehr–Operationen können aus Feldoperatoren einzelne Erzeuger mit gewünschten Impulsen einlaufender Teilchen ausblenden (Zeitmarke $-\infty$) und Vernichter mit den Daten auslaufender Teilchen bei $\langle 0|$ am linken Ende stehen lassen (Zeitmarke ∞). Matrixelemente von S könnten Übergangsamplituden geben (und so ist es auch).

16.2 Diagramme

Um die Störungsreihe entstehen zu lassen, ist gemäß (16.21) „nur noch" die S–Matrix in die e–Reihe zu entwickeln. Was dabei entsteht, fördert so erstaunlich viel Detail zu Tage, daß wenigstens ein konkretes System dabei Pate stehen möchte. Das vermutlich einfachste Beispiel ist ein

Getriebener anharmonischer Oszillator

Dabei handelt es sich sowohl um die in (16.2) oben links erwähnte $0+1$–dimensionale bosonische Feldtheorie als auch um den anharmonischen Oszillator aus § 13.2. Mit dem dort behandelten $\lambda\,x^4$–Effekt werden sich die Terme der Störungsreihe in λ vergleichen lassen. Zentrale physikalische Größe ist dieses Mal seine *response*–Funktion, welche zwischen treibender äußerer Kraft $F(t) = \varepsilon^{\varepsilon t} f(t)$ und Auslenkung $A = x$ vermittelt. Die Bestandteile des vollen Hamilton–Operators

$$-\frac{\hbar^2}{2m}\partial_x^2 + \frac{m}{2}\omega_0^2 x^2 - \frac{\hbar\omega_0}{2} + \lambda x^4 - x e^{\varepsilon t} f(t) \;=\; H + U \;=\; H_0 + H_{\rm int} + U \qquad (16.35)$$

des Systems übertragen wir à la (13.24) unverzüglich in Erzeuger–Vernichter–Sprache:

$$H_0 = \hbar\omega_0\, a^\dagger a \quad , \quad H_{\rm int} = \lambda\, x^4 \;\text{ mit }\; x = \sqrt{\frac{\hbar}{2m\omega_0}}\,(a + a^\dagger)\ . \qquad (16.36)$$

Die eingangs spezifizierte *response*–Funktion kann aus (15.11) abgelesen werden. Wir führen sie per $a(t) = -\int dt'\,\chi(t-t') f(t')$ mit dem „falschen" Vorzeichen ein, denn dann ist

$$\chi(t) = -\frac{i}{\hbar}\,\theta(t)\,e^{-\varepsilon t}\left\langle\, \left[x^H(t)\,,\, x \right]\,\right\rangle \qquad (16.37)$$

und paßt mit $B = B^\dagger = x$ perfekt in die Struktur (15.70) und (16.31). Das Mittel in (16.37) ist kanonisch und mit $H = H_0 + H_{\rm int}$ zu bilden.

Auch die Spektralfunktion $\mathsf{A}(\omega)$ ist in (15.77) notiert. Um aber dort weiter zu rechnen, müßte man sich für $|\langle m|x|n\rangle|$ um die vollen H–Eigenzustände $|n\rangle$ kümmern. Nein, der geeignete Ausgangspunkt ist die 2–Punkt–Funktion $G_2 = \langle \mathcal{T}\, x^H(\tau)\, x\rangle$! In der am weitesten vorangetriebenen Form steht diese Greensche Funktion in (16.21):

$$G_2 \;=\; \frac{1}{\langle S\rangle_0}\left\langle \mathcal{T}\; x(\tau)\; x(0)\; S \right\rangle_0 \qquad (16.38)$$

$$\text{mit}\quad x(\tau) \;=\; e^{H_0\frac{\tau}{\hbar}}\, x\, e^{-H_0\frac{\tau}{\hbar}} = \sqrt{\frac{\hbar}{2m\omega_0}}\left(e^{-\omega_0\tau} a + e^{\omega_0\tau} a^\dagger\right)\ . \qquad (16.39)$$

Störungsrechnung in λ (entwickle die e–Funktion S) hat ihren Term nullter Ordnung. Zu G_2 nennen wir ihn G^0. Bald wird sich der „nackte Propagator" G^0 als Steckelement eines Baukastens erweisen. In tiefster λ–Ordnung ist $S = 1$. $0 < \tau < \hbar\beta$. Weil τ die größere Zeit ist ($\tau > 0$), entfällt $\mathcal{T}$:

$$\begin{aligned} G^0(\tau) &= \langle\, x(\tau)\; x(0)\,\rangle_0 = \frac{\hbar}{2m\omega_0}\langle\, (e^{-\omega_0\tau} a + e^{\omega_0\tau} a^\dagger)\,(a + a^\dagger)\,\rangle_0 \\ &= \frac{\hbar}{2m\omega_0}\left(e^{-\omega_0\tau}\langle\, 1 + a^\dagger a\,\rangle_0 + e^{\omega_0\tau}\langle\, a^\dagger a\,\rangle_0\right) \\ &= \frac{\hbar}{2m\omega_0}\;\frac{e^{\kappa-\omega_0\tau} + e^{\omega_0\tau}}{e^{\kappa} - 1} \qquad \text{mit}\quad \kappa := \beta\hbar\omega_0\ . \end{aligned} \qquad (16.40)$$

Beim Ausrechnen der Fourier–Transformierten macht sich $\omega_n\hbar\beta = 2n\pi$, d.h. $e^{\omega_n\hbar\beta} = 1$ nützlich:

$$\widetilde{G}^0(\omega_n) = \int_0^{\hbar\beta} d\tau\, e^{i\omega_n\tau} G^0(\tau) = \frac{\hbar}{2m\omega_0}\frac{1}{e^\kappa - 1}\left(\frac{e^\kappa(e^{-\kappa}-1)}{i\omega_n+\omega_0} + \frac{e^\kappa - 1)}{i\omega_n - \omega_0}\right)$$
$$= -\frac{\hbar}{m}\frac{1}{(i\omega_n)^2 - \omega_0^2} \quad . \tag{16.41}$$

Analytische Fortsetzung überführt (16.41) in die *response*–Funktion des *harmonischen* Oszillators ($\lambda = 0$):

$$\widetilde{\chi}^0(\omega) = \frac{1}{m}\frac{1}{(\omega+i\varepsilon)^2 - \omega_0^2} \qquad \curvearrowright \qquad -\chi^0(t) = \theta(t)\,\frac{\sin(\omega_o t)}{m\,\omega_0} \quad . \tag{16.42}$$

Was hier ganz rechts steht (und unser falsches Vorzeichen nach links abdrängt), ist übrigens auch mit der klassischen Greenschen Funktion des Oszillators identisch: $-\chi^0(t) =: g(t)$ löst die Dgl $m\ddot{g} + m\omega_0^2 g = \delta(t)$.

Übung 16/4 Zu $H = H_0$ läßt sich auch die Spektralfunktion $\mathsf{A}^0(\omega)$ auswerten, und zwar direkt aus (15.77) zu $B = x$. Kommt via (16.33) $\widetilde{G}^0(\omega_n)$ erneut heraus?

Lösung $\langle m|a + a^\dagger|n\rangle = \sqrt{n}\,\delta_{m+1,n} + \sqrt{m}\,\delta_{m,n+1}$, $Z^{-1} = 1 - e^{-\kappa}$, $\mathsf{A}^0 = (1 - e^{-\beta\hbar\omega})\,\frac{1-e^{-\kappa}}{2m\omega_0}\sum_{m,n} e^{-\kappa m}(n\delta_{m+1,n} + m\delta_{m,n+1})\,\delta(\omega + [m-n]\omega_0) = \frac{1-e^{-\beta\hbar\omega}}{2m\omega_0\,(1-e^{-\kappa})}\,[\,\delta(\omega-\omega_0) + e^{-\kappa}\delta(\omega+\omega_0)\,] = \frac{1}{2m\omega_0}\,[\,\delta(\omega-\omega_0) - \delta(\omega+\omega_0)\,]$. — Ja.

Vertizes und G^0–Linien

Die S–Matrix steht als e–Funktion in (16.20) und im Zähler und Nenner von (16.38). Mutig, wie wir sind, werfen wir die gesamte e–Reihe dort in den Zähler und setzen auch $\lambda\,x^4$ für H_{int} ein:

$$\Big\langle \mathcal{T}\,x(\tau)\,x(0)\,S\Big\rangle_0 = \sum_{n=0}^{\infty}\frac{1}{n!}\left(-\frac{\lambda}{\hbar}\right)^n \int_0^{\hbar\beta} d\tau_1 \ldots \int_0^{\hbar\beta} d\tau_n \;\cdot$$
$$\Big\langle \mathcal{T}\,x(\tau)\,x(0)\,x(\tau_1)\,x(\tau_1)\,x(\tau_1)\,x(\tau_1)\;\ldots\; x(\tau_n)\,x(\tau_n)\,x(\tau_n)\,x(\tau_n)\Big\rangle_0 \; . \tag{16.43}$$

Nachdem $\mathcal{T}$ geordnet hat, liegt ein Mittelwert der Form

$$\Big\langle (u_1 a + v_1 a^\dagger)\,(u_2 a + v_2 a^\dagger)\;\ldots\;(u_n a + v_n a^\dagger)\Big\rangle_0 \tag{16.44}$$

vor. Die Koeffizienten u, v stehen in (16.39) und enthalten das von $\mathcal{T}$ an die jeweilige Stelle beorderte τ_j. Wie nun mit (16.44) zu verfahren ist, wissen wir. Die zwischen (13.26) und (13.31) erklärten vier Schritte anhand von (16.44) durchzuführen, bleibe dem Leser als Übungsaufgabe. Das Resultat ist Wicks Theorem :

$$(16.44) \;=\; \text{Summe über alle Möglichkeiten, aus den } 4n+2 \text{ Klammern } 2n+1 \text{ Paare zu bilden. Summand ist das Produkt der zugehörigen Kontraktionen } \langle\, (\ldots)_j\, (\ldots)_\ell\, \rangle_0 \,. \tag{16.45}$$

Wie die Herleitung zeigt (die Übung klar macht), stehen die Klammern zeitgeordnet in den Kontraktionen. Also kann in jeder Kontraktion wieder ein $\mathcal{T}$ vor die beiden Klammern gestellt werden. Wicks Theorem gilt also auch für das Mittel eines zeitgeordneten Produktes, es führt (einziger Unterschied) auf zeitgeordnete Kontraktionen. Und jede der Kontraktionen ist ein G^0 !

$$\langle \mathcal{T} x(\tau) x(0) S \rangle_0 = \sum_{n=0}^{\infty} \frac{1}{n!} \left(-\frac{\lambda}{\hbar}\right)^n \int_0^{\hbar\beta} d\tau_1 \ldots d\tau_n \sum_{\text{Möglichkeiten}} \prod^{2n+1} G^0{}_{\text{der Paare}} \,. \tag{16.46}$$

Gemäß (16.43) erfaßt eine τ_j–Integration vier verschiedene G^0 oder zwei $x(\tau_j)$ gelangen in die gleiche Kontraktion (ein $G^0(0)$ bildend) oder gar alle vier $x(\tau_j)$ paaren sich miteinander, woraufhin das Integral zu $\hbar\beta$ degeneriert. Nicht wahr, man beginnt zu malen: für jedes τ–Integral einen **Vertex**, an welchem vier G^0–Linien zu beginnen haben. Diese wiederum können sich am gleichen Vertex schließen oder beim nächsten enden. G^0's, welche $x(\tau)$ und/oder $x(0)$ enthalten, enden als Linien frei im Raum. Ein Diagramm mit n Beinen entspricht eineindeutig einem Beitrag zur Störungsreihe von G_n .

Wir sehen uns jetzt die obigen Weisheiten bis zur ersten Ordnung in λ an und versuchen uns dann an einem allgemeinen Regelwerk. Wick kann in

$$\langle\, \mathcal{T}\, x(\tau)\, x(0)\, x(\tau_1)\, x(\tau_1)\, x(\tau_1)\, x(\tau_1)\, \rangle_0$$

$x(\tau)$ mit $x(0)$ kontrahieren (bleiben 3 Möglichkeiten für die $x(\tau_1)$ untereinander) oder $x(\tau)$ mit einem $x(\tau_1)$ (4 Möglichkeiten, je für $x(0)$ drei mögliche Partner übriglassend). Aus (16.43) — oder besser gleich aus (16.46) — folgt also der Beitrag erster Ordnung zum G_2–Zähler

$$\Big\langle \mathcal{T}\, x(\tau)\, x(0)\, S \Big\rangle_0^{(1)} = -\frac{\lambda}{\hbar} \int_0^{\hbar\beta} d\tau_1 \Big(3\, G^0(\tau)\, G^0(0)\, G^0(0) + 12\, G^0(\tau-\tau_1)\, G^0(\tau_1)\, G^0(0) \Big)$$

$$= G^0(\tau)\, \big[-3\beta\lambda\, G^0(0)\, G^0(0) \big] - 12\, G^0(0)\, \frac{\lambda}{\hbar} \int_0^{\hbar\beta} d\tau_1\, G^0(\tau-\tau_1)\, G^0(\tau_1) \,. \tag{16.47}$$

$G^0(0)$ ist (16.40) bei $\tau = 0$. Genau die eckige Klammer wäre entstanden, wenn wir $\langle S \rangle_0$ der obigen Behandlung unterworfen hätten: $[\quad] = \langle S \rangle_0^{(1)}$. Ob man nun erst jetzt zu malen beginnt oder schon aufgrund des Textes vor (16.47), unausweichlich entstehen die im Bild 16–1 gezeigten Diagramme.

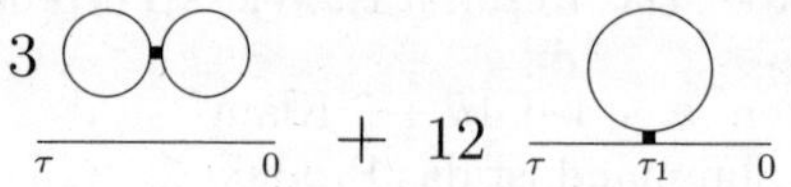

Bild 16–1 : Anharmonischer Oszillator. Die Beiträge erster Ordnung zu G_2 mit ihren kombinatorischen Faktoren.

Wenn G_2 selbst — nicht nur sein Zähler — in nullter plus erster Ordnung aufgeschrieben wird,

$$G_2^{\text{bis mit } \lambda^1} = \frac{G^0(\tau) + G^0(\tau)\langle S\rangle_0^{(1)} + \langle \mathcal{T} x(\tau) x(0) S\rangle_0 \left(1 + \langle S\rangle_0^{(1)}\right)}{1 + \langle S\rangle_0^{(1)}} \,, \quad (16.48)$$

und man sich die gepunktete Klammer hinzu denkt (irrelevant innerhalb der betrachteten Ordnung), dann kürzt sich $\langle S\rangle_0$. Bis mit λ^1 besteht also G_2 *nur* aus G^0 und dem *tadpole diagram* — so nennt man es wirklich (*tadpole* = Kaulquappe). Ob etwa G_n generell nur aus *connected* Diagrammen besteht?

linked cluster theorem

Die Summe der beinlosen Anteile der *disconnected* Diagramme bildet $\langle S\rangle_0$, spaltet sich als Faktor aus dem G_n–Zähler ab und kürzt den Nenner. Um dies zu zeigen, werden wir vorübergehend sehr allgemein, gehen von dem Bruch (16.21) für G_n aus und schreiben $\int_j$ für $\int_0^{\hbar\beta} d\tau_j$ sowie Ω_j für $H_{\text{int}}(\tau_j)/\hbar$:

$$\begin{aligned} G_n\text{–Zähler} &= \Big\langle \mathcal{T}\,\phi(1)\,\ldots\,\phi(n)\,S\Big\rangle_0 \\ &= \sum_{m=0}^{\infty} \frac{(-1)^m}{m!} \int_1 \ldots \int_m \Big\langle \mathcal{T}\,\phi(1)\,\ldots\,\phi(n)\,\Omega_1\,\ldots\,\Omega_m\Big\rangle_0 \,. \end{aligned} \quad (16.49)$$

Im obigen m–ten Term gibt es m Vertizes. In einem über Wick entstandenen Beitrag mögen k Vertizes mit den n äußeren Beinen verbunden sein (Index con für *connected*) und folglich $m-k$ in beinlosen Anteilen hängen, in „Wolken“. Es gibt $\binom{m}{k}$ Möglichkeiten, k Vertizes aus den vorhandenen m herauszugreifen. (16.49) wird damit zu

$$\begin{aligned} G_n\text{–Zähler} = \sum_{m=0}^{\infty} \frac{(-1)^m}{m!} \int_1 \ldots \int_m \sum_{k=0}^{m} \binom{m}{k} \Big\langle \mathcal{T}\,\phi(1)\,\ldots\,\phi(n)\,\Omega_1\,\ldots\,\Omega_k\Big\rangle_{0\,\text{con}} \\ \cdot \Big\langle \mathcal{T}\,\Omega_{k+1}\,\ldots\,\Omega_m\Big\rangle_0 \,. \end{aligned} \quad (16.50)$$

Die Fakultäten faktorisieren schön: $\frac{1}{m!}\binom{m}{k} = \frac{1}{k!}\,\frac{1}{(m-k)!}$. Um eine Chance zu haben, den Wolkenanteil abzuspalten, muß k nach ∞ laufen. Wie sich die beiden

Summen vertauschen, zeigt Bild 16–2. Für den G_n–Zähler wird damit

$$\sum_{k=0}^{\infty} \frac{(-1)^k}{k!} \sum_{m=k}^{\infty} \frac{(-1)^{m-k}}{(m-k)!} \int_1 \ldots \int_k \Big\langle \quad \Big\rangle_{0\,\mathrm{con}} \int_{k+1} \ldots \int_m \Big\langle \mathcal{T}\, \Omega_{k+1} \ldots \Omega_m \Big\rangle_0 \tag{16.51}$$

erreicht. Nun genügt die Index–Verschiebung $m \to m+k$, um bei der gewünschten Faktorisierung anzukommen: G_n–Zähler $= \langle S \rangle_0 \cdot (\, G_n\text{–Zähler}\,)_{\mathrm{con}}$. Damit verliert (16.21) den störenden Nenner und nimmt eine schlanke Gestalt an:

$$G_n(1, \ldots, n) = \Big\langle \mathcal{T}\, \phi(1) \ldots \phi(n)\, S \Big\rangle_{0\ \mathrm{con}} \ . \tag{16.52}$$

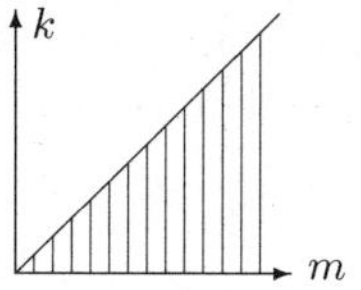

$$\curvearrowright \quad \sum_{m=0}^{\infty} \sum_{k=0}^{m} = \sum_{k=0}^{\infty} \sum_{m=k}^{\infty}$$

Bild 16–2 : Wie man — indem man malt — zwei Summen vertauscht, ohne daß der Summand etwas davon bemerkt.

Regeln

Zum anharmonischen Oszillator haben wir bisher gerechnet und Resultate mit Bildern versehen. Es wäre nicht übel, wenn man stattdessen auch malen dürfte, um sodann jedes Bild in einen mathematischen Ausdruck zu übersetzen. Das zugehörige Regelwerk wird am besten im **Impulsraum** formuliert. „Impuls" heißt $K = (i\omega_n/c, c\vec{k}\,)$, hier aber ohne $\vec{k}$ wegen der null räumlichen Dimensionen. Kurz: Wir sollten die Regeln für Fourier–Koeffizienten $\widetilde{G}(\omega_n)$ formulieren.

Einen ersten Hinweis auf Fourier gab bereits das Faltungsintegral rechts in (16.47). Faltung faktorisiert. Wenigstens äußere Beine sollten zu $\widetilde{G}^0$–Faktoren werden. Mit (16.13) und Abkürzung $\omega_{n_j} =: \omega_j$ wird der genannte G_2–*con*–Beitrag zu

$$\begin{aligned} \widetilde{G}_2^{\,\text{-}\!\bigcirc\!\text{-}}(\omega_n) &= \int_0^{\hbar\beta} d\tau\; \mathrm{e}^{i\omega_n \tau} \left(-12\, G^0(0)\, \frac{\lambda}{\hbar}\right) \int_0^{\hbar\beta} d\tau_1 \\ &\qquad \frac{T}{\hbar} \sum_{n_1} \mathrm{e}^{-i\omega_1(\tau-\tau_1)}\, \widetilde{G}^0(\omega_1)\; \frac{T}{\hbar} \sum_{n_2} \mathrm{e}^{-i\omega_2 \tau_1}\, \widetilde{G}^0(\omega_2) \\ &= 12\, \widetilde{G}^0(\omega_n) \left(-\frac{\lambda}{\hbar}\right) \frac{T}{\hbar} \sum_{n'} \widetilde{G}^0(\omega_{n'})\, \widetilde{G}^0(\omega_n) \ , \end{aligned} \tag{16.53}$$

wobei wir zuletzt auch noch $G^0(0)$ durch seine Fourier–Reihe ausgedrückt haben. Wenn sich die vier an einem Vertex endenden Linien nicht (nicht sofort) schließen, dann wird das τ–Integral dieses Vertex ein Kronecker der vier Frequenzen liefern. Laufen alle vier Linien auf den Vertex zu (haben im G^0–Argument ein $-\tau_j$ stehen), dann wird es ein $\delta_{\omega_1+\omega_2+\omega_3+\omega_4\,,0}$ sein: Impulserhaltung an jedem Vertex. Es ist übrigens praktisch, Impulse Q, P usw. an die Linien zu schreiben und im rechten Moment das Q–te ω_n usw. zu meinen. Ungeduldig, wie wir sind, wagen wir jetzt die Formulierung der folgenden

Graphenregeln für $G_2^{(n)}$

1. Bringe alle topologisch verschiedenen *connected* Diagramme mit n Vertizes und zwei äußeren Beinen zu Papier.
2. Gib jeder Linie eine Richtung. Notiere an den Linien Impulse Q, K, P ... so, daß an jedem Vertex Impulserhaltung gilt.
3. Notiere (zu gegebenem Diagramm) für jede Linie einen Faktor $\widetilde{G}^0$ mit entsprechendem Impuls–Argument und für jeden Vertex einen Faktor $-\frac{\lambda}{\hbar}$. (16.54)
4. Summiere per $\frac{T}{\hbar}\sum_n$ über jeden inneren Impuls.
5. Multipliziere mit dem kombinatorischen Faktor des Diagramms.

Auch zu Punkt 5 gibt es ein Regelwerk (Stichwort Symmetriefaktoren). Um aber die damit verbundenen Gefahren zu vermeiden, kann je auch direkt der kombinatorische Faktor ermittelt werden (notfalls vom Computer). Zu $n = 1$ sind obige Regeln leicht kontrolliert. Nur ein Diagramm, der *tadpole*, läßt sich basteln. Die Richtung der Linien ist ohne Bedeutung, zumal $\widetilde{G}^0(-\omega_n) = \widetilde{G}^0(\omega_n)$ gilt. Aber sie hilft dabei, die Impulserhaltung zu formulieren. Schreiben wir Q und K an die horizontalen rechtsgerichteten Linien und P an den *loop* im Uhrzeigersinn, dann ist $Q - P + P - K = 0$ zu erfüllen $\curvearrowright$ $K = Q$. Regeln 3 bis 5 geben (16.53).

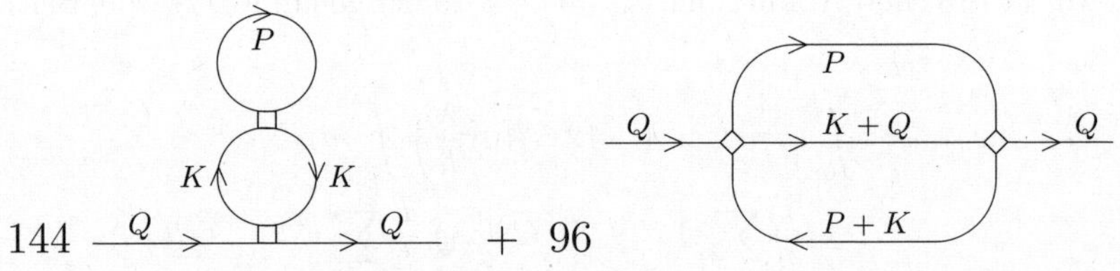

Bild 16–3 : Zwei der drei λ^2–Beiträge zu G_2 und wie in (16.54) die Regel 2 gemeint ist.

Die im Bild 16–3 angegebenen kombinatorischen Faktoren sind leicht erklärt. Links kommt der bereits verstandene Faktor 12 bei jedem Vertex zustande, $12 \cdot 12 = 144$. Rechts findet $x(\tau)$ vier Partner am ersten Vertex und ebenso $x(0)$ vier am zweiten. Eine vom ersten Vertex ausgehende erste Linie findet drei Ecken am zweiten, die zweite zwei, die dritte eine — gibt $4 \cdot 4 \cdot 3! = 96$. Das rechte Diagramm 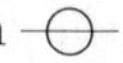 trägt den schönen Namen *setting sun*. Übrigens, wenn die Linien Indizes tragen und die Vertizes Matrizen sind, dann male man Bild 16–3 zehnmal so groß und fülle Vertexdetails in die Kästchen. Mit den Regeln 3 und 4 werden die beiden Diagramme vollends zu konkreten Beiträgen:

$$\widetilde{G}_2^{8}(\omega_n) = 144\,\frac{\lambda^2}{\hbar^2}\,\widetilde{G}^{0\,2}(\omega_n)\,\frac{T}{\hbar}\sum_{\omega_K}\widetilde{G}^{0\,2}(\omega_K)\,\frac{T}{\hbar}\sum_{\omega_P}\widetilde{G}^{0}(\omega_P)\ ,$$

$$\widetilde{G}_2^{\ominus}(\omega_n) = 96\,\frac{\lambda^2}{\hbar^2}\,\widetilde{G}^{0\,2}(\omega_n)\,\frac{T}{\hbar}\sum_{\omega_K}\frac{T}{\hbar}\sum_{\omega_P}\widetilde{G}^{0}(\omega_P)\,\widetilde{G}^{0}(\omega_K{+}\omega_n)\,\widetilde{G}^{0}(\omega_P{+}\omega_K)\,. \quad (16.55)$$

Die Ausdrücke (16.55) lassen sich auch explizit auswerten.[4] Etwas anderes ist jedoch viel interessanter:

Selbstenergie

Das im Bild 16–3 fehlende dritte λ^2–Diagramm  eröffnet die Möglichkeit einer Partialsummation von unendlich vielen Diagrammen. Den Impuls Q der beiden Beine hat auch die innere horizontale Linie. Also faktorisiert das Diagramm gemäß (16.53) in $\widetilde{G}^0\,\left[-12\frac{\lambda}{\hbar}G^0(0)\right]\,\widetilde{G}^0\,\left[-12\frac{\lambda}{\hbar}G^0(0)\right]\,\widetilde{G}^0$. Beim λ^3–Diagramm dieses Typs kommt nur ein weiterer Faktor $(-\Pi\,\widetilde{G}^0)$ hinzu, wobei $\Pi := 12\frac{\lambda}{\hbar}G^0(0)$ ist, und so weiter. Eine geometrische Reihe bildet sich:

$$\begin{aligned}\widetilde{G}_2 &= \widetilde{G}^0 + \widetilde{G}^0\,(-\Pi)\,\widetilde{G}^0 + \widetilde{G}^0\,(-\Pi)\,\widetilde{G}^0\,(-\Pi)\,\widetilde{G}^0 + \ \ldots \\ &= \widetilde{G}^0\,\frac{1}{1+\widetilde{G}^0\,\Pi} = \frac{1}{\widetilde{G}^{0\,-1} + \Pi} \\ &= -\frac{\hbar}{m}\,\frac{1}{(i\omega_n)^2 - \omega_0^2 - \frac{\hbar}{m}\Pi}\ . \end{aligned} \quad (16.56)$$

Π scheint sich also als Korrektur zur Oszillator–Frequenz ω_0 zu entpuppen.

Es kommt noch schöner. Links oben in (16.56) haben wir wohlweislich den *vollen* Propagator G_2 notiert, diagrammatisch übrigens gern als dicke Linie ausgewiesen: *dressed line*. Am Bild 16–4 soll klar werden, weshalb sich alle (alle!) Diagramme der Größe Π zuschlagen lassen. Somit ist (16.56) strukturell exakt. Aber die **Selbstenergie** Π bleibt natürlich weiterhin Gegenstand der Störungsrechnung. Sie hat fortan nur noch mit 1PI–Diagrammen zu tun (*one–particle irreducible*). 1PR–Diagramme (*one–particle reducible*) konnte man noch durch Zerschneiden einer Linie auseinanderfliegen lassen.

---

[4] Die Auswertung eines Diagramms kann Wochen und Monate verschlingen. Am CERN soll einmal das jeweilige QED–Diagramm auf dem T–shirt des Bearbeiters zu sehen gewesen sein.

Der Regel 1 darf eine Ungenauigkeit vorgeworfen werden. Es fehlt der Hinweis, daß die Vertizes als *un*unterscheidbar anzusehen sind. Ob es auch die äußeren Beine sind, ist so lange irrelevant, wie noch keine kombinatorischen Faktoren zugeordnet wurden. Im Bild 16–4 wurde offenbar von *numerierten* Beinen ausgegangen, denn *tadpole* links von *setting sun* und *tadpole* rechts von ihr erscheinen als verschiedene Diagramme. Das ist gut, weil sie so ihre „eigenen" kombinatorischen Faktoren behalten und beim Einzug in das Π–Gehäuse mitnehmen.

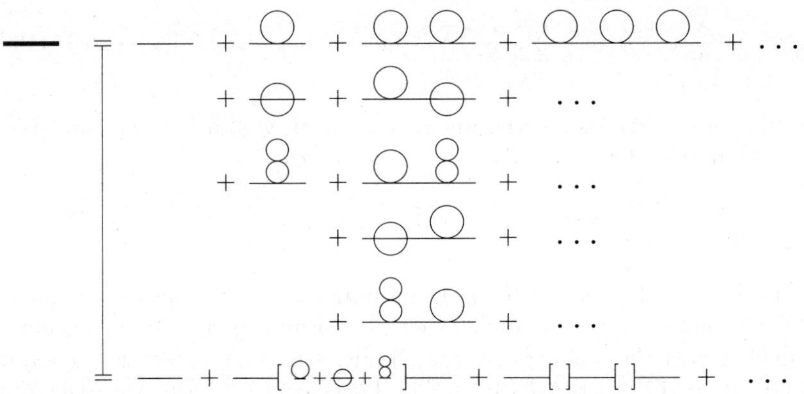

Bild 16–4: Voller Propagator G_2 und wie höhere Diagramme zu Bestandteilen der Selbstenergie werden. Π–Diagramme haben keine Beine mehr, nur noch Lötstutzen.

Die letzte Zeile im Bild 16–4 kann auch als Iteration der **Dyson–Gleichung** verstanden werden:

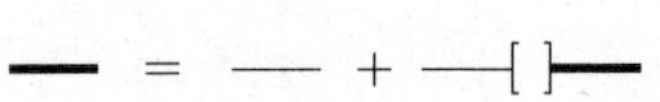

$$, \quad \widetilde{G}_2 = \widetilde{G}^0 + \widetilde{G}^0\,(-\Pi)\,\widetilde{G}_2 \ . \tag{16.57}$$

Entsprechend ist (16.56) deren Lösung. Sobald Indizes im Spiel sind, werden die Dinge etwas weniger trivial. Auch für Π kann eine Integralgleichung aufgestellt werden, etwas enthaltend, was eine weitere Integralgleichung braucht, usw. Aber die Gleichungs–Hierarchie zu lösen, das hat noch keiner vermocht auf dieser Welt.

Sehr bescheiden kehren wir zur tiefsten Ordnung $\sim \lambda$ für Π zurück. Im allgemeinen ist Π eine Funktion von ω_n. Weil speziell $\Pi^{(1)} = 12 G^0(0)\,\lambda/\hbar$ eine Konstante ist, wird zu (16.56) die analytische Fortsetzung sehr einfach:

$$\widetilde{\chi}(\omega) = \frac{1}{m}\,\frac{1}{(\omega + i\varepsilon)^2 - \omega_0^2 - 12\frac{\lambda}{m}G^0(0)} \ . \tag{16.58}$$

Wenn eine *response*–Funktion divergiert, sind Von–alleine–Anregungen zu erwarten. So stand es im Text um (15.67). Wenn wir in (16.58) den Nenner Null setzen, ergibt sich die λ^1–korrigierte Frequenz des Oszillators:

$$\omega = \sqrt{\omega_0^2 + 12\frac{\lambda}{m}G^0(0)} \;= \omega_0 + \frac{6\,\lambda}{m\omega_0}\,G^0(0) = \omega_0 + \frac{3\,\hbar\,\lambda}{m^2\omega_0^2}\,\frac{e^\kappa + 1}{e^\kappa - 1} \ , \tag{16.59}$$

wobei zuletzt $G^0(0)$ aus (16.40) entnommen wurde.

Es wird jetzt sehr spannend, weil sich (16.59) mit Früherem vergleichen läßt und damit ein Test auf die ganze bisherige Green–Bemühung möglich wird, samt aller ihrer β's und $\hbar$'s. Das Variationsverfahren am anharmonischen Oszillator im §13.2 erfaßte zwar nicht–störungstheoretisch quasi alle Potenzen der λx^4–Wechselwirkung. Wenn aber λ klein genug wird und sozusagen nur noch der λ–hoch–Eins–Effekt in Erscheinung treten kann, dann muß das damalige Resultat (13.22) auf (16.59) führen — wenn es denn stimmt. Das damalige ω heißt jetzt ω_0. Wir setzen $\Omega = \omega_0 + \varepsilon$ in (13.22) ein und können im Term $\sim \lambda$ die ε–Zusätze unverzüglich streichen:

$$(\omega_0 + \varepsilon)^2 = \omega_0^2 + \frac{6\,\hbar\,\lambda}{m^2\,\omega_0^2}\,\frac{\mathrm{e}^{\beta\hbar\omega_0}+1}{\mathrm{e}^{\beta\hbar\omega_0}-1} \quad \curvearrowright \quad \varepsilon = \frac{3\,\hbar\,\lambda}{m^2\omega_0^2}\,\frac{\mathrm{e}^{\kappa}+1}{\mathrm{e}^{\kappa}-1}\ . \tag{16.60}$$

Tatsächlich. Es scheint etwas dran zu sein an Matsubara, $\mathcal{T}$–Manipulationen, Diagrammen, analytischem Fortsetzen und alledem.

Beim anharmonischen Oszillator handelte es sich *auch* um die einfachste bosonische Feldtheorie. Per $\lambda\,\phi^4$ wird die reale elektromagnetisch vermittelte Wechselwirkung nur modellhaft verkürzt: 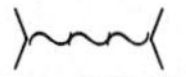 $\rightarrow \times$. Nach Blick auf (16.3) ist $\hbar = m = 1$ zu setzen, und ω_0 wird zur Teilchenmasse m. Durch Selbstenergie erfährt sie Korrekturen, abzulesen aus Polstellen der analytisch fortgesetzen Zwei–Punkt–Funktion. Richtig, *die* Masse eines Teilchens im Welt–Medium gibt es gar nicht. Sie hängt ab von der Temperatur. So ergeht es auch dem Elektron.

16.3 Elektronengas mit Wechselwirkung

Die Behandlung Greenscher Funktionen mit Fermi–Feldern Ψ folgt dem oben erarbeiteten roten Faden. Nach all den bisherigen strukturellen Erkenntnissen darf vielleicht im folgenden Beispiel recht knapp verfahren werden, im Zeitraffer sozusagen.

Um vergleichen zu können, kommen wir — ein letztes Mal — auf die Elektronen im Leitungsband eines Metalls zurück und vernachlässigen (erneut) das gitterperiodische Potential. Mit im Spiel ist aber jetzt die e–e–Wechselwirkung dieser nicht–relativistischen Elektronen. Die Behandlung selbst dieses einfachen Systems ist ein weites Feld. Wir schränken darum die Fragestellung stark ein und konzentrieren uns darauf, wie es wohl eine systematische Störungsrechnung bewerkstelligen mag, die dielektrische Funktion von (15.37) in (15.38) zu überführen. Vermutlich wird sich dabei auch die im Bild 15–2 noch fehlende Plasmafrequenz wieder einfinden. Der zu hoch greifenden (dadurch kurzen) Überschrift dieses Abschnittes sollte also ein „Spezielle Aspekte zum ... “ voranstehen.

Der Hamilton–Operator $H = H_0 + H_{\text{int}}$ steht in (16.2). Das *linked cluster theorem* (16.52) gilt unverändert. Die beiden hier relevanten Greenschen Funktionen sind also

$$G_2(1,2) \;=\; \Big\langle \mathcal{T}\, \Psi(1)\, \Psi^\dagger(2)\, S \Big\rangle_{0\,\text{con}} \quad \text{und}$$

$$G_4(1,2,3,4) \;=\; \Big\langle \mathcal{T}\, \Psi(1)\, \Psi(2)\, \Psi^\dagger(3)\, \Psi^\dagger(4)\, S \Big\rangle_{0\,\text{con}} \;. \tag{16.61}$$

Weil bei Zeit–Variablensatz 2 etwas erzeugt wird und bei 1 wieder verschwindet, hat sich

$$1 \longleftarrow 2 \quad , \text{ d.h.} \qquad G_2(\text{ Ende , Anfang }) \;, \tag{16.62}$$

als Pfeilrichtung eingebürgert. Die $b^\dagger\, b$–Version von H_0 steht in (15.52). Also ist $K_0 = \sum_{\vec{k},s} (\varepsilon_k - \mu)\, b^\dagger_{k\,s} b_{k\,s}$, und wir können ((15.53) folgend) die in G_n enthaltenen Wechselwirkungsbild–Felder explizit machen:

$$\Psi(1) = \tfrac{1}{\sqrt{V}} \sum_k \mathrm{e}^{i\vec{k}\,\vec{r}_1 - \tau_1 \frac{\varepsilon_k - \mu}{\hbar}}\, b_{k\sigma_1} \;\; , \quad \Psi^\dagger(2) = \tfrac{1}{\sqrt{V}} \sum_p \mathrm{e}^{-i\vec{p}\,\vec{r}_2 + \tau_2 \frac{\varepsilon_p - \mu}{\hbar}}\, b^\dagger_{p\sigma_2} \;. \tag{16.63}$$

Wir denken uns zu (16.61) einige der S–Exponenten herunter entwickelt. Wegen $\langle \Psi\,\Psi \rangle_0 = 0$ kann das Wicksche Theorem nur Paare aus Ψ und $\Psi^\dagger$ bilden. Bei einer Variablen aus $H_{\text{int}}(\tau)$, beispielsweise 2 , können sich nur eine einlaufende und eine auslaufende G^0–Linie anbinden. Zwei G^0's behalten also ihre Richtung bei, wenn sie in einem Diagramm an einem V vorbeilaufen. $V(\vec{r}_1 - \vec{r}_2) =: V(1,2)$ hat zwei Enden, 1 ∼∼∼ 2 , und an jedem Ende müssen zwei G^0–Linien vorbeilaufen: ⟩∼∼∼⟨ . Damit sind die Graphenregeln im Ortsraum bereits hinreichend plausibel: Male alle *connected* Diagramme mit n Wellen und zwei bzw. vier äußeren Beinen, ordne jeder Welle ein $-\frac{1}{\hbar} V(1,2)$ und jeder Linie ein G^0 zu, integriere per $\int d^3r$, $\sum_\sigma$, $\int_0^{\hbar\beta} d\tau$ über alle inneren Variablen. Fertig? *Nicht* ganz fertig. Es gibt nämlich eine fermionische Besonderheit. Die

loop–Regel

besagt, daß jedem Kreis aus G^0–Linien ein zusätzlicher Faktor (-1) zuzuordnen ist. Irgendeine G^0–Linie mitten in einem Diagramm muß sich ja an beiden Enden an die nächste G^0–Linie anschließen, bis entweder äußere Beine die Erlösung bringen oder in den eigenen Schwanz gebissen wird. Der einfachste Schwanz–Biß möge zeigen, wie es dabei zugeht:

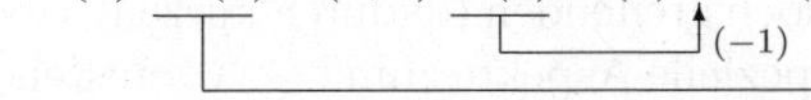

:

$$\underline{\Psi^\dagger(1)\, \Psi^\dagger(2)}\, V(1,2)\, \underline{\Psi(2)}\, \Psi(1) \quad \Psi^\dagger(3)\, \Psi^\dagger(4)\, V(3,4)\, \Psi(4)\, \Psi(3) \tag{16.64}$$

(−1)

(+1)

Einmal, beim Bilden eines Fermion–*loops*, muß ein Ψ an einer ungeraden Anzahl seiner Kameraden vorbei.

Sicherlich wird der nackte Propagator $G^0(1,2)$, das Steckelement des Baukastens, bald benötigt werden. Er kann nur von $\tau_1 - \tau_2 =: \tau$ und $\vec{r}_1 - \vec{r}_2 =: \vec{r}$ abhängen, und zu $\tau > 0$ entfällt $\mathcal{T}$:

$$\begin{aligned} G^0_{\sigma_1\sigma_2}(\vec{r},\tau) &\;\mathop{=}\; \left\langle \Psi_{\sigma_1}(\vec{r},\tau)\Psi_{\sigma_2}(\vec{0},0)\right\rangle_0 = \frac{1}{V}\sum_k\sum_p \mathrm{e}^{i\vec{k}\vec{r}-\tau\frac{\varepsilon_k-\mu}{\hbar}}\left\langle b_{k\sigma_1}\, b^\dagger_{p\sigma_2}\right\rangle_0 \\ &= \delta_{\sigma_1,\sigma_2}\frac{1}{V}\sum_k \mathrm{e}^{i\vec{k}\vec{r}-\tau\frac{\varepsilon_k-\mu}{\hbar}}\left[1-f^0(\varepsilon_k)\right] \quad , \qquad (16.65) \\ G^0_{\sigma_1\sigma_2}(\vec{q},\tau) &= \int d^3r\, \mathrm{e}^{-i\vec{q}\vec{r}} G_{\sigma_1\sigma_2}(\vec{r},\tau) = \delta_{\sigma_1,\sigma_2}\, \mathrm{e}^{-\tau\frac{\varepsilon_k-\mu}{\hbar}}\left[1-f^0(\varepsilon_q)\right] \quad , \qquad (16.66) \\ \widetilde{G}^0_{\sigma_1\sigma_2}(\vec{q},\omega_n) &= \int_0^{\hbar\beta} d\tau\, \mathrm{e}^{i\omega_n\tau}\, G^0_{\sigma_1\sigma_2}(\vec{q},\tau) \quad , \quad \mathrm{e}^{i\omega_n\hbar\beta} = -1 \quad (\,!\,) \\ &= \delta_{\sigma_1,\sigma_2}\left[1-f^0(\varepsilon_q)\right]\frac{-\,\mathrm{e}^{-\beta(\varepsilon_q-\mu)}-1}{i\omega_n - \frac{\varepsilon_q-\mu}{\hbar}} = \frac{-\,\delta_{\sigma_1,\sigma_2}}{i\omega_n - \frac{\varepsilon_q-\mu}{\hbar}} \quad . \qquad (16.67) \end{aligned}$$

In (16.65) hat (16.63) geholfen, und in (16.67) haben wir uns erinnert, daß es sich bei ω_n jetzt um die ungeraden Fermi–Frequenzen handelt.

Impulserhaltung am Vertex

Ein Vertex ist der Punkt, an dem sich mehr als zwei Linien treffen. Mit seiner Wellenlinie $V(1,2)$ enthält jedes $H_{\mathrm{int}}(\tau)$ zwei Vertizes, einen bei 1 und einen bei 2. Der S–Exponent gibt jedoch nur eine τ–Integration her: Alle vier Ψ's bekamen beim Gang ins Wechselwirkungsbild die gleiche Zeitmarke. Diese Ungereimtheit ist leicht durch Einbau einer Deltafunktion kuriert:

$$\begin{aligned} \int_0^{\hbar\beta} d\tau\; H_{\mathrm{int}}(\tau) &= \frac{1}{2}\sum_{\sigma_1}\int d^3r_1 \int_0^{\hbar\beta} d\tau_1 \sum_{\sigma_2}\int d^3r_2\int_0^{\hbar\beta} d\tau_2 \\ &\quad \Psi^\dagger(1)\,\Psi^\dagger(2)\; V(\vec{r}_1-\vec{r}_2)\;\delta(\tau_1-\tau_2)\;\Psi(2)\,\Psi(1) \quad . \qquad (16.68) \end{aligned}$$

Jeder Vertex hat damit seine eigene Dreifach–Summation.

In (16.68) wird die typisch nicht–relativistische Ignoranz sichtbar, wonach etwas, was von 1 nach 2 unterwegs ist, keine Zeit benötige. Der alte Newton konnte es schwerlich ahnen, als er mit „actio = reactio" seinen größten Fehler machte. Was also bei [*Fetter/Walecka*] und hier in (16.68) nur wie ein nützlicher Trick aussieht, ist somit — wenigstens strukturell — ein Schritt in Richtung Wahrheit.

Dabei, wie Trick (16.68) zur Impulserhaltung führt, soll Bild 16–5 helfen. Lustigerweise ist auch das Potential an gerichteten Wellenlinien als V(Ende, Anfang) einzutragen:

$$V(2,1)\,\delta(\tau_2-\tau_1) = \frac{1}{V}\sum_q \frac{T}{\hbar}\sum_{\omega_Q}^{\text{Bose}} \mathrm{e}^{i\vec{q}(\vec{r}_2-\vec{r}_1)-i\omega_Q(\tau_2-\tau_1)}\,\widetilde{V}(\vec{q}) \ , \tag{16.69}$$

wobei die bosonische Frequenzsumme (mal $T/\hbar$) die Deltafunktion darstellt (Nebenprodukt bei Behandlung der Fourier–Reihen, s. z.B. $[PB, \S\,12.1]$).

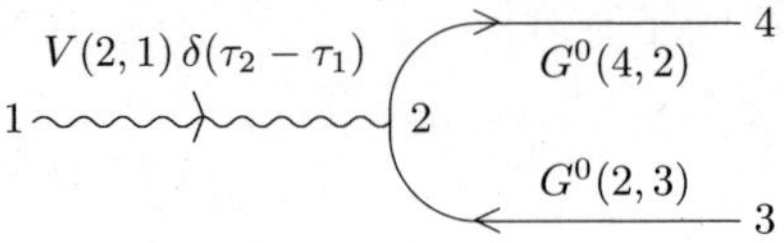

Bild 16–5: Dreiervertex. Wie V und G^0's gerichteten Linien zuzuordnen sind. Ort–Zeit–Integration am Vertex 2 wird Impulserhaltung $P = K + Q$ geben.

Die Integrationen über d^3r_2 und $d\tau_2$ interessieren sich nur für die entsprechenden e–Funktionen aus V und G^0 (oberes G^0 bei P, unteres bei K) und geben

$$\int d^3r_2 \int_0^{\hbar\beta} d\tau_2 \ \mathrm{e}^{i\vec{q}\,\vec{r}_2-i\omega_Q\tau_2}\ \mathrm{e}^{-i\vec{p}\,\vec{r}_2+i\omega_P\tau_2}\ \mathrm{e}^{i\vec{k}\,\vec{r}_2-i\omega_K\tau_2} = $$
$$= V\,\delta_{\vec{q}-\vec{p}+\vec{k}\,,\,\vec{0}}\ \hbar\beta\ \delta_{-\omega_Q+\omega_P-\omega_K\,,\,0}\ . \tag{16.70}$$

Die Differenz zweier Fermi–Frequenzen ist bosonisch und ω_Q ebenfalls. Die Vorfaktoren V und $\hbar\beta$ kürzen sich mit denen der $\vec{p}$– und ω_P–Summe, welche mit Hilfe der Kroneckers ausführbar wird. Damit ist das Wichtigste beieinander zum Ertragen der folgenden

Graphenregeln für $G_2^{(n)}$ und $G_4^{(n)}$

1. Bringe alle topologisch verschiedenen *connected* Diagramme mit $2\,n$ Vertizes und zwei bzw. vier äußeren Fermi–Beinen zu Papier (*connected* := ohne Wolken, nicht notw. äuß. Beine verbindend).
2. Gib jeder Linie eine Richtung (G^0–Linien Richtung haltend). Notiere an den Linien Impulse Q, K, P ... so, daß an jedem Vertex Impulserhaltung gilt.
3. Notiere (zu gegebenem Diagramm) für jede Fermion–Linie einen Faktor $\widetilde{G}^0$ und für jede Welle ein $-\frac{1}{\hbar}\widetilde{V}$ je mit entsprechendem Impuls–Argument. (16.71)
4. Summiere per $\frac{1}{V}\sum_k \frac{T}{\hbar}\sum_n$ über jeden inneren Impuls sowie mit $\sum_\sigma$ an jedem Vertex.
5. Füge für jeden Fermion–*loop* einen Faktor (-1) hinzu.
6. Verziere Bildungen der Form $\sum_{\omega_K}\frac{1}{i\omega_K-\dots}$ mit einem konvergenzerzeugenden Faktor $\mathrm{e}^{\varepsilon i\omega_K}$, $\varepsilon=+0$.

Nein, diesmal sind keine kombinatorischen Faktoren im Spiel. Der Faktor 1/2 in (16.68) kürzt sich stets gegen die zwei Möglichkeiten, per Wick an ein H_{int} anzukoppeln. Regel 6 wird im folgenden nicht benötigt. Wie empfindlich die dort genannte Summe vom ε–Vorzeichen abhängt, wird Übung 16/5 zeigen.

$\widetilde{R}(\vec{q},\omega)$ mit Coulomb–Wechselwirkung

Wie angekündigt, soll der Einfluß der e–e–Wechselwirkung auf die *response*–Funktion

$$R(\vec{r},t) = -\frac{i}{\hbar}\,\theta(t)\,\mathrm{e}^{-\varepsilon t}\left\langle\,\left[\hat{n}^K(\vec{r},t)\,,\,\hat{n}(\vec{0})\right]\,\right\rangle \tag{16.72}$$

studiert werden, vermittelnd zwischen Potential als Ursache und Dichte als Antwort. In (16.72) ist $\hat{n}(\vec{r}) = \sum_\sigma \Psi^\dagger_\sigma(\vec{r})\,\Psi_\sigma(\vec{r})$. Gegenüber (15.54) haben wir sofort Differenzargumente gebildet. Entscheidender Unterschied ist, daß das System jetzt den vollen Hamilton–Operator (16.2) hat. Das großkanonische Mittel und die Zeitabhängigkeit von $\hat{n}$ sind also mit dem vollen $K = H - \mu N$ zu bilden.

Nach aller Erfahrung aus (16.31) ff. und § 15.5 vertrauen wir darauf, daß es sich bei

$$G(\vec{r},\tau) \;=\; \left\langle\,\mathcal{T}\,\hat{n}^K(\vec{r},\tau)\,\hat{n}(\vec{0})\,\right\rangle \tag{16.73}$$

um die Hilfsfunktion handelt, welche zum einen via Spektralfunktion und $i\omega_n \to \omega + i\varepsilon$ auf $\widetilde{R}(\vec{q},\omega)$ führt und die zum anderen aus der 4–Punkt–Funktion G_4 zu gewinnen ist. Weil $\hat{n}$ Bose–Feld ist, sind die ω_n hierbei Bose–Frequenzen. Der G–G_4–Zusammenhang ist leicht gefunden. Sei $\tau > 0$, so daß zunächst $\mathcal{T}$ nichts bewirkt:

$$\begin{aligned}
G(\vec{r},\tau) &= \sum_{\sigma,\sigma'}\left\langle\,\mathcal{T}\,\Psi^{\dagger K}_\sigma(\vec{r},\tau)\,\Psi^K_\sigma(\vec{r},\tau)\,\Psi^\dagger_{\sigma'}(\vec{0})\,\Psi_{\sigma'}(\vec{0})\,\right\rangle\\
&= -\sum_{\sigma,\sigma'}\left\langle\,\mathcal{T}\,\Psi^K_\sigma(\vec{r},\tau)\,\Psi^K_{\sigma'}(\vec{0},0)\,\Psi^{\dagger K}_\sigma(\vec{r},\tau+0)\,\Psi^{\dagger K}_{\sigma'}(\vec{0},+0)\,\right\rangle\\
&= -\sum_{\sigma,\sigma'} G_4\Big(\,\vec{r},\sigma,\tau\;;\;\vec{0},\sigma',0\;;\;\vec{r},\sigma,\tau+0\;;\;\vec{0},\sigma',+0\Big)\;.
\end{aligned} \tag{16.74}$$

Die letzten drei Gleichungen wurden nur aufgeschrieben, um für gründliche Gemüter den Einstieg vorzuzeigen. Für die folgende Näherung bietet sich nämlich eine elegante Abkürzung an. Die Frage, wie (15.37) zu (15.38) werden könne, muß mit der geometrischen Reihe zu tun haben. Diese wiederum wird die bekannte nullte Näherung (Lindhard–Funktion) mit e–e–Effekt versehen:

$$\widetilde{R}(\vec{q},\omega) \;=\; \frac{\text{Lindhard–Funktion} \;=:\; \widetilde{R}^0(\vec{q},\omega)}{1 \;-\; \mathcal{O}(\,\text{Wechselwirkung}\,)} \tag{16.75}$$

Wenn geometrisch, dann so. Jetzt suchen wir nach Diagrammen, deren Beiträge zu G_4 faktorisieren, und finden nur solche mit zerschneidbarer Wellenlinie. Wenn 1PI, dann so. Wie das Beispiel

(16.76)

zeigt, bekommen hierbei die Wellenlinien eine Selbstenergie. Wenn wir uns nun mit der tiefsten Ordnung dieser Selbstenergie begnügen, so entfallen die inneren Wellen in (16.76). Genau das in Bild 16–6 gezeigte Element — nennen wir es $\mathcal{E}(\omega_n)$ — gehört dann nach analytischer Fortsetzung an die Stelle „$\mathcal{O}($ Wechselwirkung $)$" im (16.75)–Nenner.

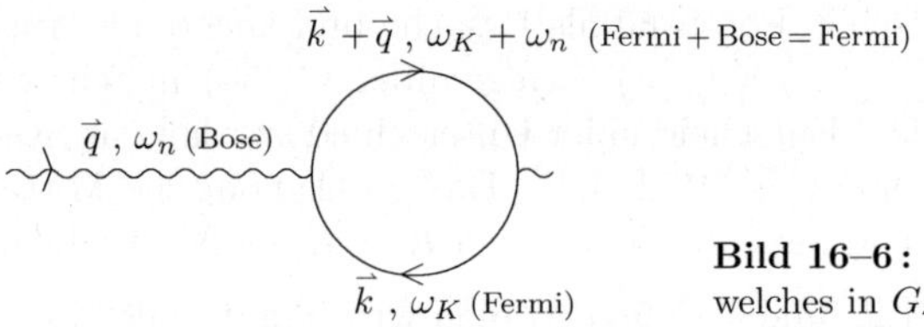

Bild 16–6 : Diagrammatisches Element $\mathcal{E}$, welches in G_4 eine geometrische Reihe bildet.

Die Näherung, in welcher nach den genannten Vereinfachungen nur noch $\mathcal{E}(\omega_n)$ auszurechnen bleibt, läuft übrigens unter der Bezeichnung **RPA** (für *random phase approximation*). Anhand von Bild 16–6 treten die Regeln (16.71) in Aktion und geben

$$\begin{aligned}\mathcal{E}(\omega_n) &= (-1)\left[-\frac{1}{\hbar}\widetilde{V}(\vec{q})\right]\frac{1}{V}\sum_k\frac{T}{\hbar}\sum_{\sigma_1,\sigma_2}\frac{-\,\delta_{\sigma_1,\sigma_2}}{i\omega_K-\frac{\varepsilon_k-\mu}{\hbar}}\,\frac{-\,\delta_{\sigma_1,\sigma_2}}{i\omega_K+i\omega_n-\frac{\varepsilon_{k+q}-\mu}{\hbar}}\\ &= \frac{2}{\hbar V}\,\widetilde{V}(\vec{q})\sum_k \mathcal{F} \qquad \text{mit}\end{aligned} \tag{16.77}$$

$$\begin{aligned}\mathcal{F} &= \frac{T}{\hbar}\sum_{\omega_K}\frac{1}{i\omega_K-\frac{\varepsilon_k-\mu}{\hbar}}\,\frac{1}{i\omega_K+i\omega_n-\frac{\varepsilon_{k+q}-\mu}{\hbar}}\\ &= \hbar\,\frac{f^0(\varepsilon_k)-f^0(\varepsilon_{k+q})}{i\hbar\omega_n+\varepsilon_k-\varepsilon_{k+q}}\ .\end{aligned} \tag{16.78}$$

In der letzten Zeile haben wir das Resultat der Frequenz–Summation kurzerhand vorweggenommen. Es wirkt unglaublich vertraut, nicht wahr.

Sobald $\mathcal{F}$ unter die $\vec{k}$–Summe (16.77) gelangt, wird die Substitution $\vec{k}\to-\vec{k}-\vec{q}$ möglich. Analytische Fortsetzung $i\omega_n\to\omega+i\varepsilon$ überführt nun $\mathcal{E}$ in $\widetilde{V}$–mal die Lindhard–Funktion (15.50). Auch im Nenner von (16.75) taucht sie also auf. Das RPA–Resultat ist

$$\widetilde{R}(\vec{q},\omega) = \frac{\widetilde{R}^0(\vec{q},\omega)}{1-\widetilde{V}(\vec{q})\,\widetilde{R}^0(\vec{q},\omega)}\ . \tag{16.79}$$

Mit $\widetilde{V}(\vec{q})$ ist natürlich das Fourier–transformierte Coulomb–Potential $e^2/(\varepsilon_0\, q^2)$ gemeint. Nimmt man sich nun (15.37) zur Hand und ersetzt das dortige $\widetilde{R}$ durch die RPA–Version (16.79), so kommt wie durch ein Wunder tatsächlich (15.38) heraus. Ziel erreicht.

Schließlich gehen wir der Vermutung nach, Bild 15–2 möchte sich modifizieren und eine Linie $\omega_{\text{plasma}}(q)$ hinzu bekommen. Dazu ist $\mathsf{A}(q,\omega) = -\frac{1}{\pi}\Im m\,(16.79)$ zu bilden. Wir schreiben $\widetilde{R}^0 =: R - iI$, weil dann I laut Übung 15/5 bei $\omega > 0$ positiv ist, und erhalten

$$\mathsf{A}(q,\omega) = -\frac{1}{\pi}\Im m\left(\frac{R - iI}{1-\widetilde{V}R + i\widetilde{V}I}\right) = \frac{1}{\pi}\,\frac{I}{(1-\widetilde{V}R)^2 + (\widetilde{V}I)^2}\ . \tag{16.80}$$

Außerhalb des schraffierten Bereiches in Bild 15–2 hatte sich $I = 0$ in Übung 15/5 ergeben — aber nur, weil dort brutal bei $T = 0$ gerechnet worden war (was es bekanntlich gar nicht gibt). Bei nicht ganz Null–Temperatur weichen die Stufenfunktionen ein wenig auf, so daß I positiv–klein wird. Rechts in (16.80) sehen wir nun eine Darstellung der Deltafunktion stehen mit Spitze bei $1 - \widetilde{V}R = 0$, und dies war die Gleichung (15.68) zur Bestimmung der Plasmafrequenz. Die Ränder der Schraffur im Bild 15–2 bleiben übrigens richtig: (16.80) verändert nur die Werte von A im Inneren.

Fermionische Frequenzsummen

Wie man Summen mittels Konturintegration auswertet, dafür bietet (16.78) ein schönes Beispiel. In einer komplexen Ω–Ebene liegen die Stellen $\Omega = i\omega_K = (2n+1)\pi T/\hbar$ auf der imaginären Achse. Wir suchen eine Funktion $f(\Omega)$, welche an genau diesen Stellen Pole hat, weil sich dann die Summe als Integral darstellen lassen wird.

Suchen heißt spielen. $f(\Omega)$ braucht etwas mit äquidistanten Nullstellen im Nenner. Nach einer Weile hat man die Puzzleteile $\sin(\pi x)$ (Nullstellen bei ganzzahligen x) und $\cos(\pi x) + 1$ (quadratisch Null bei ungeradzahligen x) auf dem Papier. Die Kombination $\cos(\pi x) + \alpha \sin(\pi x) + 1$ wird also Null nur bei $x = 2n+1$. α ist wählbar. Bei $\alpha = -i$ wird die Kombination zu $\mathrm{e}^{-i\pi x} + 1$. Um auf eine imaginäre y–Achse zu gelangen, setzen wir $x = iy$ und schließlich $\pi y = \beta\hbar\Omega$. Fertig: $f(\Omega) = -\beta\hbar\,(\mathrm{e}^{\beta\hbar\Omega} + 1)^{-1}$. Der Vorfaktor sorgt für Poldurchgang wie $1/\varepsilon$, wenn $\Omega = i\omega_K + \varepsilon$. Ist $F(\Omega)$ eine auf der imaginären Achse harmlose Funktion — wir denken dabei an den Summanden in (16.78) — dann gibt ein $i\omega_K$–umrundendes Integral

$$\frac{1}{2\pi i}\oint_{i\omega_K} d\Omega\; F(\Omega)\,\frac{-\beta\hbar}{\mathrm{e}^{\beta\hbar\Omega}+1} = F(i\omega_K)\ . \tag{16.81}$$

Natürlich kann man auch im Uhrzeigersinn umrunden und zugleich das Minuszeichen weglassen. Aus der Summe solcher Uhrzeiger–Integrale ist im Bild 16–7 der aus $\cup$ und $\cap$ bestehende Weg $\mathcal{C}$ geworden. Die Frequenzsumme $\mathcal{F}$ in der ersten Zeile von (16.78) bekommt damit die Gestalt

$$\mathcal{F} = \frac{T}{\hbar}\sum_{\omega_K} F(i\omega_K) = \frac{1}{2\pi i}\int_{\mathcal{C}} d\Omega\; F(\Omega)\,\frac{1}{e^{\beta\hbar\Omega}+1} \quad \text{mit} \tag{16.82}$$

$$F(\Omega) = \frac{1}{\Omega - a}\,\frac{1}{\Omega + i\omega_n - a_+}\;,\; a := \frac{\varepsilon_k - \mu}{\hbar}\;,\; a_+ := \frac{\varepsilon_{k+q}-\mu}{\hbar}\;. \tag{16.83}$$

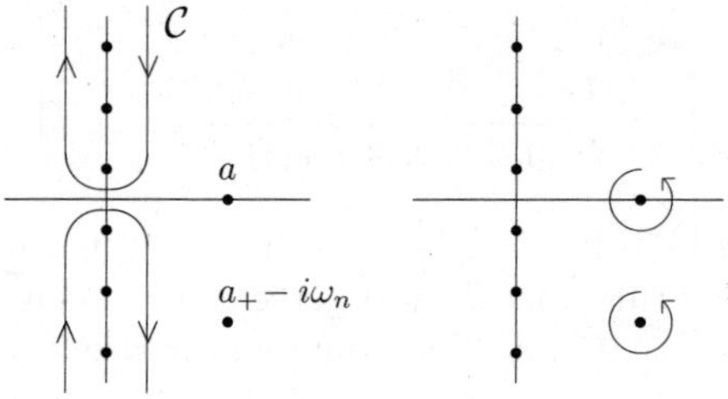

Bild 16–7 : Zur Summe (16.82). Weg $\mathcal{C}$ und wie er sich um die $F(\Omega)$–Pole (16.83) schließt.

Der nächste Schritt ist nicht ohne Gefahr. Die Kurve $\mathcal{C}$ ist nämlich um zwei riesige Halbkreise zu ergänzen — einer rechts, einer links — welche keinen Beitrag geben sollen (ggf. wäre ein solcher Beitrag zu subtrahieren). Der rechte Halbkreis ist wegen der Fermi–Funktion in (16.82) ungefährlich. Beim linken Halbkreis rettet $F(\Omega) \to \Omega^{-2}$, so daß der Beitrag mit 1/ Radius verschwindet.

Erst jetzt kann der inzwischen geschlossene Integrationsweg zu den zwei kleinen mathematisch–positiven Umrundungen rechts im Bild 16–7 zusammen schnurren. Für (16.82) mit (16.83) ergibt sich

$$\mathcal{F} = \frac{1}{a + i\omega_n - a_+}\,\frac{1}{e^{\beta\hbar a}+1} + \frac{1}{a_+ - i\omega_n - a}\,\frac{1}{e^{\beta\hbar a_+}+1}\;, \tag{16.84}$$

und dies erweist sich nach Auflösen der Abkürzungen a, a_+ als das Wunschresultat (16.78). Man mußte nur Geduld haben.

Übung 16/5 Die beiden Fermi–Frequenzsummen $\frac{T}{\hbar}\sum_{\omega_K}\frac{e^{\varepsilon i\omega_K}\text{ bzw. } e^{-\varepsilon i\omega_K}}{i\omega_K - a}$ ($\varepsilon = +0$, a wie in (16.83)) sollen per Konturintegration ausgewertet werden. Inwiefern hielten sich die Resultate bereits in (16.66) und (16.67) verborgen?

Lösung $\frac{1}{2\pi i}\int_{\mathcal{C}} d\Omega\, \frac{e^{\varepsilon\Omega}}{\Omega - a}\,\frac{1}{e^{\beta\Omega}+1}$ erlaubt den linken großen Halbkreis und Schließen wie im Bild 16–7, Resultat $f^0(\varepsilon_k)$. Im zweiten Falle wechseln wir zuerst das ω_K–Vorzeichen: $-\frac{1}{2\pi i}\int_{\mathcal{C}} d\Omega\,\frac{e^{\varepsilon\Omega}}{\Omega+a}\,\frac{1}{e^{\beta\Omega}+1}$, Pol bei $-a$, Resultat $f^0(\varepsilon_k) - 1$.
Spin ignorierend wird (16.66) bei $\tau \to +0$ zu $1 - f^0 = G^0(+0) = \frac{T}{\hbar}\sum_{\omega_K} e^{-\varepsilon i\omega_K}\frac{-1}{i\omega_K - a}$. Aber wegen $G^0(-0) = -G^0(\hbar\beta - 0) = -e^{-\hbar\beta a}(1 - f^0) = -f^0$ führt die (16.67)–Umkehrung auf $-f^0 = G^0(-0) = \frac{T}{\hbar}\sum_{\omega_K} e^{\varepsilon i\omega_K}\frac{-1}{i\omega_K - a}$.

16.4 Erzeugendes Funktional

Wie heutzutage die Störungstheorie über Funktionalintegrale formuliert werden kann, das läßt an Eleganz nichts zu wünschen übrig. Ihr diese Krone noch aufzusetzen, wird gar nicht schlimm. Zum einen ist der „erste Schritt" zum erzeugenden Funktional im § 16.1 schon getan, und zum anderen werden sich die Abschnitte 13.3 und 13.4 nützlich machen können.

Die funktionale Formulierung wird bei Störungsrechnungen in der Feldtheorie fast nur noch benutzt. Darum und um beim formalen Gang der Dinge ein konkretes System vor Augen zu haben (und uns der Oszillator arg abgegriffen scheint), wagen wir uns hier an die relativistische QFT, deren Lagrange–Dichte rechts oben in (16.3) notiert ist. Meist wird kurz von der ϕ^4–Theorie gesprochen. Eine gute Antwort auf die Frage, weshalb denn mit dieser Lagrange–Dichte $\mathcal{L}$

Neutrale Bose–Teilchen mit Masse m

relativistisch behandelt werden, besteht sicherlich darin, daß wir $\mathcal{L}$ herleiten — aus zwei plausiblen Forderungen. Der ungestörte Hamilton–Operator H_0 sollte die Gestalt

$$H_0 = \sum_k \sqrt{m^2c^4 + (\hbar k)^2 c^2}\; a_k^\dagger\, a_k \qquad =: \sum_k \varepsilon_k\, a_k^\dagger\, a_k \tag{16.85}$$

haben. Die Indizes sind bitte wieder mit Vektorpfeil zu denken. Wir werden kanonisch arbeiten und mit einem PBC–Volumen V. Der Feldoperator sollte dem der Photonen sehr ähnlich sein. Wir blicken auf (8.15), lassen dort die Einheitsvektoren und den Polarisationsindex fort und ersetzen die Photonenenergie $\hbar ck$ durch die Energiewurzel ε_k :

$$\phi(\vec{r}) = \sum_k \sqrt{\frac{\hbar^2}{\varepsilon_0 V 2\varepsilon_k}}\left(\mathrm{e}^{i\vec{k}\,\vec{r}} a_k + \mathrm{e}^{-i\vec{k}\,\vec{r}} a_k^\dagger\right) . \tag{16.86}$$

Geben wir $\phi(\vec{r})$ mittels (16.85) seine H_0–Zeitabhängigkeit, $\mathrm{e}^{iH_0t/\hbar}\phi(\vec{r})\mathrm{e}^{-iH_0t/\hbar} =: \phi(x)$, so entsteht

$$\phi(x) = \sum_k \sqrt{\frac{\hbar^2}{\varepsilon_0 V 2\varepsilon_k}}\left(\mathrm{e}^{-iKx} a_k + \mathrm{e}^{iKx} a_k^\dagger\right) \quad \text{mit} \quad Kx = \frac{\varepsilon_k}{\hbar} t - \vec{k}\,\vec{r} \ . \tag{16.87}$$

Die Lagrange–Dichte $\mathcal{L}$ soll (zweite Forderung) aus der Hamilton–Dichte $\mathcal{H}$ folgen. $\mathcal{H}$ wollen wir aus (16.85) ablesen, nachdem dort die $a^\dagger$ und a durch $\phi(x)$ und $\Pi(x)$ ausgedrückt sind. Der Impulsdichte–Operator $\Pi(x)$ fehlt noch.

$\phi(x)$ ist ein hermitescher Operator, oder besser: es sind viele, denn $\vec{r}$ ist in der QFT nur ein Index. Was beim 1D Oszillator die x–Achse, ist hier an jedem

Raumpunkt die ϕ–Achse. Zum Operator $\phi(\vec{r})$ gibt es (an der gleichen Stelle) auch einen Impulsoperator $\Pi(x)$. Analog zu $[\,x\,,\,p\,]\;=\;-\;[\,\frac{\hbar}{i}\partial_x\,,\,x\,]\;=\;i\hbar$ in 1D lauten in der QFT die **kanonischen Quantisierungsregeln**:

$$\left[\,\phi(\vec{r})\,,\,\Pi(\vec{r}\,')\,\right] \;=\; i\,\hbar\,\delta(\vec{r}-\vec{r}\,') \quad , \quad \left[\,\phi(\vec{r})\,,\,\phi(\vec{r}\,')\,\right] = 0$$
$$\text{und} \quad \left[\,\Pi(\vec{r})\,,\,\Pi(\vec{r}\,')\,\right] = 0 \;. \tag{16.88}$$

Sollen x, x' die Argumente von ϕ und Π sein, so sind die Kommutatoren in (16.88) bei $t' = t$ zu nehmen: *equal time.* (16.88) läßt auf

$$\Pi(x) = -i\sum_k \sqrt{\frac{\varepsilon_0\,\varepsilon_k}{2\,V}}\,\left(\mathrm{e}^{-iKx}a_k - \mathrm{e}^{iKx}a_k{}^{\dagger}\right) \tag{16.89}$$

schließen. Die beiden Gleichungen (16.86), (16.89) erlauben Auflösung nach $a_k^{\dagger}$ und a_k — Details in Übung 16/6 — und überführen (16.85) in

$$H_0 = \int d^3r\;\mathcal{H}_0 \quad \text{mit} \quad \mathcal{H}_0 = \frac{1}{2\varepsilon_0}\Pi^2 - \frac{\varepsilon_0 c^2}{2}\,\phi\Delta\phi + \frac{\varepsilon_0}{2}\,\frac{m^2c^4}{\hbar^2}\phi^2 \;. \tag{16.90}$$

Auch ein wenig Neugier war im Spiel, wohin sich wohl ε_0, c und $\hbar$ begeben werden. Daß ε_0 im ersten $\mathcal{H}$–Term die Stelle der Masse einnimmt, kommt aus § 8.1 bekannt vor. Aus $\mathcal{H}_0$ wird $\mathcal{H}$ durch Addieren des Potentialterms $\lambda\phi^4$ in (16.90). Für die Legendre–Transformation $\mathcal{H} \to \mathcal{L}$ wird bekanntlich die Hamiltonsche Bewegungsgleichung $\dot{\phi} = \partial_\Pi \mathcal{H} = \Pi/\varepsilon_0$ benötigt:

$$\begin{aligned}\mathcal{L} \;&=\; \left[\,\dot{\phi}\,\Pi - \mathcal{H}\,\right]_{\text{eliminiere }\Pi\text{ mittels }\dot{\phi}=\partial_\Pi\mathcal{H}_0} \\ &=\; \frac{\varepsilon_0}{2}\dot{\phi}^2 + \frac{\varepsilon_0 c^2}{2}\,\phi\Delta\phi - \frac{\varepsilon_0}{2}\,\frac{m^2c^4}{\hbar^2}\phi^2 - \lambda\phi^4 \;=:\; T \,-\, V \;.\end{aligned} \tag{16.91}$$

In $L = \int d^3r\;\mathcal{L}$ kann partiell integriert werden. $\mathcal{L} = \frac{1}{2}\left(\partial_\mu\phi\right)\partial^\mu\phi - \frac{1}{2}m^2\phi^2 - \lambda\phi^4$ ist also tatsächlich herausgekommen, in (16.91) lediglich verziert mit Parametern, die üblicherweise Eins gesetzt werden. In Erstaunen versetzt jenes $\hbar^2$ im Massenterm: Einbau von Masse bedarf offenbar der Quantentheorie.

Übung 16/6 Erfüllen $\phi(x)$ und $\Pi(x')$ aus (16.87), (16.89) bei *equal time* wirklich den Kommutator links in (16.88)? Wie sieht ihre Auflösung nach $a^{\dagger}$, a aus und wie ergibt sich damit die Hamilton–Dichte $\mathcal{H}_0$?

Lösung $\sum_k \sqrt{\frac{\hbar^2}{\varepsilon_o V 2\varepsilon_k}}\;\; i\sum_q \sqrt{\frac{\varepsilon_0\varepsilon_q}{2V}}\;\;\left[\,\mathrm{e}^{-iKx}a_k + \mathrm{e}^{iKx}a_k^{\dagger}\,,\; -\mathrm{e}^{-iQx'}a_q + \mathrm{e}^{iQx'}a_q^{\dagger}\,\right]_{t'=t} = \frac{i\hbar}{2V}\sum_k\left(\mathrm{e}^{i\vec{k}(\vec{r}-\vec{r}\,')} + \mathrm{e}^{-i\vec{k}(\vec{r}-\vec{r}\,')}\right) = i\hbar\,\delta(\vec{r}-\vec{r}\,')\,.$ $\frac{i\hbar}{\sqrt{2\varepsilon_0\varepsilon_q V}}\,\mathrm{e}^{i\varepsilon_q t/\hbar}\int_V d^3r\,\mathrm{e}^{-i\vec{q}\,\vec{r}}\left(\Pi(x) - i\frac{\varepsilon_0\varepsilon_q}{\hbar}\phi(x)\,\right) = \ldots = a_q\,.$ $H_0 = \sum_q \frac{1}{2\varepsilon_0 V}\int d^3r\int d^3r'\,\mathrm{e}^{-i\vec{q}(\vec{r}-\vec{r}\,')}(\Pi(x) + i\frac{\varepsilon_0\varepsilon_q}{\hbar}\phi(x)\,)\,(\Pi(x') - i\frac{\varepsilon_0\varepsilon_q}{\hbar}\phi(x)\,)_{t'=t}$, Mischterme kompensieren, an der e–Funktion ist ε_q^2 durch $m^2c^4 - \hbar^2c^2\Delta$ ersetzbar, und nun $\sum_q e^{\cdots} = V\delta(\vec{r}-\vec{r}\,')$.

Der zweite Schritt

Der vorige Unterabschnitt war nur eine Einstimmung. Jetzt kommen wir zur Sache. Der erste Schritt endete mit (16.28). Bei den Feldern, dort noch allgemeinen, soll es sich im folgenden um gleiche skalare Bose–Felder handeln. Das Mittel sei kanonisch: H statt K. Das System enthalte nur thermisch angeregte Teilchen. Und wir bleiben strikt auf der Matsubara–Kontur:

$$W[j] = \frac{1}{Z}\,\mathrm{Sp}\Big(\mathrm{e}^{-\beta H}\,\mathcal{T}\,\mathrm{e}^{\int^{\hbar\beta} dx\, j(x)\,\phi^H(x)}\Big)\ . \tag{16.92}$$

Hierbei war $\int^{\hbar\beta} dx$ die Abkürzung für das Vierfachintegral $\int^{\hbar\beta} d\tau \int d^3r$. Gegenüber (13.34) haben wir hier eine e–Funktion mehr unter der Spur stehen. Dort begann das Theater damit, für die Spurbildung Eigenfunktionen des Ortsoperators x zu verwenden. x entspricht $\phi(\vec{r})$, und es gibt jetzt ∞ viele ϕ's, eines an jeder Stelle $\vec{r}$ des diskretisierten Raumes. Wegen $\big[\phi(\vec{r})\,,\,\phi(\vec{r}\,')\big] = 0$ in (16.88) bilden die $\phi(\vec{r})$ ein vollständiges System vertauschbarer hermitescher Operatoren. Es existiert also ein simultanes Eigenfunktionen–System. Ist $\phi(\vec{r})|a(\vec{r})\rangle = a(\vec{r})|a(\vec{r})\rangle$ die Eigenwertgleichung für ein bestimmtes $\phi(\vec{r})$, so ist das simultane Eigenfunktionen–System ein Produkt aus allen $|a(\vec{r})\rangle$'s. Ein ϕ, angewandt auf dieses Produkt, findet seinen Eigenzustand heraus:

$$\phi(\vec{r})\,|\,\{a\}\rangle = a(\vec{r})\,|\,\{a\}\rangle\ . \tag{16.93}$$

Mit $\{a\}$ ist eine Konfiguration von a–Werten über den Raumpunkten gemeint: ein $\vec{r}$–abhänges reelles c–Zahlen–Feld. Mit der Basis $|\,\{a\}\rangle$ des Hilbert–Raumes bilden wir die Spur in (16.92). An jedem Punkt eines diskretisierten Raumes ein Integral von $-\infty$ bis $+\infty$ — das ist ein Funktionalintegral, diesmal über den 3D Raum erstreckt:

$$W[j] = \int \mathcal{D}_r a\ \ \langle\{a\}\,|\,\mathrm{e}^{-\beta H}\,\mathcal{T}\,\mathrm{e}^{\int^{\hbar\beta} dx\, j(x)\,\phi^H(x)}\,|\,\{a\}\rangle\ . \tag{16.94}$$

Auch der Vorfaktor $1/Z$ wurde hier kurzerhand im Integrationsmaß absorbiert: normiert wird später.

Um zu lernen, wie mit dem e–hoch–Integral–Faktor umzugehen ist, sehen wir uns Reihenterme an. Im j^1–Term $\sim \int^{\hbar\beta} dx\ \mathcal{T}\, j(x)\,\phi^H(x)$ hat $\mathcal{T}$ noch nichts zu tun. Der j^2–Term ist bereits sehr instruktiv, aber vielleicht nicht restlos überzeugend. Wir sehen uns den j^3–Anteil von W an,

$$\begin{aligned} W^{j^3} &= \frac{(-1)^3}{3!}\int^{\hbar\beta} dx_1\, dx_2\, dx_3\ j(x_1)\,j(x_2)\,j(x_3)\ \int \mathcal{D}_r a\ \ M \qquad \text{mit} \\ M &= \langle\{a\}\,|\,\mathrm{e}^{-\beta H}\ \mathcal{T}\,\phi^H(x_1)\,\phi^H(x_2)\,\phi^H(x_3)\,|\,\{a\}\rangle \\ &= \theta_{123}M_{123} + \theta_{132}M_{132} + \theta_{213}M_{213} + \ldots + \theta_{321}M_{321}\ , \end{aligned} \tag{16.95}$$

wobei $\theta_{jk\ell} := \theta(\tau_j - \tau_k)\,\theta(\tau_k - \tau_\ell)$ bedeutet. Bei der dreifachen τ–Integration waren also sechs Bereiche zu unterscheiden, damit $\mathcal{T}$ jeweils weiß, was es zu tun hat. Ist z.B. $\tau_2 > \tau_1 > \tau_3$, so ist nur der θ_{213}–Term von Null verschieden und enthält

$$M_{213} = \langle\{a\}\,|\,\mathrm{e}^{-\beta H}\,\phi^H(x_2)\,\phi^H(x_1)\,\phi^H(x_3)\,|\,\{a\}\rangle$$
$$= \langle\{a\}\,|\,\mathrm{e}^{-\frac{H}{\hbar}(\hbar\beta-\tau_2)}\phi(\vec r_2)\,\mathrm{e}^{-\frac{H}{\hbar}(\tau_2-\tau_1)}\phi(\vec r_1)\,\mathrm{e}^{-\frac{H}{\hbar}(\tau_1-\tau_3)}\phi(\vec r_3)\,\mathrm{e}^{-\frac{H}{\hbar}\tau_3}\,|\,\{a\}\rangle\ . \qquad (16.96)$$

Unmittelbar rechts von jedem der drei ϕ–Operatoren ziehen wir nun Eins–Operatoren ein, natürlich solche des Hilbert–Raumes, d.h. als r–Funktionalintegrale:

$$M_{213} = \int \mathcal{D}_r b\ \mathcal{D}_r c\ \mathcal{D}_r d\ \ a(x_2)\,a(x_1)\,a(x_3)\ \langle\{a\}\,|\,\mathrm{e}^{-\frac{H}{\hbar}(\hbar\beta-\tau_2)}\,|\,\{b\}\rangle$$
$$\cdot\langle\{b\}\,|\,\mathrm{e}^{-\frac{H}{\hbar}(\tau_2-\tau_1)}\,|\,\{c\}\rangle\ \langle\{c\}\,|\,\mathrm{e}^{-\frac{H}{\hbar}(\tau_1-\tau_3)}\,|\,\{d\}\rangle\ \langle\{d\}\,|\,\mathrm{e}^{-\frac{H}{\hbar}\tau_3}\,|\,\{a\}\rangle\ . \qquad (16.97)$$

Statt des erwarteten $a(\vec r_2)$ wurde hier der Eigenwert von $\phi(\vec r_2)$ mit $a(x_2) = a(\tau_2, \vec r)$ bezeichnet. Dazu erinnern wir uns, wie im § 13.3 die a–Eigenwerte ihre τ–Abhängigkeit bekamen. Ihr Index j wurde zur Variablen. Weil die drei a's in (16.97) genau an den Stellen τ_2 bzw. τ_1 bzw. τ_3 der τ–Achse entstanden sind, haben wir ihnen vorab ihre Zeitmarke zugeordnet.

In (16.97) stehen Matrixelemente von Zeitentwicklungs–Operatoren, und solche hatten wir im § 13.4 studiert: Resultat (13.51). Aus dem dortigen $\int\mathcal{D}_\tau a$ wird jetzt ein Stück aus einem vierdimensionalen Raum: ganzer 3D Raum und das entsprechende Stück der diskretisierten τ–Achse, wie beispielsweise (τ_3, τ_1):

$$\langle\{c\}\,|\,\mathrm{e}^{-\frac{H}{\hbar}(\tau_1-\tau_3)}\,|\,\{d\}\rangle = \int \mathcal{D}_x a\ \ \mathrm{e}^{\frac{1}{\hbar}\int_{\tau_3}^{\tau_1} d\tau \int d^3r\ \mathcal{L}(\dot a, a)\,|_{t=-i\tau}}\ . \qquad (16.98)$$

Diese Bereiche des 4D Raumes, welche durch Hyperebenen senkrecht zur τ–Achse begrenzt sind, passen nun in (16.97) nahtlos aneinander. Jeweils zwischen zwei Matrixelementen paßt eine der voranstehenden drei $\mathcal{D}_r$–Integrationen hinein. Der gesamte 4D Bereich zwischen $\tau = 0$ und $\tau = \hbar\beta$ wird also erfaßt:

$$M_{213} = \int' \mathcal{D}_x a\ \ a(x_2)\,a(x_1)\,a(x_3)\ \ \mathrm{e}^{\frac{1}{\hbar}\int_0^{\hbar\beta} d\tau \int d^3r\ \mathcal{L}(\dot a, a)\,|_{t=-i\tau}}\ . \qquad (16.99)$$

Der Strich am Integral soll daran erinnern, daß genaugenommen eine Integration fehlt, jene an der Stelle $\tau = \hbar\beta$. Es ist ersichtlich egal, in welcher Reihenfolge die c–Zahlen $a(x_2)\,a(x_1)\,a(x_3)$ notiert wurden. Das $\mathcal{D}_x$–Integral erfaßt sie im richtigen Moment.

Hätten wir M_{123} durchexerziert, wäre ebenfalls (16.99) entstanden. Zwischen den verschieden indizierten M's besteht kein Unterschied. So aber alle $M_{jk\ell}$ gleich sind, bildet sich in (16.95) eine Eins: $\theta_{123} + \theta_{132} + \theta_{213} + \ldots + \theta_{321} = 1$. Also ist $M_{jk\ell} = M$. Zu jedem $j(x)$ in der ersten Zeile von (16.95) gibt es ein x–Integral und ein $a(x)$ aus M in (16.99). Im vollen W werden sich diese Teile zu einer e–Funktion $\exp\left(\int^{\hbar\beta} dx\, j(x)\, a(x)\right)$ vereinen.

Wir blicken weiterhin auf (16.96). Nach der genannten Aufsummation aller j–Potenzen von W sind zwei Funktionalintegrale stehengeblieben, nämlich $\int \mathcal{D}_r$ aus (16.96) und $\int' \mathcal{D}_x$ aus M, gefolgt nur noch von zwei e–Funktionen. An den Stellen $\tau = 0$ und $\tau = \hbar\beta$ sitzt laut (16.97) die gleiche Integrationsvariable. Die τ–Achse muß zum Kreis geschlossen werden. Und nun füllt $\int \mathcal{D}_r$ die mit Strich angedeutete Lücke im $\mathcal{D}_x$–Integral. $\int \mathcal{D}_r$ entfällt, wenn man den Strich wegläßt.

Mit der Ambition, Operatoren ϕ von Eigenwerten a möglichst deutlich zu unterscheiden, waren wir stark von der Notation abgewichen, die in der Literatur üblich ist. Dort findet man „ϕ" anstelle von a. Gleichung 100 möge wieder im handelsüblichen Gewand erscheinen. Die ϕ's sind nun jedoch c–Zahl–Felder, mitunter „klassische" genannt. Das Resultat der W–Umformungen lautet somit

$$W[j] = \int \mathcal{D}_x\phi \; \mathrm{e}^{\int^{\hbar\beta} dx \left(\frac{1}{\hbar}\mathcal{L}(\dot{\phi}, \phi) \,+\, j\,\phi \right)_{t=-i\tau}} . \tag{16.100}$$

Das erzeugende Funktional der unendlich vielen Greenschen Funktionen ist damit direkt auf die Lagrange–Dichte der zu behandelnden Theorie zurückgeführt.

Mit (16.100) ist der Gipfelpunkt erreicht. Weil er von einer Wolke umhüllt ist, laufen wir noch ein paar Schritte auf ihm herum. Weil $W[j]$ in diesem Abschnitt nur umgeformt wurde, hat sich nichts daran geändert, daß die Greenschen Funktionen G_n über funktionale Ableitungen aus $W[j]$ zu erhalten sind. (16.27) gilt und lautet inzwischen

$$G_n = \delta_{j(x_1)} \ldots \delta_{j(x_n)} \int \mathcal{D}_x\phi \; \mathrm{e}^{\frac{1}{\hbar}\int^{\hbar\beta} dx\, \mathcal{L}_{\mathrm{int}}(\phi)} \cdot \mathrm{e}^{\int^{\hbar\beta} dx \left(\frac{1}{\hbar}\mathcal{L}_0(\dot{\phi},\phi) + j\phi\right)} \Big|_{j=0} . \tag{16.101}$$

Weil die beiden Anteile von $\mathcal{L} = \mathcal{L}_0 + \mathcal{L}_{\mathrm{int}}$ keine Operatoren mehr enthalten, durften sie hier auf zwei e–Funktionen verteilt werden. Eine Funktionalableitung $\delta_{j(x_\ell)}$ wandert bis an die zweite e–Funktion und reproduziert sie mit einem Vorfaktor $\phi(x_\ell)$. Die Ersetzung von $\delta_{j(x_\ell)}$ (vor $\int \mathcal{D}_x$) durch $\phi(x_\ell)$ (unter $\int \mathcal{D}_x$) ist natürlich auch in umgekehrter Richtung möglich: ϕ unter $\to$ δ_j vor. Jetzt wird es hübsch. Der die Wechselwirkung enthaltende Faktor, die erste e–Funktion, läßt sich vor das Funktionalintegral ziehen:

$$G_n = \delta_{j(x_1)} \ldots \delta_{j(x_n)} \mathrm{e}^{\frac{1}{\hbar}\int^{\hbar\beta} dx\, \mathcal{L}_{\mathrm{int}}(\delta_{j(x)})}\, W_0[j] \Big|_{j=0}$$

$$\text{mit} \quad W_0[j] = \int \mathcal{D}_x\phi \; \mathrm{e}^{\int^{\hbar\beta} dx \left(\frac{1}{\hbar}\mathcal{L}_0(\dot{\phi},\phi) + j\,\phi\right)} . \tag{16.102}$$

Keine Operatoren mehr, kein Wick–Theorem mehr, keine Zeitordnung mehr, die Maschinerie (16.102) führt auf die Graphenregeln direkt — und das verbliebene Funktionalintegral $W_0[j]$ läßt sich auswerten. Weil $\mathcal{L}_0$ die Felder nur noch quadratisch enthält, diagonalisiert sich der Exponent in $W_0[j]$ unter Fourier–Transformation. Unter Verschiebungen im Funktionalintegral kann er sogar additiv in einen $\widetilde{\jmath}$-$\widetilde{\jmath}$- und einen $\widetilde{\phi}$-$\widetilde{\phi}$–Anteil zerlegt werden. Das Funktionalintegral über e–hoch–letzterer ist bezüglich $\widetilde{\jmath}$ eine Konstante.

Die Normierung, bis hierher ständig auf später verschoben, gestaltet sich ganz einfach. Die ursprüngliche W–Gestalt (16.28) war vom Typ $\langle$ e–hoch–j $\rangle$ und zeigt, daß $W[j=0]=1$ ist. Also ist ein unnormiertes $W[j]$ — egal, ob (16.100) oder besser erst seine Fourier–transformierte Version — schlicht mit einem Faktor $1/W[0]$ zu versehen. Im Normierungsfaktor verstecken sich noch alle beinlosen Diagramme. Aber wir wissen ja aus § 16.2 , daß sie sich kürzen.

Übung 16/7 ϕ^4–Theorie.

(a) Welche Gestalt nimmt der Exponent in $W_0[j]$ unter Fourier–Transformation der Felder an? ($\sum_{\omega_K} \sum_k =: \sum_K$)

(b) Wie zerfällt er unter $\widetilde{\phi}$–Verschiebungen in $\widetilde{\jmath}$– und $\widetilde{\phi}$–Anteile?

(c) Wie hängt $\delta_{j(x)}$ mit $\partial_{\widetilde{\jmath}(K)}$ zusammen?

(d) Welche Greensche Funktion $\widetilde{G}_2^0(K)$ ergibt sich in nullter Ordnung?

Lösung

(a) $\phi(x) = \frac{T}{\hbar V} \sum_K \mathrm{e}^{-iKx} \widetilde{\phi}(K)$ mit $K = (i\omega_K/c, \vec{k}\,)$ und $x = (-ic\tau, \vec{r}\,)$, $\mathcal{L}_0$ aus (16.91), $W_0^{\text{Exponent}} = \int^{\hbar\beta} dx \, \big(\frac{\varepsilon_0}{2\hbar} \phi \, \partial_\tau^2 \phi + \frac{\varepsilon_0 c^2}{2\hbar} \phi \Delta \phi - \frac{\varepsilon_0 m^2 c^4}{2\hbar^3} \phi^2 + j\,\phi \big)$, $\int^{\hbar\beta} dx \, \mathrm{e}^{-i(K+Q)x} = \hbar\beta V \delta_{\omega_Q,-\omega_K} \delta_{\vec{q},-\vec{k}}$, … , $\curvearrowright$ $W_0^{\text{Exponent}} = \frac{T}{\hbar V} \sum_K \Big\{ \frac{1}{2} \widetilde{\phi}(K) \frac{1}{\Delta(K)} \widetilde{\phi}(-K) + \widetilde{\jmath}(K) \widetilde{\phi}(-K) \Big\}$ mit $\Delta(K) = \frac{\hbar}{\varepsilon_0} \frac{1}{c^2K^2 - m^2c^4/\hbar^2}$.

(b) $\Delta(-K) = \Delta(K)$. Unter $\widetilde{\phi}(K) \to \widetilde{\phi}(K) - \widetilde{\jmath}(K)\,\Delta(K)$ geht obige $\{\dots\}$ in $\{ -\frac{1}{2} \widetilde{\jmath}(K) \Delta(K) \widetilde{\jmath}(-K) + \frac{1}{2} \widetilde{\phi}(K)\, \Delta^{-1}(K) \widetilde{\phi}(-K) \}$ über. Damit führt Normierung auf $W_0[j] = \exp\big(-\frac{T}{\hbar V} \sum_K \frac{1}{2} \widetilde{\jmath}(K)\, \Delta(K)\, \widetilde{\jmath}(-K) \big)$.

(c) $\delta_{j(x)} \int^{\hbar\beta} dy \; \mathrm{e}^{iKy} j(y) = \int^{\hbar\beta} dy \; \delta(x-y) = \mathrm{e}^{iKx} = \sum_Q \mathrm{e}^{iQx} \, \partial_{\widetilde{\jmath}(Q)} \widetilde{\jmath}(K)$ $\curvearrowright$ $\delta_{j(x)} = \sum_Q \mathrm{e}^{iQx} \, \partial_{\widetilde{\jmath}(Q)}$ als Operator–Identität.

(d) $G_2^0 = \sum_Q \sum_P \mathrm{e}^{iQx_1} \, \mathrm{e}^{iPx_2} \, \partial_{\widetilde{\jmath}(Q)} \partial_{\widetilde{\jmath}(P)} W_0 \big|_{j=0} = -\frac{T}{\hbar V} \sum_Q \Delta(Q) \, \mathrm{e}^{iQ(x_1 - x_2)}$ $\curvearrowright$ $\widetilde{G}_2^0(K) = -\Delta(K) = -\frac{\hbar}{\varepsilon_0} \frac{1}{(i\omega_K)^2 - \varepsilon_k^2/\hbar^2}$ mit $\varepsilon_k = \sqrt{m^2c^4 + (\hbar k)^2 c^2}$, bestens passend ($\varepsilon_0 \to m$) zur Oszillator–Greensfunktion (16.41).

Auch Fermion–Felder lassen sich der Struktur (16.102) zuführen (Grassmann–Integration). Eichfreiheit läßt sich funktionalisch elegant behandeln (Faddeev–Popov–Determinante). Aber die Mühe, Diagramme auszuwerten (zu regularisieren und zu renormieren), die bleibt uns erhalten. Alle strukturellen Details dieses Kapitels überleben natürlich den Limes zur Feldtheorie bei $T = 0$. Den schon genannten QFT–Lehrbüchern [*Itzykson/Zuber*] und [*Peskin/S.*] sollte vielleicht noch Ryder „Quantum Field Theory“ (Cambridge University Press 1996) angefügt werden.

Von vornherein, schon bei den ersten Gedanken zu diesem Kapitel, waren zwei Dinge klar. Zum einen darf die Störungsrechnung in einem Teil III über Näherungsverfahren nicht fehlen, und sie muß den oberen „vierten Quadranten“ im Diagramm des Vorwortes wenigstens ansatzweise bestücken. Und zum anderen dürfte es schwer werden, ein Ende zu finden. Nach den beiden Glanzlichtern (16.100) und (16.102) fällt das Aufhören ein wenig leichter.

— — —

Von einem „Studienbuch“ war im Vorwort die Rede und dabei an den Stoffumfang eines Semesters gedacht. Nach Streichen von allerlei „Rohbau“ und einigen Abschweifungen mag dies wohl ungefähr zutreffen. Ist Statistik schwer? Wer das hier gebotene Material lückenlos verarbeitet hat und die Übungs–Lösungen stets vedeckt hielt, der verdient unsere volle Hochachtung. Statistische Physik ist nicht unbedingt „schwer“, aber doch recht anstrengend. Im Laufe der Zeit ändern sich dann die Dinge, sie harmonisieren sich. Was in Ihrem ersten Semester so alles zu begreifen war, erschien Ihnen im vierten reichlich harmlos, nicht wahr — wie Fahrradfahren oder Schwimmen, wenn man es erst noch nicht und schließlich doch kann. Auch im größeren Rahmen geht es so zu, etwa wenn man bedenkt, wie unglaublich viel Arbeit erst zu unserem heutigen Verstehen der Welt geführt hat — wo sie doch eigentlich recht überschaubar ist. Wir Menschenwesen begreifen nur ein wenig schwer. Die Welt ist einfach.

Literatur

Die am linken Rand stehenden Schlagwörter erscheinen auf den rechts angegebenen Seiten. Nur einmalig zitierte Literatur wurde in den laufenden Text einbezogen.

[*Abramovitz/S.*]	Abramovitz, M., Stegun, I. A.: Pocketbook of Mathematical Functions (H. Deutsch, Thun, Frankfurt/M. 1984)	54, 229
[*Ashcroft/M.*]	Ashcroft, N. W., Mermin, N. D.: Festkörperphysik 1. Auflage (Oldenbourg, München 2001)	112, 115
[*Brenig*]	Brenig, W.: Statistische Theorie der Wärme 4. Auflage (Springer, Heidelberg 1996)	7, 57, 158 207, 274
[*Callen*]	Callen, H. B.: Thermodynamics and an Introduction to Thermostatistics (John Wiley, New York 1985)	181, 182
[*Doniach/S.*]	Doniach, S., Sondheimer, E. H.: Green's Functions for Solid State Physics (Imperial College Press, London 1998)	284, 286, 288 288
[*Fetter/Walecka*]	Fetter, A. L., Walecka, J. D.: Quantum Theory of Many–Particle Systems (Dover Publications, New York 2003)	239, 293, 300 302, 313
[*Feynman*]	Feynman, R. P.: Statistical Mechanics, A Set of Lectures, 2. Auflage (Perseus Books Group, New York 1998)	240, 244, 246 250
[*Greiner*]	Greiner, W., Neise, L., Stöcker, H.: Theoretische Physik, Bd. 9: Thermodynamik und Statistische Mechanik 2. Auflage (H. Deutsch, Thun, Frankfurt/M. 1993)	57, 156, 178 218, 231

[Harrison]	Harrison, W. A.: Solid State Theory (Dover Publications, New York 1980)	280, 286
[Huang]	Huang, K.: Statistical Mechanics 2. Auflage (John Wiley, New York 1988)	177, 189,
[Itzykson/Zuber]	Itzykson, C., Zuber, J.–B.: Quantum Field Theory (McGraw-Hill, Singapore 1985)	131, 131, 325
[Kapusta]	Kapusta, J. I.: Finite–temperature field theory (Cambridge University Press, Cambridge 1994)	119, 159
[Kittel/Krömer]	Kittel, Ch., Krömer, H.: Thermodynamik, 5. Auflage (Oldenbourg, München 2001)	21 25, 31, 55, 105, 114, 156, 158, 190
[Landau]	Landau, L. D., Lifschitz, J. M.: Lehrbuch der theoretischen Physik (H. Deutsch, Thun, Frankfurt/M.)	
	Bd. 3: Quantenmechanik, 9. Auflage (1986)	14, 57, 97
	Bd. 5: Statistische Physik, Teil 1, 8. Auflage (1991)	28, 149, 151 170
	Bd. 9: Statistische Physik, Teil 2, 4. Auflage (1992)	157
[Messiah]	Messiah, Z.: Quantenmechanik Bd. 1 und 2 (de Gruyter, Berlin 1991)	14, 19
[Nolting 5/1]	Nolting, W.: Grundkurs Theoretische Physik Bd. 5/1: Quantenmechanik – Grundlagen (Springer, Berlin, Heidelberg 2003)	14, 15
[Nolting 6]	Nolting, W.: Grundkurs Theoretische Physik Bd. 6: Statistische Physik (Springer, Berlin, Heidelberg 2002)	57, 205

[*Peskin/S.*]	Peskin, M. E., Schroeder, D. V.: An Introduction to Quantum Field Theory (Westview Press, Boulder 1995)	164, 325
[*Rollnik*]	Rollnik, H.: Quantentheorie, Bd. 1 2. Auflage (Springer, Berlin 2003)	14, 15
[*Schiff*]	Schiff, L. I.: Quantum Mechanics, 3. Auflage (McGraw–Hill, Auckland 1968)	12, 57
[*PB*]	Schulz, H.: Physik mit Bleistift 5. Auflage (H. Deutsch, Frankfurt/M. 2004)	2, 11, 14, 55, 70, 102, 124 136, 275, 314
[*Schwabl*]	Schwabl, F.: Statistische Mechanik 2. Auflage (Springer, Berlin 2004)	57, 106, 155, 156, 169, 178 192, 205
[*Schwabl QM*]	Schwabl, F.: Quantenmechanik (QM I) 6. Auflage (Springer, Berlin 2002)	14, 96
[*Sexl*]	Sexl, R., Sexl, H.: Weiße Zwerge – Schwarze Löcher 2. Auflage (Springer, Berlin 1999)	121, 123
[*Weinberg*]	Weinberg, S.: Die ersten drei Minuten (Piper, München 1997)	132, 143
[*Ziman*]	Ziman, J. M.: Prinzipien der Festkörpertheorie unv. Nachdruck der 2. Auflage 1992 (1999) (H. Deutsch, Thun, Frankfurt/M.)	253, 264

Index

Besondere Zeichen

$:=$	definiert linke Seite
$=:$	definiert rechte Seite
$\sim$	proportional zu
$\hookleftarrow\!\!\!\rightarrow$	genau dann, wenn
$\curvearrowright$	daraus folgt, daß
$\equiv$	identisch gleich
$\widehat{=}$	entspricht
$*$	konjugiert komplex
#	Anzahl
$\forall$	für alle
const_a	konstant gegenüber Änderung von a
Dgl	Differentialgleichung
oBdA	ohne Beschränkung der Allgemeinheit
qed	quod erat demonstrandum
QFT	Quantenfeldtheorie

Hermann Schulz
Physik mit Bleistift
Das analytische Handwerkszeug der Naturwissenschaftler

5. Auflage 2004, 388 Seiten, ca. 130 Abbildungen, 78 Aufgaben, 2 Klausuren mit Lösungen, kartoniert
ISBN 3-8171-1725-6

Physik mit Bleistift ist eine ungewöhnlich lebendige Einführung in das mathematische Rüstzeug, das sich jeder Studierende naturwissenschaftlicher Ausrichtung aneignen muß. Mit Analogien und Bezügen zum Alltag gelingt es hier, sonst trockenen Stoff in echtes Verstehen von Natur umzusetzen. Vorkenntnisse aus der Schule werden kompakt aufbereitet. Die behandelten Rechenmethoden werden dabei als notwendige Grundlage der Physik angesehen. Durch Unterscheiden zwischen grundlegenden und herleitbaren Zusammenhängen, durch Anschauung und durch den Mut zum eigenen Nachdenken wird ihre mathematische Struktur transparent. Zahlreiche Anwendungsbeispiele und Übungsaufgaben runden das Lehrbuch ab und machen es zum idealen Begleiter durch die ersten Semester.

Themen:

Vektoren • Kinematik • Newton • Tensoren • Funktionen • Integrale • Lösen von Bewegungsgleichungen • Felder • Integralsätze • Diffusion und Wellen • Maxwell • Fourier-Transformation • Variationsrechnung • Wahrscheinlichkeiten • Spezielle Relativitätstheorie • Quantentheorie • Übungsaufgaben und Klausuren